LES MYSTÈRES DU LOUVRE

Octave Féré

Copyright pour le texte et la couverture © 2023 Culturea
Edition : Culturea (culurea.fr), 34 Hérault
Contact : infos@culturea.fr
Impression : BOD, Norderstedt (Allemagne)
ISBN :9791041833900
Date de publication : juillet 2023
Mise en page et maquettage : https://reedsy.com/
Cet ouvrage a été composé avec la police Bauer Bodoni
Tous droits réservés pour tous pays.

PREMIÈRE PARTIE

I
LE SPECTRE NOIR

Une année qui avait commencé d'une manière fatale, cette année 1525! La reine Claudine était morte, le duc d'Alençon l'avait suivie de près; nous avions perdu la bataille de Pavie, et François Ier était prisonnier de Charles-Quint.

Tout s'en ressentait dans le royaume et dans les affaires, mais la cour, plus que personne, demeurait abattue sous ce dernier revers.

Adieu les splendeurs de Blois, les fêtes de Fontainebleau! La régente, Louise de Savoie, duchesse d'Angoulême, mère du roi absent, avait délaissé ces résidences, où semblait retentir encore les échos des joies de la veille, pour venir s'installer au Louvre, sombre séjour, conforme à de telles afflictions.

On sait, en effet, qu'en dépit des efforts des derniers règnes pour rendre ce palais habitable, ce n'était toujours qu'une citadelle massive, hérissée de bastions, entourée de fossés à l'eau croupissante, et dont l'aspect maussade n'était pas racheté à l'intérieur par la beauté de ses appartements. Là où manquent l'air et la lumière, la gaieté fait défaut.

La grosse tour de Philippe-Auguste, plantée comme une sentinelle au milieu de l'enceinte, dont elle dominait de sa couronne crénelée toutes les autres constructions, jetait son ombre lugubre au sein des chambres les plus fastueusement décorées, au fond des retraits les mieux parés d'or et de grandes tapisseries.

La régente, que l'on désignait habituellement sous le titre de madame la duchesse, fidèle aux lois de l'étiquette, n'en tenait pas moins régulièrement sa cour chaque matin dans la pièce d'apparat, nommée salle Neuve de la reine.

C'était un des locaux les plus élégants et les mieux parés du palais.

L'ornementation des croisées à ogives courait en rinceaux élégants jusqu'aux arêtes de la voûte. Celle-ci, peinte de vif azur et d'étoiles d'argent, offrait une ressemblance visible avec un coin du ciel. Une natte épaisse garantissait les pieds contre la froidure des dalles en mosaïques qui carrelaient le sol. Les murailles disparaissaient sous les tentures et les dressoirs. Au fond, dans l'endroit le plus honorable, comme un autel au haut bout d'une basilique, un baldaquin massif à rideaux cramoisis abritait un trône élevé de plusieurs marches.

En avant, des sièges plus modestes, disposés en fer à cheval, s'offraient aux personnages admis aux réceptions royales et ayant le privilège de s'asseoir devant les princes.

Le jour où nous pénétrons dans ce sanctuaire, il s'en fallait beaucoup que tous les sièges fussent occupés.

La régente n'avait guère autour d'elle que ses dames d'honneur, un ou deux dignitaires de sa maison, quelques officiers supérieurs de l'armée de Lautrec: tous amenés là par l'étiquette, par l'intrigue, par le besoin de se montrer au pouvoir pour ne pas être oubliés de lui dans la distribution des faveurs.

Pour préciser les noms les plus illustres, on y voyait Thomas de Maussion, le secrétaire particulier du roi; Cossé-Brissac, le plus beau cavalier de la cour; le savant Pierre Donez, lecteur de François Ier, futur évêque de Lavaur; Robertde Lenoncourt, chapelain de la cour; maître Cagny, premier aumônier du roi; messire Loys Chantereau, grand pénitencier.

Parmi les femmes, quelques-unes des dames d'honneur de la feue reine Claudine, mesdames de Mailly, de Bussy, de Montbreton, Françoise de Foy; puis encore, mesdames de Brézé, d'Aubertot, Anne de Lautrec, attachées à la personne de la régente; Hélène de Tournon, amie intime de Marguerite de Valois, qui l'a immortalisée dans ses poésies.

Une gêne extrême, un malaise sensible régnaient dans l'atmosphère. Les plus habiles, les plus courtisans sentaient la parole expirer sur leurs lèvres. Les phrases banales lancées par intervalles circulaient lentement; on eût dit un cénacle de trépassés.

C'était bien la vie qui manquait à cette réunion. Mais la vie, où était-elle?

Elle n'était pas partie seulement avec le roi, elle s'était enfuie surtout avec ces aimables gazouilleurs, qui naguère paraient ces résidences et semaient l'entrain, la gaieté, l'esprit autour d'eux.

Poètes, écrivains, artistes, tous s'étaient retirés, non pas ainsi qu'on pourrait le croire, comme ces oiseaux ingrats qui se taisent et s'envolent dès qu'ils ont vidé la main qui les nourrit, mais tristement, chassés par les menaces et les persécutions.

Ah! cette époque que nos professeurs d'histoire nous ont appris à considérer comme l'âge d'or des lettres et des arts, nous allons voir bientôt comment elle les traitait et ce qu'elle faisait pour eux. Les bancs du collège et de l'Université nous ont enseigné le mensonge; eh bien, c'est dans le roman que nous trouverons la vérité!

Oui, la cour était triste, chagrine, et ce n'était pas assez, pour la maintenir sous cette impression, de la captivité de son chef, de la défaite de nos armées, de l'absence des hommes de talent: une influence plus fâcheuse que ces maux réunis s'appesantissait encore sur elle.

Le mauvais génie de ce temps, c'était le chancelier Duprat, l'homme aux visées mystiques et ascétiques, le ministre des desseins implacables, des actes intolérants.

Inféodé à la domination romaine, nourrissant d'incessantes pensées d'orgueil qui lui faisaient entrevoir l'héritage de la tiare, le ministre déloyal sacrifiait sans vergogne son pays à son ambition.

La régente était une femme d'une grande intelligence, au milieu de ses vices, de ses erreurs et de ses fautes. Son esprit perspicace ne se dissimulait pas les menées du chancelier, et cependant elle ne faisait rien pour les entraver. Elle subissait cet homme, ses volontés, ses projets, au point qu'on eût été tenté de croire que le régent, c'était lui, et Louise de Savoie la vassale.

L'audience de la régente était donc descendue à un degré de contrainte difficile pour ses courtisans comme pour elle-même, et les plus habiles ne savaient plus de quel thème faire conversation, quand un son argentin, parti de l'entrée de la salle, fit tressaillir chacun.

La portière s'agita, et sans que les huissiers l'eussent ouverte, une boule bariolée des couleurs les plus criardes et les plus osées vint littéralement rouler jusqu'au bas du trône, dont l'estrade l'arrêta.

Une même exclamation sortit de toutes les bouches:

—Triboulet!...

C'était le cri de délivrance. L'ennui, l'embarras avaient disparu avec cette apparition.

—Eh oui Triboulet!... répondit l'avorton en se redressant et en rajustant son bonnet, fort compromis dans son entrée excentrique, Triboulet dont un seul grelot fait plus de bruit que tous vos gosiers ensemble, beaux sires et belles dames!...

Et agitant triomphalement sa marotte:

—Allons, ma mie, faites voir que vous n'avez point, comme chacun céans, perdu la vertu de causer!

Le fou du roi avait le droit d'insolence; il en usait même vis-à-vis de son maître qui s'égayait de ses plus audacieuses boutades.

Était-il fou réellement? Son nom l'indiquait; il était d'ailleurs payé pour cela. Les historiens, il est vrai, n'ont pu encore tomber d'accord sur ce point. Après cela, sur quel point, me direz-vous, s'entendent-ils complètement?

Donc, c'était Triboulet, le bouffon, le bavard, le grotesque, le plaisantin, qui partageait avec les lévriers du prince le privilège de tout oser, contre tous, sans que nul, ceux que le fou avait blessés, ceux que les chiens avaient mordus, eussent le droit de crier: Aïe!...

Après tout, pourquoi ne leur aurait-on pas dit un peu leurs vérités, à ces beaux courtisans, quand le roi souffrait bien qu'on lui dît quelquefois les siennes!

Cependant, le bouffon, accroupi au bas du siège de la régente, paraissait plongé dans un entretien des plus attachants avec sa marotte, lui adressant tout bas des questions, et l'approchant de son oreille pour écouter ses réponses. Le tout accompagné de jeux de physionomie grotesques, d'interjections glapissantes et d'une pantomime qui soulevait la jovialité des spectateurs.

On riait d'autant mieux qu'on s'était cruellement morfondu d'ennui.

—Or ça, seigneur Triboulet, demanda la régente, qui ne dédaignait pas de s'associer à l'animation générale, ne nous apprendrez-vous pas quel sujet intéressant vous occupe à ce point, vous et mademoiselle votre marotte?

Triboulet adressa gravement à la princesse un geste indiquant qu'il ne fallait pas le troubler. Puis, tout d'un coup, il lança le hochet en l'air, fit une superbe cabriole en le rattrapant, et s'adressant avec solennité à la régente et à l'assistance:

—Décidément, mademoiselle du Carillon, dit-il en désignant sa marotte, est une personne incivile, qui se joue de moi et me fait des contes à dormir debout.

—Voyez-vous cela! fit la jeune demoiselle d'Heilly, celle des dames qui jouissait de la plus grande familiarité auprès de la régente; mais ne pourrait-on donc savoir au juste ce qu'elle gazouille?

—Elle prétend, voyez l'impertinente! que tandis que vous vous morfondez dans ce Louvre à chercher des objets de distraction et de médisance, il s'y passe à votre barbe de mirifiques aventures dont vous ne vous doutez pas.

A ce début alléchant, chacun dressa l'oreille, entrevoyant déjà du scandale dans l'air.

Encouragé par cette attention, Triboulet poursuivit:

—Ce n'est rien moins qu'histoire démoniaque, et j'ai la chair de poule d'y songer seulement... Foi de bouffon royal! je n'oserai jamais finir, que messire le grand prieur ne m'ait promis un exorcisme si j'ai subi une vision de Satanas.

—Au fait! au fait!... murmura l'assemblée.

—J'y consens; je parlerai. Mais je mets en gage mademoiselle du Carillon contre l'escarcelle de mademoiselle d'Heilly, que vous ne croirez pas un mot de ce que je vais vous dire, tant il est sûr que vérité est bien moins accueillie dans cette auguste Cour que mensonge...

«Au milieu de cette nuit dernière, pris d'un malaise, je m'étais mis à la fenêtre de mon retrait, là-haut, au quatrième étage, pour essayer si la fraîcheur de l'air ne me soulagerait pas. Il faisait un temps superbe. Madame Phébé et ses filles les étoiles, resplendissaient comme autant de soleils. La cour du Louvre est moins claire en plein midi qu'elle n'était alors.

«Je ne sais plus à quoi je pensais, — peut-être bien ne pensais-je à rien, comme il arrive si souvent à messire le grand pénitencier, fit-il en se tournant vers ce personnage, qui se contenta de hausser les épaules, — quand j'aperçus, aussi distinctement que je vois ici chacun de vous, un fantôme qui se promenait à travers la cour carrée.

—Hein!... un fantôme!... répéta le grand pénitencier Loys Chante- reau.

—Un fantôme blanc? demanda madame de la Trémouille.

—Un fantôme noir... tout noir...

—Et comment sais-tu que c'était un fantôme? objecta messire Loys.

—Vous allez en juger, reprit le bouffon: c'était un grand corps tout d'une venue; il ne marchait pas, il glissait sur le sable. De la tête aux pieds, il était couvert d'un long drap noir comme on n'en met que sur le cercueil des trépassés. Je n'ai vu ni son visage ni ses mains; tout disparaissait sous ce drap.

Il avançait donc sans que je distinguasse le mouvement de ses pieds... Je parie qu'ils étaient fourchus.

—Et où tendait-il? demanda le grand pénitencier qui, en sa qualité d'exorciste, avait une propension à croire aux apparitions et possessions infernales.

—Il allait tout droit, sans dévier d'un pouce, vers la grosse tour.

—Eh bien, et les fossés... et le pont-levis?

—Attendez donc, messire, c'est là que gît le merveilleux. Je me disais aussi: Et les fossés, et le pont-levis?... mais il en était moins en peine que moi, et n'y pensait guère, car il allait toujours...

A la Cour du Louvre, on était habitué aux plaisanteries d'un goût équivoque, aux mystifications de messire Triboulet. Tromper les gens, puis se moquer impitoyablement d'eux, était son principal talent. Brouiller les meilleurs ménages, diviser les plus intimes amis, allumer la discorde, susciter les querelles, remuer les médisances, insinuer les calomnies, c'était pour cet étrange objet de la bienveillance royale, récréations journalières.

Il se rendait parfaitement justice à lui-même; il se savait laid, difforme, repoussant, méprisé des hommes, répulsif aux femmes, incapable d'inspirer ni sympathie ni affection, il avait pris à rebours ce monde qui le dédaignait. Relégué au rang des chiens et des perruches, il empruntait l'instinct des uns et des autres, il mordait et il insultait.

Autrement fait, autrement placé, eût-il été meilleur? Nous ne savons; la chose n'est pas impossible; la vieille fable de l'amour rognant les griffes du lion n'est-elle pas puisée à l'enseignement éternel de la nature humaine?

Mais Triboulet était-il capable de ressentir un sentiment si doux?... et s'il l'eût ressenti, si, en effet, un lambeau de cœur se fût avisé de battre au fond de cette poitrine difforme, quelle femme eût jamais aimé Triboulet?...

Donc, l'amour étant le foyer, la source du bien, le bouffon, haïssant et haï, appliquait toute son intelligence à faire le mal.

Il ne laissait pas d'y être encouragé à merveille, hâtons-nous de le dire, par son influence auprès du roi, et par la manière dont chacun saluait ses saillies, tant qu'elles s'exerçaient aux dépens d'autrui.

Mais on savait aussi ce qu'elles valaient, et c'était à qui se mettrait sur ses gardes dès qu'on voyait poindre une de ces anecdotes scabreuses qu'il inventait ou grossissait si habilement.

En cette circonstance encore, l'incrédulité avait accueilli le début de son récit, et les lazzis dont il l'avait accompagné d'abord justifiaient ce sentiment. Bientôt, néanmoins, son ton devint si sérieux, son geste si expressif, qu'il rendit son auditoire aussi attentif qu'il était grave lui-même.

On brûlait trop de sorciers, à cette époque, pour se piquer d'esprit fort. De tout temps le Louvre avait eu une réputation suspecte, sous le rapport des malins esprits ou des revenants.

Les fosses de la grosse tour avaient étouffé tant d'iniquités, absorbé tant de victimes connues et inconnues, que l'apparition de quelques-uns de leurs spectres ne se présentait pas à l'esprit du grand pénitencier lui-même comme un phénomène trop invraisemblable.

Le bouffon eut donc la joie de constater, à l'attitude de son auditoire, l'intérêt réel excité par sa narration.

—Ah! continua-t-il, c'est ici que le bénitier de messire Loys de Chantereau eût été d'un grand secours!...

«Je suivais pas à pas l'apparition, curieusement accroché aux grillages de ma croisée, et le cœur me battait, je le déclare, comme le vôtre, seigneur de Cossé-Brissac, certain soir que vous attendiez quelqu'un au fond du grand parterre de la reine...

A cette impertinente apostrophe, le beau Cossé s'agita comme un lion piqué d'un moustique; mais on lui fit signe de réprimer sa colère, et il se contenta de tordre sa moustache en silence.

—Le fantôme noir arriva enfin aux piliers massifs de l'arcade du roi Charles V. J'écarquillais les yeux de plus belle, car cette construction, frappée d'un côté en plein par la lune, projetait une ombre épaisse de celui de la cour.

—Enfin?... demanda l'un des auditeurs impatienté de ces digressions.

—C'est tout.

—Comment? tout?

—Oui, je perdis de vue mon spectre en cet endroit; s'était-il fondu dans l'ombre? Était-il entré dans le pilier? Je ne saurais dire, je n'en ai rien aperçu. En sorte qu'après être demeuré une grande heure et plus en arrêt sur la maçonnerie, sur le fossé et sur la cour, j'ai fait un grand signe de croix, et je suis rentré prudemment dans mon lit, bien plus malade que quand j'en étais sorti.

«Eh bien, madame la duchesse, et vous, messires, que vous semble de mon aventure? Méritait-elle d'être narrée?»

—Si je l'entendais de tout autre bouche que celle d'un maître sot, répondit le beau Cossé, qui avait sur le cœur l'insinuation du bouffon, je la tiendrais pour étonnante au premier chef.

—En fait de sottises, c'est comme en fait d'esprit, messire, n'est pas maître qui veut.

—Çà, interrompit Hélène de Tournon, parlons raison plutôt, s'il est possible; ne te joues-tu point de nous, suivant ton habitude, messire

Triboulet, et tout du moins ne nous contes-tu point comme histoire ce que tu aurais rêvé?

—Non! par ma marotte! belle dame, je tiens pour bien dit ce que j'ai dit, et la preuve, c'est que de ma vie je n'ai ressenti aussi grand'peur qu'à la disparition plus encore qu'à la découverte de ce fantôme.

—Ainsi, tu affirmes ton récit! intervint Louise de Savoie.

—J'ai juré sur ma marotte, tout à l'heure; mais pour vous, mon honorée souveraine, j'atteste sur mon salut.

Ce serment était trop solennel pour laisser subsister aucun doute. Les courtisans se sentirent comme un effroi involontaire.

La régente se tourna vers les ecclésiastiques admis à la réception:

—Quel est votre avis sur tout cela, messires?

—Notre avis, répondit sentencieusement Loys Chantereau, est que les temps sont calamiteux; or, l'Écriture nous enseigne qu'aux jours néfastes il se produit des signes dans le ciel et sur la terre, pour servir d'avertissement aux pêcheurs et aux royaumes.

—Oui, les temps sont calamiteux, répéta la régente toute pensive.

—Il n'y a que des messes et des fondations pieuses qui puissent détourner la colère d'en haut, reprit le grand pénitencier; que Votre Seigneurie m'excuse de le lui rappeler.

—Il suffit, messire, dit la régente, nous y songerons.

—Bien parlé! s'écria le bouffon en agitant sa marotte et en regardant le grand pénitencier d'un air narquois, c'est le fait des gens sages de réfléchir avant de conclure.

On sait que Louise de Savoie avait passé pour être entachée des idées de réforme qui remuaient l'ancien monde chrétien. Le clergé la craignait, mais ne l'aimait pas.

Messire Loys Chantereau ne pouvant s'en prendre à elle, allait faire éclater sa colère sur le bouffon, et celui-ci, pressentant la bourrasque, s'était déjà blotti sous une draperie, au coin d'un dressoir.

Un autre incident détourna la semonce.

Deux huissiers soulevaient les tentures, faisant place à une femme qui s'avançait lentement et gravement vers la régente.

A son entrée, tous se levèrent; tous s'inclinèrent sur son passage.

Elle marchait d'une allure de reine, drapée dans de longs vêtements de deuil; et cette sombre parure, sans nuire à sa merveilleuse beauté, faisait ressortir la pâleur mate de ses traits, et le cercle bleuâtre que les larmes ou l'insomnie avaient tracé sous ses yeux.

Elle gravit les degrés du trône et échangea un baiser avec la régente.

Cette femme si belle, si digne et si triste, c'était Marguerite de Valois, la sœur du roi prisonnier, la veuve du connétable Charles d'Alençon, mort tout récemment, et dont elle portait le deuil. Elle venait d'atteindre la trentaine, l'âge où les femmes sont dans leur épanouissement, et n'avait jamais paru plus jeune.

Tandis que chacun se courbait jusqu'à terre en sa présence, le bouffon, hissé sur la pointe des pieds, suivait d'un regard étrangement attentif le moindre de ses mouvements, et de ses doigts crispés se retenait aux draperies qui le dérobaient à tous les yeux.

Le chancelier Duprat.

II
BAISER DE JUDAS

La régente, avant de rendre le baiser qu'elle venait de recevoir, plongea son regard perçant jusqu'au fond du regard mélancolique de la princesse.

—Eh bien, chère fille, lui dit-elle, de façon à n'être entendue que d'elle seule, la consolation n'arrive donc pas?...

Marguerite, embarrassée de ce coup d'œil investigateur dont elle connaissait la puissance divinatoire, se détourna pour l'éviter, et se borna, pour réponse, à pousser un profond soupir.

Puis elle salua les assistants avec une douce gravité, et sa vue ayant rencontré le visage ami d'Hélène de Tournon, elle lui envoya de la main un geste particulièrement aimable.

Elle s'assit ensuite sur le siège le plus rapproché de sa mère, et remarquant le silence qui régnait depuis son entrée:

—Que je n'interrompe pas les entretiens, dit-elle; messires, mesdames, de quoi parliez-vous donc?

—Une histoire singulière, invraisemblable, que l'on nous racontait, répondit quelqu'un.

—Invraisemblable! Oh! mais alors, que l'on m'en fasse part bien vite, répliqua-t-elle en s'efforçant de dominer les préoccupations qui perçaient sur ses traits alanguis. Et qui faisait ce récit?

—Le maître fou de Sa Majesté, Triboulet...

Un mépris indicible succéda soudain à son sourire un peu forcé.

—Triboulet!... prononça-t-elle avec dégoût; oh! de grâce, alors, n'en parlons plus.

A ce témoignage de dédain, le fou d'office, qui observait tout et entendait tout, sans être vu, devint affreusement livide.

Marguerite de Valois, cette femme si séduisante et si attristée aujourd'hui, était naguère l'âme, le génie inspirateur, la verve de ces réunions. Son gracieux esprit allumait la saillie de tous les autres. La poésie parlait dans ses moindres discours. Par elle, la cour se transformait en un temple des Muses. Elle était l'astre autour duquel les poètes venaient brûler leur encens et ranimer leur souffle. Entre eux et elle, c'était un échange constant de gracieusetés et de largesses.

Poète elle-même, elle écrivait aussi facilement en vers qu'en prose, et sans parler ici de ses œuvres que tout le monde connaît, elle répondait un jour à Clément Marot, qui l'informait en un dizain des ennuis que lui causaient certains créanciers... car les poètes paraissent en avoir toujours eu:

Si ceux à qui devez, comme vous dites,
Vous cognoissois comme je vous cognois,
Quitte seriez des debtes que vous fîtes
Au temps passé, tant grandes que petites,
En leur payant un dizain toutefois,
Tel que le vôtre, qui vaut mieux mille fois
Que l'argent deu par vous en conscience;
Car estimer on peult l'argent au pois,
Mais on ce peult (et j'en donne ma voix)
Assez priser votre belle science.

Une bourse pleine d'or accompagnait les vers, et le poète reconnaissant s'écriait: «Cette Marguerite surpasse en valeur les perles d'Orient.» Clément Marot était latiniste, et se souvenait que *Margarita* et pierre précieuse, c'est tout un.

Elle mérita d'être célébrée sur tous les tons, et les chroniqueurs, nous léguant son portrait, nous apprennent qu'elle joignait un esprit mâle à une bonté compatissante, et des lumières très étendues à tous les agréments de son sexe. Douce sans faiblesse, magnifique sans vanité, elle possédait une remarquable aptitude pour les affaires, sans négliger les amusements du monde. Sa passion pour les arts et les études couronnait tant d'éminentes qualités.

Cependant elle nous apparaît en ce moment, dans cette réunion officielle, pensive et soucieuse, en proie à un mal mystérieux, dont sa mère et les courtisans cherchent en vain à pénétrer les causes.

Ils en trouvent beaucoup, sans doute... Les événements, l'absence cruelle du roi, les douleurs d'un récent veuvage, la disparition des lettrés et des artistes qui égayaient et occupaient sa vie; mais, de tous ces motifs, quel est le vrai, et tous réunis, justifient-ils un marasme si grand?...

Le chevalier de Brissac allait ranimer pour elle la conversation; mais la voix sonore du chef des huissiers arrêta la parole sur ses lèvres, en jetant à l'assemblée cette annonce imposante:

—Messire Antoine Duprat, grand chancelier!...

Antoine Duprat, premier ministre de François Ier, était l'homme le plus considérable de la cour. Nous avons dit un mot déjà de son caractère et de ses tendances.

Il traversa la salle, le front arrogant, sans laisser tomber un signe d'attention sur les courtisans courbés à son passage, et s'avança jusqu'à la régente, à laquelle il adressa un salut cérémonieux, en baisant la main qu'elle lui tendait.

Il balbutia un mot d'excuse ou d'explication sur l'ennui des affaires, qui ne lui avait pas permis de venir plus tôt, et se tourna vers la princesse Marguerite.

Duprat avait passé l'âge de la jeunesse; c'était cependant un homme encore plein de vigueur, et qui ne révélait rien des approches de la vieillesse, ni sur ses traits, ni dans sa démarche. Ses cheveux noirs épais, sa barbe soignée où se mêlaient à peine quelques filets d'argent, encadraient un visage qui ne manquait pas de régularité, mais auquel faisait défaut une qualité supérieure à toute la beauté possible, la sympathie. Ses traits étaient durs, son œil distillait la duplicité.

Le regard que la régente et lui avaient échangé, dans leur salutation, était froid et cérémonieux; quiconque même eût bien observé les détails de cette réciprocité de politesse, eût vu les doigts de Louise de Savoie se recourber nerveusement sous les lèvres du ministre. Il y avait dans ce geste involontaire quelque chose de la sensitive crispée par un contact répulsif.

Mais il est vrai de dire qu'en apercevant Marguerite près du trône, la physionomie ascétique et rogue du chancelier subit une transformation. Le soleil perçant à travers un nuage n'opère pas un rayonnement plus soudain ni plus lumineux.

—C'est grande joie, dit-il en souriant, de rencontrer Votre Seigneurie en cette réunion, à laquelle elle fait si souvent défaut.

—Que voulez-vous, messire, répondit, avec une froideur calculée, la princesse, la douleur aime la solitude.

—Permettez-moi, Altesse, de déposer...

Et il s'avançait pour baiser sa main comme celle de sa mère.

Si quelqu'un eût pu voir en cette minute le masque grimaçant du bouffon, toujours caché sous sa draperie, on eût été saisi de l'expression d'appréhension et de rage qui en contractaient tous les muscles.

Ses lèvres blêmies s'ouvraient dans un rictus horrible; ses yeux injectés de sang, allaient jaillir de leur orbite; ses sourcils roux se dressaient hérissés; on eût juré un bouledogue furieux qui va s'élancer sur sa proie.

—Que faites-vous, monseigneur! dit la princesse en retirant sa main, dont le chancelier touchait déjà l'extrémité. Sur Dieu! mais vous n'y songez pas!... Allez, l'étiquette ne vous oblige point à un tel sacrifice.

—Que voulez-vous dire, auguste dame? demanda le ministre, ému de cet accueil et ne souriant plus qu'avec mauvaise grâce.

—Eh quoi! faut-il vous l'expliquer? Oubliez-vous que cette main, sur laquelle vous prétendez placer votre hommage a touché la même plume que tant d'autres réputés par vous hérétiques et dignes du bûcher?...

L'attaque était rude, car elle était juste.

Le grand mouvement de la révolution religieuse commençait en Europe. Il y avait sept ans déjà que Luther avait subi sa première condamnation canonique, cinq ans que cette sentence avait été renouvelée, et quatre ans qu'il avait été anathématisé et décrété d'hérésie.

Ainsi qu'il arrive inévitablement, les persécutions grandissaient son importance et multipliaient ses adhérents.

Il ne nous appartient pas, et nous nous en félicitons, de faire l'historique des douloureux combats; mais il ne nous était pas permis de les passer entièrement sous silence, à cause du rôle essentiel qu'y prirent les principaux héros de cet ouvrage.

Le cri de révolte de Luther eut donc certains abus pour point de départ, et ce cri trouva un puissant écho dans la Saxe tout entière, où le peuple, un grand nombre d'ecclésiastiques, de moines, d'abbés et d'évêques, s'associèrent aux prédications du réformateur; la Suisse les imita, sous l'impulsion de Zwingle, et l'Allemagne s'agita dans le même sens.

Enfin les idées nouvelles pénétrèrent en France, à Paris, au sein de la cour.

Duprat voulut servir de digue au torrent. Il se jeta résolument à la traverse, fit appel à la Sorbonne, augmenta ses attributions, l'investit du droit d'examen, la constitua en tribunal et obtint de ses docteurs en théologie un décret, daté du 15 avril 1521, par lequel Luther, sa doctrine et ses partisans furent solennellement condamnés, comme ils l'avaient été à Rome.

Cet arrêt ralentit un instant la marche de la révolte et de la discussion, mais elle ne tardèrent pas à reprendre d'une façon plus dangereuse pour l'autorité papale, car le corps des évêques commença à s'y ranger. La ville de Meaux vit se former le premier noyau des réformateurs, et cela sous l'égide de son propre évêque, Guillaume Brinçonnet.

Bravant les foudres du saint-siège, les décrets de la Sorbonne et les menaces du chancelier de France, ce prélat se trouva d'accord avec Jean de Montluc, évêque de Valence; Jean de Bellay, évêque de Paris; Châtelain, évêque de Mâcon; Caraccioli, évêque de Troyes; Guillard, évêque de Chartres; Gérard, évêque d'Oléron; Morvilliers, évêque d'Orléans; Saint-Romain, évêque de Pamiers; Jean de Moustier, évêque de Bayonne; Oder de Coligny, cardinal de Châtillon, et nombre d'autres prélats, docteurs, abbés, et presque tous les professeurs du collège de France.

On voit quelle force acquérait cette révolte spirituelle.

La mère du roi François Ier, Louise de Savoie, goûtait à son tour la nouvelle doctrine et la faisait partager à son fils, ainsi qu'elle le rapporte elle-même dans le *journal* de sa vie: «L'an 1522, en décembre, mon fils et moi, par la grâce du Saint-Esprit, commençasmes à cognoistre les hypocrites blancs, noirs, gris, enfumés et de toutes couleurs, desquels Dieu, par sa clémence et bonté infinie, veuille nous préserver et desfendre; car, si Jésus-Christ n'est menteur, il n'est poinct de plus dangereuse génération en toute nature humaine.»

Un exemple venu de si haut offrait plus de dangers que tous les autres, et Duprat, que la cour de Rome ne cessait de combler d'éclatantes faveurs, déploya un zèle en rapport avec celui-ci. Il défendit à Paris, comme on le défendait à Rome, sous des peines terribles, d'imprimer aucune traduction des livres saints en langue vulgaire, ni aucun autre ouvrage sur les matières religieuses.

Ensuite, il usa de l'influence qu'il exerçait sur l'esprit flottant du roi, sur la volonté de la régente, pour faire disgracier les prélats qui persistaient dans leurs velléités de réforme, et pour organiser des mesures contre les novateurs.

Or, parmi ceux-ci étaient les poètes, les écrivains; et voilà comme, sans en excepter le favori des princes, Clément Marot lui-même, ils furent obligés de s'exiler pour se soustraire à la colère du chancelier, aux poursuites de la Sorbonne.

Hélas! tous n'y réussirent pas, et les prisons s'emplirent bientôt de victimes.

A la cour, la régente et le roi n'avaient pas seuls témoigné de leur penchant à l'égard des novateurs. Marguerite de Valois s'était prononcée hautement pour eux, et tandis que sa mère et son frère étouffaient leurs tendances sous l'influence du chancelier, Marguerite, persévérant dans sa révolte, bravait ses délits et déposait ses opinions dans le livre imprimé depuis, malgré le ministre, la Sorbonne et l'inquisition, *le Miroir de l'âme pécheresse.*

La Sorbonne, disons-nous, censura l'ouvrage, mais elle n'osa décréter son auguste auteur d'accusation.

Ces quelques notes expliquent suffisamment au lecteur dans quelles dispositions se trouvait la veuve du connétable d'Alençon vis-à-vis du grand chancelier Antoine Duprat. Elles donnent la clef des paroles qu'elle venait de lui adresser.

Il s'inclina sans perdre contenance, et son œil fauve lança sur la princesse un éclair bizarre et sinistre, mélangé de haine et d'admiration.

—Nous ne sommes pas en Sorbonne, prononça-t-il en se redressant d'un air enjoué, et je requiers une grâce que Votre Seigneurie peut refuser à un docteur, mais qu'elle est forcée d'octroyer à un gentilhomme.

—Soit donc, répliqua Marguerite avec une teinte d'ironie, mais j'ai bien peur que Votre Excellence ne commette un gros péché en baisant la griffe de Satan.

Et elle lui tendit la main tant désirée, sur laquelle ses lèvres s'appuyèrent avec une singulière ardeur.

A cette minute, on entendit comme un grognement sourd, suivi d'un son de grelots; la tenture qui abritait le bouffon s'agita légèrement. Il venait de laisser choir sa marotte et s'était affaissé lourdement sur lui-même.

Personne probablement ne fit attention à ces détails, ou plutôt la prunelle exercée et méfiante du chancelier surprit seule l'ondulation de la tapisserie; mais ce vague incident ne modifia en rien son attitude ni sa physionomie.

Le reste des assistants était absorbé par les honneurs à rendre à la régente, qui, fatiguée de cette longue audience, se levait pour se retirer dans sa chambre particulière.

Le chancelier éloigna à son tour, par son air de sévérité et de préoccupation, les courtisans qui tentaient de s'approcher ou d'attirer son attention, et s'arrangea de manière à rester le dernier dans la salle.

III
LE PACTE

Délivré de ces importuns, Antoine Duprat marcha droit à la cachette du bouffon, dont il écarta brusquement la draperie.

Triboulet, accroupi, pelotonné sur lui-même, foulant sa marotte sous ses talons, se rongeait les ongles jusqu'au sang.

—Or sus! exclama avec une ironie poignante Antoine Duprat; je te cherchais, maître fou, et ne m'attendais guère à te trouver dans ce réduit. Est-ce donc pour te cacher et pour faire si piteuse grimace que l'on te paie les gages d'un dignitaire ou d'un prélat?

Ce sarcasme ranima le verve du bouffon, qui n'était jamais, nous croyons l'avoir dit, en reste de méchanceté avec personne.

—Las! messire, soupira-t-il en affectant une grimace narquoise, peut-être bien n'est-ce pas mon propre mésaise que je rumine en ce coin maussade, mais celui de tel haut personnage qui, pour toucher un appointement plus sonnant que le mien, a grand'peine à porter sur son visage le contentement qui n'est pas en son esprit.

—De quel personnage entends-tu parler, s'il te plaît?

Et le ministre croisa ses redoutables sourcils; mais ce signe, précurseur habituel de l'orage, n'émut pas le moins du monde la placidité sardonique du bouffon, retrempée dans le dépit d'autrui.

Il ramassa sa marotte, en rajusta les grelots et les oripeaux bariolés, et les agitant à l'oreille de son farouche interlocuteur:

—Écoutez, messire, voici le langage du vrai bonheur, car c'est celui de la folie.

—Tu es un rusé et un impudent compère, je le sais, mais ne crois pas m'échapper par un lazzi; c'est bon pour le commun de ces jolis gentilshommes et de ces coquettes damoiselles qui paradaient tout à l'heure ici devant les princesses. Au fait, donc: parle, je le veux!

Profitant de ce que Triboulet s'était approché de lui pour l'insulter de son carillon moqueur, il lui saisit l'oreille dans ses doigts osseux.

Le bouffon poussa un cri d'orfraie.

—Silence! commanda Duprat, craignant de voir entrer les huissiers et d'être surpris dans ce grotesque tête-à-tête.

Puis, lâchant l'oreille à moitié décollée, il tira de son escarcelle une poignée d'or qu'il tendit à sa victime.

—Montjoie et Saint-Denis! c'est affaire à Votre Honneur de trouver la clef qui délie les langues. Interrogez donc, messire, et l'on vous répondra.

—Triple coquin!...

—Là! là! pas de gros mots; j'ai déjà l'oreille toute malade, vous achèveriez de me la déchirer... De quoi souhaitez-vous que je vous entretienne? Des promenades amoureuses du beau Cossé-Brissac? Des hésitations de damoiselle Françoise de Foi entre les galants qui la courtisent, depuis qu'elle a hérité le legs que lui laissa feue la reine Claudine? Des épîtres secrètes échangées par damoiselle Hélène de Tournon avec certain poète anacréontique?... Demandez, monseigneur, mademoiselle ma marotte va sonner pour vous son plus beau carillon.

—Rien de ces fadaises!...

—Alors, expliquez-vous?

C'était précisément là ce que Duprat n'osait faire, et le perfide bouffon jouissait de son embarras. Cependant, il se décida:

—Pourquoi étais-tu sous ce rideau, et qui épiais-tu?

—Dites-moi, monseigneur, avez-vous remarqué quelquefois ce que font les chiens quand on leur marche sur la patte?... Ils vont se cacher... Vous me reprochiez tout à l'heure d'être payé comme un dignitaire, mais vous oubliez que je suis traité comme un chien, et que je jouis du même rang à la cour que les lévriers de Sa Majesté. Beaucoup de gens me considèrent et me traitent en conséquence... La princesse Marguerite, par exemple.

Ce nom et surtout l'affectation que mit le fou d'office à le prononcer, amena une légère rougeur au visage du chancelier.

—Il y a longtemps, prononça-t-il en observant l'effet de ses paroles sur le masque crispé du bouffon, il y a longtemps que je me suis aperçu de ton assiduité aux environs de la princesse; tu espionnes ses moindres démarches... Or, si je sais comprendre, comme tu n'es pas homme à vouloir de bien à qui te méprise et te repousse, c'est la rancune qui te conduit.

—Oh! fit négligemment Triboulet, Votre Honneur me flatte; je ne suis ni méchant, ni si profond que cela...

—Allons, dit le chancelier en regardant autour d'eux pour bien s'assurer encore qu'ils étaient seuls, et en baissant la voix malgré cette certitude; c'est assez de préliminaires. Le premier mot que tu m'as dit me prouve que tu sais mon secret, et ceux que tu viens d'ajouter m'assurent que tu peux me servir... Y consens-tu?

La bouche difforme du fou royal s'ouvrit pour laisser passer un gros rire; mais au lieu de le proférer, il se frappa la poitrine du poing pour le réprimer à sa source, et d'un accent incisif et métallique, plus pareil à un grincement de lime qu'à une voix humaine:

—C'est-à-dire que vous voulez que je seconde votre amour pour madame Marguerite de Valois?

—Tais-toi!... s'écria le chancelier, en appliquant la main sur ses lèvres. Ne répète jamais cela, jamais, entends-tu!

—Bah! grimaça Triboulet, puisque je connais votre passion et que personne ne nous entend!...

—N'importe!... cette parole coûterait la vie à tout autre qu'à toi. De cette minute, c'est un pacte entre nous; songes-y... Ton dévouement et ta discrétion, ou ta tête...

—Par Notre-Dame du salut! éclata le bouffon en se tenant les côtes, il est heureux que nul ne nous voie, car il ne saurait lequel est le plus fou, de moi qui porte la marotte, ou de Votre Seigneurie qui me tient de tels discours!...

La nuit enveloppait depuis longtemps Paris.

—A d'autres!... Ce qui est arrêté est arrêté... Je compte sur ton adresse compte sur ma bourse.

—Alors, la feinte est inutile. Mais, insista Triboulet en arrêt sur les traits de son nouveau patron, vous l'aimez donc bien, cette fière princesse?...

—Tais-toi!... prononça avec une sombre ardeur Antoine Duprat; tais-toi! Ce n'est pas un brasier que tu remues en moi avec ce mot, c'est un volcan!... N'interroge pas sur un mal que tu ne saurais comprendre.

Triboulet passa sa marotte sur ses lèvres; les paroles et l'accent du ministre avaient amené au coin de sa bouche une légère écume teinte de sang.

—Moi! dit-il avec un éclat de rire strident, je suis un jongleur, un joyeux bouffon, je n'aime que ma marotte!... ah! ah! ah!

Et faisant pirouetter celle-ci en l'air, il la reçut en équilibre sur son front.

Il est probable, ceci par parenthèse, que le chancelier, auquel tous les moyens étaient bons pour assurer sa politique, n'en était pas à son premier marché avec le maître fou du roi, et que celui-ci, espion et fureteur né du palais, avait déjà rendu plus d'un service de nature suspecte à son noble complice.

Aujourd'hui, au lieu de diplomatie, il s'agissait d'une intrigue galante; qu'importait à Duprat! Il ne voyait qu'une chose, c'est qu'il s'agissait d'y mettre le prix, et l'argent ne lui manquait pas.

—Suis-moi, dit-il.

Le lieu ne lui paraissait pas assez sûr pour achever un entretien de ce genre.

Il sortit de la salle, passa hautain et fier devant les gardes, les huissiers et les pages de la galerie, répondit à peine de la main aux marques de respect des gentilshommes du palais qu'il rencontra dans son trajet, et auxquels le bouffon, meilleur prince, adressait en courant ses malices ou ses grimaces.

Puis, toujours suivi de ce grotesque compagnon, il atteignit son appartement jusqu'à son cabinet de travail.

Refermant alors la porte avec soin, il commença par prendre dans un coffre-fort, dont la clef ne le quittait jamais, et qui, divisé en deux compartiments, contenait, dans l'un, des papiers importants, dans l'autre, son épargne, une pile de ces larges pièces d'or où figuraient, d'un côté, la tête du roi, et de l'autre, l'écu aux trois fleurs de lis.

—Ceci t'appartient, ami Triboulet, dit-il, c'est un quartier arriéré de tes émoluments. Il est bon que nos affaires d'intérêt soient en règle.

—Décidément, ricana le bouffon, Votre Grâce tient à être bien servie.

Duprat se laissa tomber sur un fauteuil.

Triboulet s'accroupit, les jambes croisées, sur la natte.

—Ainsi, reprit le ministre, décidé à s'ouvrir tout entier à son confident, tu connaissais mes sentiments pour la princesse?... Mais que penses-tu des siens à mon égard?

—A vous dire vrai, j'en ai une médiocre opinion.

Le chancelier réprima le dépit que lui causait cette réponse.

—Sur quoi bases-tu cette façon de voir?

—M'est avis, messire, qu'elle ne vous a guère gracieusement octroyé tantôt la faveur du baise-main?

Duprat contracta ses sourcils, et frappant du poing sur sa table à écrire:

—N'importe! Je l'aime, je veux en être aimé, et tu me serviras!

—Assurément; ce ne sera pas, d'ailleurs, la première fois qu'on verra la folie servir d'auxiliaire à l'amour... Que ne vous êtes-vous déjà déclaré à madame Marguerite?

—Oui... j'y ai songé, sans doute, mais... quand je vais pour le faire, une sorte de crainte intérieure m'arrête.

—Vous, monseigneur! L'homme des grands coups d'État, des entreprises audacieuses!... Comment eûtes-vous tant d'autres conquêtes? Les belles venaient-elles par hasard se rendre d'elles-mêmes à vos genoux?

—Ne plaisante pas. La princesse exerce sur moi une impression qu'aucune autre ne produisit jamais. C'est du vertige, de la magie, mon sang afflue tellement vers mon cœur lorsque je l'aperçois, je suis si troublé quand je l'approche, que je perds toute mon assurance:

Triboulet considéra son interlocuteur avec une sorte de compassion.

—Merci de moi! prononça-t-il, je m'estime heureux d'être incapable, comme vous disiez, d'éprouver le mal d'amour,—un mal qui rend si poltron le plus grand seigneur du royaume!

—Et puis, murmura sourdement Duprat, tu disais vrai, cette beauté si affectueuse, si pleine d'épanchements, si bienveillante pour tout le monde... eh bien, je lui suis en antipathie... Pour moi seul, elle se montre hautaine, dédaigneuse... Cependant, nul ne lui témoigne plus de respect, d'attention, d'empressement... Les femmes sont étranges!...

—Grande vérité, monseigneur; en fait de ces créatures du sexe damnable, je n'en connais qu'une de sage et de fidèle... C'est mademoiselle de Carillon.

Et le fou royal agita les grelots de sa marotte.

—Depuis quelque temps surtout, reprit Duprat, cette roideur de la princesse à mon égard a redoublé. Est-ce naturel, cela? Toi qui passes ta vie à l'observer, n'en sais-tu pas la cause?

—A moins qu'elle n'aime ailleurs!...

A cette idée, le chancelier pâlit, et, chose bizarre, le bouffon, identifié sans doute à ses tourments, ne pâlit pas moins que lui.

—Par la mordieu, si cela était!... rugit le premier; mais non, c'est propos de fou!—Madame Marguerite n'a aimé que son mari, nul n'oserait se vanter encore d'avoir consolé son veuvage!

—C'est ce qu'il faudra voir! gronda Triboulet d'un accent si confus que son compagnon ne distingua pas ses paroles.

—Maintenant, conclut Duprat, tu sais où je tends. Ta tâche est de tout observer, pour tout m'apprendre. Nous agirons ensuite suivant ce que tu auras découvert... Va, et quand tu auras à me parler, sans t'adresser aux pages non plus qu'aux huissiers, prends cette petite clef, elle ouvre un passage qui te fournira à toute heure accès dans ces appartements.

En même temps, il remettait au bouffon la clef indiquée, et lui montrait de quelle façon elle faisait jouer un panneau de chêne servant de porte à un escalier dérobé.

Tandis que Triboulet s'éloignait d'une allure plus grave qu'il n'avait coutume, Duprat tenait les yeux fixés sur lui avec une bizarre expression de mépris et de rage.

—Cet homme me servira, murmurait-il à part lui; car si Marguerite m'a blessé dans ma passion, elle le blesse à chaque heure, lui, dans sa vanité... Elle a raison, sans doute, de dédaigner ce misérable rieur de contrebande, cet histrion à gages qui déshonore son frère!... et moi j'en fais mon allié!... Oui, avorton repoussant, tu me serviras jusqu'à ce que je te brise comme on brise un instrument inutile ou dangereux!...

Et se redressant de toute sa hauteur:

—Le roi est absent, je suis premier ministre, et je peux ce que je veux!

Durant cet entretien, Louise de Savoie, enfermée chez elle avec sa fille, s'efforçait de lui ravir le secret de sa mélancolie. La régente, si graves que soient les reproches que l'histoire lui adresse avec raison, n'était pas une nature vulgaire, et la femme politique, impitoyable pour ses adversaires, n'absorba néanmoins jamais chez elle la mère.

Elle entourait ses enfants, mais particulièrement Marguerite de Valois, d'une tendresse infatigable autant qu'éclairée. La communauté de leurs idées religieuses les avait aussi notablement rapprochées depuis les derniers temps.

—Vous avez beau feindre, chère fille, lui disait-elle; un si grand souci n'est pas chose ordinaire. Il y a sous ce beau front pâle une pensée décevante; ce n'est pas seulement l'ennui, c'est le chagrin qui enlève à vos grands yeux leur éclat! et vous me rendez pareille à vous; vous ajoutez aux soins qui m'accablent déjà, la douleur de voir que je n'ai plus votre confiance.

Mais ces bonnes paroles, ces tendres abjurations, ne produisaient aucun effet.

Marguerite restait muette, se contentant de répondre par quelques signes de tête pleins de dénégations et gros de douleurs; ou bien si l'insistance de sa mère lui arrachait une parole, c'était un mot si vague qu'il n'offrait pas de sens.

Rien n'annonçait le terme de cette situation contrainte; ce fut un incident inattendu qui y coupa court.

Un page vint demander à la régente si elle pouvait recevoir le chancelier, pour une communication importante.

Antoine Duprat fut admis aussitôt, et voyant la princesse Marguerite qui se disposait à se retirer, il insista pour qu'elle restât, n'ayant rien à dire qu'elle ne pût entendre. Il s'agissait de nouvelles d'Espagne, de demandes d'argent de la part du roi captif, et peut-être supposerions-nous avec raison que ce n'était là qu'un prétexte pour rencontrer de nouveau la princesse Marguerite.

En effet, il passa promptement à un autre sujet.

—Puisque ma bonne étoile me permet de vous rencontrer céans, auguste dame, dit-il, permettez-moi de vous adresser, en présence de madame la régente, un reproche sur l'accueil que vous me fîtes ce matin.

—Quel reproche ai-je encouru, messire? Je ne me sens aucunement coupable.

—Ces paroles sévères que vous m'adressâtes lorsque je vous saluai...

—Ces paroles, je ne saurais les retirer, sur ma conscience, messire!... Rentrez en vous-même et convenez-en. Vous connaissez mes sentiments religieux, je n'en fais pas un secret; eh bien! je suis en droit de vous demander: Qu'avez-vous fait de mes frères?... Mes amis, mes pauvres poètes, mes charmants écrivains, ces belles intelligences qui égayaient la cour, qui ravissaient la ville, qui répandaient l'esprit et le savoir, dites, où sont-ils?... vous avez suscité contre eux des docteurs ascétiques, des édits draconiens; et les tempêtes ont dispersé, entraîné ces oisillons meurtris!...

—Que vous plaidez bien une mauvaise cause, illustre dame!... Sur ma foi, à vous entendre, on se sentirait pris d'indulgence pour les coupables les plus endurcis.

—Eh quoi! ma fille, intervint la régente, est-ce donc là véritablement le sujet de la maladie noire que je déplore en vous?

—Je ne saurais dire, ma mère; mais du moins je suis bien assurée que j'éprouverais un grand contentement si les choses étaient autres.

—De grâce, insinua le chancelier, saisissant ce moyen de se mettre mieux dans l'estime de la princesse, de grâce, madame, ne rejetez pas sur moi seul la responsabilité de ces mesures, de l'exil de vos poètes de prédilection... Je ne suis que l'instrument des ordres du roi et de madame la duchesse.

—Est-ce vrai, ma mère? demanda Marguerite en fixant gravement son regard sur celui de Louise de Savoie, vous participez à ces rigueurs?...

—Permettez, madame, interrompit Duprat pour éviter à la régente l'embarras d'une réponse, il ne faut pas prendre mes paroles à la lettre. Son Altesse a laissé faire, parce que la volonté du roi étant précise, elle ne pouvait empêcher.

Cette explication confuse édifia peu Marguerite de Valois, dont l'esprit droit aimait les raisonnements précis.

Néanmoins, voyant le chancelier en si bonnes dispositions, elle ne voulut pas insister sur ce point, et reprit:

—Vous êtes un logicien trop habile pour moi, messire. Mais puisque vous paraissez plus miséricordieux que je ne pensais, il y aurait un excellent moyen de le prouver.

—Dites, madame, je ne tiens qu'à vous démontrer ma sincérité et mon bon vouloir.

—Oh! ce sont là d'excellents discours; pourquoi les actes ne s'y conforment-ils point?

—Si Votre Grâce daignait s'expliquer plus clairement.

—Très volontiers... Je veux dire, messire, que les écrivains exilés ne sont pas les seules victimes dont le sort m'afflige. Ce ne sont pas d'ailleurs les plus à plaindre.—Les prisons du Châtelet, de la Bastille, celles de ce palais sous nos pieds, les fosses de la Grosse-Tour, regorgent d'autres créatures dont la condition m'inquiète et me tourmente.

—En vérité, madame, vous prenez tant de sollicitude à ces misérables!... Songez donc que ce sont des pécheurs endurcis, récidivistes, propagateurs acharnés, et que la sainte Église de Rome les frappe d'anathème...

—Mais vous, messire, songez aussi que j'ai trempé dans leur erreur, puisqu'au dire du Saint-Père, erreur il y a... Je suis donc un peu excommuniée comme eux, ce qui fait que leur infortune me touche...

—Ils sont heureux, madame, d'exciter votre sollicitude.

—Ils le seraient bien plus s'ils obtenaient la vôtre.

—Que souhaitez-vous donc?

—Que vous mettiez en œuvre ce bon vouloir que je rencontre chez vous aujourd'hui, et qui me charme, en faisant élargir ces malheureux.

—Le chancelier eut un geste d'effroi.

—Ne craignez rien; ma mère, ici présente, ne s'y opposera pas, j'en suis sûre.

—La régente fit un signe affirmatif.

—Et quant à mon cher et honoré frère, notre maître à tous, je m'engage,—foi de princesse,—à vous obtenir la continuation de sa faveur.

—Ainsi, madame, la délivrance des prisonniers religieux vous serait agréable?

—A moi, à ma mère et au roi.

—S'il en est de la sorte, la chose n'est pas impossible... Cependant n'oublions pas les exigences de la Sorbonne; elle serait capable de faire un coup d'État ou un acte de rébellion fâcheux en la situation des affaires publiques, si nous lui enlevions toute sa proie... Je vous communiquerai, s'il vous plaît, la liste des prisonniers, et vous en désignerez un certain nombre qui seront libérés sur votre désir. Quant aux autres, nous tâcherons ensuite d'adoucir pour eux ces rudes docteurs, dont il serait dangereux de méconnaître trop ouvertement les privilèges.

—Ainsi soit-il, messire; ma mère et moi attendrons votre liste, afin de vous présenter ensuite la nôtre, et, cet acte de clémence accompli, vous aurez droit à toute ma reconnaissance.

Sur ce mot, elle lui tendit gracieusement la main qu'elle lui avait refusée le matin même.

IV
L'ANGE DES TOMBEAUX

La nuit enveloppait depuis longtemps Paris endormi. Non pas une de ces nuits transparentes sous leur voile, qui font rêver du ciel et de ses voies étoilées, non pas même une nuit au lourd manteau noir, dont pas un filet de l'éther ne traverse la couche opaque.

Le ciel, bizarrement envahi par des montagnes obscures, lançait çà et là par leurs trouées des clartés blafardes, qui prêtaient aux objets des aspects fantastiques.

Au palais, tout reposait, comme à la ville. Les corps de logis de la grande cour du Louvre se profilaient sur ce ciel douteux, sans que la lueur d'une veilleuse apparût derrière les vitrages plombés de quelque fenêtre. Seulement, sur les déchirures du ciel, les crêtes des hauts étages, les créneaux des tourelles, les aiguilles des guérites de pierre des bastions du bord de l'eau de la porte de Saint-Germain l'Auxerrois se dessinaient en silhouettes accentuées, pareilles aux découpures de ces châteaux magiques construits sur les flancs des nuages par de méchants enchanteurs.

La Grosse-Tour eût acquis alors des proportions gigantesques pour l'œil d'un visiteur, si quelqu'un se fût trouvé assez hardi pour la considérer sans un frisson. Sa tête disparaissait dans l'ombre, et sa masse noire se dressait comme un monument funèbre, écrasant une hécatombe immense.

C'était l'heure et le lieu de se rappeler les légendes fabuleuses qui peuplaient les mémoires; cette vue sans perspective, cet horizon sans lumière, ce môle sinistre rendaient vraisemblables les plus incroyables récits. Cette enceinte devait être hantée par des esprits en harmonie avec elle. S'il est des repaires où les spectres prennent leurs ébats, celui-ci en était un.

C'était sans doute en une circonstance pareille que le bouffon royal avait assisté à l'apparition dont il avait, quelques jours auparavant, entretenu la cour.

Son récit n'avait produit qu'une impression passagère, on s'en était occupé quelques heures. Le soir, peut-être encore, deux ou trois gentilshommes, une ou deux dames, plus curieux que les autres, avaient mis l'œil à leur croisée pour regarder si le fantôme ne leur donnerait pas une représentation; puis, fatigués bientôt d'une vaine attente, ils avaient quitté la partie, se moquant d'eux-mêmes et des hallucinations de messire Triboulet.

Ils eussent changé d'avis, et l'eussent reconnu pour leur maître, si, plus persévérants, ils se fussent tenus en observation au jour où nous sommes arrivés.

Oui, de l'un des angles de la cour carrée surgit tout à coup, nous ne saurions dire comment, une ombre plus noire que les silhouettes des tourelles, plus grave que les murailles de la Grosse-Tour, plus solennelle en sa démarche que les nuages fantastiques qui roulaient leurs cohortes au ciel.

On devinait sous cette enveloppe une forme humaine, mais on ne la distinguait pas. On n'entendait ni son souffle ni ses pas.

Elle avançait, morne et muette, sans regarder derrière elle, sans agiter les plis du linceul où elle était drapée.

C'était bien celle que le fou du roi avait déjà vue, car elle suivait le même itinéraire, marchant en ligne droite vers l'arcade de Charles V, au bord du fossé de la tour centrale, dont le pont-levis, rigoureusement retiré, ne permettait plus l'accès.

Où allait-elle donc et qu'espérait-elle? Les fantômes ont-ils des secrets pour passer où ne passent point les vivants? La pierre et les murailles offrent-elles des issues à leurs formes insubstantielles? Se transportent-ils, malgré leur apparence matérielle, à la manière des esprits subtils?

Il faut le croire, puisque celui-ci se fut à peine approché de l'un des massifs de la maçonnerie, qu'il parut ne faire plus qu'un corps avec elle, ou plutôt qu'il fut absorbé, englouti dans ses flancs granitiques.

Ce phénomène était si prodigieux qu'il arracha un cri de surprise à une autre créature, accourue là sur les traces de l'apparition.

Pour que rien ne manquât, en effet, à cette fantasmagorie, derrière le spectre s'était avancé un gnome, c'est-à-dire un être bizarre, aussi grotesque que le premier était imposant, quelque chose entre l'homme et le singe, un corps sans jambes, ou des jambes sans corps, avec une tête énorme, sans proportions avec le reste de sa structure.

Cette chose avait jailli d'un perron sur les traces du noir promeneur, et s'était attachée à lui, en roulant comme une boule, en rampant comme un lézard, toujours dans les ombres les plus opaques de la cour, de manière à n'être pas même visible pour l'œil du fantôme.

Lorsque le premier s'était approché de l'arcade de Charles V, le second avait hâté sa poursuite, et déjà il étendait sa main crochue pour saisir le pan de son manteau; mais fantôme et manteau s'évanouissaient à sa vue, comme ces visions de nos rêves qui échappent à notre toucher, et ce prodige arrachait au nain une exclamation de colère et d'effroi.

Cet observateur déçu dans son espoir demeura un moment immobile de stupeur, puis il tressaillit en apercevant, à travers une des longues et minces meurtrières percées çà et là dans les assises de la tour, un filet lumineux, qui passa rapide comme l'éclair et ne revint plus.

Il conçut la conviction, sans qu'il eût pu expliquer pourquoi, que la disparition du noir promeneur sur le bord du fossé, et le jet de cette lumière à travers la tour, avaient la même cause et appartenaient au même objet.

La porte refermée, l'apparition écarta son voile.

Alors, au paroxysme de l'exaltation, il se mit à palper un à un les blocs de pierre du pilier mystérieux, il gratta les interstices avec ses ongles, essaya d'en percer le ciment avec le fer d'un poignard, frappa du manche de celui-ci sur chaque point;—ses ongles se cassèrent, sa lame s'ébrécha, et le pilier rendit un son mat et brut, qui ne révélait aucun vide dans la maçonnerie.

Le nain secoua ironiquement sa grosse tête rousse, et s'en alla se blottir en face de la poterne, dans l'angle d'un épais contrefort du palais, l'œil attaché sans relâche sur ce pilier qui ne voulait pas lui livrer son secret.

Plus favorisés, il nous sera permis d'en traverser les blocs.

L'apparition au noir vêtement descendit d'abord un escalier en spirale, dont la cage étroite la meurtrit plus d'une fois. Cet escalier comptait trente marches, au bas desquelles s'offrait une galerie, dont la voûte humide et visqueuse laissait filtrer des gouttes d'eau glacée qui formaient de place en place de petites mares sur le sol spongieux.

Un sentiment de froid pénible vous saisissait dans ce conduit, au-dessus duquel régnait le fossé de la tour.

Le personnage que nous y suivons n'échappa point à cette impression: un frisson le parcourut de la tête aux pieds; ce fut le premier, l'unique mouvement qu'il eût encore manifesté.

Il n'en ralentit pas cependant sa marche, devenue plus hâtive que dans la traversée de la cour, et il atteignit le bout de la galerie, qui se terminait brusquement par un pan de maçonnerie.

Mais il n'eut qu'à étendre le bras, à toucher une saillie des pierres du bout des doigts, l'obstacle disparut, la muraille s'effaça, comme s'était effacé le pan du pilier de Charles V, et le promeneur inconnu pénétra dans une petite pièce carrée évidemment creusée de main d'homme dans l'épaisseur des fondations de la Grosse-Tour.

Avant que sa voix eût appelé, un gardien se présenta, tenant à la main une lumière qui éclaira à peu près ce réduit. Jusqu'alors, l'apparition, marchant à l'instar des fantômes, s'était orientée à travers les ténèbres les plus épaisses.

—C'est bien, maître, dit-elle; conduis-moi.

Ce guide était un vieillard aux cheveux gris, mais grand et encore vigoureux. Il portait à sa ceinture de cuir deux objets particulièrement remarquables: un anneau de fer contenant un énorme trousseau de clefs grossières et rouillées, et un poignard dans une gaîne solide.

Sans se faire répéter l'ordre, il ouvrit une porte bardée de traverses assujetties par de gros clous, et éclaira de sa lampe trois marches à monter pour accéder dans une galerie autrement longue que la première.

A droite et à gauche de celle-ci régnaient de nombreuses portes massives, toutes munies d'énormes verrous extérieurs.

Ces portes donnaient sur autant de cellules; ces cellules étaient des *fosses*.

Lorsqu'on était déposé dans un de ces cabanons, on ne savait plus quand on en sortirait, ni si l'on en sortirait. Le premier venu n'y était pas admis... on les réservait aux prisonniers de distinction.

Les grands vassaux, traîtres à leur foi ou redoutables pour leur influence, en avaient longtemps connu les tortures... aujourd'hui, d'autres coupables y croupissaient. Le premier ministre y tenait à sa merci les novateurs les plus fougueux, les écrivains réformistes qui n'avaient pu échapper à temps.

Le guide ouvrit successivement chaque cellule, et successivement l'apparition s'approcha des captifs, leur adressa une parole consolatrice, leur donna une lueur d'espérance, s'assura que leur condition misérable n'était pas encore aussi affreuse qu'elle eût pu le devenir, sans les subsides généreux qu'elle laissait aux mains du geôlier.

Au bout de cette galerie funèbre, le verrou de la dernière porte tiré, l'apparition se tourna vers le vieillard:

—Laisse-moi, lui dit-elle, je te rejoindrai.

Il s'inclina et obéit.

Sa compagne poussa la porte et entra.

Ce cachot était un peu moins horrible que les autres. Une lampe, suspendue par un anneau de fer à la voûte, en éclairait l'intérieur; la couche ne manquait pas de couvertures; une table et quelques ustensiles en garnissaient le fond.

La porte refermée, l'apparition écarta son long voile d'étoffe épaisse; mais le prisonnier n'avait pas attendu pour s'élancer vers elle, avec l'acclamation du mourant qu'on rappelle à la vie.

—Marguerite!...

Et, réunissant ses deux mains dans les siennes, il les couvrait d'ardents baisers.

Oui, c'était elle, la Marguerite des marguerites, la perle des perles, comme disaient les poètes. Son beau et mélancolique visage, pâle à l'égal d'un marbre de Paros, se détachait sur ses vêtements de deuil, et semblait, aux rayons de la lampe, refléter une auréole.

—Oh! c'est bien moi, mon Jacobus, dit-elle d'un ton d'ineffable tendresse; et quand vous aurez fini d'embrasser mes mains, vous m'apporterez votre front, que je vous rende vos baisers.

—Marguerite! Chère et bien-aimée Marguerite!... répéta le prisonnier, qui semblait avoir mis toute son âme dans ce nom.

—Tu m'accusais peut-être, ingrat!... Le temps t'a semblé long, mon ami cher... moins long, qu'à moi, va!... Oh! cette cour, cette étiquette, ces jaloux, ces espions!... Depuis trois jours, je n'avais pu m'y soustraire. Il semblait qu'un réseau d'Argus haineux m'enveloppât... Et je ne voulais pas qu'on pût surprendre notre secret... Non pas pour moi, qui défie la haine et la rancune de ces serpents; mais pour toi, mon âme, qu'un de leurs dards empoisonnés atteindrait aisément!...

—Oh qu'importe!... ne pensons plus au passé, au temps perdu, aux persécutions, aux persécuteurs... Le présent seul existe; et le présent, c'est le bonheur, puisque je te vois, puisque je t'entends, puisque tes lèvres ont touché mon front...

Elle s'était assise sur une escabelle près de la table, et il se tenait agenouillé devant elle.

—Es-tu belle ainsi! reprit-il avec passion, sous ce costume triste et sombre, tes yeux brillent comme les diamants noirs de l'Orient, et ton visage dépasse en ravissement celui des anges.

Elle lui mit sa main sur le front, pour le placer sous la pleine clarté de la lampe, et s'étant mirée longtemps dans la silencieuse contemplation de ses traits:

—Je ne sais si je suis aussi belle que tu dis, mais, au monde je n'ai vu chevalier plus gracieux que toi, mon Jacobus; la poésie et l'intelligence brillent sur ton front, la bonté et le courage sur tes lèvres et dans tes regards, la grâce et la noblesse dans ton maintien... Mon beau gentilhomme, je suis fière de toi, et je te sauverai, car je t'aime!...

—Assez! assez! ce mot-là me suffit!... Me sauver, à quoi bon; j'ai suffisamment vécu! Ah! l'on devrait mourir à l'heure d'une pareille joie; car le reste de la plus longue vie ne peut en fournir une si grande.

Va! je ne suis pas ingrat!... mon adoration pour toi n'a d'égale que celle que j'adresse à Dieu; elle est si puissante... devrais-je le confesser? qu'elle me fait parfois oublier jusqu'à mon père!...

—Ton père, répéta Marguerite avec des larmes dans la voix; ce noble vieillard que je respecte et que j'aime sans l'avoir vu, à cause des vertus de son fils et de la tendresse qu'il a su lui inspirer...

—Oh! merci, chère dame! Non, tu n'es pas une femme commune, tu comprends tous les sentiments généreux; merci, mon amour s'augmenterait encore, s'il était possible, de ton estime pour mon père...

Pauvre père, soupira le prisonnier; j'étais l'enfant de sa vieillesse, l'enfant du miracle, disait-il; je n'ai pas vingt-six ans, et il ne s'en faut que de quelques années qu'il ait accompli son siècle!... Et quel homme que ce patriarche! Initié à toutes les sciences; plus habile en métaphysique que pas un chercheur du grand œuvre; plus perspicace en médecine que pas un docteur, il a tout embrassé, tout pénétré...

Pauvre père!... Où est-il, que fait-il à cette heure?... Persécuté à cause de moi, sans doute!... mort de m'avoir perdu peut-être...

Et le prisonnier se cacha le visage de ses mains, pour dissimuler ses larmes.

Se roidissant enfin contre cette émotion légitime, que la princesse respectait:

—Chère et illustre dame, reprit-il, trésor de miséricorde, vous que les captifs et les infortunés appellent l'ange des tombeaux quand vous descendez dans cet enfer anticipé, n'avez-vous donc encore pu découvrir ce qu'est devenu mon père?...

—Je ne veux pas te tromper, mon cher Jacobus; jusqu'ici il ne m'a pas été possible de recueillir aucun renseignement précis ou satisfaisant. Tout ce qu'on a pu me dire, c'est qu'aussitôt après ton arrestation à Meaux, ton père a disparu de son logis. Je crois être sûre qu'il n'a pas été pris parmi les réformistes car il ne s'occupait guère de ces matières théologiques; je serai d'ailleurs très prochainement en mesure de connaître les noms de tous les prisonniers...

—Merci de vos soins secourables, ma noble et chère dame, soupira le captif. Hélas! je le sens, mon père est perdu pour moi!...

—Pourquoi donc abandonner ainsi tout espoir? reprit avec un doux reproche, la princesse; je vous dis d'espérer, au contraire; j'ai détaché à sa recherche Michel Gerbier, le plus sûr de mes serviteurs, mon père nourricier; il saura bien me découvrir ses traces. Je vous le répète encore, pour lui comme pour vous, mon cœur est plein de confiance.

—Si vous voulez parler de ma délivrance, reprit le jeune homme en agitant mélancoliquement sa tête expressive, en vérité je ne suis pas pressé de la voir venir. C'est dans ce cachot que j'ai connu le bonheur de vous aimer; ce cachot est un palais que votre pensée embellit sans cesse; et qui sait, à supposer que vos projets se réalisent, si je retrouverai, libre, les joies ineffables que j'aurai goûtées captif!...

—Chère âme, prononça Marguerite en lui faisant un collier de ses deux bras, que tu mérites bien d'être aimé!...

Elle disait vrai, la belle Marguerite. Dans ce Louvre dont les superbes murs pesaient de tout leur poids sur ce captif, elle eût vainement cherché un gentilhomme qui valût celui-ci non pour les titres, il y en avait de plus de quartiers sans doute, non pour la beauté et la distinction, quoiqu'il possédât un visage séduisant, quoique sa tournure fût irréprochable; mais pour cette noblesse qui ne se lègue pas par héritage, mais pour ces qualités de l'âme que l'éducation ne donne pas, car elles sont une faveur directe d'en haut.

Jacobus, ou plus vulgairement Jacobé de Pavanes, était un jeune homme de grand mérite, érudit et lettré, élevé à l'école de l'évêque de Meaux, dont il était le disciple favori.

C'était chez ce prélat qu'il avait eu occasion de rencontrer madame Marguerite de Valois, que ses tendances réformistes portaient à fréquenter monseigneur Guillaume Briçonnet, chef de luthéranisme en France.

L'estime que le prélat faisait de Jacobus, l'attention qu'il accordait à ses discours, une attraction naturelle, rapprochèrent de lui la princesse, et bien certainement ils s'aimaient, sans avoir osé se l'avouer l'un à l'autre, quand la persécution surexcité par Antoine Duprat éclata sur la petite église de Meaux et sur ses adhérents, avec la rapidité et la violence de la foudre.

Jacobus de Pavanes avait commis un acte de rébellion capitale, aux yeux du chancelier, non moins qu'à ceux de la Sorbonne.

Oubliant que Clément Marot n'avait pu trouver grâce, en dépit de ses hautes protections, pour sa traduction versifiée des psaumes, condamnée solennellement et détruite par la main du bourreau, méprisant l'arrêt rendu par la Sorbonne, consultée par le parlement sur l'opportunité d'octroyer à Pierre Gringoire, écrivain en grande réputation en ce temps, la permission d'imprimer les *Heures de Notre-Dame,* translatées en français, Jacobé de Pavanes avait osé traduire la Bible!

Il résulta naturellement de cette rigueur que la curiosité publique, stimulée, s'attacha avec plus d'impatience à la connaissance de la lecture qu'on lui interdisait, et que le mouvement en fut accéléré au lieu d'en être ralenti.

En France, toujours sous l'impulsion de Duprat, la Sorbonne, consultée par le parlement sur la requête de Pierre Gringoire dont nous venons de dire un mot avait donc rendu le décret stipulant «que de pareilles traductions, tant de la Bible que d'autres livres de religion, étaient pernicieuses et dangereuses, parce que les livres ont été approuvés en latin; et doivent ainsi demeurer».

Mais, nous ne sommes ici que pour constater les faits, et celui que nous signalons présentement, c'est la captivité de Jacobé de Pavanes dans les fosses de la Grosse-Tour du Louvre; c'est la miséricorde de la sœur du roi vis-à-vis de tous les prisonniers de religion, et particulièrement de l'élève de prédilection de l'évêque de Meaux.

Jusqu'au jour où le malheur s'était abattu sur lui, la princesse Marguerite s'était tenue à son égard dans une réserve qui ne laissait rien voir de ses sympathies intimes; elle savait sans doute, — les femmes ont pour cela un sens particulier, — que ce beau gentilhomme, ardent en toutes choses, chez lequel la passion débordait par tous les pores, la trouvait belle, et recherchait sa présence.

Mais, par une retenue qui n'est pas rare en un véritable amour, elle évitait de lui fournir aucune occasion de manifester ce sentiment, soit dans ses discours, soit dans les vers qu'elle ne laissait pas de tourner avec art.

Ce fut donc seulement lorsqu'il lui apparut malheureux, prisonnier, accusé d'un crime entraînant des peines terribles, que les hésitations de son cœur se fondirent soudain, et qu'elle laissa échapper dans le cachot du Louvre l'aveu qu'elle avait su contenir au sein des splendeurs.

Un geôlier, gagné à prix d'or, servait de complice à ces entrevues, et avait livré à la comtesse le secret du pilier de Charles V, connu de lui seul.

Le lecteur comprend donc, sans que nous insistions, l'ardeur de cette passion cimenté par les persécutions, stimulée par le péril, entretenue d'une part par une reconnaissance sans bornes, de l'autre par les instincts les plus généreux, par l'abnégation la plus sincère.

Marguerite était heureuse et fière de se sentir l'unique but, l'unique pensée, l'unique providence de celui qu'entourait sa tendresse. La poésie de son âme, l'ardeur de son sang, ce sang royal qui coulait aussi dans les veines de François I^{er}s'épanchaient dans ses entrevues avec le chevalier de Pavanes, en sorte que l'heure était loin déjà qu'ils se croyaient encore à leur premier baiser.

Des coups discrètement appliqués à la porte de la cellule les rappelèrent à la vérité.

Le temps avait marché, c'était le moment des adieux.

Marguerite promit de revenir bientôt; on échangea un de ces longs embrassements où les âmes et les sens se confondent, puis la porte se referma. L'ange des tombeaux se disposa à regagner le monde des vivants.

Le captif se jeta sur sa couche, et tenant à deux mains ses tempes enfiévrées de joie, les yeux clos pour ne pas être distrait par les objets extérieurs, il continua son rêve de bonheur, en savourant le souvenir de ses moindres détails.

Assurément, Marguerite, forcée de songer aux précautions de la retraite, était plus à plaindre que lui.

Elle renouvela ses recommandations et ses libéralités auprès du geôlier, lui fit entendre que le chevalier de Pavanes n'attendait que le retour du roi pour obtenir son élargissement, et qu'alors elle et lui proportionneraient leur générosité à ses bons offices.

Cet homme, qui détestait le chancelier comme tout le monde ne demandait qu'à servir une cause où il trouvait tous les avantages rassemblés, bons traitements et profits.

Marguerite reprit donc sa route accoutumée, et le pilier complaisant de la grande arche la rendit bientôt au plein air.

Drapée dans son manteau noir, le visage caché dans son coqueluchon rabattu, elle se dirigea tout droit vers une porte basse de l'aile méridionale des bâtiments.

La nuit n'avait fait que s'épaissir depuis son premier trajet; autour d'elle il ne se produisait aucun mouvement, il ne retentissait aucun bruit.

Cependant un être informe avait jailli de l'angle d'un contre-fort, où il accomplissait sa veille infatigable; et rampant dans l'obscurité, il s'arrêta seulement à quelques pas de la porte, où il laissa la princesse pénétrer sans obstacles.

Puis, cette porte retombée, cette créature sans nom agita, en signe de contentement, ses longs bras décharnés, et poussa un cri de hibou en belle humeur, qui fit grincer les girouettes du palais sur leur verge rouillée.

V
LA CHAMBRE DU MINISTRE

Ce cri rauque et guttural était sans doute celui que profèrent les démons au moment de regagner leur enfer, car le gnome disparut aussitôt, sans qu'il nous soit possible de dire par où il était passé.

S'était-il abîmé sous la terre? Avait-il traversé la muraille du palais, à l'instar de l'apparition qui avait su se frayer une voie insaisissable dans les blocs de l'arche de Charles V? Ou bien, enfin, laissant s'éloigner cette apparition, avait-il tout simplement pris le même chemin qu'elle, en ouvrant à son tour la porte basse dont il connaissait aussi le loquet secret?

Toujours est-il qu'il ne tarda pas à quitter la cour carrée, sans que personne eût été assez habile pour se douter qu'il y eût passé une partie de la nuit.

Et, comme nous n'avons pas de raison pour laisser plus longtemps le lecteur en doute sur l'identité de ce personnage, qu'il a reconnu sans peine, nous suivrons celui-ci se glissant à la façon des chats dans la cage de l'escalier étroit et caché qui aboutissait à la chambre du premier ministre.

Muni de la clef confiée à son zèle, il s'introduisit dans cette chambre par le panneau mobile, inconnu par les serviteurs vulgaires du palais.

Le remords n'est pas un vain mot, assurément; mais il y a par exception, des heures où la mauvaise conscience ne paraît pas troubler le sommeil des coupables. Seulement, les visions de leurs rêves sont une affaire entre eux et Dieu.

Antoine Duprat, étendu sous ses épais rideaux, dormait profondément. Le bruit de sa respiration lente et régulière était le seul qui remplit cette pièce, avec les crépitations intermittentes d'une lampe de nuit qui avançait à sa fin.

Cette chambre, vue à cette heure, sous le reflet vacillant de la flamme jaunâtre, qui semblait frôler et animer successivement chaque angle saillant des meubles, ne laissait pas d'offrir un aspect peu rassurant.

Les armes pendues en trophées sur les murailles, les images pieuses qui séparaient ces instruments de mort, le grand fauteuil où s'étaient médités tant d'actes criminels, la table sur laquelle avaient été signés tant d'arrêts de mort, ces papiers épars, qui en contenaient déjà d'autres peut-être, tout inspirait des pensées funèbres.

Le visiteur nocturne s'était arrêté, écoutant la respiration de l'homme redoutable dont il allait troubler le repos: il portait son œil quelque peu hagard sur ces objets, qui tous avaient leur muette éloquence.

Au milieu de cet examen, le rayon de la veilleuse fit surgir une lueur fauve de l'un des clous dorés qui ornementaient le coffre-fort massif, où le chancelier déposait ses richesses et ses secrets.

La main crispée du gnome se dirigea nerveusement vers ce point, et ses traits se contractèrent en envisageant ce meuble.

—Là!... là!... murmura-t-il d'un accent étouffé.

Puis, cette impression s'effaça, ses membres se détendirent, et ses lèvres s'agitant, sans qu'aucun son sortît de sa poitrine, semblèrent formuler quelque chose approchant de ces mots:

—Plus tard!...

Oubliez cet homme et ses paroles, ma mère.

Ces deux syllabes, ou plutôt le sens qu'elles renfermaient pour lui, ayant rasséréné ses esprits et affermi sa confiance, il se tourna vers le lit, et se haussa sur la pointe des pieds pour voir qu'elle figure avait un chancelier endormi.

Une figure peu avenante, sans doute, car il se pelotonna aussi vite sur lui-même, effrayé de l'expression menaçante de ce sommeil.

Par un geste qui lui était habituel et qui indiquait chez lui la plus absorbante réflexion, il se mit à se ronger les ongles, les yeux tournés vers le lit mais de façon à voir sans être vu, en cas de réveil subit du dormeur.

Puis, effrayé par lui-même du droit qu'il avait reçu de pénétrer à toute heure, sans être annoncé ni attendu, dans ce lieu redoutable, il comprit, car il était prévoyant, qu'il arriverait peut-être une circonstance, où son généreux patron se repentirait de cette faveur, et en craindrait les inconvénients, ce qui lui attirerait bien quelque méchante aventure.

Sur cette pensée fort sage, il rétrograda jusqu'au panneau à coulisse, sortit sur l'escalier, et, avant de rentrer, fit assez de bruit en ouvrant, pour être sûr de ne pas prendre le ministre à l'improviste. C'était une manière de prévenir la défiance de celui-ci.

En effet, le chancelier, réveillé en sursaut, bondit sur sa couche.

—Holà! qui vient ici!... fit-il du ton d'un homme qui a des raisons pour craindre les mauvaises surprises.

Et, apercevant dans le clair-obscur l'ombre bizarre du nain:

—Par le saint nom de Dieu! exclama-t-il, qui va là?...

—C'est moi, c'est moi monseigneur! fit le visiteur de sa voix la moins rugueuse.

—Par Dieu le Père! s'écria le ministre rappelé à lui, c'est Triboulet!

—Moi-même, messire... Pardonnez-moi de vous avoir réveillé si brusquement, mais, en dépit de mes précautions, je ne suis pas habile à ouvrir les portes mystérieuses telles que celle-ci, et le bruit que j'ai fait...

—Il n'importe, interrompit Duprat en se mettant sur son séant, et fort intrigué par cette visite, qui présageait un événement extraordinaire.

—Votre Seigneurie pardonnera donc à mon zèle...

—Il suffit, pas de préambule; allume seulement cette chandelle de cire sur ma table, et viens au fait.

—Vous m'avez dit que vous teniez à être bien et promptement servi, monseigneur; quand vous m'aurez entendu, j'espère que vous reconnaîtrez que j'exécute fidèlement vos intentions.

—Parle donc clairement alors.

Avez-vous ouï parler de ce fantôme noir dont je racontais l'autre jour l'apparition miraculeuse à l'audience de madame la régente?

—Peut-être bien... oui, j'ai une vague idée de cette invention de ton cerveau fêlé... Où prétendais-tu en venir avec ce conte?

Le bouffon royal se rapprocha du ministre, et se dressant aussi haut qu'il put pour donner plus d'ampleur à sa voix:

—Ce n'était pas un conte...

—Décidément, murmura en se parlant à lui-même Antoine Duprat, j'ai eu tort de choisir un pareil auxiliaire, il est réellement fou.

Or çà, mon maître, reprit-il tout haut, il me semble que tu te joues de ma longanimité. Tu viens me réveiller avec fracas, à une heure indue, et cela pour me faire des histoires de l'autre monde... Oublies-tu que j'aime médiocrement la plaisanterie? Or, celle-ci me paraît fort déplacée.

—En ce cas, monseigneur, vous me congédiez? Soit, je me retire; reprenez cette clef, qui me devient inutile et dont je ne me suis servi que pour vous obéir... Je reprends ma parole et j'emporte mon secret.

Ce disant, il fit mine de tendre la clef au chancelier et de gagner la porte ordinaire.

—Au diable, le fâcheux! gronda son patron. Je t'écoute, mais dis-moi un mot raisonnable.

—Croyez-moi, messire; ma marotte dort là-haut dans mon perchoir, sous les toits, je n'ai jamais été plus sensé. Je n'ai pas imaginé le fantôme noir de la grande cour, il existe; tout à l'heure encore je l'ai vu... je l'ai suivi!...

—Toi?

—Moi!

—Où cela?

—Où je l'avais vu la première fois, où je le guettais depuis une semaine; toujours dans la cour carrée.

—Tu l'as abordé?

—Non pas; j'ai fait mieux que cela: je l'ai reconnu.

Le chancelier devint tout pâle, il y avait tant d'autorité dans l'accent du bouffon, qu'il n'était pas permis de douter de sa parole.

Ce qui passa alors par l'esprit d'Antoine Duprat, nul ne l'a jamais su. Gagné par la sincérité de son confident, entraîné par l'habileté perfide avec laquelle il distillait ses révélations, peut-être eut-il un moment d'effroi et crut-il voir sur le seuil de sa chambre l'ombre vengeresse de quelqu'une de ses victimes. Des scélérats moins superstitieux que lui, ont eu de ces hallucinations.

Quoi qu'il en soit, la pupille de Triboulet se dilata avec une expression sardonique, ainsi qu'il lui arrivait à chaque coup d'épingle qu'il trouvait l'occasion de lancer à son allié en diplomatie.

Eh bien! ce spectre terrible! demanda enfin celui-ci, surmontant son appréhension, c'est...

—Ce n'est pas un revenant, c'est une femme.

—Hein! une femme?... une femme qui erre seule, la nuit, déguisée en fantôme, à travers les êtres de cette résidence royale? Son nom, puisque tu la connais?

—Ne le devinez-vous pas, messire; et quelle autre serait assez hardie, d'humeur assez aventureuse pour accomplir ces pérégrinations, sinon la princesse Marguerite?

—La princesse Marguerite!... la duchesse d'Alençon!... répéta le chancelier au comble de la stupeur.

—Ne m'avez-vous pas enjoint de vous la nommer?

—Sur mon âme, voilà qui est incroyable! si incroyable, que je n'y ajouterai foi que quand tu me l'auras juré sur cette image de Notre-Seigneur Jésus, appendue là, au-dessus de mon prie-Dieu.

—Je le jure, dit tranquillement Triboulet, c'était madame Marguerite, propre sœur de sire le roi de France.

Une pause suivit.

Le ministre tenait son front dans sa main, pour rallier ses idées qui s'égaraient, sans qu'il put les condenser, ni les retenir. Il n'était pas bien sûr encore d'être vraiment éveillé.

Le bouffon dardait sur lui ses yeux ardents de malice, et jouissait de l'état déplorable où il le voyait.

—Si tu ne lui a point parlé, comment l'as-tu reconnue sous son ajustement funèbre?

—Oh! prononça sourdement le fou d'office, il y a des personnes que l'on reconnaît d'instinct, sans avoir besoin de considérer leurs traits, sans qu'elles fassent un mouvement ni qu'elles parlent... Vous les apercevez, tout votre sang bouillonne et vous crie: C'est elle!...

—Oui, fit Duprat; je comprends; ce que l'amour inspire à quelques-uns, toi tu le ressens par la haine!

—C'est cela, monseigneur, vous l'avez dit: la haine!

Le bouffon, devenu livide, articula ces mots d'un accent guttural, et retira de son pourpoint, où il la retenait enfouie, sa main, dont les ongles, pleins de sang, avaient déchiré sa poitrine.

—La haine! répéta-t-il, la haine! Cette femme m'estime moins qu'un chien.

—C'est vrai, appuya Duprat, lui rendant à son tour une de ses blessures; je l'ai ouï engager son royal frère à te chasser du palais comme on ne chasserait pas un être vermineux... Pauvre Triboulet, reprit-il avec une feinte compassion, il y a pourtant du bon en toi.

Cette hypocrisie, loin de l'abuser, le rappela à lui.

—Ne vous y fiez pas, messire, fit-il avec une gaieté fébrile; le papegai s'apprivoise difficilement; il mord souvent son maître, au moment où celui-ci le caresse avec plus de confiance. Vous voyez, j'ai mes heures de franchise.

La princesse a peut-être raison de me dédaigner; je fais un métier stupide, en prétendant amuser, avec mes saillies, des gens plus sots que moi... Tenez, je suis, au demeurant, un vilain personnage.

—A la bonne heure! Je vois avec plaisir que si tu fustiges vertement les autres, tu ne t'épargnes pas toi-même... Mais tu es un rusé compère, et, si je te connais bien, tu ne dis tant de mal de toi que pour empêcher que les autres le pensent. Pour moi, je ne te demande pas de me flatter, mais de me servir. Ton intérêt me répond de ta vigilance, je n'en exige pas plus.

Les boutades de ce genre n'étaient pas rares en effet, de la part de ce bouffon bizarre, dont la langue enfiellée ne respectait pas même son maître, le roi.

—Quelle cause puissante attribues-tu à ces promenades nocturnes de la princesse? Ce ne peut être un simple rendez-vous de galanterie? Nos grandes dames ne prennent point tant de gêne, et ne font point tant de mystère pour chose si vulgaire...

—Non, sans doute; communément, elles attendent les amoureux, et se contentent de leur ouvrir l'huis de leurs retraits... Mais qu'adviendrait-il si ces beaux galants, au lieu d'avoir leur libre volée, se trouvaient confinés en quelque endroit malsain, fermé à double tour, et surveillé par des gardiens rigoureux?

—Eclaire ton discours, je cesse de te comprendre.

—Suivez mon raisonnement, messire, il est limpide: en fait de rendez-vous d'amour, il faut pour se rencontrer que quelqu'un aille en trouver un autre... Quand l'amoureux est empêché, c'est l'amoureuse qui se met en route.

—Fort bien; mais, en ce cas, je cherche vainement quel peut être ce mortel assez favorisé et assez malheureux à la fois pour que la perle de la France aille à lui, sans qu'il puisse venir à elle... Je ne vois personne...

—C'est que vous cherchez mal, messire. Madame Marguerite possède un moyen que j'ignore, mais que je découvrirai, pour

pénétrer dans les cachots de la Grosse-Tour; celui qu'elle aime est
là!...

—Quel trait de lumière!... Triboulet, tu es le prince des bouffons!...

—Cette parole me flatte, messire; il me reste à la justifier.

—Achève donc, alors; ce prisonnier...

—Ah! malheureusement, mes indications, mes pressentiments, ne
vont pas plus loin... ce prisonnier, je ne le connais pas.

—Mais je veux le connaître, moi!...

—Ne vous emportez pas, monseigneur. Tout vient à point à qui sait
attendre... et chercher. Donnez-moi, signé de votre main, un permis
de visiter, à toute heure et de telle façon qu'il me conviendra, les
cellules de la Grosse-Tour, des créneaux jusqu'aux fosses. Que je sois
à jamais privé de ma marotte et de votre confiance, si je ne vous
apporte pas le nom de votre heureux rival avant deux fois vingt-
quatre heures.

—J'y compte, dit le ministre en lui montrant parmi les papiers épars
sur la table, un blanc-seing, dont le bouffon se saisit avec la
souplesse du tigre qui s'élance sur sa proie.

VI
L'HOROSCOPE

On nous permettra, avant d'aller plus loin, de présenter au lecteur, avec quelques détails, Louise de Savoie, duchesse d'Angoulême. Cette princesse exerça la régence durant la plus grande partie du règne de François Ier, que son esprit d'entreprise, ses aventures et ses luttes guerrières détournaient des affaires de l'État.

Nous avons, dans un précédent chapitre, montré cette princesse entourée de sa cour. Elle avait alors près de cinquante ans; mais, grâce à l'art des cosmétiques, grâce à son maintien superbe, à la noblesse de sa taille, c'était encore une femme belle et qui ne manquait pas de charmes.

L'habitude du pouvoir, une énergie innée, des instincts indomptés, avaient en outre marqué leur sceau sur son front, qui respirait le besoin d'autorité et la volonté rigide.

Ses passions avaient plongé la France dans l'abîme où elle se débattait depuis plusieurs années.

Son avidité d'argent causa particulièrement d'immenses malheurs; mais le fol amour dont elle s'éprit, à l'âge de plus de quarante-quatre ans, pour le duc de Bourbon, connétable de France, eut aussi d'irréparables conséquences, et fut en réalité l'origine de la défaite de Pavie et de la prise du roi.

Le connétable, beaucoup plus jeune qu'elle, était fier, et prétendait ne devoir sa fortune qu'au roi. Il repoussa ses avances, et se voyant disgracié à la suite du refus qu'il avait fait de lui servir d'amant ou même d'époux, il entra au service de l'empereur.

C'était, a dit un historien, un de ces hommes nés pour décider du sort d'un État par le parti qu'ils embrassent. Le sort de la France fut en effet tranché par sa désertion.

Nous ne rappellerons pas ces désastres.

Il nous suffit de donner un regard à la situation de la cour et du pays à l'époque qui nous occupe.

La France était toujours sous le coup de la consternation où l'avait jetée l'échec de Pavie. François Ier était jeune, généralement aimé, admiré de l'Europe. On avait la certitude que bien d'autre sang allait succéder au sang déjà répandu, et la France, entamée, se sentait menacée d'une condition pire encore par les efforts extraordinaires qu'il fallait tenter après tant d'autres efforts perdus. On songeait aux sommes immenses qu'il était indispensable de trouver, et l'on se demandait où les prendre.

Plus on racontait des merveilles de la vaillance déployée par le roi à Pavie plus on était touché de sa situation; et tout le monde à la cour imputait ces maux à la duchesse d'Angoulême et au chancelier Duprat.

L'écho de ces plaintes, de ces accusations, n'était pas sans arriver jusqu'à ces grands coupables.

Le chancelier s'en vengeait en poursuivant comme novateurs ceux qu'il supposait ses ennemis; mais la régente paraissait fort assombrie par la grande responsabilité qui pesait sur elle et par l'affection, nous devons insister sur ce point, qu'au milieu de ses égarements, de ses vices, elle portait à son fils et à la princesse Marguerite.

Depuis les événements qui avaient atteint ce fils bien-aimé, elle se montrait particulièrement en proie à des accès d'anxiété de mélancolie, qu'elle n'était plus maîtresse de dissimuler.

Poursuivie par une idée fixe, dont elle ne se confiait à personne, elle se livrait à des pratiques religieuses exagérées, qui l'entraînaient flottante du catholicisme au luthéranisme, — son esprit inquiet demandant par alternatives à l'une et à l'autre de ces croyances, laquelle était la plus efficace pour calmer les esprits malades... les remords, peut-être!...

La captivité du roi suffisait-elle pour justifier un si grand trouble moral? On en doutait; mais quelle autre faute la duchesse d'Angoulême avait-elle donc à expier?

Entachée des idées nouvelles, elle ne croyait ni à l'efficacité des fondations monastiques ni à celle des indulgences. Son intelligence supérieure ne se pouvait persuader que, parce qu'il avait plu au sort de la placer dans une condition où elle était en mesure d'acheter ses faveurs, elle pouvait ainsi satisfaire à la justice divine.

Elle en vint à des expédients qui trahissaient le trouble de sa conscience. Ce fut alors qu'elle adressa à diverses reprises au parlement (voyez *Dulaure*) des remontrances sur le luxe des habits. Elle prétendait qu'il était l'heure de s'humilier devant Dieu, de réformer cet éclat, d'abandonner les étoffes de soie pour en prendre de laine de couleur jaune, noire ou gris foncé, et de ne plus célébrer de noces somptueuses.

L'avocat général, Charles Gaillard, répondit fort sagement à ces remontrances, que la cour du roi devait donner l'exemple de cette réforme; que ses pompeuses superfluités, trop exactement imitées par les sujets, causaient la ruine d'un grande nombre.

On eût cru que la princesse toute-puissante allait s'offenser de cette franche déclaration, lorsque, à la surprise générale, on la vit s'y ranger en adoptant, pour un temps du moins, c'est-à-dire jusqu'à ce qu'une autre fantaisie eût succédé à celle-là, des vêtements médiocres, tels qu'elle eût voulu en voir à tout le monde.

On pense bien aussi que, grâce aux idées superstitieuses du temps, alors même qu'elle s'adressait au ciel, toute femme supérieure qu'elle fût, elle ne dédaignait pas des pratiques qui sentait fort le soufre et la corne d'enfer.

Pénétrant donc,—le jour qui suivit la visite de Triboulet à Antoine Duprat,—dans l'appartement de la duchesse régente, nous la trouvons en compagnie de sa fille Marguerite et d'un troisième personnage, auquel elle paraissait porter une extrême attention.

La duchesse d'Alençon, assise à l'écart, rêveuse, les yeux fixés sur le ciel, dont on entrevoyait un lambeau par la croisée entr'ouverte, errait évidemment loin de ce qui occupait si fort la régente.

La mère et la fille avaient chacune leurs soucis.

La première se tenait près d'un guéridon d'ébène, ayant en face d'elle le personnage que nous avons indiqué et dont elle étudiait avec une anxiété singulière les gestes et la physionomie.

C'était un homme de cinquante ans, vêtu d'une longue robe noire d'une extrême simplicité. Ses traits creux, son front chauve et ridé, ravagé par l'étude plus que par l'âge, inspiraient une défense instinctive. On sentait de prime abord, rien qu'à la façon dont son œil observateur se portait sur le vôtre, que cet homme exerçait sur le commun une supériorité réelle.

Corneille Agrippa était en effet un habile et profond docteur; ce n'était qu'avec beaucoup de peine que Louise de Savoie avait pu l'attacher à sa personne et à celle de François Ier en qualité de médecin. Toutes les cours le lui avaient disputé; aussi était-il l'homme de France le moins courtisan, et le plus prompt à la réplique lorsque sa puissante protectrice le contrariait en quoi que ce fût.

Il n'était guère permis alors à un médecin de demeurer étranger à l'alchimie ni à l'astrologie judiciaire.

L'anatomie était une science à peine soupçonnée; la dissection d'un corps humain passait pour un acte sacrilége. Charles-Quint consultait les théologiens de Salamanque pour savoir si, en conscience, on pouvait disséquer un corps afin d'en étudier la structure.

D'une part, les métaux entraient pour beaucoup dans la médication; de l'autre, on attachait à la marche des astres une influence prépondérante sur la climatérique terrestre et sur l'organisme humain. Par une conséquence qui se comprend, si l'on se reporte à l'état des intelligences, qui sortaient à peine des nuages mystiques du moyen âge, les hommes les plus éclairés ne dédaignaient pas de considérer cette influence comme s'étendant aux choses morales.

Ainsi, étant admise cette vertu des astres, et leur marche étant connue, il n'était pas illogique de chercher à devancer celle-ci, pour les interroger sur les événements qui pouvaient découler de leur conjoncture avec d'autres mondes célestes ou avec les saisons.

François Ier à Pavie.

Corneille Agrippa possédait, comme ses confrères, cette science hypothétique; mais plus éclairé ou plus circonspect, il est avéré qu'il n'y avait recours qu'à la dernière extrémité, ou quand la régente ne lui laissait pas la licence d'un refus formel.

Nous le trouvons dans un de ces instants, courbé sur le guéridon, absorbé par les supputations de chiffres dispersés sur une large pancarte, au milieu de cercles, d'angles, de carrés cabalistiques.

Après avoir fait et refait un calcul qui ne répondait sans doute pas à son désir:

—Madame la duchesse, dit-il, Votre Altesse me pardonnera, mais il m'est impossible de réussir aujourd'hui cet horoscope.

—Parlez-vous sans feinte, messire? répondit Louise de Savoie en l'interrogeant de son regard méfiant et scrutateur. Ne serait-ce pas plutôt que vous hésitez à me révéler le résultat de ces hiéroglyphes où vous lisez comme dans le ciel? Exprimez-vous avec franchise, vous ne sauriez m'annoncer rien de pis que ce que j'ai déjà enduré!

—S'il faut donc vous obéir, madame, ces chiffres et ces signes rebelles ne veulent en effet se combiner pour rien de satisfaisant...

Il s'arrêta en remarquant la pâleur et l'émotion qui envahissaient le visage de sa noble cliente.

—Achevez donc, messire, lui dit-elle.

—Je recommencerai demain ces supputations qui doivent être fautives; mais, puisque vous l'exigez, sachez, madame, qu'elles ne contiennent que de fâcheux présages, pour Votre Seigneurie, notre sire le roi, votre royale famille et la France.

—C'est-à-dire, fit la régente, les lèvres serrées de dépit, qu'elles annoncent le triomphe de nos ennemis, et la glorification du pire de tous, du connétable de Bourbon?

—Vous l'avez dit, madame.

—Et le moyen de conjurer ces prétendues calamités, votre science ne vous l'indique-t-elle point?

—Hélas! ma science peut prévoir, elle ne saurait empêcher...

—Il suffit, messire. Je vous rends grâce de vos efforts, et je vais me mettre en quête d'un médecin qui ne se contente pas d'annoncer la maladie, mais qui sache la guérir.

—Assurément, répondit-il sans se déconcerter, Votre Seigneurie ne manquera pas de fourbes qui en feront promesse; moi, je ne promets que suivant mes moyens.

—Nierez-vous donc l'art des envoûtements, par lesquels on prévient les coups de ses ennemis, en les frappant eux-mêmes des plaies d'enfer?

La physionomie du docteur s'assombrit à cette proposition sinistre.

—Je crois la science humaine fort bornée, et je ne me targue pas encore de la posséder toute; quant à ces pratiques mystérieuses, que Votre Grâce ne compte point sur moi pour les entreprendre; de telles arcanes dépassent mes forces, et si la volonté d'en haut est de favoriser le connétable, je ne me sens pas de poids à lutter contre elle.

—Or çà, ma chère fille, dit la régente en élevant la voix pour arracher Marguerite à son indifférence apparente, prêtez-nous donc votre attention. Ceci vous intéresse tout comme nous; voici ce docteur mécréant qui nous prédit à tous une série de calamités, et qui refuse de nous fournir le moindre talisman pour nous en préserver.

—N'est-ce que cela, ma mère, repartit avec une grande douceur la princesse, ne violentez pas messire Agrippa dont j'estime le savoir. Rien n'est plus aisé que de vous procurer une amulette, un charme, une mandragore.

On ne s'entretient plus, depuis quelque temps, que de l'habileté merveilleuse d'un vieux nécroman, Gaspard Cinchi; je crois qu'il loge à deux cents pas de ce palais, dans une des ruelles qui confinent aux Tuileries. Il est déjà en possession de la plus belle clientèle de votre cour. Vos filles d'honneur mêmes ne se font pas faute de le consulter en cachette.

—Entre confrères, on se connaît quelquefois, dit la régente avec un peu d'ironie à Agrippa; messire, avez-vous des données sur ce Gaspard Cinchi?

—Quelque charlatan de bas étage, affublé d'un nom italien!... grommela le médecin froissé de cette apostrophe.

—Charlatan, peut-être, répéta Marguerite souriant malgré elle à cette boutade, mais meilleur courtisan que tel docteur morose de ma connaissance. Il a fait des prédictions couleur de printemps à la plupart de ces demoiselles; jusqu'à assurer à votre favorite, ma mère, la petite d'Heilly, qu'elle détrônerait une reine...

—Si cela est, fit vivement la régente, c'est en effet un grand homme, car il a dit vrai...

—Hein?... vous pensez, ma mère?...

—Silence sur ceci!... L'avenir éclaircira toutes choses.

Le docteur ne chercha pas à comprendre; mais la princesse, plus curieuse, essaya de descendre dans la pensée de sa mère; pensée profonde, où germait déjà le dessein de faire supplanter dans la faveur royale la comtesse de Châteaubriant qui lui portait ombrage, par sa protégée la demoiselle d'Heilly, qui fut, en effet, plus tard la duchesse d'Étampes.

—Je vous deviens inutile, madame, prononça avec une politesse froide le docteur; me permettrez-vous de me retirer?

—Je ne vous retiens plus, messire, dit la régente, et je vous rends la liberté après laquelle vous soupirez bien fort.

Il s'en alla sans insister, en homme qui compte ne plus revenir, et en adressant aux deux princesses un salut respectueux mais glacé, auquel la régente répondit à peine.

Le lendemain, il quittait le Louvre pour rejoindre cet autre terrible disgracié qui s'appelait le connétable de Bourbon, dont il avait prévu les nouveaux succès.

La duchesse d'Angoulême le laissa partir sans essayer de le rappeler, et cependant son regard fixe, longtemps attaché sur la portière qui venait de retomber derrière lui, trahissait son regret en même temps que son mécontentement.

La princesse Marguerite essaya de l'arracher à cette angoisse.

—Oubliez cette homme et ses paroles, ma mère. Ces pratiques de magie sont vaine superstition; les esprits vraiment forts s'en affranchissent. Maître Agrippa, que je tiens pour savant d'ailleurs, est sujet à se tromper comme les autres; et je penche à croire qu'il emprunte ses pronostics plutôt à ses sympathies qu'aux révélations extra-naturelles.

Mais la sentence du docteur, puissamment corroborée par sa démarche et son départ, avait porté à l'esprit de la régente un coup trop sérieux pour s'effacer devant ses affectueuses remontrances.

—Non, non! fit-elle en agitant péniblement la tête; les arrêts de ce physicien ne sont pas de ceux qu'on peut impunément dédaigner... Il ne dit rien dont il ne soit convaincu; et il est si bien persuadé des calamités qui nous menacent, qu'il déserte sans hésiter notre cour, pour chercher, j'en jurerais, la faveur de nos ennemis florissants. Ainsi les gens sensés s'éloignent d'une maison qui s'écroule...

—Nous trouverons cent docteurs pour un, ma mère.

—Qu'importe, s'ils sont impuissants, si le malheur doit venir? Il ne faut pas mépriser le savoir de ces hommes, ma fille; ai-je besoin même de vous rappeler que vous eûtes pour eux maintes fois plus d'égards...

—C'est vrai, ma mère; quand l'esprit, quand le cœur souffrent, se désespèrent, quand ils sont épuisés de s'être inutilement adressés à

Dieu, placé trop haut pour abaisser ses yeux sur nos infimes douleurs, alors, on va quelquefois à toutes les portes. Le cerveau humain, inquiet malade se laisse facilement attirer par l'espoir d'un appui surnaturel, d'une lumière, d'une influence fatidique; quand on souffre dans le présent, on demande à l'avenir de nous soutenir en nous consolant... Hélas! déceptions et chagrins!...

—Cependant, ma fille, ces calculs astrologiques ne sont pas toujours vains, qu'il vous suffise de le savoir; ce que vous m'avez dit tout à l'heure sur la petite d'Heilly est le décret de l'avenir, et, je vous l'affirme, c'est vérité. Je veux consulter aussi, moi, ce vieux Gaspard Cinchi dont la science a trouvé cela... Dès demain, je le verrai... Ne serez-vous pas curieuse de m'accompagner?...

—Excusez-moi, ma mère, répondit avec embarras la princesse; je n'ai plus foi en ces pratiques... j'aime mieux ne pas voir ce nécroman.

—Marguerite, dit la régente avec intérêt, vous souffrez plus que vous ne voulez l'avouer! votre âme est livrée au trouble et à la crainte!...

—Ne m'interrogez pas, ma mère. Vous fûtes toujours bonne pour moi; prêtez-moi votre aide dans le dessein que j'ai conçu, sans chercher à savoir quel il est, ni pour quel objet je vous implore.

A cette prière, le cœur maternel de la régente se réveilla.

—Mon appui? mais il est à toi, ma fille, à toi tout! entier. Qui donc oserait en vouloir à ton bonheur?...

—Ma mère, n'est-ce pas aujourd'hui que le grand chancelier vous remettra cette liste des prisonniers de religion, sur laquelle nous devons désigner ceux que nous souhaitons voir absoudre et renvoyer?

Quoique cette question ne répondît pas aux assurances affectueuses qu'elle venait d'adresser à sa fille, et que celle-ci l'eût formulée sur un ton plus léger en apparence que ses précédentes paroles, la régente ne s'y trompa point; elle comprit qu'il existait un rapport absolu entre elles.

—Je ne vous demande pas votre secret, chère fille; je ne veux même pas le savoir. Mais si d'aventure il tient à la délivrance d'un de ces captifs, foi de régente du royaume, sauf le cas de haute trahison, ce captif sera mis en liberté.

La princesse fut sur le point de se jeter au cou de sa mère puis un scrupule, une crainte subite la retint, et avant d'épancher sa reconnaissance:

—Foi de régente, c'est parole de roi, ma mère, je retiens donc la vôtre, et vous me servirez, même contre messire Antoine Duprat?...

Ce nom, prononcé avec cette solennité et rapproché de son serment, fit pâlir la duchesse d'Angoulême.

—Le grand chancelier?...

—Hésiteriez-vous, ma mère?

—Non, sans doute, mais pourquoi mêlez-vous le nom du grand chancelier à ceci?...

—Ah! c'est là mon secret, et vous avez promis de ne pas chercher à le connaître.

—Il est vrai; mais ce prisonnier auquel vous portez intérêt a donc commis un attentat plus grave que le délit commun aux autres novateurs, que vous prévoyez une résistance venant de la part du premier magistrat du royaume?

—Je vous atteste ceci, ma mère, c'est que je ne redouterais pas cette résistance, si ce magistrat était aussi, comme il devrait être, le plus homme de bien du royaume.

—Décidément, murmura la duchesse en retombant dans l'abattement peu habituel à une nature de sa trempe, ce physicien avait raison, une maligne influence pèse sur ce palais et sur notre famille!

Marguerite se redressa avec la majesté qu'elle possédait aux occasions décisives:

—Je croirai à mon tour qu'il en est ainsi, madame et souveraine, si vous me refusez, lorsque je ne réclame que miséricorde et justice.

—Seigneur! s'écria la duchesse en s'adressant à un crucifix suspendu au fond de sa chambre, Seigneur, vous êtes terrible en vos arrêts:

vous m'avez repris un de mes enfants, et voici l'autre qui est prête à me renier!

—Calmez-vous, ma mère; souvenez-vous seulement que vous êtes la maîtresse, et que mon existence est en vos mains.

—Silence!... on vient... C'est le chancelier, soyez prudente.

—Ah! que j'ai besoin de mon courage!... fit la princesse, retombant sur son siège pour mieux cacher son émotion.

L'idée qu'Antoine Duprat apportait la liste des prisonniers et que le sort du plus aimé d'entre eux allait être résolu, avait serré d'une étreinte pareille à un pressentiment suprême cette poitrine si puissante dans les périls, mais si faible dans l'amour.

Duprat, annoncé avec fracas par l'huissier, semblait alerte et rajeuni. Sa démarche avait la vivacité d'un jeune homme, sa prunelle aux inclinaisons tortueuses dardait des lueurs étincelantes, le timbre même de sa voix avait changé ses notes graves et sèches en vibrations nettes et incisives. Satan fait homme aurait de ces aspects dans ses heures de triomphe.

La princesse, emportée par sa nature généreuse, fut tentée de voir dans cette métamorphose un indice favorable.

Mais la régente connaissait mieux l'homme; il était de ceux dont la joie cache une noirceur; elle eût été bien plus rassurée de le voir soucieux.

D'un signe imperceptible elle avertit sa fille de se tenir sur ses gardes.

L'entrée de Duprat, sa façon de saluer les princesses tenaient du conquérant.

Marguerite ne perdit rien de sa dignité; sans cesser de se montrer gracieuse comme il était dans son caractère, elle conserva la supériorité que lui assignait son rang.

Sa mère, au contraire, cette femme impérieuse jusqu'à la violence, hautaine jusqu'à la dureté, implacable dans ses haines, se courba involontairement; sa rigidité se sentait fléchir sous la domination que le ministre exerçait sur elle, comme le reptile sur une proie qu'il a su fasciner.

Mais, en ce moment, ce n'était pas pour elle-même qu'elle éprouvait ce malaise. Elle étudiait l'expression avec laquelle Duprat considérait sa fille, le sourire faux, les éclairs ardents qui luisaient sous ses épais sourcils. Et par instants, lors, par exemple, qu'il s'approchait ou se penchait vers celle-ci, de manière à effleurer sa main ou ses vêtements, on eût pu croire, si l'on eût observé cette scène, que la duchesse transformée en lionne allait s'élancer sur lui.

Occupée par ses propres soucis, Marguerite cherchait à amener ce subtil adversaire sur le terrain désiré, sans trahir son impatience.

Coupant enfin court aux compliments fleuris dans lesquels il affectait de se tenir:

—De grâce, messire, n'épuisez pas les ressources de votre esprit à me tresser des couronnes hyperboliques. Les choses sérieuses conviennent mieux à un homme grave comme vous êtes; n'allez pas sur les brisées de nos pauvres poètes. Si vous me parlez lyrisme, ils seraient capables de me parler politique. A eux les chansons, à vous les affaires.

—Pardonnez-moi, madame, mais la poésie et la louange viennent toutes seules quand on s'adresse à Votre Altesse. De quoi souhaitez-vous, d'ailleurs, que nous traitions?

—Eh mais, votre mémoire est-elle si oublieuse que vous ne vous rappeliez plus votre promesse touchant ces pauvres réformistes?...

—Ces réformistes, ces novateurs?... En effet, je me souviens très-bien de votre souhait et de mon engagement.

—Alors, vous venez le remplir? Voyons, où est cette liste?

—Votre Seigneurie et madame la duchesse m'excuseront...

—Ne l'apportez-vous point?

—J'y comptais, messire, dit assez sévèrement la régente.

Mais Duprat ne parut même pas remarquer cette observation, et répondant à Marguerite seule:

—Le retard ne provient pas de mon fait; Votre Altesse aurait déjà ces tableaux, s'il ne m'en manquait encore un, celui de la tour du Louvre. Il appuya sur ce mot en plongeant son œil faux dans le regard effrayé de la princesse.

J'ai pensé que vous ne voudriez rien décider sans ce complément; et demain, pour le sûr, je pourrai vous le communiquer avec les autres. Si pourtant, fit-il en feignant de chercher des papiers dans sa poche, Votre Altesse ne jugeait pas cette liste nécessaire, je lui remettrais les autres...

Marguerite eut une vague intuition du piège.

—C'est inutile, messire, répondit-elle en refrénant sa colère et son mépris; il serait injuste de ne pas tenir compte des captifs de la Grosse-Tour dans cette amnistie. Ma mère et moi attendrons à demain, confiantes en votre foi.

—Je ne dois pas vous dissimuler encore, reprit le chancelier, que la Sorbonne redoutable de sévérité, et que ces cachots du Louvre renferment particulièrement des prévenus auxquels elle attache une grande importance... à ce point que, pour ne pas me faire une méchante affaire avec elle, j'ai dû, ce matin même, changer tout le personnel des gardiens.

—Vous avez changé les gardiens? intervint la régente, qui remarqua le trouble de sa fille, et jugea nécessaire de lui éviter une réplique qui y eût ajouté encore. Les anciens ne remplissaient-ils pas bien leurs fonctions?

—Leur service laissait à désirer, Altesse. On craignait qu'ils n'eussent pour les prisonniers des accommodements dangereux. Leurs successeurs, au contraire, sont incorruptibles; de vrais dragons gardant la grotte sacrée; impossible à un profane d'y pénétrer.

—On aurait pu, ce me semble, me consulter à cet égard... dit la régente.

—Mais non, ma mère, interrompit Marguerite avec un peu d'amertume, c'est fort bien fait; un serviteur infidèle mérite d'être puni. Seulement, je pense que les prisonniers ne seront pas assujettis aux mêmes rigueurs que les coupables ordinaires, et qu'on aura pour eux des égards... Je prétends y veiller d'ailleurs, et, s'il le faut, en référer à mon frère, le roi, notre maître à tous; prisonnier lui-même, il saurait compatir aux maux qu'il endure.

—Que Votre Altesse se rassure, elle pourra se convaincre, quand il lui plaira, que les prisonniers de la Grosse-Tour sont traités comme elle le veut; ses souhaits sont des ordres.

La duchesse d'Alençon comprit la portée perfide de ces demi-mots, lâchés avec une feinte indifférence. Le chancelier possédait le secret de ses excursions nocturnes et de ses intelligences avec les geôliers de la Grosse-Tour. Le remplacement de ceux-ci par des gens aux gages et à la dévotion de Duprat, rendait impossibles ses visites mystérieuses au prisonnier.

Le tyran avait décoché son trait venimeux; il jugea sa journée suffisamment remplie de ce côté, et, se retirant avec de faux semblants de respect, il songea à aller comploter de nouvelles noirceurs avec son odieux complice.

De son salut cauteleux et de son dernier regard, il enveloppa la princesse comme un faucon envisageant sa proie.

Aucun de ces détails ne trompa l'attention vigilante de la duchesse, qui, restée seule avec sa fille, lui saisit la main comme si elle avait craint un moment de la perdre, ou qu'elle la retrouvât après un danger.

—Cet homme est amoureux de vous, lui dit-elle en lâchant la bride à son émoi, et qui pis est, sait votre secret.

—Amoureux de moi!... répéta Marguerite en commençant un sourire qu'elle n'acheva pas.

Le coup d'œil qu'elle avait surpris à sa sortie lui revenait à la pensée et lui faisait froid dans la poitrine.

—Ma fille, insista la duchesse, je suis sûre de ce que j'avance. Je connais la physionomie et l'humeur de messire Antoine Duprat. Il m'a aimée aussi, moi, et le jour où il me l'a dit, il m'avait regardée comme je l'ai vu vous regarder tout à l'heure...

—Vous, ma mère!...

Louise de Savoie n'ignorait pas que sa fille était initiée à une partie de ses intrigues de cœur; c'était d'ailleurs l'époque par excellence des dames galantes et ces erreurs ne tiraient pas à conséquence dans cette société licencieuse.

La régente ne chercha ni excuses, ni circonlocutions: ce qu'elle avait dit, elle avait voulu le dire.

Mais elle ajouta:

—Retenez ceci, Marguerite, l'amour de cet homme est fatal!...

—Ah! il m'aime, murmura la princesse sans écouter davantage sa mère. Ah! j'ai charmé ce puritain hypocrite qui trafique de sa religion et de sa patrie!... Puissiez-vous ne pas vous abuser, ma mère! Oh s'il m'aimait, comme je vengerais ses victimes! Comme je le ferais souffrir!

François Ier était plus soucieux de ses plaisirs.

VII
LES ANNEAUX DU SERPENT

Le lecteur connaît le vrai motif apporté par Antoine Duprat dans la remise aux deux princesses de la liste des prisonniers de religion.

Il avait voulu laisser à son séide le temps de se livrer à ses recherches.

L'idée de ce rival heureux, pour lequel la fière Marguerite ne dédaignait pas de compromettre la dignité de son rang, la sûreté même de sa personne; cette conviction qu'un misérable novateur, dont lui, le terrible ministre, tenait la vie entre ses mains, bravait sa colère jusqu'au fond de son cachot, en s'enivrant d'une joie pour laquelle il eût tout renié, soulevait en lui des tempêtes furieuses.

Il sentait courir dans ses veines une lave dévorante, ses artères battaient avec fureur; les passions de sa jeunesse se réveillaient avec des emportements, nouveaux sous son cerveau ranimé par la fièvre; et, dans le cœur humain comme dans la nature, ces orages d'automne, s'ils sont les derniers, sont aussi les plus redoutables.

Il eût moins convoité cette jeune femme, si adorable pourtant, s'il eût cru qu'elle dédaignât tout le monde comme elle le dédaignait. C'était l'envie, la jalousie, l'orgueil du serpent blessé qui avivaient son mal, irritaient sa blessure, entraînaient son imagination à la poursuite des moyens les plus efficaces et les plus cruels de se faire aimer et de se venger, car il prétendait arriver à cette double fin.

N'avait-il pas commencé déjà en congédiant, pour les remplacer par des créatures à sa merci, les anciens geôliers de la Grosse-Tour?

Grâce à cet expédient, il rendait impossibles les entrevues de la princesse et du trop fortuné captif. Ou bien, si celle-ci se risquait à descendre dans les fosses, faculté qu'on ne pouvait lui interdire, sa présence, ses attentions auprès de son amant devaient la trahir et dénoncer ce favori exécré.

Ce calcul ne manquait pas de raffinement. Il ne suffisait pas, néanmoins, à ce ministre pervers. Le jour et le lendemain, plus occupé d'assouvir ses rancunes que de veiller aux affaires publiques, il rêva un nouveaux système de persécution contre les novateurs;

bien certain, en les frappant, d'affliger la princesse qui partageait leurs opinions et leur portait intérêt.

L'heure de se rendre chez la régente, pour lui soumettre enfin les noms des accusés, était sonnée; mais il se trouvait encore dans son cabinet de travail, traçant d'une plume qui frémissait entre ses doigts, le projet d'importer en France l'inquisition d'Espagne.

Quelle influence se croyait-il donc sur le roi et sur la régente, dont il n'ignorait pas les tendances avouées vers la réforme?

C'est un point que nous espérons éclaircir sans trop de difficultés:

François Ier était un roi prodigue, beaucoup plus soucieux de ses plaisirs que de la fortune de ses sujets. Indifférent à ses devoirs, il ne songeait guère qu'à satisfaire ses maîtresses, à entretenir un luxe effréné, à mener l'existence la plus douce et la plus commode, quand il ne se sentait pas entraîné par des velléités belliqueuses, plus ruineuses et plus fatales encore.

Or, ce gouffre d'argent nécessaire à ses plaisirs, un homme possédait le don de le remplir incessamment: c'était Antoine Duprat, le chancelier. Aucun ministre ne fut plus habile, plus fécond en expédients sous ce rapport. Mais quels expédients, et combien un monarque honnête les eût réprouvés, en chassant avec indignation le courtisan qui osait les lui soumettre!

Ce fut Duprat qui établit en principe l'abus immoral de la vénalité des charges; ce fut lui qui détermina le roi à créer des loteries, ce piège tendu à l'avidité du peuple et dont le gouvernement tirait un profit usuraire. L'augmentation d'impôts fut mise à l'ordre du jour; il ne se célébra plus une fête royale que le peuple n'en ressentît l'effet par une aggravation de charges.

Faut-il rappeler l'origine du titre ironique de *noces salées*, appliqué aux cérémonies du mariage de la nièce du roi avec le duc de Clèves? L'argent y fut prodigué si follement, que les finances publiques en éprouvèrent un déficit considérable, et, pour le combler, il fallut établir des droits nouveaux dans plusieurs provinces méridionales. Cette charge amena de nombreuses révoltes qui ne furent réprimées que par de sanglantes et effroyables rigueurs.

Mais le roi avait de l'argent et Duprat triomphait au Louvre.

Ce n'était pas assez, il voulait triompher à Rome. La perspective des faveurs pontificales stimulait son intelligence perverse.

Il entretenait à Madrid, depuis la détention du roi, une armée d'espions qui le tenaient au courant des moindres particularités.

Il savait que la captivité et l'exil pesaient lourdement à François Ier, habitué à commander dans la plus belle cour du monde.

A la demande adressée par ce malheureux roi à Charles-Quint d'être admis à payer rançon, l'empereur avait répondu par des conditions très dures, entre lesquelles figurait l'obligation de donner en mariage sa sœur Éléonore au connétable de Bourbon, son vainqueur, et d'investir en outre celui-ci de la Provence, du Dauphiné, du Bourbonnais et autres provinces adjacentes que l'on érigerait en royaume indépendant. L'empereur réclamait encore pour lui-même le duché de Bourgogne, tous les droits du roi sur l'Italie et sa démission de toutes prétentions d'hommages sur la Flandre.

François Ier avait rejeté avec indignation des exigences aussi léonines. On essaya d'inspirer à l'empereur les sentiments de générosité que le monarque français avait espéré trouver en lui, et ce fut en cette circonstance que Louise de Savoie adressa à Charles-Quint la lettre suivante, dont le texte authentique nous a été conservé:

«Monsieur mon fils, comme la captivité du roi, monsieur mon fils, m'a été grève et fâcheuse, j'ai été d'ailleurs consolée, sachant qu'il était tombé en vos mains, espérant que votre grandeur ne vous fera oublier le devoir de l'alliance et consanguinité qui est entre vous et lui, et ce qui plus me fait ainsi le croire, est le grand bien qui peut de ceci advenir à toute la chrétienté, si vous deux êtes joints en bonne et assurée amitié. A cette cause, monsieur, je vous prie d'y penser et commander cependant que le roi, monsieur mon fils, soit traité selon que votre honnêteté et son rang le requièrent et méritent; et vous plaise permettre que j'aie souvent de ses nouvelles. Obligeant par cette courtoisie celle que toujours vous avez appelée *votre mère*, laquelle, derechef, vous prie qu'à présent vous lui montriez affection de *père*.

«Donné le troisième mars mil cinq cent vingt-cinq. Votre humble mère.

«LOYSE.»

Cette lettre et la réponse de l'empereur qui fut portée à la duchesse régente par le seigneur de Rieux, ne servirent qu'à l'échange d'un ou deux prisonniers de distinction. Charles-Quint n'était pas homme à sacrifier ses avantages à la gloire que pourrait lui attirer une conduite désintéressée vis-à-vis de son prisonnier.

Il trouvait sans cesse de nouveaux prétextes d'ajourner une conférence avec lui, s'en tenant à ses propositions exorbitantes, et ne voulant absolument pas en entendre de plus modérées que lui apportaient des envoyés de la régente. Inflexible et inexorable, il se flattait que l'ennui de la prison et la perspective d'y demeurer longtemps forceraient François Ier à réfléchir et à céder.

Telles étaient les circonstances dont le chancelier espérait tirer parti au profit de sa diplomatie diabolique.

D'accord avec un dominicain, que le prisonnier avait consenti à admettre près de lui, il lui avait fait entrevoir un secours puissant et inespéré, au cas où, rompant formellement avec les idées réformistes, il rentrerait dans le giron de l'Église romaine, dont l'inquisition espagnole était un des fermes boulevards.

Le royal prisonnier avait entrevu là une porte par laquelle s'aplaniraient les exigences de son vainqueur. Quoique l'empereur ne fût pas au mieux avec la puissance temporelle du pape, il était cependant un fervent catholique, si fervent, que ses tendances religieuses devaient le mener à se faire moine.

L'inquisition espagnole était le plus redoutable pouvoir de l'État, à côté du pouvoir impérial, obligé de procéder avec elle par des concessions continuelles. François Ier comprit tout cela, et abjura ostensiblement la réforme.

Ce premier pas obtenu, les autres étaient moins difficiles; Duprat recevait par chaque courrier de nouveaux pouvoirs, qui l'acheminaient peu à peu à organiser un tribunal d'inquisition, capable de rivaliser par ses fureurs et ses raffinements avec ceux de la Péninsule. (*Voyez* Mézerai, Legendre, Anquetil, Dulaure.)

Tel était le plan auquel ce ministre travaillait, et pour lequel il oubliait l'audience de la régente, lorsqu'un page de la princesse vint la lui rappeler.

Il jeta sur l'édit inachevé un coup d'œil de regret et d'espoir, et se disposa à suivre le jeune messager.

Son embarras ne laissait pas d'être assez grand, car Triboulet n'avait pas reparu depuis la veille; en sorte que le nom de son ennemi, le protégé de la princesse Marguerite restait impénétrable, et cependant il fallait tenir l'engagement pris vis-à-vis d'elle et de sa mère d'une façon si précise.

A tout hasard, comptant sur sa bonne étoile, espérant toujours voir le bouffon apparaître avec la révélation promise, il pénétra dans le cabinet où les deux princesses l'attendaient.

La plus agitée des deux était la régente; soit qu'elle s'intéressât aussi vivement aux angoisses de sa fille, soit qu'elle sentît une révolte intérieure contre la prédominance qu'elle laissait usurper à ce ministre, auquel, femme et souveraine, elle avait déjà fait trop de concessions.

Marguerite contenait mieux ses tourments intérieurs. Elle sentait que la vie de Jacobus dépendait de son attitude, et trouvait dans cette perspective la force de paraître impassible et presque indifférente.

Le regard faux du chancelier ne surprit aucun signe de colère, d'impatience ni de haine dans le salut par lequel elle répondit à son compliment.

—Nous vous attendions, messire; lui dit avec plus de sécheresse la régente.

—Les affaires, les nouvelles d'Espagne, répondit-il, ont causé un retard que Vos Altesses excuseront.

—Et quelles nouvelles de Madrid, messire? reprirent-elles vivement.

—Peu satisfaisantes; notre cher sire le roi s'ennuie; il tomberait dans le découragement sans le réconfort que lui prête la religion; aussi se montre-t-il disposé à arrêter par tous les moyens, si sévères qu'ils soient, l'extension de l'hérésie dans ce beau et catholique royaume de France.

—Est-ce à dire, monsieur, interrompit la princesse, que vous songez à retirer la promesse que vous renouvelâtes hier encore, au sujet de l'élargissement de quelques-uns des prisonniers de religion?

—Je n'ai pas eu ce dessein, madame, pas plus que je ne suis tenté de mettre en oubli que je ne suis rien, quand madame la régente commande. Je communique à Vos Altesses les désirs de Sa Majesté le roi, voilà tout.

—C'est bien, messire, dit la régente; et puisque vous apportez cette liste des captifs, veuillez nous la communiquer, nous aviserons. Notre bien-aimé fils et roi est loin, il ignore au juste la situation du pays qui souffre, on ne saurait se le dissimuler. Un acte de clémence produirait de bons effets sur l'esprit public, sans nuire aux intérêts de la foi. Il suffit que l'amnistie porte sur des hommes de bonne notoriété, jouissant de l'estime générale et connus pour leur modération.

—Votre Altesse s'exprime avec une haute et magnanime sagesse; je rappelle seulement à elle et à madame la princesse Marguerite, qu'il serait dangereux et impolitique de ne pas faire la part de la Sorbonne. Quant au surplus, voici les noms des prisonniers: si vous le jugez bon, je vais les appeler à haute voix et Vos Altesses choisiront à mesure ceux qu'elles souhaitent délivrer.

La régente se plaça près de sa fille, qui prit une feuille de papier et une plume.

Duprat, qui cherchait à gagner du temps, espérant tout des minutes pour le retour de son complice, entama d'abord les registres du Châtelet et de la Conciergerie.

Marguerite recueillait çà et là quelques noms, dont elle formait son tableau de grâce. Son écriture ferme, sa main hardie à tracer les caractères ne révélaient aucun trouble.

—Nous voici arrivés aux détenus de la Grosse-Tour du Louvre, prononça lentement le chancelier, en épiant l'effet de ses paroles.

Le visage de la princesse ne subit aucune altération.

—Nous écoutons, messire, répondit-elle froidement.

Alors, le tigre en arrêt sur sa proie commença à épeler avec une lenteur calculée chaque syllabe, en couvant de sa prunelle la physionomie de la princesse.

Pas un de ses muscles ne bougea, elle demeura aussi calme, aussi pâle, aussi grave que quand il avait prononcé les noms les plus indifférents.

Lorsqu'il eut fini ce long martyrologe, elle lui tendit sans trembler la feuille où figuraient les noms des élus.

Il y jeta un coup d'œil avide, mais auquel succéda soudain une contraction de ses épais sourcils, indice de son espoir trompé. Tous ces noms étaient tracés avec la même netteté calligraphique.

—Eh bien! messire, demanda Marguerite, au bout d'un moment, avez-vous quelque objection à élever sur aucun de ces choix?...

Une voix connue de toute la cour retentit tout à coup dans un couloir voisin, répétant ce refrain, qui résumait les jurons favoris des quatre derniers rois, y compris le monarque actuel:

Quant la *Pasque-Dieu* décéda
Par-le-jour-Dieu lui succéda,
Le *Diable m'emporte* s'en tient près;
Foi de gentilhomme vint après.

Un frétillement argentin accompagna le chant et soulagea d'une façon sensible le ministre, en venant au devant de la réponse embarrassée qu'il cherchait.

Son auxiliaire lui était rendu; c'était Triboulet!

—Holà! holà! glapissait-il en se rapprochant, place à mademoiselle du Carillon et à son carillonneur!... C'est l'audience de madame la duchesse, et Son Altesse ne saurait se passer de sa première demoiselle d'honneur et de bonne humeur!... place à mademoiselle du Carillon!...

Et l'impudent bouffon tomba, comme une balle lancée par une raquette élastique, au beau milieu du cabinet.

Les huissiers n'avaient pas pu le retenir, et les princesses, prises à l'improviste et habituées à ces incartades, ne songeaient pas à le chasser.

Eh quoi! s'écria-t-il, je comptais entrer en audience gracieuse, et je me trouve en plein conseil! Remerciez-en votre bonne étoile, Altesse, et vous, messire chancelier. Puisque vous délibérez, sur ma foi! un fou de plus ne saurait être de trop.

—Renvoyez ce bouffon, messire, dit Marguerite à Duprat, avec un mépris qui montrait qu'elle dédaignait d'adresser elle-même la parole au grotesque de la cour.

—Vous entendez, maître fou? dit le chancelier avec une sévérité feinte; ça, videz les lieux, et ne vous rendez pas importun, sinon...

—Sainte Marotte! ricana Triboulet, la cour n'a qu'à se munir de bonnets de nuit si l'on fait taire le carillon de la folie, et si l'on rudoie les gens qui ont la franchise de rire des extravagances d'autrui, quand les hypocrites en pleurent; les traîtres sont rarement des gens de bonne humeur, gracieuses dames, et si c'est un catalogue des suspects que tient messire le grand chancelier, je me ferais fort de vous désigner le plus coupable!

Il s'était rapproché d'Antoine Duprat, et, par un geste insaisissable pour les princesses, avait posé le bout de sa marotte sur un des noms que contenait la liste.

—Odieux animal! s'écria le chancelier, dissimulant un éclair de satisfaction sous la violence de son langage, faut-il appeler les valets des chiens pour te fustiger?

—Je suis parti, fit le bouffon, montrant pour la dernière fois sa face hideusement épanouie entre les pans de la portière; mais si vous n'admettez pas la sottise en participation dans vos conseils, vous ne ferez rien qui vaille!

Et il disparut, signalant sa présence dans les galeries voisines par le son de sa marotte et par ses méchancetés vis-à-vis des pages et des valets, auxquels il arrachait des cris et des menaces.

—Cette brute est malvenue, fit le ministre dont un rayonnement satanique illuminait les traits anguleux; on a peine à concevoir la licence dont il jouit dans ce palais, il ne respecte ni les personnes ni les choses... sa raillerie insolente s'en prend aux plus augustes...

—C'est une des faiblesses et des bontés de mon fils, interrompit la régente; mais terminons, s'il vous plaît, messire. Il est donc convenu que vous ferez élargir les prisonniers dont notre gracieuse fille vient de vous remettre les noms?

—Avec l'empressement que méritent vos ordres et vos désirs, Altesse. Pour vous prouver même, ainsi qu'à madame Marguerite, toute ma déférence, j'adopte toute la liste, sauf un seul nom.

Les deux princesses échangèrent un regard alarmé.

Malgré le courage qu'elle avait montré jusque-là, Marguerite sentit un voile passer sur ses yeux; elle se retint pour ne pas perdre connaissance.

—Et ce nom, quel est-il? demanda Louise de Savoie.

—Celui-ci, Altesse.

Le chancelier marqua de l'ongle la place où avait porté la marotte de Triboulet, et passa le papier à la régente.

Elle lut en suivant avec attention le visage de sa fille.

—Le chevalier Jacobus de Pavanes.

Duprat feignait de regarder ailleurs, mais il ne perdait pas un de leurs gestes.

Marguerite étreignit le bras de sa mère avec un désespoir qui lui disait que c'était celui-là précisément qu'elle voulait sauver.

—Pourquoi cette exclusion? demanda la régente.

—Parce que Vos Altesses ne s'intéresseraient pas à cet homme, si elles savaient comme moi qu'il est un des novateurs les plus exaltés, les plus dangereux, en ce qu'il ose imprimer ses écrits abominables, et qu'il est nominativement réclamé par la Sorbonne.

—La Sorbonne entendra raison, répliqua la régente; je ne souffrirai pas que ce jeune homme soit condamné.

—Votre Altesse est la maîtresse, insinua le chancelier en s'inclinant; mais elle me permettra d'envoyer au roi un rapport justificatif de ma conduite, en même temps que certains papiers que Sa Majesté ne jugera pas moins intéressants, je crois.

Ces paroles dissipèrent le ton impérieux de la régente; son regard se détourna pour éviter celui du ministre, devenu par extraordinaire fixe et imposant.

—Il suffit, messire, murmura-t-elle avec embarras; ne précipitons rien... nous aviserons...

—J'attendrai les résolutions de Votre Altesse, et suivant qu'elle commandera, j'agirai.

Sur cette parole à double tranchant, le chancelier se retira à reculons, saluant humblement les deux princesses ou plutôt se repaissant jusqu'au bout de leur stupeur et de leur consternation.

A peine fut-il sorti que Marguerite, se levant par une impulsion soudaine, se dressa devant sa mère encore écrasée sous les menaces de l'insolent parvenu.

—Vous me trahissez, ma mère! s'écria-t-elle.

—Marguerite! ma fille!...

—Je ne suis plus votre fille si vous cédez aux volontés de ce misérable, si vous abandonnez ma cause, si vous laissez périr Jacobus sous sa haine!

—Calmez-vous... écoutez-moi...

Que notre sire Dieu vous conduise.

—Un seul mot: le sauverez-vous?

—J'essayerai...

—Vous essayerez!... Vous n'êtes donc plus la reine, la maîtresse, la régente toute-puissante ici? Quelqu'un a donc le droit d'imposer ses ordres à la mère du roi!... Cet homme s'est glorifié de vos faveurs, mais êtes-vous restée son esclave?...

—Marguerite!...

—Répondez, ma mère!... Le sauverez-vous?

—Je ne puis...

—Vous ne pouvez... Ah! tenez, vous me faites frémir...

—Marguerite, ma fille, ne me maudissez pas...

—Mais répondez donc, alors! Qu'y a-t-il entre cet homme et vous?...

—Il y a... il y a du sang... balbutia la régente à moitié folle de honte et de rage.

—Un crime?... fit Marguerite en considérant avec terreur ses traits décomposés.

—Un crime!... répondit Louise de Savoie en cachant sa tête dans ses mains.

VIII
LA MÈRE ET LA FILLE

Sans partager entièrement la sévérité de quelques historiens vis-à-vis de François Iᵉʳ, et tout en rendant justice à ce qu'il fit de grand et de beau, tout en rejetant sur la faiblesse de son caractère, facilement exploitée par des courtisanes et des intrigants, une large partie de ses fautes, il faut encore reconnaître que celles-ci furent nombreuses et souvent sans excuses.

Louis XII, son prédécesseur, avait ouvert en France l'ère des belles-lettres et des arts, que les Médicis, à Florence, et Léon X, à Rome, protégeaient et glorifiaient. Il suivit d'abord cet élan et il en est rejailli sur son règne un éclat si grand, que pour les esprits superficiels ses erreurs sont demeurées dans l'ombre.

Il fut cependant plus d'une fois exact de dire que cette protection qu'il accorda aux gens de lettres, ainsi qu'aux artistes, eut principalement pour objet son propre agrément, sa propre glorification. Il les considérait comme une partie du luxe dont il était avide, mais il les sacrifiait sans regrets, sans remords, dès que sa fantaisie ou son intérêt se portaient vers d'autres idées.

Son manque de sincérité religieuse ne fut pas une des moindres sources des malheurs et des violences que la postérité sera toujours en droit de lui reprocher. C'était à la fois un esprit facile et une nature égoïste et stoïque; il servait le fanatisme de ses ministres sans le partager. Sa croyance incertaine, vacillante, sujette à des intermittences, revenant aux doctrines inquisitoriales de Duprat après avoir applaudi aux vues novatrices de sa sœur Marguerite, indique assez qu'entraîné par les plaisirs de sa cour, distrait par les guerres et les fêtes, il n'avait jamais eu l'énergie nécessaire pour se faire une conviction.

Avec cette propension tyrannique aux jouissances matérielles, il transforma la cour honorable et vertueuse de Louis XII en une école de galanterie. Il lâcha par son exemple, par ses encouragements, la bride à la dissolution, et se composa un entourage aussi brillant, aussi fastueux que démoralisé.

Avant lui, une certaine quantité de femmes aux mœurs faciles, d'aventurières avérées, étaient tolérées à la suite de la cour, dans les alentours des résidences où celle-ci allait s'installer. C'était assez triste déjà, mais du moins ces créatures, tenues à l'écart, n'étaient à la disposition que de ceux qui allaient les trouver.

Ce roi chevalier inaugura le commerce de la galanterie au sein même de la cour. A ces courtisanes de profession, il substitua des femmes de qualités, et, comme le dit Dulaure, prostituant la noblesse, il sembla vouloir anoblir la prostitution. En revêtant la débauche de formes séduisantes et gracieuses, en l'illustrant par le prestige de l'opulence et du pouvoir, il en augmenta les dangers, et contribua à infiltrer plus vite et plus sûrement son fatal poison dans le corps social tout entier.

Ces quelques mots étaient indispensables pour aller au-devant d'une objection que nous voyons poindre aux lèvres de nos lecteurs et surtout de nos lectrices, sur les aveux singuliers échangés entre Louise de Savoie et la duchesse d'Alençon. La mère n'avait pas dissimulé à sa fille ses anciennes complaisances pour le chancelier, et la fille n'avait pas hésité un instant à s'ouvrir à sa mère de sa passion pour le chevalier de Pavanes.

Dans cette cour où la galanterie était à l'ordre du jour, un amant n'était pas un péché, mais un honneur.

Mais si la régente n'attachait aucune conséquence à la révélation d'un fait, sans doute déjà connu de sa fille, il est vraisemblable que, son exaltation assoupie, elle eût voulu ressaisir l'aveu autrement compromettant arraché à son trouble.

Cependant, en cette minute, Marguerite paraissait céder moins à l'impression de ce cri terrible, qu'à l'excès de la fatalité appesantie sur le plus tendre, le plus sincère amour qu'elle eût encore éprouvé.

Un long silence avait succédé à cette scène tumultueuse, à ces emportements de langage.

La duchesse d'Alençon, anéantie, restait enfoncée entre les coussins du grand fauteuil sculpté où elle s'était jetée, en sentant ses forces défaillir. Ses paupières closes, sa tête pâle, ses lèvres décolorées, entr'ouvertes comme pour exhaler un dernier souffle, ses mains blanches immobiles, se détachaient sur l'étoffe noire de son deuil, comme ces profils d'ivoire incrustés dans du marbre brun par les sculpteurs mosaïstes.

La régente restait assise non loin d'elle, devant la table où se trouvait encore la liste des prisonniers, avec le nom de Jacobus de Pavanes, sillonné par la plume de Duprat d'une large raie noire pleine de menaces.

Elle se tenait silencieuse et immobile aussi, mais son œil perçant allait par alternatives de ce papier à sa fille, évitant toutefois de s'arrêter sur elle, par crainte d'être surpris dans ses investigations, et épiant le réveil de son affaissement.

Elle attendit longtemps, puis enfin la princesse secoua sa torpeur par un léger mouvement de tête.

Elle voulut essayer ses jambes qui l'avaient trahie tout à l'heure, mais elle se trouva brisée; alors, ses longs cils s'étant soulevés avec une morbidesse touchante, son premier regard vint rencontrer, suspendu au-dessus d'un dressoir d'ébène resplendissant de raretés artistiques, le portrait du roi.

Tout le monde connaît cette toile, aujourd'hui placée dans la grande galerie du Louvre, et l'un des chefs-d'œuvre du Titien, le peintre des rois, le roi des peintres. C'est celle qui représente à mi-corps François Ier presque de profil, à l'époque où, jeune encore, il avait laissé croître sa barbe et rasé ses cheveux. Le successeur de Louis XII ne s'y rencontre pas sous les traits plus mignards et gracieux que nous offrent la plupart de ses autres portraits; mais on sent instinctivement, avant même de savoir le nom du peintre, qui est une garantie d'exactitude, que cette figure est vraie.

Ce portrait est digne de l'artiste par lequel Charles-Quint se fit peindre trois fois, et auquel il disait en relevant son pinceau tombé à terre:

—Vous m'avez rendu trois fois immortel.

En revoyant ces traits, en retrouvant fixé sur elle ce regard toujours bienveillant pour ses moindres désirs, elle sentit plus amèrement la perte de cet appui généreux, le seul sur qui elle eût pu compter sans crainte de déception.

—O mon frère, mon frère bien-aimé, s'écria-t-elle avec des sanglots dans la voix, en tendant ses mains jointes vers lui, où êtes-vous?... On opprime votre sœur, le sang de votre sang, le cœur de votre cœur, et ses plaintes n'arrivent pas jusqu'à vos oreilles!... Il ne me restait que vous pour famille, pour défenseur, et vous n'êtes plus ici pour me soutenir de votre main, pour me protéger de votre parole, pour me ranimer au souffle de votre tendresse.

La duchesse d'Angoulême prêtait à ces invocations saccadées et douloureuses une attention singulière; elle semblait, à voir la fixité de sa prunelle sombre, entretenir un muet dialogue avec l'image de son fils.

Cependant, Marguerite, oubliant quelles oreilles l'écoutaient, poursuivait avec une énergique et plaintive éloquence:

—Si vous saviez, noble frère, de quelles tortures on accable cette sœur qui vous chérit à l'égal de Dieu, dont vous avez pour elle la clémence et la mansuétude; si vous saviez ce qu'on fait de votre beau royaume et de votre bon peuple pendant votre absence!... Ne tardez plus, sinon vous ne retrouverez pas votre sœur, et la ruine de vos sujets sera complète...

Cette perspective fut un coup de fouet qui excita sa fougue; elle se dressa devant sa mère avec l'autorité d'une reine qui ordonne et commande:

—Si le roi était ici, madame, je n'eusse pas réclamé deux fois le salut du chevalier de Pavanes... Je ne veux pas savoir quels liens odieux enchaînent votre volonté à celle du premier ministre; je suis votre fille et non votre juge. Que vous ayez ajouté un mystère sanglant à ceux qui peuplent déjà les murs de ce Louvre maudit, c'est une affaire entre votre conscience et Dieu...

Mais je ne veux pas qu'un meurtre soit ajouté à ces meurtres, un deuil à ces exécutions!... Et puisque vous ne pouvez rien pour moi, madame, à tout prix... à tout prix, entendez-vous, il faut que le roi revienne!...

Puissance merveilleuse d'un cœur loyal sur une nature corrompue, l'altière duchesse d'Angoulême ne se révolta pas contre cette sortie pleine de tempêtes et d'imprécations.

Son amour pour ses enfants, sa seule vertu, suffit-il pour la retenir, ou plutôt, la conscience, le remords de ce pacte exécré qui la rendait la vassale de Duprat, lui causa-t-elle en cet instant une humiliation si grande, qu'elle n'osa relever sa tête assombrie?

Toujours est-il qu'elle ne quitta de vue le portrait de son fils que pour s'absorber dans une méditation dont les calculs faisaient passer sur ses joues des lueurs empourprées, ou venaient contracter les plis de son front.

La princesse, étonnée à son tour, la contemplait avec une vague terreur. Une voix secrète lui disait qu'il devait sortir de là quelqu'une de ces machinations violentes par lesquelles sa mère conjurait ou provoquait, suivant ses intérêts, les coups d'éclat. Cette voix, qui s'appelle intuition ou pressentiment, lui disait encore qu'il s'agissait d'elle surtout dans les plans qui bouillonnaient sous ce volcan.

Lorsque la duchesse se décida à la regarder, la tempête avait disparu de ses traits; elle était calme, maîtresse d'elle-même; sa voix n'indiquait pas la moindre altération.

—Ainsi, dit-elle en accentuant chaque mot de manière que la princesse n'en perdît pas un, vous souhaitez par-dessus toutes choses le retour du roi?

—Auriez-vous trouvé le moyen de le racheter?... s'écria Marguerite emportée déjà par son espoir, par sa confiance dans les grandes capacités de sa mère.

Celle-ci poursuivit froidement:

—Je suis convaincue comme vous que la grâce que je ne puis accorder, il la signerait, lui, sur votre prière...

—N'est-ce pas, ma mère, vous en êtes sûre aussi!

—Donc, j'ai conçu un projet...

—Dites!...

—Le roi ne pouvait, sans perdre cet honneur qu'il a retiré sauf de la défaite de Pavie, souscrire aux conditions de l'empereur... Celui-ci, après m'avoir jadis appelée *sa mère*, n'a pas eu assez de magnanimité pour comprendre la lettre où je le lui rappelais... Eh bien, je vais, moi, envoyer des propositions à l'empereur.

—Je n'ai jamais douté de votre génie, ma mère!... Et ces propositions...

La régente appuya toute la puissance de son œil noir et grave sur celui de sa fille, dans les veines de laquelle ce rayon pénétra comme un fluide magnétique.

—Ce n'est pas l'heure de vous les expliquer. Mais quelles qu'elles soient, si dures qu'elles vous paraissent, dût votre personne s'y trouver engagée, me jurez-vous d'y souscrire pour ce qui vous concerne?...

La princesse sentit la menace d'un malheur planer sur sa tête; cependant sa résolution ne faiblit pas.

—Si je fais ce serment, le roi reviendra? demanda-t-elle.

—Le roi reviendra.

—Et Jacobus sera sauvé?...

—Votre illustre frère ne vous a jamais rien refusé: il vous devra sa délivrance, et vous lui demanderez celle du chevalier de Pavanes.

—Jacobus sera sauvé!... répéta tout bas la princesse, sans songer en rien que le salut de son amant devait peut-être la perdre.

Elle aspira une grande bouffée de l'air qui manquait à sa poitrine oppressée, ses narines se dilatèrent, son front s'éclaira d'un sublime rayon de courage et d'amour. Elle étendit par un geste solennel sa main qu'enviaient les rois et qu'elle aimait à donner à un homme de génie, devant le portrait de son frère.

—Faites et agissez selon que bon vous semblera, ma mère!

La duchesse d'Angoulême jeta sur elle un long regard empreint de commisération, au moins singulier, venant d'elle et s'adressant à son enfant chérie.

Qu'avait donc rêvé son imagination? Allait-elle tirer sa fille d'un chagrin pour la plonger dans un abîme? Son projet était-il si redoutable qu'elle en éprouvât des remords?

Toujours est-il qu'elle s'éloigna sans rien ajouter, pour s'enfermer dans son oratoire, non pas avec son secrétaire, mais avec Guillaume Parvi, le confesseur du roi, en qui elle avait toute confiance.

Ils demeurèrent longtemps ensemble, la régente dictant et le prêtre tenant la plume.

Elle dicta ainsi quatre énormes pages, article par article, sans hésitation, sans rature, tant ses idées coulaient limpides et arrêtées. Quand elle arriva au protocole des salutations, Guillaume Parvi ne put s'empêcher de traduire ainsi son opinion:

—Si ce message est remis discrètement à l'empereur par un envoyé fidèle, il est impossible, à mes yeux, que notre honoré sire le roi, votre auguste fils, ne nous soit restitué sur-le-champ.

—J'y compte bien, mon père... répondit-elle, et s'il plaît à Dieu de vous donner ce courage, c'est vous qui irez de ma part trouver l'empereur, car il importe que cet écrit, non plus que ce qu'il contient, ne sorte d'entre nous deux que pour passer aux mains de celui auquel il est destiné.

—Votre Altesse ne veut pas même en dire un mot à monseigneur le chancelier?

—A lui moins qu'à personne!...

—Le prêtre s'inclina, et, comme il allait ajouter un mot pour remercier la duchesse de la confiance qu'elle mettait en lui, leur attention fut éveillée en même temps par un bruissement qui se produisit vers la porte.

La régente s'y élança, et l'obscurité, qui commençait à envahir le fond de l'oratoire où la tenture était placée, ne lui permit pas de s'apercevoir que les plis en paraissaient encore agités, quoique aucun souffle d'air ne pénétrât dans ce lieu. La porte était d'ailleurs close, ni la princesse ni son confident ne songèrent à donner un regard dans la galerie voisine, où peut-être ils eussent encore distingué les traces d'un frôlement rapide le long des murailles.

—Rien! dirent-ils ensemble.

—Et messire Guillaume Parvi, ayant scellé le message qu'il plaça dans sa poitrine, ajouta:

—Demain, au point du jour, je me mettrai en route. Si Votre Altesse a un supplément d'instructions à me donner, jusque-là je serai sur pied, à ses ordres, toute la nuit.

—Merci mon père, et que notre sire Dieu vous conduise.

Elle lui tendit sa main à baiser et s'agenouilla sur son prie-Dieu pendant qu'il s'éloignait. Le point caractéristique de cette époque était cette alliance d'une fausse dévotion avec les actes les plus répréhensibles. On bravait le ciel tout en l'implorant.

Quant à Marguerite, elle n'était pas demeurée longtemps seule. Elle avait trouvé chez elle sa fidèle amie, Hélène de Tournon, qui l'attendait, inquiète de sa longue conférence avec la régente.

Quoique la princesse n'eût pas de secrets pour Hélène, elle ne lui avait dit que quelques mots sur ses chagrins. Mais celle-ci avait pénétré le surplus.

N'est-ce pas, en effet, le mérite de la vraie amitié de comprendre nos peines sans nous en imposer la cruelle confidence?

Elle épiait donc avec anxiété son retour, s'efforçant d'espérer le succès de sa démarche sans oser y compter. Aussi fut-elle plus affligée que surprise en lisant dans son attitude la nouvelle de sa déception.

Les paroles, l'assurance de sa mère avaient bien, pour quelques minutes, galvanisé son énergie, surexcité sa confiance; on embrasse si aisément la chimère qu'on poursuit! Mais, sa mère partie, ses doutes étaient revenus; le secret dont il fallait entourer, vis-à-vis d'elle-même, un projet qui l'intéressait si particulièrement, éloignait son espoir; le découragement était le plus fort, parce que le péril était évident et le salut inconnu.

—Messire Antoine Duprat n'a pas tenu sa parole? lui dit dès l'abord sa confidente.

—Impitoyable! inflexible!... Que faudra-t-il donc pour toucher cet homme?...

Mademoiselle de Tournon ouvrit la bouche pour lui répondre, mais son regard ayant rencontré le visage pâle de sa chère princesse, elle ne se sentit pas le courage de lui faire cette révélation. Elle préféra chercher un autre tour pour l'entretien.

—Madame la régente ne saurait-elle donc prendre sur elle de vous accorder cette satisfaction suprême?

—Ma mère!... répondit la princesse, à laquelle l'aveu de celle-ci se présenta plus horrible en ce moment de désespérance, ma mère!...

Tu ne sais pas, chère Hélène, l'affreuse découverte que je rapporte de cette entrevue?...

—Vous me désolez et m'effrayez, madame.

Elle se pencha vers mademoiselle de Tournon, pour que les murs eux-mêmes ne l'entendissent pas.

—Ma mère est à la discrétion de cet homme.

—Un ancien commerce de galanterie... toute la cour sait cela... Une vieille histoire!

—Non pas! un secret, un pacte infernal, quelque chose de monstrueux, d'innomé, accompli entre eux... il faut bien répéter le mot, un crime, dont le chancelier détient les preuves, et par lequel il gouverne ma mère!...

—Qu'avez-vous dit!...

—Comprends-tu?...

—Je comprends, répondit mademoiselle de Tournon, dont l'amitié augmentait la clairvoyance, je comprends qu'il y a un secret entre le chancelier et madame la régente, et que, si vous pénétriez ce secret, vous seriez à vous seule plus puissante qu'eux tous!...

—Oui, mais comment y parvenir?... Et puis, qui sait, ne serait-ce pas perdre ma mère!

—Maîtresse du secret, vous le seriez aussi de ne point vous en servir.

—Ton idée m'épouvante... D'ailleurs, je le répète, qui me mettrait sur la voie? De quoi s'agit-il? Les premières notions me manquent.

On n'eût guère reconnu la brillante princesse.

—Croyez-en mon dévouement pour vous, Altesse; si jeune que je sois, j'ai assez l'expérience des cours pour savoir que les crimes des grands sont de ceux que leurs auteurs ne parviennent jamais à cacher si bien qu'il n'en reste trace quelque part.

—Ma pauvre Hélène, dit la princesse avec un sourire mélancolique, tant de profondeur me prouve ton affection, car nous voici bien loin de nos tournois poétiques, et des joûtes de galanterie dont j'avais commencé à écrire un si beau livre.

—Ces heureux jours reviendront, ma chère princesse, et pour hâter leur retour, profitez de mes avis.

—Mais je ne t'ai point tout dit. Ma mère a conçu un grand dessein, auquel je me suis engagée de souscrire aveuglément; un dessein qui doit amener la délivrance du roi, au prix de quelque sacrifice de ma part, mais qu'importe! pour sauver Jacobus, pour embrasser mon royal frère, je m'immolerais de bon cœur.

—S'il en est ainsi, reprit simplement Hélène, si vous comptez sur le plan de madame la régente, pourquoi vous donner tant de mal, vous créer tant de peine?

—Ah! c'est que la foi en ma mère me manque! c'est que mon amour pour mon cher chevalier n'aura de contentement que quand je le saurai hors de la portée de ce chancelier maudit, qui ne le hait tant...

—Que parce qu'il vous aime lui-même.

C'était l'aveu que mademoiselle de Tournon avait retenu au début, mais qu'elle n'hésitait plus à lancer maintenant.

Il atteignit la princesse comme un dard en pleine blessure, mais il lui rappela qu'elle l'avait déjà entendu dans la bouche de sa mère.

—Hein!... s'écria-t-elle, tu sais cela, toi aussi! C'est donc vrai, bien vrai?...

—Il m'a suffi de voir le chancelier vous baiser la main et vous regarder deux fois pour en être sûre. Si j'eusse gardé un doute, sa haine pour le chevalier de Pavanes l'aurait écarté.

—Tu as raison; tout serait sauvé si je découvrais le secret... Mais par quel moyen humain?...

—A côté des moyens humains, insinua Hélène, Votre Altesse n'a-t-elle jamais ouï dire qu'il en existât d'autres?...

—Desquels veux-tu parler?...

—Votre Altesse ne m'a-t-elle pas raconté comment madame la duchesse avait congédié maître Corneille Agrippa qui ne confectionnait pas un horoscope à son gré?

—Prétendrais-tu lui demander le mien?

—Non certes: maître Corneille Agrippa a quitté le Louvre et probablement la France; mais il n'était pas le seul savant que possédât Paris.

—Extravagance!

—Mon Dieu, sans doute, à première vue tout le monde s'écrie comme Votre Altesse: Extravagance! Puis, de curiosité ou de désespoir les plus fiers s'y résignent.

—Je gage que tu t'es laissé prendre aux jongleries de quelqu'un de ces devins?

—Écartons ma personnalité, Altesse, je vous en prie, elle n'est d'aucun poids. Mais si je vous affirmais que, pas plus tard qu'hier, madame la duchesse régente a fait mander et a consulté en grand mystère un nécroman du nom de Cinchi?...

—Je connais ce nom, je l'ai entendu en effet prononcer plusieurs fois, et moi-même en ai parlé chez ma mère...

—Un personnage étrange, dont les prédictions et les révélations confondent les plus incrédules. Que vous en coûte-t-il d'essayer? Cette démarche ne saurait nuire au plan entrevu par madame la duchesse; au contraire, car si elle-même a consulté l'astrologue pour combiner ses projets, est-ce leur nuire que de le consulter sur leur réussite? Ah! si Votre Altesse allait requérir des philtres et des charmes!... Mais un simple horoscope?...

—Il me semble que c'est tenter Dieu... murmura Marguerite visiblement ébranlée.

—Si Dieu vous fait défaut...

—Ne blasphème pas, ma mie! J'ai toujours évité de telles pratiques, elles répugnent à ma foi. Hélas! j'aurais bien besoin pourtant que quelque chose me vînt en aide.

Et, couvrant son beau visage de ses mains, elle laissa filtrer des larmes qui roulèrent comme des perles sur la soie noire de sa robe.

—Comme vous souffrez!... soupira Hélène. Que faudrait-il donc pour alléger vos chagrins?

—Ce qu'il faudrait? D'abord me rendre, ne fût-ce qu'un instant, les baisers de Jacobus; dès que je cesse de le voir, il me semble que c'est pour toujours.

—Ne pouvez-vous descendre auprès de lui?...

—Sous le regard des espions du chancelier!...

—C'est vrai, ce serait hâter, provoquer sa perte... Mais, fit-elle, frappée d'une inspiration, il doit exister d'autres moyens... Ne désespérez de rien; je mettrai, s'il le faut, le feu au palais, mais vous reverrez le chevalier sans témoins, sans espions!...

—Que médites-tu? que vas-tu faire?

—Ne m'interrogez pas, espérez!

Et elle sortit afin de ne pas perdre un instant.

Qui eût considéré Marguerite lorsque l'éloignement de son amie la livra de nouveau à l'empire de son désespoir, n'eût guère reconnu, comme elle l'avait dit elle-même, dans cette jeune femme courbée par l'adversité, dans ce beau visage décoloré, dans ces yeux obscurcis et cernés d'une empreinte bleuâtre, la brillante princesse, l'astre de son siècle, le génie badin qui devait livrer à la postérité ces fabliaux que ses successeurs en poésie ont traduits et imités dans toutes les langues.

On n'eût pas deviné davantage, il est vrai, dans cette jeune fille grave et attristée, qui se dévouait pour abréger ses tortures, l'amie enjouée, rieuse, coquette et folle, qui partageait ses ébats poétiques, et dont les saillies donnaient l'élan à sa muse.

Cependant, lorsqu'elle reparut, après plusieurs heures, son œil limpide était ranimé, l'incarnat avait refleuri sur ses joues veloutées, la confiance était au bord de ses lèvres fraîches et purpurines.

Elle s'approcha de la princesse, que rien n'avait pu arracher à sa méditation, et lui prenant la main par un geste caressant:

—Le voir, l'embrasser encore, avez-vous dit, chère Altesse, ou mourir! Eh bien, vous vivrez; venez, vous le verrez et l'embrasserez!...

IX
LE SOUCI D'OR

Le chancelier ne doutait pas que son séide, Triboulet, ne l'attendît dans son appartement, car il lui tardait d'obtenir des renseignements sur le prisonnier de la Grosse-Tour.

Cependant il s'assura bientôt qu'aucun des huissiers ne l'avait vu, et qu'il n'était pas davantage entré par la porte secrète de sa chambre. Sa contrariété retomba en sévérités sur ses gens et sur ses secrétaires. Il allait aussi leur donner l'ordre de se mettre à la recherche du bouffon et de le lui amener, lorsqu'il s'avisa que cette absence n'était peut-être bien causée que par les nécessités de son service, auquel cas il serait dangereux de déranger son confident, et surtout de s'exposer à faire tomber leurs manœuvres communes en des mains indiscrètes.

Il se résigna donc à attendre, tout en ajoutant aux décrets en élaboration sur sa table de travail quelques nouvelles clauses où s'épanchait, en violences contre les novateurs et les écrivains, l'acrimonie dont tout son être débordait.

Son rival heureux était un lettré et un érudit; il traça ainsi de sa plume fiévreuse le plan de cet édit qui abolissait l'imprimerie, défendait l'impression d'aucun livre dans le royaume, stipulant pour quiconque enfreindrait cette défense *la peine de la hart*. Cette mesure fut, en effet, plus tard, promulguée avec l'approbation du roi, c'est-à-dire de ce François Ier que ses courtisans appelaient le restaurateur des lettres, et que bien des gens considèrent comme ayant mérité ce titre.

Puis, toujours de cette encre qui coulait sous ses doigts comme un venin inépuisable, il entassait par-dessus ce décret celui qui défendait, au nom du pape, aux professeurs de l'Université l'interprétation française des livres saints: «Est fait à eux défense et inhibition de lire et interpréter aucun livre de la sainte Écriture en langue hébraïque ou grecque.» (*Registres manuscrits du Parlement*, au 14 janvier 1533.)

Cette ordonnance ne laissa pas de subir quelques difficultés, car les professeurs dont il était question, et qu'on appelait *les liseurs du roi en l'Université*, avaient précisément été institués par François Ier, avec l'obligation d'interpréter les livres hébraïques,—et l'on sait que les seuls livres existant dans cette langue sont les livres religieux. Les professeurs résistèrent, mais à la longue le roi lui-même céda, et les pauvres savants, dénoncés au procureur du roi comme suspects d'hérésie, n'eurent que la ressource de s'abstenir, pour ne pas être brûlés vifs.

Duprat se mirait dans son œuvre, et commençait à reprendre un à un les articles de l'établissement d'une inquisition, quand son confident interrompit cette louable besogne. C'était grand dommage, il se sentait en verve, et les feuillets ne fussent pas sortis de ses griffes sans recevoir d'honnêtes additions au chapitre des supplices et tortures.

Cette besogne lui offrait un âcre contentement; il lui semblait, en accumulant les rigueurs contre les réformistes et les lettrés, qu'il entendait gémir ses victimes et assistait déjà à l'exécution de la plus exécrée de toutes.

Le bouffon était le seul auquel ce jour-là il parlât sans humeur.

—Tu as tardé, ami Triboulet, lui dit-il avec bienveillance.

—Je n'ai pas pourtant perdu mon temps, monseigneur.

—Je m'en doute; tu m'apportes du nouveau?

—Les oreilles ont dû vous tinter, comme si mademoiselle du Carillon se fût agitée dans votre cervelle, car on a beaucoup parlé de vous, là-bas...

—Chez la duchesse?

—Les femmes sont si bavardes, vous savez!... Foi de gentilhomme! comme jure notre sire le roi, j'ignore quels moyens vous employez pour qu'on vous aime, mais jusqu'ici vous pouvez vous vanter qu'ils n'ont réussi qu'à vous faire exécrer.

Le bouffon ricanait, le chancelier était livide; ce n'était plus du sang, c'était de la bile qui injectait ses yeux.

—Propos de femmes, en effet, murmura-t-il d'un accent guttural; et toi qui te piques de philosophie, ignores-tu que ces dames ne sont jamais plus près de nous céder que quand elles se récrient le plus fort?

—Dans ce cas, la princesse ne tardera guère à être à Votre Révérence, car je jure Dieu qu'elle vous a en même antipathie que Satanas.

—Si c'est à écouter ces sornettes que tu as passé deux heures, fit Duprat, piqué à la fin, tu eusses mieux fait de revenir plus vite. Il faudrait plutôt m'expliquer comment tu as découvert le nom de cet homme...

—Comme il vous plaira, messire, allons au plus pressé, si c'est là votre avis; je vous apprendrai tantôt des choses qui me remettront en bonne odeur dans votre estime.

—Oui, d'abord, parle-moi de ce misérable.

—A l'aménité de ce langage, je vois qu'en effet il a l'honneur de provoquer votre intérêt.

—C'est bien cet enragé écrivailleur, Jacobus de Pavanes, le disciple de messire Guillaume Brinçonnet, qui a su gagner le cœur de la princesse?

—Aussi vrai que ceci est une marotte, et ceci un édit pour faire brûler les hérétiques.

Triboulet agita ses grelots et montra le dernier feuillet tracé par Duprat.

—Si tu t'étais trompé, ce serait grave.

Le bouffon, sans perdre le rire sarcastique incrusté sur son visage, balança avec complaisance sa grosse tête sur ses épaules.

—Je tiens à vous convaincre, Excellence, que si je suis fou de par le roi, je ne suis pas aveugle ni borgne de par Dieu. Une promenade aux prisons est un exercice salutaire et récréatif, après le travail auquel vous venez de vous livrer; il est agréable, pour peu qu'on ait des entrailles, de connaître le *facies* des gens qu'on destine à la hart ou au rôtissoire... Daignez venir avec moi, et si vous doutez encore après, brisez-moi ma marotte sur l'occiput.

—Au fait, gronda sourdement le chancelier, il faut que je le voie cet homme!

—Ah! ricana Triboulet pour soustraire à son attention le trouble où cette pensée le plongeait lui-même, ces fiers amoureux!...

Impénétrables, croient-ils!... Plus sots que moi, sang-dieu! Il leur faut des confidents; moi, je ne dis même pas aux oreilles d'âne de mon bonnet ce que je ne veux pas qu'on sache...

Ici, le rire factice de sa face disparut, sa voix devint plus posée:

—Car, poursuivit-il, j'ai mes secrets aussi, messire.

—Oh! je le crois, répondit Duprat avec une complaisance dédaigneuse.

—J'ai mes amours, acheva le bouffon avec un éclat de rire qui se termina par un hoquet nerveux, comme si le mot l'étranglait au passage.

—Eh! je n'en fais pas de doute! comment donc! tes amours avec quelque fille des cuisines, n'est-ce pas?

Triboulet n'essaya même plus de rire, son gros œil éraillé lança sur son patron un éclair fauve; puis une larme silencieuse vint éteindre ce feu sombre et roula sur son pourpoint bariolé.

Il fit taire jusqu'aux grelots de sa marotte, et se rangeant derrière Duprat, il le suivit tout pensif, à travers la cour carrée, jusqu'à la Grosse-Tour, dont les entrées s'ouvrirent toutes grandes à l'approche du premier ministre.

—Où faut-il conduire monseigneur le grand-chancelier? demanda le geôlier en chef, armé d'une lampe et de ses clefs.

—Remettez ceci à Triboulet, ordonna Duprat; si nous avons besoin de vous, nous vous appellerons.

Le bouffon, en recevant le trousseau rouillé et le luminaire, s'aperçut de l'étonnement causé par sa gravité inaccoutumée, non seulement aux gardiens, mais au chancelier lui-même.

—Holà! fit-il en agitant les clefs, voilà un carillon qui ne vaut pas celui de ma camarade aux grelots... Et peut-être bien, si je me servais de ces joujoux pour vous enfermer tous céans, il y aurait dans le Louvre et dans la ville plus d'une voix pour me proclamer le roi des sages, tandis qu'on me gage comme celui des fous... Rassurez-vous, bonnes gens, fou je fus, fou je suis, fou je mourrai; mais moins fou encore que le fou dont messire le grand-chancelier va constater tout à l'heure la folie.

Prenant alors les devants, il guida son patron à travers les escaliers, les galeries, les souterrains, jusqu'aux fosses, où il s'arrêta juste à la porte de Jacobus.

—C'est ici, dit-il, et je crois que notre beau galant va recevoir là une visite qui lui sera moins agréable que celle du fantôme noir du Louvre. Décidément, je me range à votre avis: il n'y a qu'un hérétique capable de préférer la vue d'un spectre à celle de créatures vivantes, et surtout celle d'un premier ministre.

Tout en grimaçant ces sarcasmes, il avait fini par démêler dans le trousseau la clef de la cellule.

Le prisonnier crut sans doute que c'était une ronde des geôliers; il était accoudé sur sa table, lisant la Bible, et ne leva pas la tête.

Triboulet, s'avançant sur la pointe des pieds derrière lui, vint faire résonner sa marotte à son oreille.

—Eh quoi! dit sans aigreur le chevalier, c'est encore vous, maître bouffon. Deux visites en un jour? je vous semble donc un personnage bien gai?

—Si gai, mon beau gentilhomme, que mes joyeusetés ne parvenant pas à dérider le plus grave personnage de ce beau royaume de France, j'ai songé à vous pour me suppléer et le divertir...

—En vérité?

—C'est si vrai que je l'ai amené, et que je vous le présente.

Le prisonnier, suivant la main du bouffon, aperçut la silhouette menaçante du chancelier, immobile dans sa robe noire bordée d'hermine et le mortier en tête, sur le seuil de la cellule.

—Je ne te croyais que fou, dit froidement Jacobus au bouffon, mais tu es méchant.

Et sans s'émouvoir davantage, il regarda le chancelier sans forfanterie, mais sans humilité, attendant qu'il lui adressât le premier la parole.

—Je vous trouve bien fier pour un hérétique, fit Triboulet dissimulant le coup de cette apostrophe.

Et s'emparant du livre que le chevalier n'essaya pas de lui disputer:

—Voyez plutôt, monseigneur, ajouta-t-il en l'ouvrant devant Duprat.

—Quel est ce volume? demanda celui-ci.

—Une Bible hébraïque, mais dont les marges sont couvertes d'annotations françaises.

—Conserve-la, pour me la remettre plus tard, et souviens-toi présentement pour quel objet nous sommes ici.

Jacobus s'était levé, mû par un secret ressort, en se voyant enlever le livre où il puisait la force et la résignation. Mais ce fut la seule marque d'émotion que son persécuteur parvint à lui arracher.

Son attitude imposante, la calme inspiration qui régnait sur son front pâle, la grâce recueillie de ses traits encore adolescents, apparaissaient dans le rayonnement vague de la lampe, comme nageant dans l'auréole anticipée de l'immortalité et du martyre.

Triboulet, accoutumé à honnir tout ce qui était noble et beau, furetait autour de lui, jusque sous la paille de sa couche, pour lui susciter quelque basse persécution.

Duprat, le front crispé, le considérait avec une rage concentrée, croyant surprendre encore sur ce visage la trace des baisers de Marguerite et forcé de s'avouer qu'il n'en était pas indigne.

—Me connaissez-vous? demanda-t-il, se décidant à rompre le silence et faisant un pas dans la cellule.

—C'est-à-dire que je vous eusse reconnu bien plus vite, monseigneur, si je n'eusse hésité, en voyant le premier dignitaire du royaume se faire accompagner d'un jongleur.

—Pas mal, murmura tout bas Triboulet; mais le jongleur va te montrer un tour auquel tu ne t'attends guère.

—Vous avez le ton bien rogue, pour un homme sur lequel planent deux accusations capitales.

—Votre Excellence excusera mon ton, si je lui réponds que c'est peut-être celui d'un prévenu, mais à coup sûr celui d'un innocent. Les hommes peuvent m'accuser, ma conscience m'absout.

—Moi ministre, maître Jacobus de Pavanes, sachez que les juges ne condamnent que sur des preuves.

—En ce cas, monseigneur, qu'on me conduise au prétoire, je ne crains rien.

—Ne viens-je pas de vous dire que deux accusations planent sur vous.

—Celle d'hérésie et celle de lèse-majesté? Qu'on les prouve donc.

—L'hérésie, c'est la traduction et les commentaires des livres saints; le Saint-Père, la Sorbonne et le Parlement l'ont ainsi reconnu. — L'attentat à la majesté royale, c'est offense envers le souverain et les membres de sa famille, qui ne sauraient être atteints dans leur honneur sans qu'il en rejaillisse un affront sur lui. N'est-ce pas votre avis?

—Je ne saurais méconnaître que c'est du moins le vôtre.

—Or, reprit Duprat en distillant le poison de chaque syllabe, la preuve du crime d'hérésie par traduction et commentaires, la voici!...

Le visage tourné vers le mur.

—Cette Bible! s'écria Jacobus au comble de l'étonnement.

—Quand à la preuve de l'offense envers une personne de sang royal...

—La voila!... exclama le bouffon en approchant la flamme de la lampe d'un certain endroit du mur.

—Malheur!... s'écria Jacobus.

Et il retomba sur sa chaise dans une attitude désolée, cette pierre venait de vendre le plus cher de ses secrets à ses persécuteurs.

Dans les heures mortelles de sa captivité, rêvant sans cesse de Marguerite, il avait gravé sur le mur l'emblème et la devise adoptés par elle, un souci d'or regardant le soleil, et ces trois mots dans un cartouche: *Non inferiora secutus*.

Quel autre qu'un amant passionné eût jamais eu l'idée de placer là ce chiffre? En fallait-il plus pour convaincre le chancelier? La preuve, comme il disait en jargon judiciaire, n'était-elle pas complète?

—Je te fais compliment, dit-il en posant la main sur l'épaule de Triboulet, tu as la clairvoyance d'Argus. Tu serais un fameux pourvoyeur pour l'inquisition que nous allons établir.

—Ma foi, riposta cyniquement le bouffon, j'aime mieux demeurer à la cour; c'est aussi lucratif, et l'on y voit des fous plus amusants, sans me compter.

Mais Duprat ne l'écoutait guère. Les sourcils rapprochés, les lèvres relevées par la colère comme celles d'un chacal, dont il laissait voir en ce moment les dents aiguës, il se dressa en face du prisonnier.

—Eh bien, dit-il, vous ne niez plus, je crois! Votre bonne conscience se tait, et les témoignages de vos crimes vous écrasent... Jacobus de Pavanes, orgueilleux puritain auquel il faut une religion pour lui seul, et des princesses pour amantes,—Jacobus de Pavanes, impie et félon, c'est avec tes larmes et ton sang que j'effacerai cette devise.

—Le captif se courba, accablé, non pas sous cette menace, mais sous le désespoir d'avoir laissé tomber à la connaissance de cet infâme le sentiment le plus profond et le plus parfait qu'il fût possible à un cœur humain de ressentir.

Si encore ce secret eût appartenu à lui seul; mais que n'allaient-ils pas faire, ces deux tigres, de l'honneur de Marguerite!

Muni de ces armes, Duprat regagna l'entrée des prisons, la cour du Louvre et son appartement, emporté d'une telle vitesse, que son acolyte avait peine à le suivre et tenta plusieurs fois de le retenir par des lazzis dont il retrouvait inévitablement le don quand il voyait souffrir quelqu'un, fût-ce son chef, ou plutôt si c'était son chef.

—Ouf! soupira-t-il en voyant enfin celui-ci s'asseoir à sa table de travail. Nous allons donc pouvoir souffler, nous reposer et causer.

—Plus tard... tout à l'heure...

Et il saisissait les papiers épars devant lui avec une avidité furieuse, comme s'il eût craint de les voir lui échapper.

—Le projet d'inquisition?... murmurait-il; bon, le voici... N'y manque-t-il rien?

—Oui, messire, intervint Triboulet, il y manque bien sûr cette proposition que vous fait le révérend père franciscain Roma. Il a imaginé un petit supplice qu'il ne faut pas dédaigner, et dont cette lettre, que je me suis chargé de vous communiquer, renferme les détails.

—Un supplice!... répéta le chancelier; oh! je doute qu'il en existe un assez terrible...

—Mon Dieu! il ne faut désespérer de rien. Ce père Roma est un homme fort ingénieux. Il propose qu'on oblige les mécréants mal sentants de la foi à chausser des bottes remplies de suif bouillant.

Ce religieux sera membre de l'inquisition, fit Duprat en prenant note de cette effroyable torture.

Puis il saisit le dernier feuillet, auquel sa signature faisait encore défaut, et quand il l'eut mise et accompagnée de l'apposition du sceau royal dont il était dépositaire:

—Enfin! dit-il, je sais pour qui j'ai travaillé...

Et, se renversant complaisamment dans son fauteuil:

—Nous pouvons causer maintenant, maître Triboulet; nous avons fait de bonne besogne.

—Hum! messire, la plus forte n'est pourtant pas finie.

X
LA PIERRE QUI TOURNE

Jacobus, anéanti, s'était, par un instinct purement machinal, traîné jusqu'à sa couche, sur le bord de laquelle il s'était assis, sans même s'y étendre.

Les dernières paroles du chancelier, le strident et sauvage éclat de rire du bouffon, le tintement irritant et railleur de ses grelots retentissaient toujours dans son cerveau, formant un bourdonnement lugubre comme un écho infernal.

Un feu volcanique battait ses tempes brûlantes; son œil, dévoré par cette lave intérieure, ne pouvait fuir la devise fatale, objet de son adoration et de son effroi.

Les lueurs mourantes de sa lampe, s'irradiant et se restreignant tour à tour, allaient parfois lécher les murs et éclairer cette inscription d'amour, qui se détachait sous leurs zones rougeâtres comme l'épitaphe d'un tombeau.

Son âme navrée se repaissait de cette contemplation, qui le fascinait et l'attirait, en ajoutant une âpre saveur à l'amertume de ses pensées.

Dormait-il, veillait-il, était-il encore seulement de ce monde?

Illusion, évocation ou sommeil, dans son état de stupeur, il n'eût pu le définir, un phénomène s'opéra devant lui.

L'organe de la vue, quand il est fatigué, éprouve de ces aberrations: ce chiffre sembla s'animer; la pierre inerte sur laquelle il l'avait incrusté s'agita sous une impulsion mystérieuse... elle se mouvait, et à mesure qu'il se rejetait en arrière, sous l'effroi de ce prodige, elle s'avançait vers lui!...

La pupille dilatée, les lèvres entr'ouvertes, pâle, haletant, il n'osait bouger, et ses reins se recourbaient nerveusement pour fuir ce rêve.

Il eût voulu crier, pour s'assurer qu'il était bien vivant, le bruit de sa propre voix l'eût tranquillisé, mais l'émotion étranglait les sons au passage, et le cauchemar de pierre approchait toujours, dans une marche lente, sans doute pour ne s'arrêter que sur sa poitrine étouffée.

Le chancelier l'avait dit: «Ton sang effacera cet emblème!»

Cet homme avait-il le don de prophétie ou de miracle? les éléments, la matière obéissaient-ils à ses anathèmes?

Oui, en vérité, car cette pierre se détachait avec un bloc de maçonnerie de la paroi séculaire, et, formant un angle avec la partie de celle-ci à laquelle elle adhérait encore, s'arrêtait en battant sourdement contre le pied de la couche de bois.

Le prisonnier, les cheveux dressés, réunit enfin ses forces et il étendit les mains en avant, pour opposer ce faible obstacle à la masse rocheuse que ses jambes paralysées ne pouvaient fuir.

Dans ces circonstances suprêmes, les secondes se prolongent autant que des heures. Jacobus ne savait plus d'ailleurs calculer le temps; il attendait que la muraille s'écoulât sur lui, mais elle restait immobile dans l'étrange révolution qu'elle venait d'accomplir, et, en réalité, ce déplacement ne durait pas depuis un quart de minute, qu'une vive lueur envahissant la cellule, éclipsait le lumignon suspendu à la voûte.

Puis, de cette auréole, surgit une forme gracieuse dans sa gravité, une vision, sans doute, celle de l'ange consolateur qui assiste nos dernières angoisses, et qui doit ainsi, intermédiaire entre les souvenirs terrestres et les béatitudes divines, revêtir l'apparence de l'être que nous aimâmes et qui nous aima le plus.

Cette apparition, quels autres traits pouvait-elle offrir aux regards de Jacobus de Pavanes que ceux de Marguerite de Valois?...

Alors, le regard rasséréné par ce charme, le sein apaisé par cette joie, le cerveau détendu par ce prestige irrésistible, il sourit et attendit que le séraphin détachât son âme de ce séjour funeste, pour l'emporter dans celui du calme et des félicités éternelles.

Il n'essaya donc pas un mouvement pour le hâter, pas un pour aller au-devant d'elle; il éprouvait une si grande félicité à retrouver là ces traits adorés qu'il n'avait plus espéré revoir, qu'il se gardait de tout ce qui eût pu les faire évanouir. Il tenait absolument, par sa docilité, à monter au ciel sur les ailes invisibles de cet ange.

Ce fut donc elle qui vint jusqu'à lui, et son sourire, où la passion la plus tendre se confondait avec un ineffable et céleste sentiment de pitié, était bien le sourire miséricordieux d'un être surhumain, plaignant nos misères.

Elle s'arrêta près de lui, si près, que les plis de sa longue robe noire touchaient ceux de son pourpoint.

Et il ne bougeait pas, et elle le contemplait en silence.

Elle s'agita enfin avec une de ces inflexions qui n'appartenaient qu'à Marguerite ou à un ange, et sa main vint se poser sur son front.

Il tressaillit du même élan que l'être encore inanimé qui sent arriver en lui le souffle divin de l'existence. Ce contact était pour lui ce souffle vivifiant; pour la seconde fois, une impulsion divine le tirait du chaos, pour la seconde fois il existait.

Ce n'était ni un songe, ni une ombre: Marguerite était près de lui; réalisant un miracle, traversant les murailles, déjouant les geôliers, les verrous, les bourreaux, pour se rapprocher de lui.

Elle se pencha, jouissant de son ravissement, plus heureuse que lui-même de sa félicité inespérée, et de ses lèvres pleines de délices:

—Jacobus, lui dit-elle d'une voix plus mélodieuse que la harpe paradisienne, pensais-tu que je t'eusse abandonné?... Non, hérétique, proscrit, condamné, je t'aime...

—Prends donc ma vie, murmura-t-il fou d'ivresse, emporte avec toi mon âme, puisqu'il n'y a pas de mots dans la langue humaine pour t'exprimer ce que je ressens pour toi.

—Ne m'aimes-tu pas aussi? reprit-elle en embrassant les boucles de ses cheveux; l'amour se paye par l'amour, tu ne me dois rien.

Puis elle se mit à le regarder avec l'attention d'une mère qui interroge les traits de son enfant en danger, et comme son rayonnement actuel ne comblait pas les sillons creusés par ses tortures précédentes:

—Comme tu as souffert!... lui dit-elle.

—C'est vrai, j'ai cru mourir, et de quelle mort!...

Il frissonna rien qu'à ce souvenir; elle se serra contre lui.

—Il me semblait, poursuivit-il ranimé par ce contact, que ces parois sinistres me menaçaient et allaient s'écrouler sur moi. J'attendais le supplice; Dieu soit béni, c'est le bonheur qui est venu.

—Je comprends, le mystère de ce pan de muraille t'a surpris... C'est la porte de la vie et du salut, ami.—Messire Antoine Duprat est un persécuteur habile, mais il ne saurait tout prévoir ni tout connaître. Il a cru empêcher notre réunion en substituant ses esclaves aux serviteurs qui gardaient cette prison. Il aura favorisé ce qu'il voulait détruire.

—Que dites-vous?

—Ma compagne dévouée, Hélène de Tournon, est parvenue à joindre le chef de ces gardiens évincés, leur doyen, celui-là même qui m'avait enseigné le passage de l'arche de Charles V. Ce vieillard est le génie de ce donjon; il en possède tous les détours, toutes les issues dérobées. Son dévouement est à nous, je ne l'ai pas marchandé. Aujourd'hui, il m'a ouvert ce bloc impénétrable à l'œil de nos ennemis; avant peu, si d'autres projets n'ont pas abouti, il nous secondera dans une combinaison qui te sauvera aussi.

—Mais qu'ai-je donc fait pour mériter tant d'amour? Comment parviendrai-je à le justifier jamais?... Ah! misérable, s'écria-t-il en rencontrant la devise gravée sur le mur, misérable, maudit! Pendant que tu ne songeais qu'à mon salut, je travaillais à ta perte!...

—Jacobus, mon ami, ta raison s'égare!...

—Non! non! elle est pleine et entière!... Marguerite, va-t'en, laisse-moi, renie-moi; j'ai fait ta honte!... Ah! tu doutes; tiens, vois donc, là! sur cette même pierre qui t'a livré passage pour m'apporter tes consolations, tes baisers, ton amour,—insensé, j'ai gravé le témoignage irrécusable de cet amour...

—Ah! c'est bien, cela, fit-elle avec ravissement, c'est bien! Tu répétais ma devise; tu dessinais mon emblème pour avoir toujours auprès de toi quelque chose qui émanât de ta Marguerite et qui te la rappelât... Et tu prétends que je t'aime trop! Oh! jamais je ne t'aimerai, je ne te le prouverai assez!

—Mais tu ne sais pas, cette devise, cet emblème, Triboulet les a découverts, les a dénoncés au chancelier... et le démon qui est entre eux leur a révélé que c'était là un gage d'amour... d'amour partagé.

—N'est-ce que cela! fit-elle en relevant comme une reine sa tête dédaigneuse, laisse siffler les serpents: Dieu est grand et le bon droit est fort.

—Ainsi, tu me pardonnes mon imprudence... tu ne m'en veux pas d'avoir trahi notre secret?...

—Trahi!... répéta Marguerite en souriant. Cet amour est pour moi si cher et si glorieux, que je l'ai dit à ma propre mère! Si je devais mourir ici, sur l'heure, mais à Dieu lui-même je ne demanderais pas d'autre paradis que toi!

—C'est le vœu que j'ai déjà fait, et nous avons assez souffert en commun pour que le père miséricordieux nous l'accordât...

—Quoi! toi aussi...

—Oh! moi surtout, car je n'ai pas été élevé absolument dans le courant des idées du vulgaire. Mon père, je te l'ai dit, a consacré une existence séculaire à étudier, à approfondir les arcanes des mondes inconnus. Il a pénétré très avant dans les sphères abstraites de la métaphysique, de la théogonie et de la génération des êtres.

A peine ma jeune intelligence fut-elle en état de le comprendre, qu'il m'initia à ses calculs. C'est là sans doute l'origine de ma propension vers les novateurs, qui veulent nous ramener à la religion simple et pure. C'est là assurément la source de ces inclinations à la rêverie et à la mélancolie, que vous remarquâtes, qui vous attirèrent vers moi, ma bien-aimée, alors que les autres femmes, plus légères, moins amies de l'étude, me dédaignaient.

—Que t'enseignait donc ton père?

—Oh! des choses étranges, mais que je me suis plu souvent à tenir pour certaines, principalement quand l'adversité est venue m'atteindre. Quelques-unes de ses leçons restent gravées dans ma mémoire:

«Enfant, me disait-il, il faut convenir que nos docteurs sont de bien grands orgueilleux, avec leur prétention de tout expliquer et leur dédain pour la sagesse des autres âges. L'homme impartial qui étudie et approfondit est moins tranchant et plus humble: il ne croit pas surtout que le monde ait vécu un nombre inconnu de siècles plongé dans les ténèbres de l'esprit, et que la vérité soit toute moderne. En quoi valons-nous donc mieux que les habitants de ces empires immenses, dont il ne reste que de rares débris, qui écrasent pourtant nos œuvres de pygmées?

«Il ne faut pas rire de la théologie de ces peuples antiques, car ils étaient plus près de Dieu que nous. Leurs mystérieuses doctrines sur la migration, sur la transmission des âmes n'étaient-elles que mensonge? La même âme ne saurait-elle, en dépit de nos docteurs, servir successivement à animer plusieurs corps? D'où viennent les similitudes merveilleuses que l'histoire elle-même consacre dans les caractères des hommes et les événements qui en résultent, en quelque sorte dans un cercle fatal, s'il n'existe aucune relation entre le souffle qui nous anime et celui qui fut l'âme de nos devanciers?

«Je ne te dirai jamais, avec les pyrrhoniens: Doute de tout; mais, si tu es sage, tu ne dédaigneras rien des religions ni des croyances antiques. Crois-tu donc, quand il plaît à Dieu d'animer la matière, qu'il crée une âme nouvelle pour chaque homme qui naît? Cette essence qui échappe à notre tact, à notre analyse, se perd-elle dans l'espace, retourne-t-elle se confondre dans le grand tout de l'immensité au sortir de notre misérable corps?... Avant de conclure avec nos prétendus savants, enfant, médite et réfléchis...»

Voilà ce que me répétait mon père, voilà pourquoi, chère Marguerite, convaincu de l'immortalité de la partie la plus noble de mon être, j'ai aspiré souvent après une seconde existence, qui sera, — puisque Dieu est la justice même, — la compensation de celle-ci.

La princesse l'avait écouté avec recueillement; occupée elle-même d'études théologiques, lancée à la poursuite de la vérité ou de la nouveauté, parce que les enseignements de la Sorbonne ne satisfaisaient ni son impatience ni sa raison, elle suivait avec intérêt ces doctrines, qui semblaient la séduire.

Son œil rêveur erra longtemps sous la voûte du cachot, indiquant les efforts de son imagination pour saisir la substance de ces enseignements.

—Oui, dit-elle enfin, de cet air inspiré qui lui valut, la première en France, le titre de dixième muse, quelque chose se prononce en moi pour m'assurer que ce ne sont pas là de pures fantasmagories... Notre âme ne meurt point, et cette immortalité, en la perpétuant sous divers aspects, réalise ce dogme de la récompense ou du châtiment divin. Il est impossible, quand on s'est tant aimé dans la douleur, qu'une juste providence ne nous rapproche pas un jour dans la joie...

Les paroles de ton père, Jacobus, étaient une révolution, une prophétie. Si la fatalité, liguée contre nous, déjouait nos desseins, j'ai la foi que, renaissant un jour, fût-ce dans un siècle, en des conditions meilleures, notre étoile nous remettrait en présence l'un de l'autre, et nous réunirait.

—C'est ma confiance et ma consolation aussi!...

—Oh! oui, poursuivit Marguerite avec une sorte d'illumination, les âmes se transmettent! Sans cela, d'où viendraient ces attractions singulières qui sont la manifestation de l'amour... L'amour! mais il est plein de réminiscences mystérieuses!... Quand on s'aime bien, ne semble-t-il pas que cette béatitude ne soit que la continuation d'une vie antérieure?... On se connaît du premier instant qu'on se rencontre; la sympathie s'établit sans qu'on y songe, et tandis que vous restez en constant éloignement avec certains êtres, vous êtes porté par une voix intérieure, vers d'autres, comme s'ils s'étaient déjà identifiés à vous-même!...

—Adorée Marguerite! que n'est-il donné à mon père de vous voir et de vous entendre! Combien il serait fier de rencontrer un disciple qui interprète et devance si éloquemment les visées de sa philosophie!...

—Moi aussi, ami, j'eusse voulu connaître ce sage patriarche. Hélas! mon vieux serviteur, Michel Gerbier, mon père de nourrice, est de retour depuis hier, ayant tout mis en œuvre sans retrouver sa trace.

Le prisonnier serra sa main avec émotion.

—Merci, noble femme...

Et il s'arrêta; un mot de plus, ses larmes débordaient.

—Brave cœur, dit-elle à demi-voix; au fond de ce cachot, c'est sur le malheur de son père qu'il s'afflige!...

Alors, cédant à ce sentiment d'admiration, elle posa silencieusement ses lèvres sur ses deux yeux profonds et tristes, pour écarter leurs soucis par ses baisers.

Deux petits coups frappés derrière la pierre tournante mirent fin à cet épanchement.

—Déjà!... soupira Jacobus.

—Les minutes sont brèves, qui sont heureuses... Mais cette issue, fermée à nos ennemis, peut se rouvrir pour nous...

Deux nouveaux coups indiquèrent la nécessité de la séparation, en même temps que du coin de la porte secrète s'avança la tête du vieux geôlier disgracié.

—Pas un instant à perdre, Altesse, dit-il; voici l'heure de la ronde des gardiens; l'écho m'annonce qu'ils sont entrés dans la galerie...

Il fallait son oreille exercée à ces bruits souterrains pour discerner cet incident dans le silence apparent qui remplissait cette lourde atmosphère.

—Adieu! adieu donc! murmura Jacobus de Pavanes.

—Au revoir! répondit Marguerite.

Tu nous laisseras seuls, dit la princesse.

La pierre roula sur son pivot, la lumière apportée par le vieux guide disparut.

Lorsque les gardiens jetèrent leur coup d'œil méfiant dans la cellule, à quelques secondes de là, ils aperçurent le prisonnier étendu sur sa couche, le visage tourné vers le mur, et la clarté imperceptible de la lampe, dont le lumignon, à bout d'huile, crépitait, prêt à s'éteindre.

—Tout va bien, prononça le chef de la ronde; il dort, et l'ange des tombeaux sera habile s'il arrive jusqu'à lui.

XI
TEL MAITRE, TEL VALET

La journée qui succéda à cette nuit de mélancoliques aspirations s'écoula pour la princesse Marguerite avec une lenteur mortelle.

Elle refusa de quitter sa chambre, alléguant une indisposition, ce qui n'était que trop justifié par son abattement, par le marasme qui, de son moral, influait sur ses forces physiques.

Hélène de Tournon, seule initiée à ses chagrins et à ses angoisses, resta auprès d'elle et ne la quitta qu'un instant vers la fin du jour.

Les croisées de la princesse donnaient sur la Seine. Son appartement se trouvait au premier étage, dans la partie du palais qui va aujourd'hui se réunir par un angle au pavillon de Charles IX, et devant laquelle s'étend le parterre de l'Infante.

Dans ces constructions gothiques, l'épaisseur des murailles, l'élévation de l'appui des fenêtres, étroites et longues d'ailleurs, ne permettaient guère de jouir de l'aspect du dehors. On avait pour cela, dans les habitations princières, ces grands sièges, hauts sur leurs pieds, à la forme solennelle, comme les retraits auxquels ils étaient destinés.

C'était d'un de ces fauteuils que Marguerite de Valois contemplait les lueurs ardentes du soleil couchant, qui se reflétaient en cascades diamantées sur les flots de la Seine.

C'était à cette place, de ce fauteuil, dans ces splendeurs du firmament, dans ces magnificences de la nature, que son imagination puisait parfois ses plus poétiques inspirations.

Ce soir-là, pensive et grave, qu'allait-elle leur demander? Quelles révélations son esprit attendait-il de ces sphères perdues dans l'immensité?

Peut-être, gagnée à des velléités superstitieuses, se rappelait-elle les croyances de sa mère aux œuvres des cabalistes; peut-être, plutôt, interrogeait-elle le ciel infini pour savoir si vraiment les âmes vivent de plusieurs vies, et, dans cette espérance, voulait-elle connaître encore quand viendrait celle qui, comblant les distances de la naissance et du rang, nivelant les abîmes, écartant les obstacles, réaliserait l'ère des sympathies et des migrations heureuses!

Un effet de l'horizon empourpré venait éclairer l'embrasure de la croisée, miroitait contre les vitraux en losanges, aux brillants coloriages, mais laissait dans une obscurité épaisse l'intérieur de la chambre et son mobilier somptueux.

Quelqu'un entra discrètement, et, voyant l'immobilité de la princesse, s'avança vers elle en se guidant sur cette transparence des croisées.

C'était Hélène de Tournon, qui revenait de pourvoir au service de sa chère maîtresse.

Si celle-ci eût été en état de l'observer, elle eût reconnu qu'elle était à la fois émue et embarrassée.

Mais, le regard noyé à la poursuite des zones prestigieuses qui pâlissaient sensiblement au loin, Marguerite ne s'aperçut même pas de son retour.

Hélène manifesta d'abord une grande perplexité; son attention allait alternativement de la princesse à la portière de la chambre, et tout montrait qu'elle semblait craindre la venue de quelqu'un dont elle ne savait en quels termes annoncer la visite.

Comme il y allait d'une affaire de conséquence, elle s'enhardit à la fin:

—Me voici à vos ordres, madame, dit-elle.

—Ah! tu étais là! fit la princesse, dont la prunelle encore éblouie ne la distinguait pas dans l'ombre de la chambre.

—Votre Altesse doit reconnaître que ses appartements ont été défendus avec soin, suivant son désir, puisque madame la régente même n'a pas insisté pour y pénétrer.

—Je dois cette solitude à ton zèle, et je t'en remercie.

—Ainsi, Votre Altesse n'est pas décidée à se départir de cette consigne pour personne?

—Pour qui la lèverais-je, lorsque, tu le rappelles toi-même, ma mère elle-même l'a subie?

—C'est qu'il y a quelqu'un, un personnage considérable...

—Le chancelier, je gage?...

—Votre Altesse l'a dit.

—Le chancelier prétend me parler!...

—Comme je revenais tout à l'heure vers vous, je me suis trouvée en face de lui, dans la galerie, et quoique je voulusse passer outre, il m'a arrêtée.

—Le chancelier!...

—Mon Dieu! ma chère maîtresse, vous connaissez mon opinion sur lui, et vous ne mettez pas en doute mon dévouement... eh bien, je crois que vous auriez tort de ne pas l'entendre.

—Que penses-tu donc qu'il me veuille?

—Écoutez, il y a des moments où les natures les plus perverses, soit par remords, soit par un intérêt caché, éprouvent un sentiment meilleur...

—Tu crois à la conversion de messire Duprat? fit avec amertume plus qu'avec colère la princesse.

—A vous répondre sincèrement, je n'ai jamais espéré rien de bon de ce génie incarné du mal; néanmoins, dans la situation critique qui se présente, lorsque l'abandon de madame la régente rend messire Duprat arbitre d'une existence qui vous est chère, il ne vous est permis de reculer devant aucun moyen, fût-ce un sacrifice, et l'entrevue que le chancelier vous demande en est un, en vue du but que vous poursuivez.

—Bref, il t'a fait parade de ses bonnes intentions.

—Il m'a priée avec instance de l'introduire auprès de vous, m'affirmant que vous n'auriez qu'à vous louer de cette faveur. Les choses dont il veut entretenir Votre Altesse, et qui touchent, m'a-t-il juré, aux intérêts les plus immédiats de votre personne, sont telles, qu'il ne peut s'en ouvrir qu'à vous, et en secret.

—Des choses concernant ma personne?... répéta Marguerite en rassemblant ses souvenirs; c'est bizarre! Ma mère s'est servie de ces mots en me laissant entrevoir ce grand dessein qui, suivant elle, doit tout sauver... mais, à moi-même, elle n'a pas voulu en dire davantage, comment le chancelier en serait-il instruit?...

—Que décide Votre Altesse?

La princesse parut se consulter encore; puis, cédant à sa curiosité:

—Fais apporter de la lumière, et si messire Duprat est proche, qu'on l'introduise... Tu nous laisseras seuls, puisqu'il le souhaite, mais à portée de mon sifflet d'argent.

—Je me tiendrai dans la salle d'attente, en compagnie de Michel Gerbier, et au premier signal nous serons près de vous.

Un page ne tarda pas à déposer sur une grande table massive, recouverte d'un tapis oriental et placée au milieu de la chambre, une lampe de bronze doré, dont les dessins gracieux indiquaient le commencement de la renaissance des arts.

Puis en même temps, comme si messire Duprat n'attendait que ce signal pour se montrer, il annonça:

—Monseigneur le grand chancelier!

Marguerite n'était pas sans émotion de se trouver en tête-à-tête avec cet homme, dont elle savait l'audacieux amour et contre lequel elle nourrissait de si terribles griefs.

De son côté, si cuirassé qu'il fût contre les positions difficiles, Duprat ressentait un certain trouble, provenant moins du cri de sa conscience que de la difficulté de son entreprise et de la crainte d'y échouer.

Il salua la princesse d'un air doucereux, qui eût suffi pour la mettre en garde contre ses discours.

—Vous avez souhaité me parler, messire, lui dit-elle, et, quoique souffrante et gardant mes appartements, vous le voyez, je me rends à vos désirs. Prenez ce siège; je vous écoute.

—Je vous remercie de cette faveur, Altesse; si vous connaissiez le fond de mon cœur, vous seriez convaincue que vous ne pouviez l'accorder à un homme plus dévoué à vos intérêts et à votre gloire.

—Malheureusement, répondit-elle avec une pointe d'ironie, on ne saurait pénétrer jusque-là; le cœur d'un homme politique tel que vous, messire, est plus difficile à connaître que tout autre, et c'est seulement par des faits qu'on peut le juger.

—C'est aussi par des faits que je supplie Votre Altesse d'apprécier mes sentiments.

—Sans doute, messire, vous voulez parler d'événements futurs, car, pour ce qui est du passé, vous conviendrez qu'il est de nature à me laisser quelques incertitudes sur ce grand dévouement, auquel je ne demande pas mieux que de me rendre.

—Je vois que je ne m'étais pas abusé, reprit l'hypocrite, avec une componction qui ne put tromper sa vigilante adversaire;—on m'a desservi auprès de Votre Altesse, lorsqu'à tout prix j'ambitionnerais ses bonnes grâces.

—Pardon, messire, mais il faudrait d'abord mettre vos actes en rapport avec vos assurances. Rien n'était plus facile à vous que de gagner mon estime, et, vraiment, vous avez fait tout comme si vous souhaitiez le contraire.

—Si je ne réussis à détromper Votre Altesse, je ne m'en consolerai de ma vie.

—Je vous avoue que la chose est malaisée.

—Et moi je crois que c'est alors que Votre Altesse refusera de me comprendre.

—Nous avons l'air de parler par énigmes, messire; si nous abordions sincèrement et clairement les questions, chacun de nous arriverait peut-être plus vite à son but. N'est-ce pas aussi votre avis?

—Je suis disposé à répondre à Votre Altesse, dans tout ce qu'elle me demandera, avec la plus grande franchise.

—Nous allons bien voir...

—Votre Altesse doute encore de moi?

—Écoutez donc, messire, je suis un peu payée pour cela! confessez-le, puisque vous avez promis d'être sincère.

—Soit! Je conviens que les apparences se sont mises contre moi dans des circonstances récentes. Votre Altesse a pu y voir une résistance à ses souhaits lorsque...

—Lorsque?

—Lorsque, mieux informée du mobile de ma conduite, elle y eût trouvé les gages d'un dévouement à sa personne porté jusqu'à... jusqu'à la jalousie!...

Marguerite de Valois se mordit les lèvres pour ne pas riposter vertement à cette première attaque directe.

—Jalousie est un bien gros mot, fit-elle en souriant; il aurait besoin d'explications.

—C'est le seul qui exprime à quel degré s'élève mon respectueux dévouement pour votre personne, mon admiration pour vos mérites, pour votre génie...

Elle l'arrêta dans la chaleur de son énumération par un nouveau sourire incrédule et désespérant:

—En vérité, si j'étais une simple bourgeoise au lieu d'être la sœur du roi, habituée, en ma qualité de duchesse, à être entourée de compliments hyperboliques, qui ne tirent pas à conséquence, je pourrais regarder les vôtres comme une déclaration...

Duprat sentit l'orgueil du tigre se révolter en lui à cette nouvelle raillerie; mais le tigre était amoureux, et, en considérant l'idéale beauté de cette dédaigneuse princesse, il voulut poursuivre son assaut.

—Que n'êtes-vous donc alors une de ces bourgeoises auxquelles on peut dire avec sincérité tout le bien qu'on pense d'elles, car je serais cru de vous, madame; j'en serais compris surtout!

—Voyons, de bonne foi, puis-je me flatter de la vérité de vos sentiments en ma faveur, messire, lorsque vos actes tendent tous à contrarier mes vues, mes souhaits; lorsque vous vous entendez avec ma mère pour faire condamner les gens dont je sollicite la grâce?

C'était rentrer en pleine question; la diplomatie féminine était plus adroite que celle du premier ministre. Il dissimula mal un geste nerveux, au souvenir que ceci faisait renaître, mais enfin c'était le nœud de la question; il n'essaya plus de l'éluder.

—N'avez-vous pas eu l'idée, madame, que tout cela n'était qu'un moyen préparé par moi pour vous montrer que cette grâce dépendait en effet de moi seul, et pour vous indiquer que je serais heureux que vous la tinssiez de moi?...

Une femme moins forte que Marguerite de Valois se fût laissé éblouir, mais elle resta maîtresse d'elle-même, par la nécessité où elle se sentait de dominer la situation.

—Pardon, messire, dit-elle, je crois avoir mal entendu. Vous disiez...

—Que toutes les grâces, toutes les faveurs, tous les édits qu'il est en mon pouvoir de rendre ou d'accorder, je les tiens aux pieds de Votre Altesse, si elle daigne abaisser sur son indigne serviteur un regard de ces beaux yeux qui inspirent et créent les génies!

Marguerite de Valois se leva de son siège avec une grande dignité:

—Cette fois, messire, je crois avoir suffisamment entendu et compris... J'ai ouï parler dans les romans et les fabliaux de propositions pareilles, faites à des esclaves ou à des femmes d'humble condition, par des juges prévaricateurs, par des ministres sans foi; jamais encore je n'avais cru qu'on eût osé les adresser à la sœur d'un grand monarque!...

A quel degré d'abaissement ou de misère me croyez-vous donc tombée, pour oser me tenir ce langage!... Je ne sais quels privilèges vous abandonne la faiblesse de ma mère, mais n'oubliez pas à l'avenir que Marguerite de Valois, la veuve du duc d'Alençon, aura toujours assez d'indépendance et de courage pour réprimer toute velléité blessante, toute atteinte à son honneur.

Et d'un geste superbe elle lui montra la porte.

Il se décida à quitter le siège sur lequel il était resté, mais avant de sortir:

—Votre Altesse, dit-il, frémissant d'une rage intérieure et appuyant sur ses paroles comme sur des stylets, Votre Altesse n'est peut-être aussi sévère à mon égard qu'en raison de la promesse qu'elle a reçue de madame la duchesse d'Angoulême, et contre laquelle elle a engagé aveuglément sa foi...

—Qui a dit cela?... s'écria Marguerite; ce qui s'est passé entre ma mère et moi est chose ignorée de tout le monde!...

—Oh! j'en sais bien davantage encore... Ce plan auquel vous avez souscrit, que vous ne connaissez pas, vous plaît-il que je vous le dévoile et vous l'explique?

—C'est impossible!...

—Je tiens alors à convaincre Votre Altesse... Rassurez-vous, madame, je m'éloignerai après.

Une joie satanique illuminait son visage, il commençait à prendre sa revanche à sa manière.

—Ce projet dont on a fait mystère à Votre Altesse elle-même, et que je ne tiens certes pas de la confiance de madame la régente, trop discrète pour m'en avoir parlé, ce projet concerne votre personne elle-même.

C'est un traité en bonne forme composé d'un certain nombre d'articles précis sur lesquels, moins réservé que madame la régente, je suis prêt à édifier Votre Altesse, pour peu qu'elle le souhaite.

—A quoi bon? Quand je connaîtrai ces conditions, en serai-je moins liée par ma parole? Je ne désire rien savoir, messire.

Elle comprenait qu'il ne lui offrait cette révélation que parce qu'il y avait au fond un chagrin ou une menace pour elle, et elle ne voulait pas s'exposer à ce qu'il la vît inquiète ou affligée.

Elle lui intima donc une seconde fois l'ordre de sortir.

Mais sans paraître le remarquer:

—Eh bien, dit-il, je me montrerai généreux, en dépit des dédains et de la disgrâce dont Votre Altesse me poursuit. Vous pourriez m'accuser d'ailleurs encore de chercher à vous en imposer, et puis, quand vous connaîtrez ce traité, vous modifierez peut-être vos résolutions.

—Il paraît que je suis forcée de vous écouter, dit-elle en s'asseyant sur son grand fauteuil, comme une reine sur son trône, soit!

—Votre Altesse me remerciera probablement d'une insistance qui semble l'offenser. C'est dans cet espoir que je m'explique.

Madame la régente est une femme vraiment supérieure, dans tout ce qui concerne les choses politiques; elle a de larges vues, et parle à chacun le langage de son intérêt, ce qui est la véritable éloquence ici-bas.

—Êtes-vous ici pour faire l'éloge de madame la duchesse régente, notre maîtresse à tous, ou pour la blâmer?

—Mes éloges sont sincères, madame, quand je rends hommage à ses qualités diplomatiques. J'ose le répéter, le traité qu'elle a conçu toute seule en est une preuve nouvelle. Il est en cinq articles.

Par le premier, madame la duchesse propose à l'empereur la renonciation de notre seigneur et roi à ses droits sur Naples et Milan, et à la suzeraineté de la Flandre et de l'Artois.

La princesse écoutait avec attention, mais dans un calme parfait.

Duprat la couvrait d'un regard avide autant que venimeux.

—Par le second article, madame la duchesse, sacrifiant généreusement elle-même ses droits et ses biens légitimes pour la libération du roi, promet de restituer à monseigneur de Bourbon toutes les terres dont il a été dépossédé par arrêt juridique en faveur de Son Altesse.

La princesse ne put s'empêcher de reconnaître dans cette proposition une preuve du désir incontestable de sa mère pour racheter le roi, car ces domaines auxquels elle renonçait, malgré son avidité bien connue, étaient ceux-là mêmes dont la privation avait déterminé la révolte du connétable. Ils provenaient de la succession de Suzanne de Bourbon, sa femme, et se composaient du Bourbonnais, du Forez, du Beaujolais, de l'Auvergne et de la Marche. La duchesse d'Angoulême s'était prétendue héritière de Suzanne de Bourbon, dont elle était cousine germaine. Le parlement, dominé par Duprat et influencé par Guillaume Poyet, l'homme de son temps le plus entendu dans la chicane du palais, avait sanctionné la dépossession du connétable.

—Le troisième article est relatif aux prétentions réciproques sur la Bourgogne et autres provinces; il porte qu'elles seront renvoyées à la décision d'arbitres désignés librement des deux côtés.

Tout cela ne semble-t-il pas à Votre Altesse sagement conçu?

—Ce n'est pas tout, je pense?

—En effet, madame, puisque les exigences de l'empereur allaient bien au-delà de ces concessions. Aussi, le traité tient-il réservées pour la fin les deux clauses qui compensent et dépassent toutes les autres. Ce sont des clauses matrimoniales...

—En vérité?...

Mais quelque froideur qu'eût mise la princesse dans ces deux mots, le chancelier s'aperçut aisément qu'une certaine émotion avait pénétré en elle en même temps que ses paroles.

—L'article quatrième ajoute une faveur immense à la restitution de cinq provinces à monseigneur de Bourbon; il lui accorde la main d'une princesse de sang royal, madame Renée, la sœur de Votre Altesse.

La princesse n'intervint plus par aucune interjection, elle sentait le piège.

—Enfin, poursuivit Duprat après un temps d'arrêt adroitement ménagé, le cinquième article concerne Votre Altesse elle-même... Madame la princesse régente, se rappelant un vœu exprimé naguère par l'empereur, et que les circonstances ne permettaient pas alors d'exaucer, met fin à la guerre de la manière la plus heureuse et la plus sincère, elle cimente une alliance de famille entre le trône d'Espagne et celui de France... Le traité offre votre main à l'empereur.

Nous voici arrivés murmura-t-il à voix basse.

—Oui, répondit lentement Marguerite, c'est un plan ingénieux, qui fait honneur à la sagacité de madame ma mère.

—Certes, reprit le serpent, et Votre Altesse comprend qu'on ait tenu à le lui laisser ignorer jusqu'à sa réalisation...

L'astuce et le triomphe diaboliques incrustés dans le sourire de Duprat ravivèrent la fierté de la sœur de François Ier.

Portant sur lui ce même regard dont elle avait déjà foudroyé son audace:

—Vous vous trompez, messire; madame la duchesse régente était sûre de mon obéissance, en tous les cas.

—Quoi! Votre Altesse consentirait?...

—A tout, pour être à l'abri de tentatives indignes de moi, pour punir l'insolence de mes ennemis et protéger efficacement ceux que j'aime...

—C'est là, je le proclame, parler en grande princesse, fit le chancelier avec une déférence pleine de contrainte. Et puis, protéger ses amis tout en devenant impératrice, c'est un espoir qui séduirait plus d'une sœur de roi.

—Messire, vous oubliez que deux fois je vous ai prié de sortir!...

En même temps, le visage animé par l'indignation, elle porta à ses lèvres le sifflet d'argent, qui fit accourir mademoiselle de Tournon et Michel Gerbier, portant chacun un flambeau.

—Éclairez à messire le grand-chancelier, ordonna sèchement la princesse.

Il s'approcha cependant encore audacieusement d'elle, et feignant de la saluer:

—Madame la régente avait raison, lui dit-il, de faire mystère de son projet; pour qu'il réussît, il eût fallu qu'il ne tombât pas dans mon oreille.

Soulagé par cette déclaration de guerre, il se redressa et sortit, sans accorder une marque d'attention à Hélène, qui lui tenait soulevée la tenture de la porte.

—Qu'on me laisse seule... dit la princesse à sa favorite. Ma chère Hélène, j'ai le feu dans le cerveau.

Tout bruit s'étant alors éloigné, Marguerite laissa aller sa tête contre le dossier de velours de son siège, et, les paupières closes, les mains jointes, elle s'abandonna au tumulte de ses impressions, comme le naufragé se laisse, à bout de résistance, étourdir par la tempête.

Lorsqu'elle secoua enfin cet engourdissement, ce fut pour être saisie par une surprise nouvelle.

Devant elle, à genoux, dans l'attitude la plus humble, elle vit le bouffon de la cour, Triboulet.

D'un geste suppliant, il arrêta la parole indignée qu'il lisait déjà au bord de ses lèvres:

—Écoutez-moi, Altesse! s'écria-t-il, écoutez-moi!...

—Qui t'a permis d'entrer? d'où sors-tu? Ce n'est point ici un lieu pour tes quolibets ni pour tes noirceurs!

—Écoutez-moi, madame! répéta-t-il. J'étais là pendant que le grand chancelier vous parlait...

Et il montrait le dessous de la table couverte d'un tapis.

—Tu as osé!... Et tu as entendu?...

—Tout ce qui s'est dit, oui, madame.

Elle prit pour la seconde fois son sifflet.

—Arrêtez!... exclama le bouffon, ne me chassez pas sans m'entendre!

Il prononça ces mots d'un accent si persuasif et si douloureux, que le terrible sifflet s'arrêta en chemin.

—Le chancelier est un infâme, poursuivit-il avec entraînement; ce que j'ai souffert à l'entendre, ce que j'ai éprouvé d'admiration et de joie en présence de vos réponses, Votre Altesse ne le saura jamais!

—Pourquoi étais-tu là? demanda-t-elle, peu sensible à l'enthousiasme de ce gnome odieux.

—Pour vous offrir mon concours et mes services.

—Toi, reptile!...

—Oh! injuriez, frappez; vous n'irez jamais aussi loin que je le mérite; mais quelque jour laissez-moi vous expliquer mes douleurs, mes tourments...

—Ceci sort de votre rôle, maître fou, dit-elle, implacable à son tour; et si je ne m'égaye pas de vos sottises, je ne suis pas davantage d'humeur à m'apitoyer sur vos ennuis. Ça donc!...

Et elle tourna le sifflet dans ses doigts, prête à le porter à sa bouche.

—Eh bien, non, dit-il; je suis insensé, je ne vous parlerai pas de moi, mais de ce qui vous intéresse...

—Créature du chancelier, quel personnage jouez-vous ici?

—Votre Altesse croit-elle donc que je sois obligé d'aimer messire Duprat en raison des gages qu'il me paye?... Je le sers, c'est vrai, mais je le hais!

—La distinction est heureuse. En sorte que vous pouvez conclure que moi, que vous entourez de votre honteux espionnage...

—Je ne demande qu'à vous témoigner mon dévouement, oui, Altesse; c'est là, non pas un sophisme, mais une vérité, et c'est pour cela que je me suis glissé ici et que vous me voyez à vos pieds.

—Décidément, c'est une scène de comédie... Assez, maître fou; relevez-vous, et estimez-vous heureux de sortir sans le châtiment que vous mériteriez...

—Madame, insista-t-il à deux genoux, acceptez mes services! Ne me jugez pas sur mes actions, sur mes méfaits accomplis... Vous ne me permettez pas de vous entretenir de mes tortures; hélas! elles vous expliqueraient tout, et si courroucée que vous soyez, elles atténueraient mes torts devant vous.

—Eh mais, attendez donc, il me semble que votre patron le chancelier m'a déjà dit quelque chose comme cela... Vous êtes à la fois son serviteur et son écho...

—Madame, je n'ai pas l'audace ni l'ambition du chancelier... Que votre bouche me sourie une fois, que votre main me permette un de ces baisers que je l'ai vue accorder au chancelier lui-même, et je suis à vous corps et âme, et vous vous servirez de moi à votre discrétion et merci; et pour cette faveur qui me réhabilitera et m'élèvera au rang d'homme, moi, l'avorton ridicule, le vil histrion; pour cette grâce, pour ce rayon de soleil dans mes ténèbres, je tenterai, j'accomplirai des choses impossibles!

Il s'était traîné en rampant jusqu'aux pieds de la princesse, qui se reculait au plus profond de son siège, ainsi qu'à l'approche de ces êtres hideux qui inspirent une répulsion invincible.

—Arrière! lui dit-elle, arrière, misérable! Tu oses implorer ma bienveillance, quand c'est toi qui as trahi et perdu l'homme que j'aime!... Ah! si je ne te méprisais tant, combien je te haïrais!...

Ces paroles foudroyèrent un instant le bouffon. Il se releva d'abord, par un ressort nerveux; puis ses jambes torses flageolèrent, et il étendit les bras pour chercher un point d'appui. Ses yeux ne voyaient plus, un spasme étreignait sa poitrine.

Il se débattit pour reprendre son équilibre et pour parler, sans réussir à l'un ni à l'autre.

Si les courtisans l'eussent aperçu dans cet état, son succès eût été accompli: jamais il n'avait été plus laid ni plus grotesque.

Mais la princesse lisait sous ses contorsions une expression de rage qui lui faisait peur.

—Soit donc!... balbutia-t-il à la fin; soit!... Mais si cet amant chéri succombe dans la lutte... n'accusez que vous-même!...

Et il sortit en titubant et en tournant sur lui-même comme un homme ivre.

XII
LES DEUX PLANÈTES

S'il a fallu arriver jusqu'à notre époque pour jouir du déblayement de l'espace qui s'étend entre le Louvre et les Tuileries, et si, jusqu'au second empire, tous les gouvernements avaient reculé devant la charge de cette tâche, qu'on juge de ce qu'était ce quartier sous le règne de François Ier, dans la première partie du seizième siècle.

Qu'on se figure, Paris étant limité de ce côté par les remparts du Louvre, un faubourg marécageux, avec les inconvénients, l'insalubrité des recoins les plus déshonorants de la capitale, et l'incohérence, le laisser-aller, l'absence d'ordonnancement d'une campagne.

C'était un refuge, un repaire si fangeux, que nous ne saurions faire à aucune des portions actuelles de la banlieue l'injure de le lui comparer.

On n'y voyait pas des rues, mais des labyrinthes. Le cordeau de l'ingénieur n'avait eu garde de s'arrêter nulle part. Chacun avait bâti à son aise, à sa fantaisie. Les jardins, les cours, les écuries, s'entremêlaient avec les maisons de terre, de bois, de briques, et c'était toujours aux dépens du chemin, aussi rétréci qu'il était tortueux et irrégulier.

Si la propreté des rues était à peu près lettre morte dans les trois quarts de la capitale, on peut croire que ce n'était pas là qu'il fallait aller chercher le pavage ni l'enlèvement des immondices. La nature spongieuse du sol, envahi périodiquement à l'époque des grosses eaux, venait en aide à cette insouciance, pour entretenir dans ces misérables ruelles une humidité fétide et malsaine.

Le voisinage de la cour n'y faisait rien, d'ailleurs; celle-ci se croyait suffisamment abritée derrière les remparts de son Louvre, dont l'enceinte, avec ses fossés intérieurs et extérieurs, et ses appartements non aérés et plus mal éclairés encore, ne prouvait pas, dans le plus haut personnel du royaume, une grande entente des nécessités ni des agréments de l'hygiène.

Au bout de ce quartier s'élevaient les Tuileries, c'est-à-dire une fabrique de tuiles, désignée dans les titres du quatorzième siècle sous le nom de la Sablonnière, parce qu'alors c'était une carrière de sable.

On trouve pour la première fois cette désignation de Tuileries dans un édit de 1416, par lequel François Ier ordonne que toutes les tueries et écorcheries de Paris seront transférées hors des murs de cette ville, «près ou environ des Tuileries-Saint-Honoré, qui sont sur ladite rivière de Seine, outre les fossés du château du Louvre».

Nicolas de Neuville, sieur de Villeroi, secrétaire des finances, le même auquel, dans un de ces fréquents besoins d'argent et par un des expédients familiers à Duprat, on vendit, en 1522, pour la somme de cinquante mille livres, tous les produits des greffes de la ville de Paris et de la prévôté, — Nicolas de Neuville possédait dans ce rayon une maison avec cour et jardin. François Ier s'en rendit possesseur pour l'offrir comme villa de plaisance à sa mère, Louise de Savoie, qui possédait déjà l'hôtel des Tournelles, qu'elle n'aimait pas à habiter. En échange, le roi donna à Nicolas de Neuville la terre de Chanteloup, près Montlhéry.

Cependant, cette habitation ne parut pas convenir encore à Louise de Savoie, car elle ne la garda que peu de temps.

En 1525, date de notre récit, elle ne l'occupait déjà plus, et la donnait, pour en jouir pendant leur vie, à Jean Tiercelin, maître d'hôtel du Dauphin, et à Julie Dutrot, sa femme. C'est sur l'emplacement de cette propriété que s'éleva dans la suite le vaste et somptueux palais qui devint la demeure de nos rois.

A l'époque de la captivité du roi, la duchesse régente était donc forcée de loger habituellement au Louvre, et les Tuileries n'étaient bien, comme nous venons de le démontrer par des témoignages historiques, qu'une fabrique de tuiles.

Il est vraisemblable que l'état matériel de ce quartier et le voisinage des abattoirs, *tueries et écorcheries*, pour parler le langage d'alors, n'étaient pas étrangers au dégoût de la mère du roi pour ce quartier.

On pense bien aussi que la police, déjà si insuffisante dans l'intérieur de la ville, n'était pas très active dans ce ramas d'habitations, fort mal hanté en général, et, dès la tombée du jour, les indigènes d'humeur paisible n'avaient rien de plus pressé que de se clore prudemment dans leurs logis.

Les chats, les chiens errants, quelques animaux de basse-cour, cherchant leur pâture dans les immondices, étaient à peu près les seuls êtres vivants qu'on y rencontrât alors, et nous n'avons pas besoin d'ajouter que l'éclairage, même celui des niches des saints au coin des rues, y était totalement inconnu.

Qu'allaient donc faire dans ce fâcheux dédale, par une nuit des plus noires, deux personnages d'allure honnête, à en juger par leur démarche?

C'était un homme et une femme, le premier d'un âge avancé, la seconde beaucoup plus jeune.

De grands manteaux bruns les enveloppaient, et des masques noirs couvraient le haut de leur visage.

En examinant bien leur silhouette, on eût reconnu que l'un et l'autre n'étaient pas dénués de moyens de défense, en cas de méchante rencontre, et que leurs manteaux étaient disposés de façon à leur en permettre l'usage.

C'était le vieillard qui servait de guide à sa compagne, mais lui-même possédait peu la clef de ces détours, ou se trouvait dérouté par les ténèbres, car il hésitait à chaque coin de ruelle, et plusieurs fois il lui fallut revenir sur ses pas.

La jeune femme le suivait avec une docilité entière, réglant son pas sur le sien, s'arrêtant quand il s'arrêtait, se hâtant s'il allait vite, rétrogradant lorsqu'il avait fait fausse route.

Non seulement pas une plainte ne lui échappait, mais son compagnon et elle n'échangeaient même aucune parole.

Ce ne fut qu'après une course assez ardue que le guide suspendit une seconde sa marche, à l'entrée d'une impasse étroite, bordée de cahutes dont les toits aigus se rapprochaient de tous les côtés, comme pour se donner l'accolade de la misère et du délabrement; et, pour la première fois rompant le silence:

—Nous voici arrivés, murmura-t-il à voix basse.

Un faible rayon de lune étant descendu jusque-là, à travers la trouée des pignons et des surplombs, il étendit la main dans la direction d'une porte basse, cintrée, seul huis percé sur toute la façade d'une des maisons de l'impasse.

Ce défaut d'ouvertures donne à cette demeure un aspect bizarre et plein de réticences.

On se demandait tout de suite pourquoi cette haine de la clarté, ce besoin de ne pas ouvrir les mœurs et habitudes de sa vie privée à la curiosité des voisins, ou ce mépris pour les affaires du dehors. L'habitation prenait-elle l'air par des croisées sur une cour ou un jardin, ou bien ses habitants vivaient-ils à la manière de troglodytes, dans les ténèbres et dans les trous?

Au sommet de l'accent circonflexe formé par le toit, une girouette rouillée faisait tourner à tous les vents l'image d'un hibou.

Les curieux, s'obstinant à y voir un autre problème proposé à la perspicacité, se demandaient, sans pouvoir décider rien, si l'oiseau de Minerve figurait là comme l'emblème du recueillement et de l'étude, ou comme une allusion à la solitude ténébreuse du lieu.

L'image était bien choisie, dans tous les cas, car dès que la bise la faisait tournoyer, il en partait un son criard qu'on eût pris pour celui d'une chouette véritable.

Loin d'être rebutée par cet aspect répulsif, la jeune femme hâta le pas vers la porte aux panneaux de cœur de chêne grossièrement sculptés, et l'eut bientôt atteinte.

—Tu vas m'attendre à l'angle de la maison, dit-elle à son guide, et veiller.

Il y avait dans son accent, malgré la déférence dont il était empreint, cette inflexion naturelle aux gens habitués à commander.

—Ainsi, fit d'un ton respectueux le vieillard, vous persistez absolument, madame, à entrer seule dans ce lieu.

—Il le faut, mon vieil ami. Mais ne crains rien, je ne compte pas y séjourner longtemps.

—Ainsi soit-il, et que nos saints patrons vous assistent. Je me blottis là, dans ce coin, où le plus clairvoyant ne distinguerait pas les doigts de sa main, l'œil au guet, l'oreille aux écoutes.

—C'est parfaitement; ne sors pas de là.

—Allez donc, madame, et que notre sire Dieu vous seconde.

Il fit comme il avait dit, et sa compagne, saisissant avec résolution le heurtoir, frappa trois coups successivement gradués, le premier très fort, le second plus faible, le troisième plus léger encore.

Quoique ce mode de cogner ressemblât à un signal, la maison ne bougea pas d'abord. Aucun bruit ne s'y produisit, aucun filet de lumière ne se montra dans le cadre de cette porte sinistre.

Le sein de la jeune femme battait avec quelque émotion; mais, quelle que dût être son impatience, elle attendit sans renouveler son appel.

Sans doute elle possédait des données sur les allures des hôtes ou de l'hôte de l'endroit.

En effet, son attente ne fut pas vaine.

Un guichet percé dans une des moulures, et si étroit qu'elle n'avait pu l'apercevoir,—juste ce qu'il fallait pour laisser passer le rayon visuel,—se trouva ouvert.

—Que voulez-vous? demanda une voix cassée et grondeuse.

—Ouvrez! répondit-elle.

—Chez qui donc croyez-vous frapper à cette heure avancée?

—Chez maître Gaspard Cinchi.

—Et vous souhaitez?...

—Lui parler un moment. —Hum! hum! grommela la voix, tandis que l'œil de la porte cyclope paraissait interroger le dehors, pour s'assurer qu'il n'y avait bien là qu'une personne.

—Faites vite, je vous supplie, maître, insista la visiteuse on laissant glisser par le judas une demi-douzaine d'écus d'or fleurdelisés.

—Vous êtes seule? demanda-t-on encore, comme si l'on ne tenait pas compte de cette aubaine.

—Quelqu'un m'attend dans le voisinage.

On cessa enfin d'interroger, et la porte s'ouvrit sans bruit juste assez pour laisser passer une personne, et se referma d'elle-même dès que la jeune femme s'y fut glissée.

—Cette première pièce était une petite antichambre carrée, d'une entière obscurité; on sentait sous ses pieds le sol raboteux en terre battue.

—Venez, dit alors la voix.

Une autre porte s'ouvrit et donna accès dans une salle humide et basse, sans fenêtre d'aucune espèce.

Une lampe, pendue à la poutre du milieu, y brûlait sans cesse, à en juger par la couche de fumée noire qui drapait les solives comme une nappe mortuaire.

Cette salle n'avait d'autres meubles qu'un fauteuil carré, deux escabelles garnies de cuir comme lui, et une table de chêne à pieds tournés.

L'atmosphère était imprégnée surtout de l'odeur huileuse de la lampe, mais on y percevait aussi comme les émanations vagues de senteurs âcres et empyreumatiques.

Au reste, ces détails occupaient bien moins la visiteuse que la physionomie du personnage en présence duquel elle se trouvait.

Qu'on se représente un vieillard aussi vieux que l'imagination pourra le créer, vêtu d'une longue robe brune, encore garnie par devant et aux poignets de restes de fourrure. Ses cheveux blancs, épais et longs, descendaient sur ses épaules et finissaient par se confondre avec sa barbe blanche, longue et épaisse comme eux.

Une ceinture de cuir, bouclée autour de ses seins, retenait sa robe.

Il était grand et son âge, que l'on n'eût pas osé calculer tant il semblait avoir vécu, n'avait pas courbé sa taille, ni même éteint la vivacité de ses yeux.

De ses larges manches sortaient deux mains osseuses, et ce qu'on apercevait de ses bras ressemblait plus à un squelette qu'à une machine vivante.

De son côté, il embrassa de l'éclair de ses prunelles ardentes tout l'ensemble de la jeune femme; elle avait rejeté sur ses épaules le coqueluchon de son manteau, mais elle conservait son masque, et il ne demanda pas qu'elle le déposât.

Duprat eût payé bien cher pour voir couler ces pleurs.

—Vous avez donc quelque chose de bien important à me dire, prononça-t-il lentement, que vous n'avez pas craint de venir me trouver ainsi, malgré la nuit?...

—A cause de la nuit, répondit-elle; car le jour je n'eusse pas osé.

—Parlez, alors, madame; que souhaitez-vous?

—Oh! tous les secrets de votre science, toutes les ressources de votre art, tous les calculs de votre astrologie... N'épargnez rien, je suis riche; je ne vous ménagerai pas la récompense; elle sera proportionnée à vos services.

A l'appui de cette promesse, elle lui remit une bourse entière, qu'il fit glisser, sans manifester aucune explosion de reconnaissance, dans l'escarcelle pendue à sa ceinture.

—Dans ce cas, dit-il seulement, nous ne serions pas suffisamment bien ici. Venez encore.

Il l'introduisit dans une troisième pièce; mais l'accumulation des objets qui encombraient celle-ci compensait largement la nudité des deux premières.

Les murailles disparaissaient sous des fragments de tapisserie, recouvrant des portes et des croisées, tant on redoutait décidément l'air et la clarté dans ce logis, mais plus particulièrement encore sous un amoncellement des objets les plus bizarres, les plus hétérogènes.

Les planches, disposées en forme d'étagères, par rayons, supportaient un monde de fioles, de bouteilles de grès, de creusets, de cristallisations, d'oiseaux, de serpents, de quadrupèdes empaillés. Des guirlandes de plantes desséchées pendaient çà et là à travers les solives saillantes du plafond.

Un ou deux sièges recouverts de cuir ou de peau brute, dont un usage fréquent avait usé la moitié des poils, des escabelles sans dossiers, des tables surchargées de manuscrits, d'instruments de mathématiques, de sphères et de planisphères célestes, formaient le plus gros du mobilier.

Au fond, dans un angle, se dressait un fourneau où luisait un reste de charbon rouge; autour de ce fourneau, s'amoncelaient des alambics, des cornues, des creusets, des vases de métal ou de terre réfractaire de la forme la plus inusitée.

Une lampe de cuivre d'un modèle primitif, c'est-à-dire dont la mèche, passant par un bec assez étroit, baignait dans un réceptacle rempli d'huile, éclairait ce capharnaüm d'une façon si restreinte qu'aucun des meubles, aucun des appareils ne se dessinait sous un aspect précis, et que les moins éloignés semblaient eux-mêmes au milieu d'un nuage.

Quand, par hasard, un souffle d'air venait de la porte par laquelle l'alchimiste introduisit la dame au masque, il imprimait à la flamme une ondulation qui semblait se communiquer aux curiosités de ce muséum, et jusqu'aux grands personnages des tapisseries.

Le vieillard ne cessait pas, de son œil pénétrant, d'observer la visiteuse, mais il ne surprit dans son attitude aucune des marques d'émotion que cette fantasmagorie causait sur ses clients ordinaires. Ou c'était une femme supérieure, ou le motif de sa démarche était si sérieux qu'il dominait en elle toute autre idée.

Il lui fit signe de s'asseoir sur le siège le plus convenable, et prit place en même temps en face d'elle, près de la table où brûlait la lampe.

—Que souhaitez-vous de moi, madame? demanda-t-il en fixant toujours son œil perçant, qui allait chercher sa pensée sous le masque dont elle cachait ses traits.

—Maître, je veux connaître ma destinée et celle d'un être dont l'existence m'est plus chère que la mienne.

—C'est un horoscope, prononça lentement l'alchimiste.

Et, là-dessus, il alla écarter le coin de l'une des tentures qui retombaient sur les fenêtres, et par l'embrasure, il regarda le ciel.

Quelques rares étoiles y scintillaient, à des espaces fort lointains les uns des autres.

—La nuit est peu propice, murmura-t-il.

Cependant il s'arma d'une lunette, à l'aide de laquelle il parcourut longtemps avec soin l'espace supérieur.

La jeune femme le suivait anxieusement du regard, dans un silence respectueux.

—J'aperçois votre étoile, fit-il au bout d'un quart d'heure.

—Parlez, parlez, maître!

Et, si brave qu'elle se fût montrée jusqu'alors, gagnée par l'influence du lieu, par les aromes subtils qu'on y respirait, par l'attirail du nécroman, par son accent bref et convaincu surtout, elle sentit son cœur battre, et retint sa respiration pour ne rien perdre des mots hachés qui lui échappaient.

—Ce n'est pas un astre ordinaire... il jette des feux singuliers... on dirait des diamants pétris de sang, de larmes et d'or... Mais est-ce bien votre étoile?... Oui, je n'en peux douter; elle scintille au centre des signes du zodiaque qui présidèrent à votre naissance...

Il se tut un moment; son attention paraissait redoubler.

—Non, non! murmura-t-il avec force, ce n'est pas naturel... Il existe là une erreur de ma science ou un prodige impénétrable à mon esprit... Essayons si les calculs nous en donneront la solution...

Laissant retomber la tenture, il revint à sa table, déposa sa lunette auprès de lui, saisit une plume, et commença à couvrir une large feuille de papier de figures algébriques, de dessins bizarres et de pyramides de chiffres.

—A coup sûr, dit-il, en marquant d'une pause chaque membre de phrase, vous êtes appelée, madame, à de hautes destinées... Les existences communes n'ont pas de ces combinaisons merveilleuses... Que voulez-vous que je vous annonce?... Souveraine?... Un trône?... Oui, c'est bien un trône?...

Et comme il porta sur elle son regard inspiré, il la vit plus triste que quand elle était entrée, inclinant la tête et soupirant:

—Hélas!... ce trône, je ne l'ai pas souhaité!...

Elle pensait sans doute à la couronne d'impératrice que sa mère prétendait lui mettre au front, comme celle du martyre.

Les vues de l'empereur sur sa personne lui avaient été communiquées naguère une première fois; une répulsion instinctive les lui avait fait repousser; elle avait peur de ce conquérant sans miséricorde et sans foi, et sa conduite présente vis-à-vis de François Ier achevait de le lui rendre odieux.

Il lui fallait cependant souhaiter, dans le double intérêt qui occupait sa vie, le retour de son frère et le salut de son amant, que ce dessein réussît.

Habitué à pénétrer les ambitions humaines, Gaspard Cinchi vit bien, à la douloureuse indifférence de sa cliente, qu'elle était en effet d'une essence peu commune. Il lui promettait le diadème, et ce présage ne faisait qu'assombrir son front.

L'horoscope était vrai, peut-être, mais si cette jeune femme était réservée à un trône, ce n'était pas à celui d'Espagne et d'Occident, ainsi qu'elle devait le croire en cette circonstance.

—Vous suivez mes paroles, n'est-ce pas, madame? dit le nécroman; je lis dans votre avenir que vous serez reine.

—Certes, j'entends bien, mon père; vous me parlez de ma fortune comme si c'était cela qui m'amène...

—De quoi souhaitez-vous donc que je vous entretienne?...

—Hélas! de peu de chose, de mon cœur...

Il y avait presque un sanglot dans ces quelques paroles.

Le vieillard en tressaillit; un visage bien affligé se dérobait donc sous ce masque noir!

Il recommença diverses supputations, les renouvela, les vérifia, et leurs résultats étaient sans doute étranges, comme les conjonctures de l'étoile de cette femme, car, à chaque combinaison, il lui échappait des interjections pleines de surprise.

—Pauvre femme! fit-il avec pitié; c'est bizarre, voici trois fois que je renouvelle mes calculs, ils sont exacts; car, de quelque façon que je procède, j'aboutis au même résultat.

Eh bien, ce résultat me montre dans votre destinée une ligne qui se croise avec la mienne, de même que j'ai distinctement vu au ciel une jonction entre nos deux étoiles... Je cherche vainement quel est cet arcane du Grand-Être... De grâce! venez vous-même en aide à ma science en défaut ou insuffisante.

—Que souhaitez-vous?

—Vous croyez, n'est-ce pas, comme tout esprit sensé, à une autre vie, à la perpetuité de l'essence qui vous anime?

—Qui n'y croit pas? répondit-elle en écoutant avidement, car ce début ressemblait aux propres discours que lui avait tenus Jacobus de Pavanes dans leur dernière entrevue.

Évidemment, une femme du grand monde, comme vous paraissez être, comme votre horoscope dit que vous êtes, a peu le loisir de s'occuper de ces matières abstraites; mais puisque vous avez eu la hardiesse de pénétrer dans l'antre de la science, laissez-moi vous interroger en son nom.

Beaucoup de faux prophètes et de faux savants prétendent chercher l'avenir dans les rêves. Les rêves tiennent à une seconde vie, c'est vrai; mais ce n'est pas à une vie future, c'est à une vie passée. Ne vous rappelez-vous point en avoir fait quelquefois qui semblaient vous reporter à une autre période d'une existence dont vous ne retrouviez plus la trace étant éveillée, et que cependant, tant que durait la torpeur de votre esprit et de vos sens, vous auriez juré avoir traversée déjà?

De grâce, écoutez-moi, madame, si abstraites que ces idées vous semblent. Le rêve n'est pas, je vous le répète, une anticipation sur l'avenir. Il nous représente deux périodes de notre existence: la période actuelle, quand il nous retrace les incidents récents qui nous ont vivement impressionnés; la période antérieure, quand il nous offre l'image d'épisodes, de sensations que nous reconnaissons, que nous tenons pour aussi vraies que les premières tant qu'il dure, et qui nous étonnent parfois encore quand il est dissipé. Car nous jurerions, en rentrant en nous-mêmes, que nous les avons réellement éprouvées à une époque, dans des conditions qui nous échappent.

—C'est vrai, j'ai ressenti cela; il y a des instants où nous nous souvenons de choses qui ne nous sont jamais arrivées, répondit la jeune femme, attirée au plus haut point par ces distinctions. Je comprends votre théorie, c'est celle qui admet la migration, la transmission des âmes...

—Vous avez dit le mot! s'écria le vieillard, au comble de la surprise; mais l'avez-vous trouvé de vous-même, ou quelqu'un vous l'a-t-il enseigné?

—Je répondrai plus tard à votre question, mon père. Poursuivons d'abord le sujet qui nous occupe.

—C'est que, reprit-il, ce rapprochement de nos deux étoiles dans une conjoncture néfaste s'expliquerait peut-être par un rapprochement de nos esprits dans une existence antérieure; sinon, il me faut répondre à la demande que vous me faites de votre horoscope, que nos destinées se coudoient, et qu'elles sont funestes toutes deux...

Ici, le vieillard laissa tomber sa tête sur sa poitrine et exhala un long soupir.

La dame au masque le considéra un moment avec une tristesse aussi profonde que la sienne même; mais pour ne pas le laisser s'y absorber davantage:

—Mon père, dit-elle, vous souffrez?

—Oh! oui, je souffre bien, madame!... fit-il en relevant peu à peu sa tête blanchie; et moi qui compose des charmes pour le bonheur des autres, j'aurais bien besoin de trouver la mandragore qui mettrait fin à mes tourments.

Leurs planètes avaient-elles en effet quelque coïncidence mystérieuse? On eût pu le supposer, à voir l'attraction qui amenait sur ce vieillard la sollicitude de cette jeune femme, et en songeant qu'ils se rencontraient cependant pour la première fois.

—Quoique je ne possède pas encore la couronne que vous m'annoncez, dit-elle, il m'est arrivé de rendre quelques services à des malheureux, de prévenir des injustices, de faire réparer de grands torts. Si ma protection pouvait vous servir, je vous l'accorderais avec bonheur... Ayez confiance, maître, ouvrez-moi votre cœur.

Les infortunés ont si grand besoin de consolation, qu'ils accueillent souvent à la légère l'espoir qu'on fait luire devant eux, bien que la déception soit parfois le fruit de leur facilité. Gaspard Cinchi avait trop la connaissance du cœur et de la perfidie des hommes pour se livrer ainsi; mais, aux manières de sa visiteuse, il devinait une personne puissante; à son accent, au peu de mots qu'elle avait prononcés, il reconnaissait une nature généreuse.

—Mon histoire est douloureuse, dit-il. Ma vie s'est écoulée dans l'étude. Elle eût dû se terminer depuis longtemps, car le ciel ne l'a prolongée au delà du terme ordinaire que pour entourer ma vieillesse d'épreuves cruelles... Je n'ai pas toujours trafiqué de ma science. C'est seulement depuis que je me suis installé en ce logis que j'ai compris la nécessité d'en tirer profit; car avec de l'or, on opère bien des choses, et il me faut beaucoup d'or pour réussir dans celle à laquelle tient le reste de mon existence.

A l'âge où la nature est inclémente, un miracle d'en haut m'avait accordé un fils... le modèle de toutes les vertus, de tous les talents... Je l'aimais comme Israël aimait Benjamin.

Il me rendait cette affection, mais elle ne suffisait pas à ses vingt ans, et bientôt surgit en lui une de ces passions violentes, envahissantes, exclusives, qui entraînent et affolent leurs victimes. Il aimait, le malheureux enfant, il aimait une grande dame!...

Oh! non pas, je dois le croire, une femme telle que vous, qui vous montrez humaine et bonne; mais quelqu'une de ces demoiselles de haut blason, qui jouent avec ces passions sincères comme les chattes avec leurs proie, pour les meurtrir d'un coup de leurs griffes couvertes de velours, quand elles en ont assez!

A travers les trous de son masque, les prunelles de la jeune femme lançaient des éclairs, ses narines se dilataient avec force, des frémissements glissaient sur ses lèvres.

—Votre fils, demanda-t-elle toute tremblante, vous confia-t-il le nom de cette dame?

—Jamais... Quelque femme d'un grand nom et d'un misérable cœur, sans doute... Je vous en fais juge: adonné aux idées de la réforme, à la suite d'un prélat illustre, il s'est vu saisir, entraîner dans une des prisons de Paris, au Châtelet, à la Bastille ou au Louvre, je n'ai pu savoir dans laquelle, et cette femme, qui est influente et considérée,—c'est tout ce qu'il m'en a dit,—cette femme l'y laisse gémir sous la menace d'un arrêt plus affreux peut-être!...

N'est-ce pas, madame, cette femme n'a pas d'entrailles?...

Son interlocutrice s'était levée à ces derniers mots, et elle étendait le bras vers le vieillard par un geste solennel.

Trois coups appliqués à la porte extérieure, mais que l'on distingua parfaitement malgré la distance, arrêtèrent la parole sur ses lèvres.

—On frappe! dit le nécroman, et c'est quelqu'un qui connaît le signal. Que faire?...

—Allez voir, maître; et si c'est pour une consultation, donnez-la: j'attendrai autant qu'il sera nécessaire... car il faut que je vous parle encore!... Mais où me retirer? A aucun prix, je ne saurais me laisser voir ici...

—Là, dit-il en montrant un des pans de la tapisserie; mettez-vous là.

C'était un recoin obscur, espèce de cabinet sans meubles. A tout hasard, la jeune femme s'y blottit.

XIII
LE PHILTRE ET LE POISON

Cette fois c'était un homme, ainsi que la jeune femme cachée sous la tenture s'en convainquit promptement par le murmure confus de voix qui arrivait jusqu'à elle, au fond du laboratoire, à travers la sonorité des deux premières pièces vides. Il parlait très haut, et insistait pour pénétrer jusqu'au cœur de la place, quoique maître Gaspard Cinchi s'efforçât de le retenir dans la salle précédente.

La dame au masque ne distinguait pas ses paroles, mais quelques inflexions de son accent la frappèrent particulièrement. Elle était certaine de les connaître, sans se rappeler au juste à qui elles appartenaient.

L'alchimiste, pressé d'en finir avec ce nouveau client, se décida à l'introduire dans le laboratoire.

—Entrez donc, lui dit-il; mais, en vérité, je ne peux vous accorder qu'un court entretien.

—Foi de gentilhomme! exclama son visiteur, il y a donc encombrement dans les forges de Satanas!

A ce juron, qui n'appartenait qu'au roi François Ier, la jeune femme avait redoublé d'attention, et son œil avait trouvé dans la tapisserie un vide par lequel elle pouvait tout observer.

Le nouveau venu était un nain tout contrefait, enveloppé dans un manteau gris traînant sur ses talons. Un feutre noir, sur lequel se dressait à pic une grande plume, noire aussi, retombait jusque sur son visage.

Mais il rejeta négligemment sur une escabelle feutre et manteau, et s'accroupissant à la façon orientale entre les bras du plus grand des fauteuils de cuir:

—Maître, dit-il, vous êtes pressé, je ne suis pas en humeur de paroles vaines. Je serai bref et logique.

Ce disant, il jeta sur la table une bourse de soie brodée aux fleurs de lys et gonflée d'or.

La jeune femme suivait cette scène avec une émotion indicible, le gnome qui venait de prendre possession du fauteuil du sorcier, et qui semblait ici dans son empire naturel, c'était le bouffon de la cour, le sarcastique, le joyeux Triboulet!

Certes, il ne justifiait guère en ce moment son renom de gaieté inépuisable.

Ses cheveux roux et rudes pendaient en mèches inégales autour de son gros cou apoplectique; les éraillures de ses yeux suintaient le sang; ses épaisses lèvres crispées grimaçaient des contours impossibles; des traces de rouge et de fard mal essuyés zébraient sa face blêmie.

Il n'était plus ni comique ni grotesque, il était hideux.

Le nécroman le considérait avec sa vigilance habituelle, et, frappé du désespoir empreint sur ses traits abattus, il n'attendit pas qu'il l'interrogeât:

—Vous êtes malheureux? lui dit-il.

—Taisez-vous! répondit-il, ranimé par ce mot. Je ne vous demande pas cela... Ce qui passe en moi, nul ne doit le savoir! je voudrais me le cacher à moi-même. Ce ne sont pas vos consolations ni vos horoscopes que je viens chercher...

—Que souhaitez-vous donc?

—L'aide de votre science la plus positive, l'alchimie.

Cependant, Gaspard Cinchi avait rencontré juste du premier mot.

Triboulet était malheureux; il était descendu dans l'antre infernal du nécroman, parce que l'enfer était déjà en lui et l'attirait.

Ce qu'il avait voulu faire comprendre à la princesse Marguerite était-il vrai? Y avait-il réellement un cœur dans cette machine à quolibets et à tours de force? Oui, mais un cœur semblable au reste de cette créature manquée,—incomplet.

Il était,—sarcasme du sort! qui lui arrachait des rires fauves trempés de larmes de feu,—il était amoureux de la plus divine créature que le monde eût encore admirée.

Et quand il descendait en lui-même, il se prenait d'une telle exécration pour sa laideur repoussante, pour son avilissement odieux, qu'il se faisait horreur et qu'il eût voulu se souffleter de sa propre main.

Cependant il l'aimait follement, éperdument, sans que la raison ni la conscience de son indignité, de la distance qui le séparait d'elle, réussît à le détourner d'une adoration voisine du fétichisme.

Oh! ses dédains, son indifférence méprisante, comme ils lui déchiraient l'âme à lui qui n'eût demandé d'autre joie que de se faire broyer sous les roues de son équipage, écraser sous les pas de sa haquenée, pour être seulement l'objet d'un regard ou d'une plainte de sa part!

Vos pressentiments vous ont bien servi, mon père.

Et quand le chancelier était venu le choisir pour confident de sa passion, réclamer ses services, lui donner de l'or pour l'aider à se faire aimer de cette femme, quel supplice, quelle rage, quelle démence!

Mais elle n'aimait pas le chancelier plus que le fou; il était impossible qu'elle l'aimât jamais, et c'était une âpre consolation dans ses misères de voir son patron souffrir de son mal, d'attiser insidieusement le brasier de ses tortures.

Il n'était donc pas seul dédaigné, pas seul repoussé, méprisé! C'est une des joies de Belzébuth de sentir des compagnons de supplice.

Oui, mais quel paroxysme de jalousie, en découvrant au fond des fosses du Louvre le vainqueur de cet esprit superbe, l'amant aimé de cette beauté sans égale!

Une démence furieuse s'était emparée de lui; son imagination, exaltée, familière à l'idée du mal, avait forgé, brasier volcanique, un projet dont il commençait en ce moment l'exécution.

—Expliquez-vous, reprit Gaspard Cinchi; que souhaitez-vous de l'alchimie?

—Deux choses: un philtre et un poison.

Les traits du vieillard ne bougèrent pas. Il était accoutumé sans doute à ces sortes de requêtes qui composaient le meilleur revenu de sa profession.

Cependant, le bouffon officiel, pour prévenir un refus, ajouta avec vélocité en montrant la bourse:

—Ceci ne suffit-il pas pour ces deux objets?

Gaspard Cinchi abaissa froidement les yeux sur le sachet, le prit par la main et sembla le peser.

Craignant toujours une hésitation:

—Ajoutez ceci! dit Triboulet.

Et il fit rouler près de la bourse deux bagues ornées de gros diamants, qu'il arracha de ses doigts.

—Vous êtes un homme sage et discret? lui dit avec son calme irritant et énigmatique le vieillard.

—Non, je suis un fou et un bavard... mais je sais payer, et je veux être servi... Est-ce assez, enfin.

De sa poigne nerveuse il brisa une chaîne d'or, présent du roi son maître, cachée sous son pourpoint, et la lança à côté du reste.

—J'entends fort bien, murmura Gaspard: vous voulez posséder les deux talismans qui rapprochent l'homme du génie du bien et de celui du mal: le philtre qui fait aimer et le poison qui tue.

—Eh bien, oui... le philtre qui endort la méfiance, qui ôte la force de résister, qui engourdit les sens et qui nous livre sans résistance la femme qui nous eût repoussés et meurtris éveillée... Cette femme, je l'aime; assiste-moi, suppôt de l'enfer, il faut qu'elle m'appartienne!...

—Quant au poison?...

—Ne me prenez pas pour un assassin ni pour un misérable voleur, vieillard!...

Je suis un homme offensé qui se venge!

—Il y a pour cela le duel, objecta Gaspard.

—Le duel!... ah! ah! ah! exclama le bouffon avec un éclat strident qui fit vibrer les fioles sur leurs étagères, qui donc se battrait avec moi?...

—C'est juste, répondit gravement l'alchimiste.

Un éclair de joie traversa la sombre physionomie de Triboulet.

—Enfin! vous me comprenez et vous consentez?

—Venez demain, à l'heure où vous êtes venu ce soir, les deux choses seront prêtes.

—Le philtre?

—Le philtre qui endort.

—Et le poison?

—Le poison qui foudroie.

—Demain soir, à la même heure, maître, je vous apporterai une seconde bourse et des bijoux plus précieux que ceux-ci.

En même temps il était sauté en bas de son fauteuil, avait repris son manteau et son feutre et se dirigeait vers la sortie.

L'alchimiste le reconduisit jusqu'à la porte de l'impasse et ne revint qu'après l'avoir solidement fermée.

En rentrant dans son laboratoire, il trouva la jeune femme debout près de la table, dans une attitude imposante et solennelle.

—Maître, lui dit-elle, tu ne tiendras pas la parole que tu as donnée à cet homme.

—Pourquoi cela, madame? demanda Gaspard, secrètement ému de la vibration de sa voix.

—Parce que la femme qu'il veut perdre, c'est moi! le rival qu'il veut empoisonner... c'est ton fils!...

XIV
A TRAVERS LA NUIT

Le centenaire passa lentement ses longs doigts osseux sur son front, l'œil fixe, le sein haletant.

Il n'en croyait ni ses sens ni sa raison.

—Mon fils!... répétait-il, épelant ces deux syllabes comme s'il les entendait pour la première fois; mon fils!...

La jeune femme le regardait, attendrie par cette grande surprise, résultat d'une si grande tendresse.

Elle avait trop de délicatesse innée pour élever de nouveau la voix; elle sentait que le coup avait été si violent qu'il avait ébranlé ce cerveau de bronze; elle attendait que la réaction s'opérât, que les idées reprissent leur cours régulier.

Le vieillard s'avança jusqu'à elle, et, saisissant avec respect le bord de son manteau, pour s'assurer à la fois que ce n'était pas une vaine apparition et qu'elle ne tentait pas de lui échapper.

—Madame, madame, balbutia-t-il, n'avez-vous pas dit: Mon fils?...

Elle lui répondit par un signe de tête.

—Non, non... fit-il tout frissonnant, parlez! que j'entende ce mot de votre bouche.

—Vous avez parfaitement entendu, maître; je vous ai dit que l'homme qui sort d'ici médite un double forfait;—le poison qu'il réclame, il le destine à votre fils.

L'alchimiste tressaillit de nouveau, et frappé enfin de la pensée qui aurait dû lui venir la première, s'il eût moins obéi à l'élan de sa raison qu'à celui de la froide sagesse:

—D'où savez-vous que Gaspard Cinchi a un fils?

La jeune femme sourit doucement:

—Puisque je sais cela, ne voyez-vous pas aussi que je connais votre vrai nom, messire Jean de Pavanes?

—Mon nom! Oui, vous savez mon nom... Qui vous l'a révélé? par le ciel, dites!...

—Votre science et vos discours, mon père.

—Ah! attendez, de grâce, ne précipitez rien... Je suis si vieux, vos paroles sont si solennelles... Ma pauvre tête s'égare... Madame, soyez bonne, indulgente... Madame, en me parlant de lui, de mon enfant, est-ce que vous ne m'avez pas dit encore... Oh! je n'ose en croire mon souvenir. Vous m'avez dit qu'il avait une protectrice, une amie?...

—Je vous ai dit que je l'aime, mon père.

Elle répéta cet aveu avec gravité, avec conviction, comme une chose naturelle dont il n'y a pas à se cacher.

—Oh! merci! merci! Vous êtes une noble femme, vous! Ah! du moins, vous ne rougissez pas d'obéir à votre cœur, et ce n'est pas la bonne fortune qui vous attire... Merci, merci.

Et, dans son émotion, il couvrait de ses baisers ces belles mains royales où les lèvres de son fils avaient déjà déposé les leurs.

—Ah! il y a longtemps que je vous cherche et vous fais chercher, maître; car je vous avais déjà en estime et en honneur à cause de lui.

—Oui, il vous a parlé de son vieux père, n'est-ce pas? A votre tour, parlez-moi de lui.

—Il pense à vous, il vous pleure; il vous aime, à ce point que j'ai parfois été prise de jalousie contre vous.

—Mon enfant!... mon Jacobus!... Ah! laissez-moi pleurer...

Il tomba sur un siège, tout rayonnant et tout en larmes.

—Vous avez raison de le chérir, car c'est le plus grand cœur et le plus beau gentilhomme de France.

—N'est-ce pas, madame!... Oh! je le vois bien, vous l'aimez comme moi... Oui, c'est cela, je comprends à présent cette rencontre de nos étoiles... Les cieux sont un livre sublime, voyez-vous, pour ceux qui savent y lire; mais vous, madame, vous êtes donc l'ange de la consolation?

Elle secoua sa tête soudain attristée au souvenir de cet horoscope:

—Je suis l'ange des tombeaux, maître.

—Je ne demande pas à voir vos traits, reprit le vieux Jean de Pavanes; mais ces hautes destinées que je découvrais dans votre planète... La science aurait-elle à la fois révélé une vérité et indiqué un mensonge?

—La science, je suis forcée de le souhaiter et de le craindre, la science a peut-être dit vrai. Si l'on choisissait sa destinée, j'enchaînerais sur l'heure la mienne à celle du chevalier de Pavanes.

—Je ne sais quel prestige il y a dans votre voix, madame, mais plus je vous entends, plus il me semble que c'est une bouche royale qui parle.

—Hélas!...

La jeune femme poussa un long soupir, et, retirant son masque, laissa contempler son visage à l'alchimiste.

Jean de Pavanes, en quittant secrètement la ville de Meaux, pour éviter le sort des autres novateurs, et plus particulièrement pour s'attacher à la fortune de son fils, qu'il savait être transféré dans l'une des prisons de Paris, avait dû changer de nom.

Il s'était installé dans le faubourg du Louvre en qualité de physicien et d'alchimiste, se tenait à portée de connaître la fortune de son cher enfant, et comptant sur les ressources que lui procurait son art pour parvenir jusqu'à lui, pour le sauver en gagnant les geôliers.

Mais on n'arrivait pas ainsi jusqu'aux prisonniers de religion sous l'administration d'Antoine Duprat.

La régente et la sœur du roi étaient les premières personnes auxquels les noms de ces criminels eussent été communiqués.

Le vieux docteur avait vu plusieurs fois naguère la princesse Marguerite figurer aux côtés du roi dans les solennités publiques; en la reconnaissant dans la personne de la dame qu'il avait devant lui, il voulait se précipiter à ses genoux.

Mais elle, le forçant à se relever avec cette grâce séraphique qui lui appartenait:

—Redressez-vous, mon père, lui dit-elle, c'est à ma couronne de duchesse, à mon diadème de reine future à s'incliner devant vos cheveux blancs et votre savoir... Puisse celui-ci découvrir un arcane assez efficace pour sauver notre ami commun.

—Oh! madame, ne pouvez-vous pas tout!

—S'il en était ainsi, Jacobus serait-il encore dans les fers!

—Cependant, vous êtes la sœur de monseigneur le roi, et l'on sait qu'il ne vous a jamais affligée d'un refus.

—C'est vrai, messire: le roi présent, tout! le roi absent, rien!

—Et le roi est à Madrid... soupira le centenaire.

—Et le ciel sait à quel sacrifice j'étais décidée pour le ramener... N'importe, reprit-elle avec énergie, si le chancelier a ses archers, j'ai mes secrets et mon amour.

—Nous avons des adversaires puissants? hasarda l'alchimiste, dont le cœur s'était serré en présence de ces réflexions.

—Trop puissants!

—Le grand chancelier, messire Antoine Duprat?

—Lui surtout.

—Puis ce grotesque personnage, ce nain, dont vous avez surpris les intentions?...

—Un histrion empoisonneur, fit Marguerite avec dégoût. Ce sont des gens redoutables, car ils ont pour eux l'autorité, la force et l'absence de tout scrupule.

—Le crime de Jacobus est-il donc tel qu'il n'y ait pas d'espoir?

—Son vrai crime, mon père, c'est de m'aimer, ou plutôt d'être aimé de moi... Comprenez-vous?

—Oui, sans doute, ce philtre que l'infâme gnome réclamait pour posséder une femme qui le repousse... ce poison pour se venger d'un rival...

—Qui ne lui a rien fait!

—Ah! du moins, s'il ose se présenter demain en ce lieu...

—De la prudence, maître!... Recevez-le bien, au contraire, acceptez son or; seulement, au lieu des liqueurs dangereuses qu'il vous demande, donnez-lui en d'inoffensives... Trompez ce trompeur.

—Je me fie à votre sagesse; il sera fait, mot pour mot, ainsi que vous souhaitez. Mais mon fils, du moins, vous pouvez me le faire embrasser?

—Il est enfermé dans une cellule des fosses de la Grosse-Tour. Oui, maître, vous l'embrasserez...

—Bientôt, n'est-ce pas?

—Cette nuit même.

—Oh! partons!...

—Quelques mots encore. Un projet avait été conçu pour obtenir le retour du roi; j'en concevais grand espoir. Mais ce projet, par une trahison que je ne puis connaître, est tombé à la connaissance du grand chancelier, et la couronne que vous m'avez prédite ne sera probablement pas celle d'Espagne. Il faut donc chercher autre chose.

—Une évasion?...

—Nous y avons pensé, mais c'est le moyen le plus difficile et le plus périlleux... J'en ai imaginé un autre, auquel vous pouvez me servir.

—Oh! parlez, alors.

—Vous avez été appelé tout récemment au Louvre, près de madame la duchesse régente qui voulait vous consulter?

—En effet, madame, et sur son invitation, j'ai commencé pour elle certaines opérations cabalistiques que je lui ai juré de ne confier à personne.

—Un envoûtement!

—Vous le saviez?...

—Ma mère voulait m'associer à cette entreprise; mais de telles pratiques, je le dis à vous-même, répugnent à ma conscience.

L'alchismiste comprit que ce n'était pas le moment d'entreprendre la réhabilitation de son art aux yeux de la princesse. Il ne le tenta donc pas, et entrant dans sa pensée:

—Durant l'entretien qu'elle m'a accordé, j'ai été vingt fois sur le point d'interrompre mes calculs pour me jeter aux pieds de Son Altesse et implorer sa protection. Chaque fois que j'allais le faire, quelque chose de dur, de funeste dans son regard, dans son maintien, glaçait ma parole; il fallait commencer par lui révéler qui j'étais, et je n'osais; je craignais de compromettre à la fois la confiance qu'elle m'accordait comme physicien et ma propre liberté, qui peut être utile à ramener celle de mon fils.

Je ne l'eusse pas quittée cependant sans risquer cet aveu, mais quelqu'un, le grand chancelier, s'est fait annoncer. Madame la régente m'a renvoyé alors par une porte de service, tandis qu'il s'avançait d'un autre côté. Je ne suis parti qu'en me jurant bien de surmonter tous mes scrupules dans l'entrevue prochaine, où je lui rendrai compte de mon opération.

—Le hasard et vos pressentiments vous ont bien servi, mon père.

—Comment, madame la régente?...

—Ma mère ne peut rien pour votre fils, et vos aveux étaient pleins de dangers. Croyez-en ma parole.

—Tout s'écroule donc autour de nous?

—Pas encore. Il faut lutter; nous lutterons, et, je le répète, vous aurez votre part dans notre œuvre de délivrance et de justice.

Ma mère s'est-elle ouverte à vous sur les soucis qui l'oppressent?... Quand on réclame d'un homme de science un service tel que celui-là, on a coutume de lui dévoiler les profondeurs de son âme.

—Non; elle s'est montrée pleine de réticences. Elle n'a pas même voulu que je lui adressasse ce jour-là son horoscope. Elle m'a dit que le docteur Agrippa y avait échoué, qu'elle attendait, pour me le demander, le succès de l'entreprise dont elle me chargeait d'abord.

—Elle veut que vos pratiques surnaturelles la délivrent d'un ennemi?

—Elle a ajouté que je ne devais avoir aucun scrupule, que cet homme était un misérable, souillé de crimes odieux, qui eussent mérité les plus éclatants supplices, et que ce serait œuvre méritoire d'en purger la société.

Je lui ai dit alors que pour rendre les incantations et les charmes plus efficaces, il fallait qu'elle me procurât, pour le mêler à la cire dont je pétrirais son image, quelque chose qui eût appartenu à la personne de cet homme, par exemple, quelques gouttes de son sang ou un peu de ses cheveux.

Elle m'a promis de me fournir l'un ou l'autre de ces objets à notre seconde entrevue, en même temps qu'elle me révélerait les noms qu'il fallait livrer à la cabale. En attendant, j'ai entamé la confection de la figurine... Tenez, fit-il, en ouvrant une armoire, la voici.

Aucun de nos lecteurs n'ignore combien ces pratiques superstitieuses furent longtemps accréditées, nous ne reviendrons donc pas sur ce que nous avons précédemment dit à cet égard.

L'envoûtement était une opération cabalistique par laquelle on croyait causer à son ennemi le même supplice qu'on infligeait à une figure de cire que l'on désignait de ses noms, surtout de ses prénoms. Parfois aussi, c'était sur un cœur arraché chaud et saignant d'un bouc ou d'un bélier égorgé exprès, que l'on opérait en y enfonçant un nombre cabalistique d'épingles, et en le faisant ainsi griller au milieu d'un brasier.

Au fait, il serait superflu d'insister sur l'exactitude de nos indications, dont chacun peut avoir des notions plus ou moins précises.

Il faut remonter jusqu'aux grands âges de la Grèce et de Rome pour trouver l'origine de ces pratiques sur des figures de cire; les devins sacrés les employaient fréquemment, soit dans le même but que nos astrologues du moyen âge, soit pour la pénétration des songes.

La céromancie, ou divination par la cire, a été longtemps en usage en Turquie et dans les pays musulmans; il n'est pas bien sûr qu'elle soit, même aujourd'hui, totalement délaissée par les savants ulémas du parti des vieilles croyances.

D'ailleurs, encore, il ne faudrait pas aller bien en avant dans nos provinces de Normandie, du Maine, des Flandres et bon nombre d'autres, pour trouver de prétendus sorciers ou devins qui exploitent la crédulité des campagnards à l'aide de ces superstitions scrupuleusement calquées sur celles du moyen âge. Les *sorts* jetés au moyen de la cire figurant une image grossière ou brûlant à l'état de cierge, le cœur de mouton ou de bœuf saignant, piqué d'épingles, jouissent d'un crédit que les progrès des lumières ni la marche des siècles n'ont pu déraciner.

La superstition est ce qui change et s'efface le moins ici-bas. L'homme s'y sent tellement isolé, dans une condition tellement transitoire et précaire, qu'il court avidement après les prestiges qui lui semblent un point de jonction entre cette existence mesquine et le monde plus élevé auquel il aspire.

Sur un des rayons de l'armoire de l'alchimiste, Marguerite aperçut en effet l'ébauche d'une figurine de cire.

Hélène s'arrangea de manière à se rencontrer avec Duprat.

—Eh bien! maître, dit-elle, savez-vous quels traits et quel costume il faut donner à cette image pour la rendre exacte?

—Lesquels, madame?

—Ceux du grand chancelier Antoine Duprat.

—Le bourreau de mon fils!... Oh! si cela est vrai, ce n'est pas d'une goutte, c'est de tout son sang qu'il faudrait pétrir cette image!

—Cet homme, vous le voyez, est l'ennemi de ma mère, mais il est aussi son tyran. Un logicien, un savant tel que vous, possède tout ce qu'il faut pour imposer sa volonté, pour exercer un prestige irrésistible sur ceux qui le consultent ayant déjà foi en lui... Voici donc ce que vous ferez:

La première fois que vous verrez la régente, faites-lui comprendre qu'en dressant vos calculs pour accomplir ses vues, vous avez découvert qu'il existait, entre elle et l'homme qu'il s'agit d'envoûter, une liaison, une affinité, quelque chose comme un pacte qui recule et traverse vos combinaisons.

Bref, insistez, pressez-la sur ce chapitre, et si nous devenons maîtres de ce secret, à notre tour, j'en ai l'espoir, nous imposerons nos volontés au premier ministre.

—J'ai compris, répondit l'alchimiste. A présent, pouvons-nous partir?

—Non, pas avant que vous m'ayez remis, à moi, ce que vous devez livrer demain au bouffon de la cour.

—Ce philtre et ce poison?... demanda le vieillard, la regardant avec stupeur.

—Ce philtre et ce poison... Il faut bien combattre les gens à armes égales. Nos ennemis voulaient s'en servir pour un double attentat; qui sait? Nous en ferons peut-être usage pour une bonne action.

—Vous, madame, vous n'êtes pas de celles que l'on refuse ou que l'on ajourne.

Alors il alla vers l'armoire encore ouverte, prit dans l'endroit le plus secret deux petites fioles de grès, portant chacune une étiquette où se lisait une seule lettre indicative.

—Ceci, dit-il, en présentant la première, c'est un poison qui foudroie pour peu qu'on le respire. —Ceci, ajouta-t-il en donnant la seconde, est un soporifique dont il suffit de mêler une goutte à un hanap de vin pour amener un sommeil de vingt-quatre heures que rien ne peut interrompre.

—C'est bien, maître, dit-elle en les serrant dans son aumônière, les hostilités sont ouvertes, et, pour doubler votre énergie et votre adresse, venez embrasser votre fils!

Ils gagnèrent aussitôt l'impasse où le fidèle gardien, Michel Gerbier, les attendait en continuant sa veille.

Aucun être vivant, excepté les hôtes à quatre pieds du quartier, ne s'était montré dans les alentours depuis le départ de Triboulet, qui avait gagné le Louvre à la hâte.

La duchesse Marguerite et ses deux compagnons s'acheminèrent vers le même but.

XV
LA GUERRE DES PETITS MOYENS

Le lendemain, le fou d'office, dans son accoutrement discret, à l'heure des ténèbres, frappa les trois coups cabalistiques à la porte du nécroman, qui s'ouvrit aussitôt.

Fidèle à sa promesse, il jeta sur la table, comme la veille, un sachet plein d'or attaché par une chaîne de même métal.

—Voici ce que je vous ai promis, maître, dit-il, en homme ponctuel, mais pressé d'être servi avec la même exactitude.

—Et voici ce que j'ai à vous remettre, répondit le vieil alchimiste, laconique et impassible comme à son ordinaire.

En même temps, il atteignait d'un bahut deux fioles de grès toutes pareilles à celles qu'il avait remises à la princesse Marguerite, c'est-à-dire fort petites, portant une étiquette formée d'une seule lettre, et fermées de bouchons de cire, car on commençait à peine à connaître l'usage de ceux de liège.

—Le bouchon vert, lui dit-il, renferme le soporifique; le bouchon jaune, l'autre chose.

—Le poison... prononça tout bas Triboulet.

Ses grandes mains crochues s'étendirent comme des pattes d'araignée pour saisir les fioles, que ses yeux couvraient de leur lueur verdâtre et phosphorescente.

L'alchimiste crut voir luire la prunelle d'un chat sauvage ou d'un tigre.

Il les palpa avec amour dès qu'il les tint enfin, et les cacha dans une poche secrète de son pourpoint.

—Maître, dit-il, je ne sais pas au juste quand je me servirai de ces objets; mais s'ils ont la vertu souhaitée, je m'engage à venir vous apporter un présent plus riche que les autres, après mon succès.

—Le succès sera tel que je l'espère, messire, car je vous jure que j'ai mis dans ces fioles tout ce que je devais y mettre.

—J'y compte bien; avant peu, d'ailleurs, vous aurez de mes nouvelles... Adieu, illustre nécroman, aimable suppôt de Satanas. Que l'enfer vous maintienne en joie, en santé et en longs jours.

Le bouffon avait retrouvé sa belle humeur.

A l'audience de la régente, le jour suivant, il étourdit l'assistance par le feu roulant de ses saillies. On ne l'avait jamais vu plus réjouissant aux meilleures époques de la cour.

Comme on le savait fort habile pour s'initier à toutes les choses cachées du palais, on en conclut aisément qu'il avait surpris de bonnes nouvelles de la condition du roi, et, sur cette hypothèse, le triste Louvre reprit pour un instant une espèce d'animation et d'entrain.

Louise de Savoie laissa même s'accréditer cette rumeur de nature à produire une réaction opportune sur la langueur de l'opinion publique, fort inquiète de la prolongation de cette absence de François Ier.

Mais elle possédait par devers elle de fortes raisons de ne pas s'illusionner. Les mauvaises nouvelles étaient les seules exactes.

Aussi, la duchesse d'Alençon, Marguerite de Valois, notre héroïne, étant rentrée avec elle dans ses appartements, fut frappée de l'abattement où elle la vit tomber.

Le temps n'avait pas été perdu entre elle et ses amis. Il avait été convenu qu'elle s'assurerait d'abord de l'espoir que sa mère conservait encore dans sa fameuse négociation des deux mariages, afin de songer, sans plus de retard, dans le cas probable d'abandon de ce plan, à un projet d'évasion du captif de la Grosse-Tour.

Cette ressource, il nous semble l'avoir déjà laissé entendre, était réservée comme la dernière, à cause de ses nombreuses difficultés.

La vigilance soupçonneuse du premier ministre était un de ces obstacles; aussi, quoi qu'il en pût coûter à son cœur, Marguerite s'était résolue à se montrer à lui avec des airs moins irrités, à user enfin de l'influence que la passion révoltée de l'ennemi lui donnait encore peut-être; en un mot, à ne pas l'empêcher de croire à un adoucissement possible de ses sentiments à son égard.

Par cette tactique, on gagnerait du temps; Duprat n'oserait tenter aucune violence contre le captif, de crainte de réveiller l'irritation de la princesse sa protectrice.

Il semblait impossible qu'on n'obtînt pas ainsi assez de répit, d'une part, pour permettre à Jean de Pavanes, ou si l'on veut, à Gaspard Cinchi, d'user de son autorité cabalistique sur l'esprit de la régente; d'une autre part, pour combiner une fuite de Jacobus.

Tout cela demandait beaucoup d'adresse, infiniment de ruse, une diplomatie imperturbable, mais il y avait peu de monde dans le complot, rien que des intéressés ou des amis à l'épreuve: Hélène de Tournon, le vieux Jean de Pavanes, le brave Michel Gerbier, et l'ancien gardien qui avait sa fortune à faire et sa rancune à assouvir contre ceux qui l'avaient destitué.

Marguerite de Valois, qui a montré tant de connaissance de la faiblesse humaine dans ses contes du Décameron, comptait surtout enfin sur un puissant auxiliaire, l'amour, qui rend aveugle les plus fins politiques, quand il se mêle de leur troubler le cerveau. Et puis, les amoureux de l'âge de Duprat sont les plus faibles et les plus faciles.

Ces combinaisons, on les voit, ne manquaient pas de profondeur ni même de génie.

Elles étaient incomplètes pourtant. Dans son mépris pour le jongleur de la cour, Marguerite, semblable aux princes imprudents des contes de fées, avait négligé de comprendre dans son programme ce mauvais esprit.

Peut-être n'était-il pas, en effet, aussi puissant que nous avons pu croire, peut-être bien aussi était-il désarmé par le contenu inefficace des deux fioles sur lesquelles il fondait tant d'espoir.

Les événements ne tarderont pas, probablement, à nous éclairer sur ce point. Revenons, pour l'heure, au tête-à-tête où nous avons laissé la duchesse d'Angoulême et sa fille Marguerite.

—Vous semblez souffrir, ma mère? demanda celle-ci avec intérêt.

—Oui, c'est vrai, un malaise... le bruit de cette audience, le mouvement de ce monde... cette gaieté que je ne puis partager...

—Vous avez eu tort de laisser partir le docteur Corneille Agrippa...

—C'était un ignorant, interrompit vivement la duchesse; quand j'aurai besoin d'un physicien, j'en tiens un à ma disposition, qui n'a pas ses scrupules absurdes, et qui le dépasse de cent coudées en savoir...

—Vous me le ferez connaître, ma mère! s'écria Marguerite de Valois, charmée de voir le crédit qu'avait déjà pris le vieux de Pavanes sur cette intelligence superstitieuse et implacable.

—Je prétends avant peu, s'il réussit dans une affaire dont je l'ai investi, l'attacher exclusivement à votre personne, à celle de votre cher frère et roi et à la mienne. Cet homme est un trésor, et les trésors se doivent garder en famille.

—Je reconnais là votre bonté pour moi, ma mère... et cela m'encourage à vous adresser une question.

—Je sais ce que vous voulez dire... fit Louise de Savoie, en pénétrant d'un clin d'œil au fond de la pensée de sa fille.

—Alors, ma mère, que répondez-vous?

—Qu'il y a un mauvais génie mêlé dans mes desseins. Que ce projet conçu par moi comme l'œuvre la plus heureuse de ma politique, dicté à l'abri de toute oreille indiscrète au confesseur du roi, scellé de mon sceau, remis à la discrétion de cet honnête ecclésiastique, sous le coup d'un serment formidable; ce plan a été surpris, éventé par l'influence néfaste qui déjoue chacun de mes efforts.

Par une audace sans exemple, maître Guillaume Parvi a été arrêté dans son voyage par des entraves, des périls successifs habilement calculés, plus habilement exécutés, puisqu'il est impossible de saisir la trace de leurs auteurs...

La duchesse d'Alençon regarda sa mère en face et lui dit avec un calme significatif:

—En conscience, ma mère, croyez-vous cela aussi impossible que vous me l'assurez?

—Que voulez-vous dire?

—Hélas, vous ne le savez que trop, et vous oubliez notre pénible entretien de ces jours passés... Le démon qui nous poursuit n'a-t-il pas revêtu une forme humaine; ne se nomme-t-il pas...

—Il est inutile de prononcer ce nom, puisque nous le connaissons...
Eh bien, oui, c'est lui que je soupçonne, lui que j'accuse... lui qu'il
faudrait perdre.

Ces derniers mots firent comprendre à Marguerite de Valois que si
sa mère s'associait avec cette chaleur à sa cause, c'est que cette cause
servait puissamment sa haine contre le chancelier.

Malheureusement, la haine de la régente n'avait jusqu'ici porté que
des fruits stériles, et Marguerite n'entretenait qu'une confiance
voisine du dédain pour les pratiques surnaturelles auxquelles sa
mère s'adonnait en désespoir de cause.

Adroitement secondée par Hélène de Tournon, elle entama le
système de petites manœuvres destiné à endormir la méfiance de
l'ennemi.

Le hasard lui en fournit bientôt une excellente occasion.

Elle se trouvait chez sa mère, pour prendre connaissance d'un
message arrivé de Madrid et donnant des nouvelles du roi.

Elle en commençait à peine la lecture, que le chancelier arriva avec
l'apparence du zèle d'un serviteur empressé.

En trouvant les deux princesses réunies, il éprouva une certaine
gêne; mais aussitôt Marguerite lui tendit obligeamment le papier, en
l'engageant à le lire à haute voix.

Il fallut presque lui répéter cette invitation pour qu'il y crût.

De son côté, la duchesse d'Angoulême, qui semblait chercher une
occasion d'être en contact avec lui, lui montra un siège. Mais il
n'était pas plutôt assis, à peine avait-il lu les premières lignes de la
missive, que, sous prétexte de lui en indiquer du doigt le passage
important, la duchesse s'approcha brusquement, et se pencha sur lui
d'un façon si malencontreuse ou si perfidement calculée, qu'une de
ses grandes épingles de tête lui effleura la joue.

Il y porta vivement la main et la retira marquée d'une gouttelette de
sang.

La duchesse, se confondant en excuses, cherchait un linge, quand
Marguerite, avec une grâce toute naturelle, lui offrit son mouchoir
de batiste en joignant ses regrets à ceux de sa mère.

Un échange de phrases polies, telles qu'il n'y en avait pas eu depuis longtemps entre nos trois personnages, s'ensuivit; le ministre se voyait obligé de déclarer qu'il devait s'applaudir d'une égratignure compensée par tant de bienveillance.

En réalité, ce n'était rien qu'un bobo sans importance aucune, et le mouchoir obligeant de la princesse eut vite asséché le filet vermeil de la joue du ministre.

Oh! s'il eût eu plus de confiance, s'il eût pu croire que le prêt de cet objet, touché par cette adorable main, vînt d'une femme moins insensible à cet amour qui couvait au fond de son âme, comme un feu mal éteint, avec quel bonheur il l'eût conservé, quelle passion il eût mise à ne pas s'en dessaisir!

Mais les explications étaient trop récentes entre la princesse et lui, elles avaient été trop violentes pour que, sur un premier signer d'obligeance, un diplomate de sa force se laissât prendre, ou trahît sa secrète faiblesse. Il lui fallait quelque chose de plus.

A son cruel regret donc, et non sans avoir plusieurs fois pris, repris et pressé ce mouchoir dans ses doigts, il se décida à le déposer sur un guéridon, où il le couva encore d'un air de convoitise, tout en l'y abandonnant.

Puis, il salua les princesses, fit un mouvement qu'il sut maîtriser encore pour venir leur baiser la main, et se retira à reculons, en donnant son dernier regard à ce mouchoir fascinateur.

Marguerite, avec sa pénétration féminine, n'avait pas perdu un seul de ses mouvements, une seule de ses hésitations; sa tactique portait ses fruits.

Ranimée par cette première réussite, elle ne désespérait pas d'accomplir cette parole tombée naguère de ses lèvres, dans sa douleur et son trouble:

«Si cet homme m'aimait, comme je le ferais souffrir.»

La duchesse d'Angoulême était absorbée par une préoccupation tout autre, quoique se rattachant aussi à sa vindicte contre son despotique allié.

C'était très délibérément qu'elle l'avait blessé, et de la minute où le mouchoir de la princesse s'était imbibé des gouttelettes de son sang, elle avait suivi avec les yeux du lynx et l'attention de la hyène les diverses évolutions de ce mouchoir.

Si Duprat eût essayé de le garder, elle eût inventé les moyens les plus décisifs de le lui reprendre.

Elle attendit à peine, pour se saisir de cette proie, qu'il fût parti, et je ne sais quel sourire de cannibale releva ses lèvres et fit luire la nacre de ses dents quand elle mit la main dessus.

—Merci à Dieu! s'écria-t-elle, nous le tenons.

Marguerite de Valois la regarda, sans se rendre compte de son attitude ni de ses paroles saccadées et gutturales.

—Qu'est-ce donc, ma mère, et quel effet vous produit ce mouchoir?...

—Merci à toi aussi, ma fille; sans t'en douter, tu m'as servie avec bonheur!...

—Sur mon âme, ma chère mère, je ne comprends rien à tout ceci.

—Quoi! tu ne comprends pas qu'il me fallait du sang de tigre pour opérer un grand œuvre? J'ai blessé le monstre, et tu as recueilli ce sang...

Marguerite poussa un petit cri effrayé et commença un mot qu'elle n'acheva pas. La lumière lui arriva.

Elle se souvint de l'envoûtement de la figurine de cire, des cheveux ou du sang réclamés par l'alchimiste pour le succès de cette sinistre opération.

S'il lui fût resté un doute, elle l'eût perdu en apercevant sa mère occupée à découper avec soin dans la batiste les parties qui contenaient la moindre trace de ce sang, et les serrer précieusement, dans le but évident de les remettre à Gaspard Cinchi.

—Mais vous mettez ce pauvre mouchoir en lambeaux, se récria la princesse, dissimulant avec soin tout ce qu'elle voyait.

—Laissez-moi faire, ma fille, ce mouchoir était indigne de vous, cet homme l'ayant touché; fiez-vous à votre mère, elle fait ce qu'elle doit faire.

—Agissez donc suivant qu'il vous plaira; je ferme les yeux et m'incline devant votre haute sagesse.

—Vous avez raison, et vous ne vous en repentirez pas.

—Seulement, ajouta la princesse sur un ton plus léger, propre à écarter les soupçons, je regrette bien mon pauvre petit mouchoir.

Le lendemain, Hélène de Tournon s'arrangea de manière à se rencontrer avec Duprat, dans une galerie si étroite qu'il ne pouvait, sans impolitesse, se dispenser de la saluer, et comme il prenait des nouvelles de sa santé:

—Pour moi, messire je vais parfaitement, dit-elle, mais depuis hier madame la duchesse d'Alençon est toute souffrante, tout absorbée.

La bonne mine que vous font les serviteurs des princes est l'indice de la faveur de ceux-ci; le premier ministre le savait mieux que personne. Encouragé dans ses idées de la veille par cet accueil, il poussa plus loin l'entretien.

—Que disent les médecins? demanda-t-il.

—Rien; Son Altesse a refusé d'en laisser venir aucun. Elle ne souffre pas du corps, a-t-elle répondu à mes questions; et c'est tout ce que j'ai obtenu.

—Mais cette indisposition subite...

—Ce que j'en sais, c'est que Son Altesse est rentrée hier fort émue de chez madame la duchesse, où elle était allée chercher des nouvelles de notre sire le roi.

—Les nouvelles de Sa Majesté ne sont pas plus mauvaises que les précédentes.

—Alors, je m'y perds.

—L'état de Son Altesse s'améliorera, espérons-le, fit le chancelier tout pensif lui-même, et si vous croyez que ce ne soit pas l'offenser, veuillez lui présenter mes hommages.

—Je n'y manquerai pas, messire, et je suis garante qu'elle ne sera pas blessée... Oh! il s'est opéré depuis peu un grand changement dans ses idées.

—En vérité!... fit Duprat avec plus de curiosité qu'il n'eût voulu en laisser voir.

—Il allait poser encore une question, mais, à quelques pas de là, au détour d'une galerie voisine, un joyeux grelot retentit, et un organe connu fit entendre son fredon habituel:

La demoiselle d'honneur s'enfuit à cette voix, comme une biche effarouchée.

Le chancelier fronça le sourcil, ce qui n'empêcha pas Triboulet d'arriver toujours carillonnant et achevant son quatrain.

—Assez de chansons, murmura le chancelier, j'ai d'autres soins.

Nos troupes luttaient avec de grands efforts.

—Par le grand Comus, dieu de la galanterie, la belle Hélène de Tournon jouait-elle ici le rôle de Circé, la sorcière, ou celui de son homonyme la demoiselle de M. Jupiter, deux ribaudes déterminées ensorcelant tout un chacun?

—Trêve de sornettes! N'as-tu rien de plus sensé à me dire?

—Sur ma foi de jongleur patenté, pas autre chose, monseigneur, si ce n'est que mademoiselle de Carillon est devenue trop lourde pour mon intellect; je ne peux plus la faire jaser à mon gré et je vous supplie de vous en charger, vous la manœuvrerez mieux que moi.

Et, sans plus de façon, il se sauva en lançant un gros rire sardonique, qui agaça très désagréablement les oreilles de son patron.

Nous ne savons comment cela se fit, mais, peu de jours après, celui-ci se croisa avec la demoiselle d'honneur, au sortir de la chapelle du Louvre.

Quoique l'écho de ce rire diabolique tintât encore autour de lui, il ne put s'empêcher de lui adresser quelques mots. Elle y répondit, sans affectation, que la princesse allait mieux, et avait reçu avec plaisir les compliments qu'elle avait reçus de sa part.

Bref, pour ne pas abuser de l'attention du lecteur, l'indomptable et irréconciliable chancelier, réconcilié et tout près d'être dompté, se trouva, au bout d'une huitaine, amené, de transaction en transaction, à réclamer la faveur d'être admis chez la princesse, dans ce même appartement d'où il était sorti naguère, la rage dans le cœur.

Mademoiselle de Tournon assista, cette fois, à l'entretien, qui fut court, mais plein de courtoisie.

Duprat ne se dissimulait pas que la princesse attendait de lui la grâce, la libération de Jacobus de Pavanes; mais, une ingénieuse manœuvre lui permettait de se flatter que cet acte de clémence serait récompensé d'un prix inestimable.

Nous n'affirmerions même pas qu'il se sentît disposé à hâter l'envoi en exil de ce prisonnier, afin de se délivrer du voisinage importun d'un rival.

Il sortait de chez la princesse plongé dans ces réflexions et fort perplexe sur le parti à prendre, car au fond de son cerveau couvait toujours une instinctive méfiance, lorsque son complice, auquel il n'avait eu garde de s'ouvrir sur ce revirement, se trouva sous ses pieds.

Il était tout bonnement couché en travers du passage, si bien que, dans l'obscurité de ces corridors, le ministre vint se heurter contre lui et faillit rouler sur le carreau.

—Encore toi sur mes pas! Que fais-tu là, maraud?

—Je gagne l'argent de Votre Excellence en composant un apologue.

—Toujours des lazzis!

—Non pas, sur ma foi! Votre Seigneurie me paye pour lui apprendre les embarras de son chemin...

—Finiras-tu?

—J'ai voulu lui enseigner, par l'apologue dont il s'agit, que la chambre des princesses est semée des écueils qui amènent la chute des ministres.

—Oh! ceci cache une noirceur.

—Sur ma part de réjouissance dans le paradis des fous, tout au plus un ruban.

—T'expliqueras-tu?

—Monseigneur le demande avec une grâce à laquelle on ne résiste pas... Madame la duchesse d'Alençon, la marguerite du jardin de la cour, a-t-elle repris ses couleurs et ses charmes?

—Parle plus respectueusement de la princesse.

—Que saint Risus, mon patron du calendrier grec, en soit loué! Il m'a placé à la cour la plus divertissante de ce globe... les ministres y possèdent la clairvoyance de Salomon, et les dames la sincérité toute nue.

Votre Seigneurie se connaîtrait-elle en parures et chiffons? Que lui semble de ce ruban façonné en nœud d'amour?

Et le démon agita sous les yeux de Duprat un ruban de soie.

—Eh bien, que signifie ce brimborion?

—Brimborion! Comme ces hommes d'État traitent cavalièrement les choses les plus tendres!... Ce ruban, honoré seigneur, était, il y a deux jours, sur la toilette de madame Marguerite...

—Après, serpent!...

—Et ce matin, le compère Louvart, le nouveau guichetier de Grosse-Tour, en poussant une reconnaissance jusqu'à la cellule de certain prisonnier de religion, l'a trouvé sur sa table... Comment ce ruban est-il arrivé là, c'est miracle, à coup sûr; mais, pour exacte, aussi vrai que mon bonnet est un bonnet de fou, ce ruban un gage de tendresse et vous un ministre, la chose est exacte.

Antoine Duprat saisit le poignet du bouffon dans sa main de fer:

—C'est la princesse qui a porté et donné ce ruban au prisonnier, en lui rendant visite?...

—Aïe! aïe! vous me broyez les os!...

—C'est elle, réponds!

—Miséricorde! je ne carillonnerai de ma vie, si vous ne me lâchez!..

—Répondras-tu, bourreau?

—Puisque je me tue de dire à Votre Excellence que c'est un fait miraculeux; personne n'a vu la princesse, mais on a trouvé le ruban.

—Il suffit...

Un rire fauve épanouissait la face carminée du bouffon.

Duprat fixait un regard sinistre sur la porte de la princesse.

—Merci, dit-il à son complice, après quelques secondes de convulsions intérieures, dont le choc creusait des sillons mouvants sur son front; merci, je te récompenserai, mais d'abord je t'investis d'une mission de confiance. Ce guichetier, de qui tu tiens ce nœud de ruban, tu vas aller le trouver et lui enjoindre de mettre les fers aux mains et aux pieds de ce beau prisonnier.

—J'y cours, messire, fit le gnome.

Et il ajouta à part lui en ricanant:

—C'est toujours cela de gagné, en attendant mieux.

Il avait rempli sa journée, le prisonnier allait être soumis à un nouveau supplice, et ses discours empoisonnés avaient retourné le couteau dans la jalousie saignante du chancelier.

XVI
LE CONSEIL DES INTIMES

Il s'écoula plusieurs jours avant que le chancelier se représentât chez la princesse Marguerite, mais il ne manqua pas un seul matin de se faire rappeler à elle dans les termes les plus respectueux.

Il souhaitait peut-être ne la voir que quand elle aurait eu le temps d'apprendre les rigueurs déployées contre son protégé. C'était un homme fort ingénieux, lorsqu'il s'agissait de prendre une revanche ou d'aiguiser une vengeance acérée.

Heureusement savons-nous qu'il avait affaire à une nature peu facile à décourager, à une intelligence aussi pénétrante pour le bien qu'il l'était pour le mal.

Nous ne pourrions dire si la princesse avait, comme il l'eût voulu, connaissance de ses noirceurs nouvelles, mais, lorsqu'il sollicita l'honneur de la voir, il fut admis sans aucune hésitation.

Marguerite était dans sa chambre, tenant une sorte de lever familier avec plusieurs dames ayant auprès d'elle sa favorite, mademoiselle de Tournon, et causant avec mademoiselle d'Heilly, sur laquelle s'exerçait plutôt sa curiosité que son intérêt, depuis qu'elle la savait l'objet de projets énigmatiques de la part de la régente.

Elle salua le premier ministre avec la même grâce qu'il lui avait vue la dernière fois et lui tendit d'elle-même sa main, qu'il lui fut impossible de ne pas baiser.

Il essaya de surprendre sa pensée intime, en dardant sur elle un de ses regards singuliers qu'il tenait de la race des serpents, mais sa prunelle verte n'avait pas la puissance de fasciner les grands yeux noirs de la sœur du roi. Ce ne sont que les êtres faibles et inférieurs qui se laissent dominer par ce magnétisme des reptiles.

Il chercha à lire sur la physionomie de mademoiselle de Tournon, mais la belle et rusée Hélène affectait de s'entretenir à voix basse avec mademoiselle d'Heilly d'historiettes de jeunes filles, qui semblaient les occuper et les amuser beaucoup l'une et l'autre.

Antoine Duprat comprit qu'il s'était fourvoyé au milieu d'adversaires qui ignoraient le redoublement de sa haine, ou qui, pour s'en cacher si parfaitement, étaient plus fortes qu'il ne l'avait présumé. Cette incertitude et cette crainte lui causèrent un malaise qui se refléta sur ses traits.

La princesse lui ayant donné un siège non loin d'elle, n'hésita pas à l'attaquer sur ce point.

—Sur Dieu, lui dit-elle, je n'ose, messire, m'enquérir de vos nouvelles; à voir votre air de souffrance, je crains qu'elles ne soient mauvaises.

Il essaya d'opérer une diversion, et comme il était venu dans un méchant dessein, il commença par le sujet qui devait être le plus contristant pour la princesse:

—Mauvaises, en effet, Altesse, si ce n'est pour moi-même, du moins pour quelqu'un qui nous est si cher que nous ressentons ses adversités à l'égal des nôtres.

Marguerite, en se décidant à le recevoir, s'était préparée à entendre tout ce qui lui serait pénible: elle ne lui donna donc pas le plaisir de se montrer alarmée.

—Je ne connais, répondit-elle, qu'une personne dont le sort me touche à ce degré, c'est mon honoré et royal frère.

—C'est aussi de Sa Majesté que je veux parler.

—Eh bien, quelles nouvelles des négociations?

—Le messager arrivé aujourd'hui n'en apporte que de fâcheuses. Il est à craindre que la régence ne se prolonge encore longtemps...

—Avec votre pouvoir... insinua la princesse, sous une pointe d'ironie si imperceptible qu'il n'y avait pas moyen de s'en blesser ni de la relever.

D'autant mieux qu'elle ajouta aussi vite, en façon de correctif:

—N'était le délaissement, l'exil forcé du roi, personne ne le regretterait d'ailleurs, messire.

—Notre Altesse me flatte, fit le chancelier avec un sourire contraint; et, comme vous le dites, madame, ce délaissement, cet exil deviennent intolérables, depuis surtout que l'illustre prisonnier n'en prévoit plus le terme.

Là-dessus, le chancelier insistant sur les détails propres à faire regarder le retour du roi comme improbable et impossible avant longtemps, expliqua, ce qui était vrai, que, contrairement à son espoir, en se faisant conduire à Madrid où il comptait s'expliquer avec l'empereur, François Ier n'avait pu encore obtenir une seule entrevue de son politique vainqueur.

Charles-Quint ne possédait guère que l'affection des vertus qu'il paraissait avoir; peu de clémence, peu de bonté, aucun élan, une générosité douteuse et une franchise qui n'existait qu'en paroles. «Sa foi, a dit l'historien Mézeray, ne l'obligeait point hors de son intérêt, et son honneur ne paraissait que quand il était question de profit.»

Avec un tel caractère, il n'était pas homme à sacrifier les avantages que lui donnait la détention du roi de France à la gloire de se montrer magnanime vis-à-vis de lui. Sous différents prétextes, il différait donc sans cesse de s'aboucher avec lui, s'en tenait aux conditions exorbitantes qu'il avait formulées dès l'origine, et ne voulait absolument entendre aucune de celles que la régente lui avait fait successivement offrir. Inexorable, inflexible, il se flattait que l'ennui de la prison et la crainte d'y être indéfiniment retenu contraindraient son rival à faiblir, et, dans cette prévision, il refusait obstinément de le voir.

Ce calcul prouvait de la part de Charles-Quint une connaissance assez juste du caractère de François Ier. Les partis extrêmes, qui ne sont permis que dans les situations désespérées, ou quand on se sent assez de force ou de génie pour les soutenir, ne lui coûtaient rien à prendre; l'esprit romanesque de son siècle et son imprudence particulière l'empêchaient de voir les difficultés. Mais le pire de tout cela, c'est que le feu qu'il mettait d'abord dans ses entreprises s'éteignait tout à coup sans pouvoir être nourri par le succès ni rallumé par les disgrâces; il n'était donné à ce prince, comme l'a dit l'abbé Raynal, que d'avoir des demi-sentiments et d'accomplir des demi-actions.

De là cette prostration, ce marasme qu'il subissait, au moment où nous nous voyons les affaires livrées à l'ambition avaricieuse de la duchesse d'Angoulême et à son complice Antoine Duprat.

—Ces renseignements sont fort tristes, dit Marguerite de Valois, lorsque le chancelier eut énuméré les diverses circonstances qui finissaient par menacer d'altérer la santé du roi.

—Ce n'est pas tout encore, cependant, reprit Duprat. La situation de Sa Majesté est aggravée par la conduite des grands d'Espagne à son égard. Ces orgueilleux hidalgos, brochant sur le délaissement où leur maître se plaît à laisser notre monarque, cherchent des raffinements de persécution. Un événement grave s'en est suivi, et c'est le principal objet du message de ce jour.

Il arrive à Sa Majesté de recevoir chez elle et de donner à jouer ou de jouer elle-même. Un de ces jours, jouant avec un grand d'Espagne, elle gagna beaucoup. Son adversaire ayant souhaité sa revanche, le roi la lui a refusée. Sur quoi, l'insolent Espagnol, jetant sur le tapis son enjeu, s'est écrié: «Tu as raison, car tu as besoin de cet argent pour payer ta rançon.» Le roi, gentilhomme jusque dans les fers, a tiré son épée, et, plus rapide que la foudre, l'a passée au travers du corps de son insulteur.

Les choses en sont là, et Votre Altesse comprend qu'elles n'avancent pas la solution que nous demandons au ciel.

—Oui, la nouvelle est grave, répondit Marguerite de Valois, en redressant fièrement la tête; mais le roi de France a fait ce qu'il devait, et l'empereur cesserait d'être chevalier s'il désapprouvait sa conduite.

Marguerite avait raison, car Charles-Quint, informé de la dispute et de son issue sanglante, répondit aux parents de la victime qui lui demandaient justice:

—François a bien fait, tout roi est roi partout.

Ces révélations du chancelier ne laissaient pas d'exercer une impression amère sur l'auditoire d'élite réuni chez la princesse. Celle-ci, réfrénant ses sentiments prêts à déborder, cherchait à lever la séance sans trahir trop de hâte, quand il lui survint un auxiliaire, qu'elle vit sans dégout pour la première fois.

Triboulet s'était glissé dans l'appartement comme un renard dans un poulailler. Accroupi derrière le grand fauteuil de la princesse, il avait tout entendu, et se montrant tout à coup:

—Gracieuse Altesse, fit-il avec le même aplomb que s'il n'eût pas été naguère jeté honteusement à la porte de cette chambre, je demande à compléter le discours de monseigneur le premier ministre.

Le premier mouvement de la princesse fut d'appeler les huissiers, et de renouveler avec une bonne correction le renvoi du favori de Duprat; mais la même pensée profonde qui lui avait fait admettre le maître lui fit tolérer le séide, et, se trouvant suffisamment autorisé par son silence:

—Monseigneur le chancelier, dit-il, est lugubre comme sa robe noire. Il vous a raconté, madame, des histoires de l'autre monde. C'est vrai: ces beaux seigneurs espagnols prennent de grands airs avec notre roi, mais celui-ci en profite pour leur jouer des tours que je ne renierais pas, moi le suppôt du dieu Satyre. Ces hidalgos sont féroces sur l'étiquette; ce sont chaque jour des disputes sur le cérémonial.

Le roi ayant consenti à se découvrir pour les saluer, ils se sont avisés de prétendre qu'il devait, de plus, s'incliner.

Ne réussissant pas à l'y décider, ils ont eu la facétieuse idée de faire baisser la porte de sa chambre, afin que le roi fût obligé de se courber pour sortir, et que les grands qui se tiendraient en dehors pussent prendre cette inclinaison pour eux. Je vous donne en mille ce qu'a imaginé le roi... Il est sorti à reculons, en leur montrant le... dos.

Cette anecdote fut la dernière, elle égaya un peu l'assistance, et le chancelier s'éloigna sans avoir le mot du sphinx qui faisait son tourment, et dont il voulait le désespoir.

Une seule amie resta avec Marguerite: c'était celle dont le sein était accoutumé à ses épanchements. Avec Hélène de Tournon, Marguerite ne se contraignait pas.

Oh! que Duprat eût payé cher pour voir les larmes et entendre les plaintes qui succédèrent à sa visite!

Elle souffrait bien, en effet, cette âme d'élite, exposée à des poursuites odieuses, à des hommages infâmes; forcée de tendre sa main généreuse et loyale à des lèvres méprisées. Les tourments de son ami, les chagrins de son frère, les remords et l'expiation de sa mère, formaient une trilogie cruelle où elle se débattait vainement comme dans un cercle d'airain.

Toute sa vie, tout son bonheur, tout son avenir étaient là, fatalement enchaînés, et chacun de ses efforts pour rompre ce réseau n'arrivait qu'à le rendre plus étroit, témoin les fers qui chargeaient le chevalier de Pavanes et les persécutions qui accablaient le roi.

Sa confidente cherchait, sans y réussir, à la réconforter. Elle-même n'osait plus rien attendre des expédients confiés à l'adresse du vieux Jean de Pavanes, qui pourtant n'avait garde d'abandonner la tâche à lui échue dans cette alliance offensive et défensive.

La tendresse du père secondait l'habileté du docteur, la ruse du nécroman. Appelé par la régente pour recevoir les débris du précieux mouchoir imbibé du sang de l'ennemi commun, il avait entamé la discrétion opiniâtre, cette conscience bourrelée.

Au moment donc où Marguerite accusait le sort avec le plus de douleur, un mot de son serviteur Michel Gerbier lui vint au secours:

—Maître Gaspard Cinchi, porteur de bonnes nouvelles, demande à être introduit avec prudence auprès de Votre Altesse.

C'était le rayon de soleil succédant à la tempête. Le père de Jacobus n'était pas de ceux qu'on fait attendre.

Le temps d'aller le chercher et de l'amener par des galeries isolées, et il était reçu.

La princesse s'élança à sa rencontre dès qu'il franchit le seuil de sa chambre; on aurait difficilement distingué le plus ému, de la femme aspirant après le salut de son amant, ou du père poursuivant celui de son fils unique.

—Accourez, maître! exclama-t-elle, et dites-nous, sans nous faire languir, ce que vous avez découvert enfin.

Alors, malgré lui, il devint subitement grave, et secouant avec amertume son front blanchi par ses cent années:

—Dieu m'est témoin, prononça-t-il, que s'il n'y allait pas du plus cher intérêt de mes derniers jours, de votre bonheur et de la nécessité d'empêcher la perte d'une nouvelle victime, ce secret mourrait avec moi, ou du moins vous seriez la dernière personne à qui je le confierais.

—Mon père, vos paroles pleines de ténèbres et de tempêtes accroissent mon tourment...

—C'est qu'il s'agit de votre mère, Altesse...

Marguerite courba la tête.

—Il est donc vrai, un crime...

—Oui, madame, un crime, un double crime! a cimenté l'union de madame la duchesse d'Angoulême et du grand chancelier; c'est par un lien sanglant qu'ils sont attachés l'un à l'autre, et messire Antoine Duprat est le plus fort, parce qu'il détient les preuves qui perdraient sa complice.

—N'importe, il faut que je sache tout, puisque c'est le seul moyen de sauver notre ami. Achevez, maître; la souffrance m'a donné la force, je veux vous entendre.

Le vieillard s'assit, et Marguerite, assistée de ses deux autres fidèles, Hélène et Michel Gerbier, prit place autour de la table, comme s'il s'agissait d'une délibération d'Etat.

Ils gardaient les prisons avec la férocité de véritables cerbères.

XVII
LE SECRET DE LA RÉGENTE

L'alchimiste exposa d'abord la marche de sa tactique:

—Vous savez, Altesse, dit-il à Marguerite, de quelle opération je suis chargé par madame la régente, et comment elle m'a procuré un objet que je jugeais nécessaire à sa réussite. Elle a voulu être tenue au courant de mes travaux; chaque jour j'ai dû lui en donner la marche, mais jusqu'ici je lui ai dit, en même temps, qu'à ma grande surprise l'œuvre reculait au lieu d'avancer, ce qui ne pouvait provenir que d'une influence occulte, telle qu'un pacte passé antérieurement entre elle et l'homme qu'elle voulait atteindre.

Les révélations que je lui ai faites par des insinuations successives, sur la qualité, la nature de ce personnage, sur les relations qui avaient existé entre eux, l'ont surprise d'abord, puis alarmée, de telle sorte que, me croyant possesseur d'une puissance bien plus grande que celle dont je dispose, et craignant que je n'apprisse par ma science ce qu'elle avait tenu à me celer elle a préféré me l'avouer elle-même.

C'est une histoire sinistre et qui date déjà de plusieurs années, c'est-à-dire de la guerre du Milanais.

—Une funeste époque, maître, interrompit Marguerite de Valois.

—Funeste pour la France, Altesse, et plus encore pour l'honneur de votre mère...

C'était donc en 1522; nos troupes, sous la conduite de messire Lautrec, luttaient avec de grands efforts contre celles de l'empereur, qui nous disputait le duché de Milan. La partie française de l'armée supportait héroïquement les misères, les privations; elle ne recevait ni solde, ni habillements, ni vivres, et cependant elle tenait bon. Mais dans les rangs se trouvaient dix mille Suisses, recrutés par le général en chef; non sans de grandes peines, et par l'appât de séduisantes promesses. Ceux-ci murmuraient et menaçaient.

Messire Lautrec ne pouvait que les payer de paroles; il attendait de France quatre cent mille ducats, que les lettres formelles du roi lui avaient annoncés. Mais cet argent n'arrivait pas, et l'insubordination gagnait dans les compagnies suisses, dont le concours nous était indispensable.

Notre armée était établie en face de Milan, dans le parc du vieux château de la Bicoque. Les impériaux désiraient la bataille, que, grâce à notre position, nous pouvions ajourner. C'était l'avis des chefs; mais les Suisses, exaspérés de servir sans être payés, demandèrent à grands cris leur solde ou le combat. Il fallut se résoudre à ce dernier parti, pour prévenir leur désertion. A peine leur a-t-on paru y consentir, que, sans attendre les précautions de la plus vulgaire stratégie, ils se précipitent contre les portes de Milan, se flattant que le succès va les leur ouvrir, et que le pillage va les indemniser de l'arriéré qui leur est dû.

Mais le canon les enlève par files et la mousqueterie les décime. De leurs piques ils mesurent en vain la hauteur des murailles: ils n'ont aucun moyen de les escalader. Découragés, démoralisés alors autant qu'ils étaient hardis tout à l'heure, ils abandonnent le champ de bataille. Vainement les généraux courent au-devant d'eux, leur barrent la route, tâchent de les ramener au combat, leur montrent le succès de la gendarmerie qui venait de forcer la chaussée, et qui, prenant les ennemis à dos, les mettaient en désordre. Ils n'écoutent rien, plient bagage avec un silence farouche, et prennent le chemin de Monza, pour regagner leur foyers.

Messire Lautrec essaya, sans plus de bonheur, de les retenir; il n'en obtint que cette réponse invariable, devenue un proverbe qui se perpétuera sans doute: «Pas d'argent, pas de Suisses.» Leur présence aurait soutenu nos compatriotes dans la péninsule; leur défection fut le signal obligé de leur retraite.

Je ne rappellerai pas la désolation du roi à cette nouvelle, Votre Altesse en fut témoin. Il avait juré de ne plus voir de sa vie messire Lautrec, et ne revint sur cette résolution que pressé par les instances de madame la comtesse de Châteaubriand, sa sœur. Consterné de la froideur de Sa Majesté, Lautrec insista pour connaître la cause d'une disgrâce qu'il savait imméritée. Une explication fut forcément amenée, et le roi apprit avec stupeur que les quatre cent mille ducats qu'il croyait avoir été envoyés au général ne lui étaient pas parvenus.

Il manda aussitôt le baron de Semblançay, son surintendant du trésor, l'homme du royaume en qui il avait le plus de confiance et qu'il se plaisait dans son affection à appeler *son père*. Ce qui fut dit dans cette explication est jusqu'ici demeuré impénétrable. Mais ce que chacun sait, c'est que Sa Majesté donna sur-le-champ des commissaires au baron de Semblançay.

Le chancelier Antoine Duprat fut chargé de lui désigner des juges, devant lesquels il comparut sous l'accusation de péculat et de faux, et qui le condamnèrent à la peine du gibet... Je me tais sur les détails de cette exécution, Votre Altesse a pu les connaître. Le malheureux surintendant protesta de son innocence jusque sur l'échafaud, où il attendit longtemps sa grâce qui n'arriva pas.

Puis, comme ce n'était pas assez d'un tel forfait, ou plutôt comme les coupables craignaient la vigilance et la probité du général des finances, messire Jean Poncher, ami et serviteur du surintendant, vous avez vu messire Jean Poncher poursuivi à son tour. On le croyait sur la voie de la vérité, il prenait le parti du surintendant, on le condamna comme lui, et on l'attacha au même gibet.

Ici le vieillard fit une pose. Chacun de ses auditeurs connaissait, en effet, ces événements; mais l'accent dont il les racontait excitait leur attention, car il présageait une conclusion importante.

Pour nous, nous n'appuierons pas davantage sur ce simple exposé, nécessaire à l'intelligence de notre récit. Nous nous bornerons à rappeler que, malgré l'ignorance où le public était encore du nœud de cette intrigue, chacun tenait pour constante l'innocence de Semblançay et de Jean Poncher, ainsi que le prouve ce huitain, que lui consacra Clément Marot, le poète de Marguerite de Valois:

Lorsque Maillard, juge d'enfer, menait
A Montfaucon Semblançay l'âme rendre,
A votre avis, lequel des deux tenait
Meilleur maintien? Pour vous le faire entendre,

Maillard semblait l'homme que mort va prendre,
Et Semblançay fut si ferme vieillard,
Que l'on cuidait pour vrai qu'il menât pendre
A Montfaucon le lieutenant Maillard.

Les Parisiens, qui s'étaient portés en foule sur le passage du cortège, ne pouvaient croire que l'exécution eût lieu. Ils se rappelaient la grâce accordée naguère, sur l'échafaud, au comte de Saint-Vallier, et s'attendaient à saluer aussi celle du surintendant. Celui-ci marchait comme un héros des temps antiques; on vit peu de condamnés montrer cette dignité et cette présence d'esprit. Mais sa mort importait à deux trop grands personnages, pour que sa grâce fût possible.

Lors donc qu'après cette longue attente au pied de l'échelle l'exécuteur lui annonça qu'il ne devait plus compter sur son pardon, et qu'il fallait mourir, il accueillit cet arrêt sans trembler; seulement, une amertume profonde se peignit sur son visage.

«Je reconnais enfin, dit-il, la différence qu'il y a entre servir Dieu et servir les rois. Si j'avais autant travaillé pour mon salut que pour le bien de l'État, je ne me verrais pas réduit à l'affreuse extrémité où me voici... J'ai mérité la mort, car j'ai plus servi aux hommes qu'à Dieu!»

—Il me reste, reprit Jean de Pavanes, à vous instruire de ce que j'ai découvert aujourd'hui, par la confidence un peu forcée de madame la duchesse d'Angoulême.

La voix publique avait raison en s'élevant contre la procédure dirigée par le grand chancelier Antoine Duprat, en s'intéressant hautement à l'accusé, en attendant comme lui un acte de clémence royale qui, hélas! n'est pas venu, car deux personnes obsédaient le roi pour empêcher qu'il ne cédât à sa générosité instinctive.

Ces personnes, les nommerai-je? c'étaient celles qui avaient fait décréter le surintendant d'accusation, l'avaient noirci aux yeux de Sa Majesté, avaient intercepté toutes ses lettres, ses suppliques, et surtout ses explications. Ces grands coupables, madame la régente et le chancelier, en un mot, connaissaient cependant bien l'innocence du baron de Semblançay, car les quatre cent mille ducats qu'on lui reprochait d'avoir dérobés, c'étaient eux qui les avaient reçus...

—Que dites-vous, maître? s'écria Marguerite de Valois, effrayée de cette affirmation, qui éclatait comme un trait de lumière dans une des plus ténébreuses intrigues du règne de son frère.

—La vérité, Altesse, car ce que je vous rapporte, je le tiens de la bouche même de madame la duchesse...

—Ainsi, le surintendant Semblançay?...

—Le surintendant est mort victime d'une infernale machination; c'est là le pacte qui unit madame la régente au chancelier. Écoutez, d'ailleurs, ses détails qui lèveront tous vos doutes.

Le surintendant avait réuni la somme et se disposait à l'envoyer à messire Lautrec, lorsque le chancelier, remplissant le rôle de tentateur, fit luire aux yeux de madame la régente, dont on connaît malheureusement le faible pour les grosses sommes, la possibilité d'arrêter celle-ci au passage. En caressant l'amour de sa complice pour l'argent, messire Antoine Duprat servait leurs rancunes communes contre madame de Châteaubriand et le général son frère, en privant celui-ci d'un subside indispensable.

Madame la duchesse d'Angoulême se rendit en conséquence auprès du baron de Semblançay, et là, par prières, par menaces surtout, au nom de son royal fils, elle lui extorqua la somme.

Lorsque le roi, à la suite de ses explications avec le général Lautrec, fit comparaître le surintendant, celui-ci déclara sans hésiter ce qu'il avait cru devoir faire, connaissant l'autorité laissée par le roi à sa mère. Sa Majesté alla trouver madame la duchesse, lui reprochant avec amertume la perte de son duché de Milan, et l'accablant de reproches pour une félonie sans exemple de la part d'une mère d'un roi.

Mais alors la duchesse nia le fait sans vergogne, et accusa le surintendant de calomnie.

On appela celui-ci une seconde fois; confondu d'abord par la hardiesse et la duplicité de la mère de son souverain, il finit par retrouver sa présence d'esprit, et offrit d'apporter les preuves de son innocence, c'est-à-dire les ordres et les quittances écrits et signés de la main même de madame la duchesse d'Angoulême.

L'embarras du monarque devenait extrême entre les affirmations de son ministre et les dénégations de sa mère. Ce fut celle-ci qui trancha la question. «Eh bien! s'écria-t-elle, rien n'est plus aisé que de vous assurer qui dit vrai ou qui a menti. Puisque messire le surintendant prétend posséder ces pièces, qu'il les montre.»

Rien qu'à la manière dont elle prononça ces mots, le baron de Semblançay se sentit enlacé dans un piège. Cependant, comme il avait classé ces pièces importantes dans son chartrier, il courut les chercher... Hélas! elles avaient disparu, un misérable était venu en aide au chancelier et à la duchesse, et les avait soustraites.

Le monde s'écroulait autour de l'infortuné surintendant. De cette heure, il ne conserva plus d'espoir. Il tendit la tête au coup qui devait l'abattre sur l'échafaud de Montfaucon, après une procédure sans bonne foi, où les juges avaient promis sa mort avant de monter sur leurs sièges.

Voilà, Altesse, ce que vous avez voulu savoir: telle est l'alliance basée sur le sang innocent qui relie le chancelier à madame la duchesse régente. Les armes qui font la puissance de messire Duprat, ce sont ces ordres et ces quittances, qu'il détient par devers lui, et qu'il n'aurait qu'à envoyer au roi pour amener une rupture éclatante entre le fils et la mère, et faire supprimer à celle-ci les hautes prérogatives dont elle est investie. Le roi est trop bon gentilhomme, trop amoureux de sa gloire, pour laisser son pouvoir entre les mains qui ont fait couler le sang du juste, et amené le plus cruel revers de nos armées.

Quand au fourbe qui a tissé les fils de cette intrigue, il a manœuvré de telle sorte que rien ne peut établir sa complicité, et qu'il semble n'avoir figuré au procès que comme un magistrat investi, sans l'avoir cherchée, de la confiance de son maître et du soin d'assurer la vindicte des rois.

Le vieillard s'arrêta laissant ses trois auditeurs méditer quelque temps en silence ses révélations.

Mademoiselle de Tournon, non plus que Michel Gerbier, n'osaient exprimer leurs sentiments; ce fut la princesse qui prit la première la parole:

—Certes, dit-elle, c'est là une trame infernale et bien conduite. Il m'est cruel d'avoir à reconnaître tant de duplicité chez ma propre mère. Mais le ciel, en nous permettant de descendre dans cet abîme de noirceurs, nous a livré un secret dont il nous laissera sans doute tirer avantage. Maître, vous n'avez encore rempli que la moitié de votre œuvre; pour que nous soyons maîtres du chancelier, comme il est maître de la régente, il faut que vous sachiez le nom du misérable qui vola les quittances dans le chartrier du surintendant; il y a plus, il faut que vous m'ameniez cet homme et que je m'assure de lui.

«Quand une fois on est entré dans la voie de Judas, il n'y a pas de raison pour qu'on s'y arrête. Cet homme a vendu son bon maître au chancelier, cet homme me vendra certainement le chancelier. Il ne s'agit que d'y mettre le prix.

«Les quittances signées de ma mère ne peuvent perdre que ma mère; mais ce serviteur déloyal, agent du chancelier, peut perdre le chancelier.

«Allez donc, maître: s'il faut de l'or, Michel Gerbier vous donnera tout celui de mon épargne; si ce n'est assez, je mets tous mes joyaux à votre discrétion; cherchez, fouillez, payez, mais, sur votre salut, ne revenez ici que pour m'amener cet homme!...»

—Notre sire Dieu m'inspirera, et je reviendrai bientôt, je l'espère!

—Soyez-vous exaucé! Songez que je vous attends!...

—Oui, madame, je songerai que mon fils souffre!...

XVIII
L'ENVOUTEMENT

Malgré sa promesse, la semaine touchait à sa fin, le vieux Jean de Pavanes n'avait pas reparu.

Marguerite l'attendait dans une morne anxiété, car chacun de ces jours qui s'écoulait en vain aggravait la situation misérable du prisonnier de la Grosse-Tour, et avivait le ressentiment de Duprat.

Ses gens, rendus incorruptibles à force d'argent et de menaces, gardaient les prisons du Louvre avec l'âpre férocité de véritables Cerbères. Les tentatives faites auprès d'eux pour procurer quelque allégement à la position rigoureuse du chevalier de Pavanes avaient amené un résultat contraire et rendu ses chaînes plus pesantes.

Après l'avoir privé de sa liberté, on ne se contentait plus de le tenir sous la menace d'un arrêt qui ne pouvait être que terrible, on s'en prenait à sa conscience.

Par un raffinement digne de l'infâme chancelier Duprat, chaque jour, un moine, ce même frère Roma, si ingénieux dans l'invention des supplices, descendait dans sa cellule, et abusant de l'état où le réduisaient ses fers, s'installait en face de lui, lui lisait un chapitre de l'Évangile, et le texte de l'arrêt rendu sur l'ordre de Duprat par la Sorbonne contre les doctrines de Luther.

Un sermon plein de menaces et de tempêtes suivait ces lectures, et la séance se terminait par la mise en demeure, signifiée au captif, d'abjurer les doctrines de la réforme.

On voit que, si Antoine Duprat n'était pas encore venu à bout de créer officiellement l'inquisition, il n'en appliquait pas moins avec assez de talent les principes et les pratiques.

A ces persécutions, à ces attaques contre sa foi, l'héroïque jeune homme opposait un silence impassible. Tant que durait la lecture ou le sermon, il fermait les yeux et semblait ne rien entendre.

Puis, lorsque dom Roma le sommait d'abjurer, se soulevant sur son banc de bois, le front haut, le regard illuminé, il entonnait d'une voix sonore et vibrante, la traduction en vers qu'il avait faite du cantique des Machabées et de l'histoire de Daniel, jeté dans la fosse aux bêtes féroces.

Son chant retentissant s'en allait, répercuté par l'écho, jusqu'au fond de chaque cellule, et les autres prisonniers, animés par ce souffle plein de foi, s'associaient à lui, s'unissant en chœur, et transformant ces lieux de malédiction en un temple consacré à la louange du ciel.

Et le moine s'en retournait, plus haineux, plus fanatique qu'il n'était venu.

Alors aussi, en récompense de sa misère et de son courage, le ciel venait à l'aide du captif. Souvent, la nuit, entre les deux rondes des geôliers, la porte de pierre tournait sur son pivot, et l'ange de l'amour, le séraphin de l'espoir, effaçait d'un baiser le souvenir des persécutions passées, allégeait d'un mot le poids des chaînes, et versait dans cette âme raffermie le baume de sa tendresse.

Sublimité de l'amour! Marguerite désolée, navrée, trouvait moyen de porter la joie et la consolation à son amant persécuté!

Pour elle, le reste du temps n'était que souffrance. Elle se sentait circonvenue par les persécutions de ses ennemis; un espionnage incessant, revêtant toutes les formes, recourant à tous les subterfuges, entourait ses pas. Quoi qu'elle entreprît, où qu'elle allât, elle reconnaissait la trace ou l'œil de Duprat et du bouffon.

L'odieux despote gagnait chaque jour en importance; il empiétait effrontément sur les attributions de la régente, et cette altière et vindicative princesse affectait de ne pas voir ces usurpations.

Sa conscience avait suivi le chemin de son autorité; elle se montrait raffermie dans la religion romaine, tout écrit novateur avait disparu de chez elle; elle témoignait une déférence extrême pour le grand-pénitencier Loys Chantereau, pour Robert de Lenoncourt, son chapelain, et pour messire Cagny, premier aumônier du roi, tous séides de Duprat et de la Sorbonne.

De telles accointances ne présageaient rien de bon pour les réformistes.

Marguerite, qui le comprenait et qui avait renoncé à toute tentative sur l'esprit de sa mère, redoublait de pressentiments funestes. Que faire? Comment heurter de front le ministre omnipotent? La sœur du roi était au-dessus de ses atteintes, sans doute; mais l'amante de Jacobus de Pavanes pouvait-elle ne pas trembler pour les jours de son ami devant l'homme qui avait fait assassiner juridiquement Semblançay et tant d'autres!

Ainsi donc, une chaîne sanglante rivait la régente au chancelier; mais il eût fallu peu connaître le caractère altier, implacable de cette princesse, pour ne pas comprendre que, sous les concessions qu'elle faisait une à une, son redoutable complice couvait une sourde vengeance.

Pour se récupérer de l'influence de la comtesse de Châteaubriand et de Lautrec sur l'esprit du roi, la régente n'avait pas hésité un instant à sacrifier notre armée et notre territoire italien. Opiniâtre en ses desseins, elle nourrissait habilement celui de faire détrôner la comtesse dans les faveurs royales par cette petite d'Heilly, sa créature et sa fille d'adoption.

Elle avait immolé notre gloire séculaire à sa haine contre le connétable de Bourbon, en réduisant par ses injustices et ses vexations ce vaillant homme à offrir son épée à l'ennemi de la France. Patrie, honneur, dignité, conscience, elle ne tenait compte de rien quand il s'agissait d'assouvir son ambition ou de satisfaire ses passions perverses.

Ils n'étaient pas moins pressés de s'éloigner.

Était-il présumable qu'elle épargnât longtemps l'homme qui lui faisait maintenant obstacle?

A travers ses palinodies de religion, une chose n'avait pas changé chez elle: c'étaient ses idées superstitieuses, son faible pour les œuvres de cabale. La science réelle de son nouveau docteur et l'adresse qu'il avait déployée dans ces dernières circonstances, lui avaient assuré la confiance qu'elle avait retirée au trop consciencieux Corneille Agrippa, l'un des hommes les plus éclairés de son temps.

Ce jour-là, elle avait mandé l'alchimiste pour connaître l'état de son opération capitale; car il lui avait, à leur dernière entrevue, promis de frapper un grand coup.

C'était à l'entrée de la nuit.

On l'introduisit discrètement dans son oratoire où elle ne se faisait aucun scrupule de se livrer également à ses dévotions et à ses projets homicides.

Une lampe éclairait les lambris tapissés de cuirs frappés, au reflet mat, comme il convenait ici.

Le grand Christ, que nous connaissons, étendait toujours ses bras au-dessus d'un prie-Dieu d'ébène, aux moelleux coussins de velours.

Un livre d'Heures reposait entre deux cierges éteints.

De grands rideaux de damas lampassé retombaient devant la double ogive de la croisée, pour intercepter toute communication avec le dehors.

Jean de Pavanes était couvert d'un manteau, sous lequel il portait un objet précieux et fragile, à en juger par les précautions de sa marche.

Était-il consciencieux lui-même dans ses pratiques cabalistiques; avait-il la foi qu'il prétendait imposer aux autres? C'est une question applicable aussi bien à tous ses confrères du moyen-âge, nous n'hésitons pas à la résoudre dans le sens affirmatif.

L'alchimie et l'astrologie faisaient alors partie inséparable de la médecine, de même que les métaux formaient la base de la médication. Il est vraisemblable que les découvertes très réelles que les physiciens retiraient des amalgames de leurs creusets, leur inspiraient créance dans les effets de leurs pratiques métaphysiques, et que, dans le désordre plein de mysticisme où flottaient encore les idées, à travers ce monde surnaturel dont la théologie faisait articles de religion, ces savants, étonnés eux-mêmes de leurs trouvailles, étaient les premiers trompés par leurs œuvres.

Cela ne pouvait les empêcher d'user de ruse pour consolider la confiance qu'on mettait en eux. De même que les docteurs en religion se servaient sans scrupule de ce qu'ils appelaient des ruses pieuses, pour accréditer de faux miracles, destinés à faire croire à ceux qu'ils tenaient pour vrais, de même, les docteurs en alchimie ne méprisaient pas des auxiliaires, comme les indications qui avaient mis le vieux de Pavanes sur la voie des intrigues de la régente et du chancelier.

—Vous apportez l'œuvre!... s'écria la mère de François Ier, en s'élançant avec joie au-devant du vieillard.

Et sans lui laisser le temps de répondre, elle écarta son manteau.

—L'objet est là, madame; nous allons procéder aux premières incantations.

Il déposa sur une table un coffret de bois de chêne, dont les faces et le couvercle portaient, sculptées, diverses figures fantastiques.

Puis il alluma gravement les cierges du prie-Dieu, colla sur chacun d'eux un nombre impair de petites médailles de plomb, et ouvrit le livre d'Heures à l'office des morts.

La duchesse suivait avec avidité tous ses mouvements; elle se sentait gagnée par sa gravité et son air solennel.

Ces préliminaires achevés, il revint au coffret, dont il tira une figurine de cire, suffisamment modelée pour qu'on reconnût un homme vêtu d'une simarre, le mortier en tête, et ayant une intention de ressemblance avec le chancelier.

—Enfin! murmura la régente, nous le tenons!...

Il y avait du rauquement du tigre dans le ton guttural dont elle prononça ces mots.

—J'ai eu soin, dit l'alchimiste, de placer le linge imbibé de son sang à la place du cœur, afin que l'image fût entièrement assimilée à l'original. Cependant, une formalité serait nécessaire, vous ne l'ignorez pas, Altesse. Quoique ce sang soit celui d'un homme baptisé, il est d'usage que les simulacres reçoivent eux-mêmes le baptême et avec lui les noms de la personne qu'ils représentent. De très honnêtes ecclésiastiques ne refusent pas leurs services, en ces circonstances.

Votre Altesse, craignant que les noms qu'il s'agit de donner à cette image n'éveillent l'attention et ne provoquent la traîtrise, n'a pas voulu que je recoure à cette mesure; que résout-elle présentement?

—Ne savez-vous pas, maître, que le baptême est valable, venant de toute personne qui l'a reçu elle-même?

—Que prétend Votre Altesse?

—Voici de l'eau bénite, dit-elle en montrant la coupe suspendue au-dessous du crucifix; voici une image sainte; ceci est un oratoire consacré comme une chapelle; nous sommes chrétiens l'un et l'autre. Prenez cette eau, et baptisez la figurine, je vais répondre pour elle.

L'alchimiste lui-même sentit comme un frisson de remords lui traverser les reins à cette proposition sacrilège.

—Hésiteriez-vous?... demanda l'implacable duchesse; croyez-vous que ce ne soit pas œuvre pieuse et méritoire de perdre cet homme?...

—Œuvre sainte et juste!... Oui, sur mon âme!... C'est écraser le serpent, renvoyer Satanas à la géhenne!...

Exalté alors par sa haine et par l'horreur de cette cérémonie démoniaque, il détacha la coupe, et la tenant suspendue sur la statuette:

—Toi qui as du sang humain dans le cœur, qui es-tu? prononça-t-il.

—Antoine Duprat, ministre, chancelier de France, répondit la régente, les lèvres agitées par la haine, en laissant passer ces titres.

—Que veux-tu, en présence de ce Christ, dans ce lieu bénit?

—Le baptême.

—Antoine, fit le centenaire en répandant l'eau consacrée sur l'image, je te baptise au nom du Père, du Fils et de l'Esprit...

On eût dit que cette cérémonie blasphématoire avait trouvé la matière plus sensible que ces chrétiens profanateurs.

La lampe crépita sur son socle d'or, comme pour protester, et la flamme des cierges, devenue bleuâtre, cessa un instant de donner aucune lumière.

—Voyez-vous? demanda la duchesse frémissante.

—Oui, madame, et si ce n'est le ciel, du moins l'enfer s'associe à notre œuvre.

—L'enfer! soit! s'écria-t-elle en relevant le front et en fixant l'image du Dieu crucifié, comme pour le mettre au défi; l'enfer, soit, mais que cet homme meure!

—De maux terribles et prolongés, tels que ceux qu'il impose à ses victimes!... appuya le nécroman.

Il enleva la figurine de la table et la posa sur le prie-Dieu, entre les cierges qui avaient recommencé à éclairer, mais qui pleuraient de longues larmes de cire.

Il assujettit à côté exactement au-dessous du crucifix, les prières des morts; puis, ayant examiné d'un air pensif cette cire qui s'en allait par traînées:

—Il y a ici un mauvais présage, dit-il. Je ne sais encore s'il menace l'un de nous ou le chancelier, mais je ne peux le méconnaître.

—Poursuivons... murmura la duchesse exaltée jusqu'au délire.

—Voici une longue épingle de fer, vous allez la faire rougir à l'un des cierges, et une fois rouge, vous l'enfoncerez au cœur de la figure baptisée.

Pendant ce temps, je me livrerai aux supputations astrologiques indispensables.

Laissant la duchesse accomplir cette instruction, il s'assit à la table, déroula un parchemin couvert de cercles et de triangles, parmi lesquels il traça à la pointe d'un crayon rouge diverses images symboliques.

La duchesse lui obéit exactement; de sa main princière elle fit rougir l'épingle et l'enfonça avec passion dans la cire dont une parcelle se fondit, mais où elle resta fixée.

—J'ai fait suivant vos désirs, maître, dit-elle alors.

—C'est bien, madame, répondit-il tout préoccupé; nous renouvellerons cette opération pendant neuf jours. Mais que Votre Altesse le sache, les calculs que voici, et que je tiens pour sûrs, m'annoncent que le neuvième jour, si l'envoûtement n'a pas réussi contre notre adversaire, un malheur atteindra l'un de nous.

—J'irai jusqu'au bout! La mort de cet homme ou ma perte!...

—A moins que ce ne soit la mienne... murmura pensivement l'alchimiste.

Et il demeura de nouveau penché sur son vélin cabalistique.

—Tout n'est-il pas fini pour ce soir, maître? demanda la duchesse, qu'une anxiété vague gagnait peu à peu.

—Plus qu'un instant, madame... Cette nuit est propice aux œuvres de cabale... Un homme a servi d'agent aux manœuvres qui mirent le baron de Semblançay à la merci de Votre Altesse, et Votre Altesse à la merci du chancelier... Je croyais le nom de cet homme utile à nos conspirations, et vous vous êtes refusée à me le révéler.

Mais la science a des secrets plus puissants que la discrétion humaine. Cet homme, je le connais, madame.

—C'est impossible!... vieillard, tu mens!...

D'un geste calme il imposa silence à cette explosion courroucée.

—Écoutez, vous êtes une Altesse, la mère d'un roi, la régente d'un grand royaume; nous venons d'accomplir ensemble une œuvre ténébreuse qui compromet notre salut éternel, et qu'il faudrait bien de bonnes actions pour effacer. Eh bien, permettez-moi d'accomplir une de celles-ci dès demain, fût-ce en dépit du chancelier: que l'on allège la condition des prisonniers retenus dans les fosses de la Grosse-Tour; qu'on détache les fers de ceux qui en sont chargés, et l'ombre de cet homme passera devant vous à l'instant!...

Il y avait dans son maintien, dans son regard luisant, une influence qui donnait le vertige.

—Vous feriez cela, vous?

—L'heure va sonner, ces cierges vont s'éteindre; promettez, madame et je vous montre cet homme!

—Soit!... je le jure!

Il étendit le bras, et dans le silence qui pesait sur le palais, l'horloge laissa lentement tomber les coups de dix heures.

Au dernier son, les cierges s'éteignirent dans une mare de cire fondue.

La lampe seule continua de jeter autour d'elle ses clartés affaiblies; une nuit complète eût été moins sinistre.

L'alchimiste s'avança jusqu'à la fenêtre, dont il écarta brusquement les rideaux, et, faisant signe à la duchesse:

—Regardez, madame!...

Elle plongea ses yeux vers la cour carrée, qui s'étendait au-dessous de cette fenêtre, et dans un large rayon de la lune, elle distingua un homme qui traversait l'espace, enveloppé dans un manteau pareil à celui du nécromancien. Il marchait droit et ferme, sans se hâter.

—C'est lui!... s'écria-t-elle en se rejetant en arrière; c'est lui! Rainier Gentil, le conseiller aux enquêtes, secrétaire du surintendant!... Fermez! fermez ces rideaux!...

C'était inutile, les ombres se recherchent, et celle-ci était allée se perdre dans celle des grands murs du Louvre.

XIX
LES HOMMES MASQUÉS

De toutes les croisées intérieures du Louvre, une seule, donnant sur un étroit jardin placé à l'angle du pavillon de l'Horloge et de celui qui fait retour sur la ligne de la rivière, autrement dit pavillon de l'Infante, une seule laissait apparaître une lueur tamisée par le coloriage de ses vitraux.

Encore fallait-il être bien au fait des localités pour s'en apercevoir, car un arbre énorme, que l'on pouvait considérer comme un spécimen séculaire de ceux qui naguère formaient en ce lieu une forêt épaisse, se dressait précisément devant cette fenêtre, dont ses branches vigoureuses joignaient les rinceaux.

Il était une heure tout à fait exceptionnelle, minuit ou bien près, et pour que quelqu'un veillât encore, il fallait qu'il fût captivé par un motif pressant.

On devait croire les parterres et les cours bien déserts, et nul bruit ne venait en effet y trahir la présence d'un être vivant.

Cependant quelque chose, nous n'osons dire quelqu'un, avait passé et repassé à plusieurs reprises sous cette croisée, s'était arrêté au pied du grand arbre, et avait poussé un soupir ou un respir qui s'était confondu dans le frôlement plaintif du feuillage contre le mur de pierre.

Quel était cet être? Un djinn sans doute, un de ces génies inconnus et redoutés, qui rôdent la nuit autour des demeures humaines pour y introduire le malheur.

Si les esprits des ténèbres dormaient, que resterait-il pour peupler les nuits?...

Celui-ci semblait attiré invinciblement par cette fenêtre, luisant en manière de phare, comme les chauves-souris et les phalènes le sont par la lumière.

Il allait, il venait, et plus il répétait ce manège, plus ses stations au pied de l'arbre se prolongeaient, plus les soulas de sa poitrine étaient gros d'orages ou de chagrins.

Cette croisée éclairée le fascinait, lui donnait le vertige; si bien qu'il finit par cesser sa promenade, resta immobile contre l'arbre, et sembla prendre racine dans ses racines.

Mais la lumière l'appelait, l'invitait; il s'élançait au-devant d'elle, et, n'y tenant plus, il saisit l'arbre dans ses longs bras, s'attacha de ses mains osseuses et crochues à l'écorce, gagna la première branche, et, une fois là, se mit à courir, à sautiller de l'une à l'autre avec la souplesse d'un singe, dont il avait tout l'aspect.

A force de monter, il atteignit l'une des plus hautes; elle donnait sur cette fenêtre, objet de ses aspirations... Il se glissa, sans trop la faire ployer, jusqu'à la margelle, et s'aidant du faisceau de colonnettes qui séparait la double ogive, il parvint à s'équilibrer, quoique la pierre offrît sous ses pieds une inclinaison très prononcée.

Accroupi dans cet encadrement gothique, il se confondait si bien avec les figures fantastiques sculptées çà et là à travers la façade du monument, qu'on n'eût fait entre elles et lui aucune distinction.

Il colla son galbe difforme contre la vitre, et appliqua l'un de ses gros yeux louches et éraillés à l'endroit le plus favorable.

C'est alors surtout qu'il eût fallu le voir.

Sa physionomie exprimait une béatitude horrible, ses prunelles dilatées sortaient de leur orbite; ses narines humaient l'air avec force, ses lèvres épaisses s'ouvraient en une grimace immense, qui était sa façon de sourire.

Que voyait-il qui le réjouît à ce point? D'où venait ce contentement?

Le retrait était petit et d'une simplicité presque austère: c'était un oratoire, mais sans le luxe de celui de la régente. On y avait, dans une pensée qui eût certes paru suspecte d'hérésie à la Sorbonne, supprimé toute image de piété.

Une grande croix d'ébène, toute nue, se dressait contre la muraille, au-dessus d'un prie-Dieu sans ornements, offrant un coussin de tapisserie aux genoux qui s'y posaient.

Les murs étaient tendus d'une étoffe précieuse par sa matière mais tout unie et de couleur brune; on paraissait avoir évité les tapisseries, à cause des images qu'elles ne pouvaient manquer de contenir.

Au milieu était une table carrée couverte de livres, de papiers et d'écritoires.

Mais ce n'était pas cet ameublement, ces particularités qui absorbaient notre étrange curieux.

Il n'y avait qu'un siège dans cet oratoire, un fauteuil de velours, au dossier immense, aux bras larges et rembourrés.

C'était évidemment la partie la plus recueillie d'un appartement princier; et, en effet, une jeune femme d'une distinction exquise, assise dans ce siège unique, s'y trouvait absolument seule.

Une chandelle de cire, plantée sur un support de vermeil ingénieusement disposé, comme toute l'orfèvrerie d'alors, se consumait lentement sur la table.

Sa flamme douce et régulière éclairait, en exagérant leur pâleur, les traits ravissants et mélancoliques de cette femme. Couchée avec abandon sur le dossier du fauteuil, les mains jointes sur ses genoux, les paupières demi-closes, tout indiquait sa méditation, son recueillement.

Le démon suspendu à la fenêtre s'enivrait de cette contemplation. Si cette femme eût dû y rester toujours, il se fût incrusté à cette place pour l'éternité.

A l'observer ainsi dans son immobilité et sa pâleur, il était permis de se demander si elle sommeillait ou même si ce n'était pas une princesse des contes enchantés, frappée d'insensibilité par la baguette d'une fée méchante.

Mais bientôt cette supposition devint impossible, car elle tressaillit, ouvrit ses grands yeux, se redressa avec une souplesse de houri et une distinction de reine sur son siège.

Elle avait saisi dans le voisinage de l'oratoire un bruit que la verrière rendait insensible à son observateur. Celui-ci pourtant sembla le deviner par intuition, car la béatitude où il nageait disparut de ses traits, qui devinrent plus sérieux, plus inquiets que ceux de la jeune femme.

Une tenture de même étoffe que celle des lambris recouvrait la porte du retrait. Elle se souleva discrètement, et ne laissa d'abord apercevoir qu'une longue main décharnée, blanche comme l'ivoire, et la manche d'un vêtement sombre.

Le djinn, accroupi sur la fenêtre, cessa de respirer, écarquillant horriblement ses paupières et ouvrant ses larges oreilles plates dépourvues de lobes telles que celle d'un membre de cette race simiane avec laquelle il avait beaucoup plus d'analogie qu'avec la race humaine.

Mais, à son grand désespoir, la vitre transparente pour son œil était trop opaque pour son ouïe. Que n'eût-il pas donné cependant pour saisir seulement quelques mots!

Deux hommes, ensevelis sous de vastes manteaux, s'approchèrent de la maîtresse du lieu qui les attendit assise.

Des capuchons rabattus dérobaient leur visage, il saluèrent, sans les enlever, la dame qui leur adressa un geste plein de bienveillance.

Ses traits s'étaient animés, un incarnat inaccoutumé dominait sa pâleur mate de tout à l'heure, et sa prunelle brillante lançait des feux plus vifs que ceux de la bougie.

Elle parlait d'un ton chaleureux, et enfin, ô espoir! ses visiteurs portèrent la main à leurs coqueluchons pour les rejeter sur leurs épaules.

On allait donc connaître leurs traits!... Déception soudaine, ces gens avaient évidemment de graves motifs de dérober leur identité; sous leurs coiffes, ils étaient masqués! Un loup d'étoffe brune était adapté au haut de leur visage, et leur barbe en couvrait le bas.

L'un d'eux, celui qui paraissait avoir introduit l'autre, portait cette barbe longue et épaisse, descendant en flocons de neige sur sa poitrine.

Le second, beaucoup plus jeune, était brun de cheveux. Ceux-ci étaient ras, suivant la mode créée par François Ier; quant à la barbe, elle était de médiocre longueur, de nuance rousse, et se partageait en deux pointes au-dessous du menton. Ce détail éveillait l'attention de l'observateur de la croisée, qui y cherchait quelque signalement.

Ce personnage, d'un maintien beaucoup plus indécis, plus flexible que le vieillard, se confondait en prosternations chaque fois que la dame s'adressait personnellement à lui; mais il se montrait fort sobre de paroles.

Le chancelier fut annoncé avec fracas.

Par sa pantomime pressante, son guide l'invitait à être plus explicite, et paraissait lui rappeler des faits sur lesquels il souhaitait qu'il s'expliquât.

Le geste involontairement impatient de la dame, le mouvement de ses lèvres, l'attention de son regard, prouvaient qu'elle aussi attendait des renseignements que cet homme se faisait arracher.

Tout à coup, ayant promené sa main sur son front, en marque de contrariété, elle eut le mouvement rapide d'une personne qui a enfin trouvé une idée longtemps cherchée en vain. Cette idée, comme toutes les meilleures et les plus simples, retenue par d'autres préoccupations, se traduisit en fouillant à l'escarcelle pendue à sa ceinture.

L'espion de la fenêtre ne voyait pas la figure de l'homme à barbe rousse, mais il saisit aisément le rayon qui passa par les trous de son masque, quand ses yeux avides aperçurent ce geste. Il tendit en même temps ses deux mains, sans qu'on lui eût encore rien offert, et la dame y laissa tomber, avec un dédain qu'il ne remarqua guère, une énorme bourse.

Magie de l'or! cet homme fut transformé dès que le métal eut passé de l'escarcelle de la dame dans la sienne.

Son maintien devint plus ferme, son front se redressa, sa personne s'anima d'une ardeur nouvelle, et ses paroles, accentuées par son attitude, coulèrent de source.

Le personnage du dehors réfléchissait profondément, sans perdre un iota du côté plastique de cette scène. Évidemment, il s'opérait dans sa cervelle déformée un prodigieux effort de mémoire, relatif à l'individualité de cette barbe fourchue et de ce maintien.

Tout à coup, sans se soucier du dénouement, il se frappa la tête, en poussant un rire sardonique qui grinça contre la vitrine, au point que les gens qu'il observait l'entendirent et tournèrent la tête vers cet endroit. Mais ils n'y attachèrent pas d'importance, et d'ailleurs, eussent-ils été tentés d'ouvrir le châssis, ils n'eussent rien trouvé.

L'observateur fantastique, sautant avec la légèreté dont il avait fait preuve pour monter, était descendu et s'était évanoui comme un lutin sous l'épais branchage.

Le colloque de l'oratoire se prolongea encore assez longtemps, car ce ne fut qu'une demi-heure après cet incident que deux hommes abrités dans de grands manteaux encapuchonnés et discrets, tels que ceux que nous avons décrits, sortirent d'une porte de service du palais, pour pénétrer dans la cour du carré.

On ne saurait dire qu'ils affectassent de se cacher, seulement ils marchaient avec réserve, en gens qui ne tremblent pas d'être vus, mais qui préfèrent que cela n'arrive pas. Ils étaient, au reste, muets comme des poissons, et puis, à pareille heure, l'intérieur de la place, gardée par des factionnaires suffisamment actifs en dehors, était absolument désert.

Le roi était absent, la capitale était tranquille; le gouvernement du palais pouvait dormir sur les deux oreilles.

Ils se dirigèrent, en familiers qui connaissent le terrain, vers la porte donnant sur le quartier des Tuileries.

Tout semblait reposer dans le petit corps de garde auquel elle était confiée. Les soldats, étendus sur le lit de camp, ronflaient lourdement; le guichetier de service faisait de même, dans un fauteuil de cuir, à côté d'une lampe qui remplissait ce trou d'une fumée infecte.

Le plus vieux des deux aventuriers le réveilla le moins brusquement possible, et lui montra une carte de passe qui l'autorisait à entrer et sortir à toute heure, seul ou accompagné d'un serviteur pour sa défense.

Le cerbère connaissait cet homme et cette carte, qui évidemment ne se recommandaient pas à lui pour la première fois: — la carte portait la propre recommandation de la duchesse d'Angoulême, et le lecteur a compris qu'elle n'avait pu être donnée qu'au médecin, au physicien de cette haute dame. — Il prit la grosse clef qui ouvrait la porte, et sans même articuler une phrase, se hâta de livrer passage à ces importuns.

Ils n'étaient pas moins pressés de s'éloigner, et ne voyant que cette porte bienheureuse, ils ne s'aperçurent pas que, comme ils la franchissaient, une escouade de reîtres, tous armés, se détachait de l'arche des contre-forts sous la poterne.

En même temps encore, un personnage bizarre d'aspect et de taille, hissé dans une des niches gothiques destinées à recevoir des statues, de chaque côté de l'entrée, se dressait sur la pointe des pieds, et étendant la main, désignait silencieusement le plus jeune des deux aux hommes d'armes.

Nous l'avons dit, la nuit était épaisse. La lune ne se montrait pas; les étoiles ne répandaient qu'un semblant de lueur, à peine suffisante pour ne pas se heurter contre les murailles.

Les deux compagnons marchèrent quelque temps de concert, échangeant à peine quelques mots entrecoupés à voix si basse, que les passants, s'il eût pu s'en trouver, n'en auraient rien saisi.

Le bruit de leurs pas troublait seul la tranquillité des rues et des carrefours. Le vieillard, d'ailleurs, soit par l'effet de son tempérament nerveux, soit qu'une pensée généreuse le soutint, ne le cédait pas au jeune homme en légèreté ni en vitesse.

S'étant arrêtés à l'embranchement de deux rues, ils prêtèrent l'oreille pour s'assurer du silence de celles qu'ils allaient prendre; puis, bien sûrs de leur solitude, ils s'adressèrent réciproquement un adieu, intelligible pour eux seuls:

—J'emporte le serment de votre silence, dit le plus jeune.

—Soyez sans crainte, répondit le vieillard; à défaut de la haute protection que vous venez de conquérir, ma reconnaissance vous garantirait ma discrétion.

Là-dessus, ils tirèrent chacun de leur côté, le vieillard continuant de marcher d'un pas hâtif sans précipitation, l'autre se livrant à une sorte de course, comme si l'isolement et la nuit lui eussent causé d'insurmontables terreurs.

Ce fut probablement cette vitesse agitée qui l'empêcha de saisir, à quelque distance de lui et s'attachant à sa direction, un bruit de pas étouffés et d'armes maintenues avec soin.

Le vieillard, plus calme, perçut à travers la distance, qui devenait assez grande entre eux, quelque chose de ces particularités, mais trop vaguement pour en préciser le théâtre. Il n'en modifia pas sa marche et prêta seulement une oreille attentive.

Mais tout à coup il dut s'arrêter, plein d'émoi; quelque chose de pareil à un cri de détresse, étouffé aussitôt que lancé, avait retenti dans cette nuit féconde en énigmes.

Il attendit quelques minutes, dans une vive anxiété, si cet appel se renouvellerait, s'il en reconnaîtrait l'accent, mais tout était resté dans un recueillement inaltérable.

Les étoiles envoyaient leur clair-obscur sur ce triste faubourg; il n'y avait aucun bruit dans les maisons, et les rues voisines ne trahissaient nulle rumeur.

Le vieillard finit par acquérir la certitude que ces bruits étaient un jeu de son cerveau préoccupé; il reprit son chemin, regagna l'impasse où se trouvait son logis, et rentra sans que rien lui donnât la plus légère cause d'alarme.

XX
LE NOM DU DÉLATEUR

Dans les termes où s'était accomplie la dernière entrevue de Duprat et de la princesse Marguerite, il devenait impossible que l'un ou l'autre, tous deux peut-être ne fissent pas naître bientôt l'occasion d'une nouvelle rencontre.

Comme deux champions dans une lutte décisive, ils y vinrent, armés de toutes pièces, c'est-à-dire apportant chacun leurs secrets, leur méfiance et leur habileté. L'amour et la colère avaient élevé l'âme poétique de Marguerite de Valois à la proportion d'un homme d'État consommé.

Chez notre sexe, c'est l'ambition, la cupidité qui opèrent ces prodiges; chez les femmes, un sentiment plus pur, plus délicat, plus désintéressé, développe en la plus timide la hardiesse, en la plus simple l'esprit de tactique, en la plus inexpérimentée une assurance qui trompent et déjouent les Machiavels les plus déliés.

Ainsi, encore cette fois, ce n'était pas la sœur de François Ier qui avait fait les avances; le chancelier se trouvait chez elle par un effet du hasard, sans se rendre compte comment il y était venu, ou plutôt, c'était lui qui avait voulu y venir, s'y trouver ce jour-là à l'heure précisément où nous l'y rencontrons. Seulement, il avait mis en avant un prétexte futile, qui déguisait mal l'impatience qu'il ressentait d'aborder, coûte que coûte, un tête-à-tête décisif.

Les circonstances l'avaient servi à souhait. Michel Gerbier s'était rencontré sur son passage pour demander son audience, et, au moment où il pénétrait auprès de la princesse, ses demoiselles de compagnie se retiraient.

La conversation s'engagea en termes banals, comme cette mousqueterie isolée et décousue qui prélude aux grandes batailles.

—Votre Altesse manquait ce matin au lever de madame la duchesse, chacun en a exprimé son inquiétude, et j'ai souhaité m'assurer par moi-même que sa santé n'avait subi aucune nouvelle atteinte.

—Cette attention mérite ma reconnaissance, messire.

—Reconnaissance est un bien beau mot, Altesse.

—Qu'on prononce souvent à la cour, mais qu'on y pratique peu; n'est-ce pas là la fin de votre pensée, messire?

—Oui, si Votre Altesse envisage la généralité des choses; non, si elle daigne considérer celles qui lui sont propres... Je n'ai pas l'outrecuidance d'avoir jamais rien réussi qui pût être agréable comme je l'eusse souhaité, à Votre Altesse, et eussé-je eu ce bonheur, je me considérerais encore comme l'obligé.

—Voilà qui est parler en vrai gentilhomme, messire. Mais nous le disions tout à l'heure, il y a à la cour des tours de phrases et des expressions auxquels il ne faut pas attacher plus d'importance que de raison. Si tous les grands sentiments qu'on y montre étaient sincères, en vérité, le monde serait trop beau.

—Et Votre Altesse ne le trouve pas tel?

—Hélas! qu'en pense Votre Excellence?

—Que Votre Altesse a raison, et qu'il en est des belles phrases comme des plus adorables visages: les unes cachent la plupart du temps de fort méchantes intentions, et les autres des âmes perfides.

La princesse eut un de ses plus charmants sourires de sphynx;

—Messire, ne m'avez-vous pas fait entendre quelquefois que ces avantages de beauté ne m'étaient pas entièrement étrangers?

—Sur ma foi de chrétien! oui, madame. Ce n'est pas moi, c'est un de nos poètes qui l'a dit le premier: vous êtes la quatrième des grâces; et ce qu'a dit Clément Marot, tout le monde le pense; je suis de l'avis de tout le monde.

—A merveille, voilà pour la première partie de votre proposition; expliquerez-vous aussi bien la seconde? Considérez-vous ces faibles attraits, que vous prisez beaucoup trop comme la séduisante enveloppe d'un naturel moins bon?

—Vous êtes princesse, madame, et les personnes de votre rang ne sauraient être confondues avec le commun de l'humanité, fit Duprat avec un sourire quelque peu ironique.

—En d'autres termes, les personnes de mon rang ne sont pas de celles auxquelles on dit la vérité...

—Oh! madame, l'élévation de votre caractère...

—Bien, bien! Le fond de ces aimables subtilités, messire, est que je suis plus jolie que bonne.

—Au nom du ciel, madame, ne me prêtez pas des idées qui sont loin de moi!

—Eh! mon Dieu, je ne vous en veux pas!... Nous avons l'un contre l'autre des griefs, n'est-ce pas?

—Si Votre Altesse aborde ainsi les choses, elle daignera peut-être reconnaître qu'elle n'a pas montré toujours pour moi la bienveillance parfaite qu'elle manifeste pour tout le monde.

—Et si Votre Excellence veut rentrer en elle-même, là, bien sincèrement, au fond de sa conscience, elle s'apercevra peut-être qu'elle n'a pas toujours fait tout ce qui pouvait lui mériter ce sentiment de ma part...

Insensiblement, par ces feintes et ces passes, on arrivait à croiser le fer plus sérieusement. Le terrain devenait brûlant.

—Croyez-vous, messire, que si mon très honoré frère eût été ici, au lieu de subir la captivité à Madrid, bien des choses qui se sont accomplies dans ce palais depuis quelque temps auraient eu lieu?

—Je sais, madame, que votre influence sur l'esprit du roi, mon maître, est sans limites; mais je ne suis qu'un humble ministre, très responsable, et je ne me dirige pas comme je veux, mais comme je dois.

—Encore, messire, cette direction devrait-elle être conforme à la clémence bien connue, à la magnanimité de ce maître! Si rigoureusement closes que soient les cellules de la Grosse-Tour, il est arrivé à mon oreille un écho des gémissements de ceux qu'on y détient... Ces prisons ne sont-elles pas assez étroites et assez sûres, sans qu'on en aggrave le séjour par des tortures inutiles pour la garde des prisonniers?

Une intention satanique se dessina au coin des lèvres du chancelier.

—Permettez, Altesse, ces prisons sont sûres, mais pas assez pour que les captifs ne puissent recevoir, à l'occasion, de mystérieuses visites, qui déjouent la vigilance des gardiens, sinon leur fidélité.

—Rien ne prouve que cela soit, messire, et ce que je vous dis de la rigueur exercée contre quelques détenus est un fait notoire.

—Peut-être bien hier, Altesse, mais non à coup sûr aujourd'hui.

—Que voulez-vous dire?

—Ce que vous savez aussi bien sinon mieux que moi, c'est-à-dire que quelqu'un a eu assez d'empire sur madame la régente pour obtenir la suppression de ces mesures.

Duprat regardait la princesse comme s'il l'accusait d'être cette personne influente dont il parlait avec amertume; mais à sa surprise, il vit qu'elle ignorait absolument l'ordre donné le matin par la duchesse d'Angoulême, de supprimer les fers imposés à certains prisonniers de religion par la volonté du premier ministre.

L'ordre était conçu en ces termes qui n'admettaient pas de retard; il avait été apporté par un huissier de la régente, chargé d'en vérifier l'exécution immédiate et d'en venir faire son rapport à la mère du roi.

Le nouveau geôlier, bien que devant sa place au ministre, avait senti le côté critique de la situation; il avait obéi à la duchesse, qui était supérieure à son patron. Après quoi, pour se prémunir aussi contre la colère de ce patron redouté, il était accouru lui apporter le texte de l'ordre reçu et lui expliquer à quelle pression il avait cédé.

Dans l'impossibilité où il était de songer au véritable instigateur de cette démarche de la régente, le chancelier, frémissant de rage et méditant déjà quelque vindicte bien perfide, avait naturellement porté ses soupçons sur la princesse Marguerite.

En reconnaissant qu'elle ignorait même cette résolution de sa mère, il devint fort perplexe, et demeura un moment absorbé à la recherche de cette énigme.

La régente rompait-elle donc le pacte convenu? Oubliait-elle le talisman redoutable qu'il possédait, et grâce auquel elle l'avait dominé jusqu'alors?

Qui se fût douté, d'ailleurs, qu'une crainte superstitieuse avait rendu la duchesse d'Angoulême plus docile aux désirs d'un nécroman qu'aux prières de sa fille! Les prestiges opérés par le vieil alchimiste sous ses yeux exerçaient sur elle assez d'empire pour l'enhardir jusqu'à braver, pour la première fois sans doute, les menaces et les volontés d'Antoine Duprat.

Cette princesse altière, vindicative et perfide, dont les serments ne pesaient rien, et qui changeait même de religion au gré du vent politique, n'avait eu l'esprit en repos que quand la parole donnée à son sorcier avait été remplie.

La princesse Marguerite, faisant un moment abstraction du contentement intérieur que lui causait sans le vouloir le chancelier, en lui apprenant l'amélioration du sort du chevalier de Pavanes, se souvint des motifs qui lui avaient fait souhaiter cet entretien.

Elle y revint d'une façon beaucoup plus directe que cette simple observation ne paraissait l'indiquer:

—Qu'avez-vous donc, messire? Une mesure aussi peu importante est-elle capable de préoccuper à ce point un homme d'État tel que vous?

—Cette mesure est plus grave que Votre Altesse ne veut bien le croire. Quand j'ai prescrit les sévérités qu'elle supprime, c'est que je les jugeais nécessaires, et je m'étonne que madame la régente, qui a d'habitude quelque condescendance pour mes décisions, n'ait pas daigné me consulter dans le cas présent.

—Eh quoi! messire, la régente du royaume, investie de toutes les prérogatives souveraines, ne saurait-elle, de son propre mouvement, exercer la plus belle de toutes, celle de faire grâce?

—Le souverain, madame, n'a pas moralement le droit d'amnistie, quand des intérêts plus élevés que ceux de la politique, les intérêts de la religion, sont en jeu.

—Vous oubliez toujours en me parlant, que vous vous adressez à une novatrice, peu convaincue de ces grandes idées absolutistes et purement métaphysiques.

Marguerite de Valois prononça ces mots avec une bonhomie qui causa à son interlocuteur un déplaisir singulier.

—A Dieu ne plaise, fit-il aigrement, que je songe à mettre Votre Altesse en cause; nous parlions de madame la duchesse d'Angoulême.

—Et je prenais sa défense, puisqu'elle s'est montrée pour mes protégés plus indulgente que Votre Excellence... Je lui en sais d'autant plus gré qu'elle a fait cela sans que j'eusse besoin de l'en prier, et sans même m'en instruire, comme un acte spontané de sa clémence. Vous trouverez bon, n'est-il pas vrai, messire, que je lui adresse mes remerciements et mes félicitations.

Et la princesse feignit de se lever de son siège, pour aller de suite remplir ce dessein.

Duprat, le front plissé, les sourcils croisés, fit un geste pour l'engager à rester, ce qu'elle exécuta d'autant plus volontiers qu'elle n'avait pas envie de rompre ainsi la conversation.

—Que Votre Altesse ne se hâte pas, dit-il: car à ses compliments succéderaient peut-être bientôt des reproches...

—Je cesse de comprendre, messire.

—Je veux dire que l'indulgence de madame la régente cédera probablement aux remontrances qu'elle ne manquera pas de recevoir.

—Et qui donc oserait adresser à la mère du roi François Ier de telles observations, messire?

—Moi, Altesse!... répondit Antoine Duprat en soutenant de son mieux le regard superbe avec lequel la princesse le toisait.

—Vous, messire?...

—Moi, le plus humble, mais le plus dévoué serviteur de notre très honoré sire. Moi, dont le zèle est accoutumé à ne pas reculer devant les obstacles... Et quand j'aurai parlé comme je dois le faire à madame la duchesse, je suis sûr qu'elle rétablira les choses suivant mes désirs.

—Permettez-moi d'en douter; ma mère s'appelle Louise de Savoie, c'est un grand nom, dont elle comprend les obligations; dans notre famille, monsieur, on est accoutumé au commandement, mais on ne sait pas obéir.

—J'ose vous répéter, madame, que Votre Altesse se trompe, et que madame la régente reviendra sur sa décision aussitôt que je le lui demanderai.

—Il me semble, sur mon âme, entendre un sujet en pleine révolte.

—Je suis un sujet fidèle, au contraire, madame, et c'est pour cela que ma parole est écoutée...

Il s'égara quelques minutes dans la salle à manger.

Il suspendit une seconde le cours de sa phrase; puis, tout à coup, aussi insinuant qu'il venait de se montrer rogue:

—Une seule personne, dit-il, avait la puissance d'obtenir la grâce de ces prisonniers, l'adoucissement de leur sort, la garantie de leur existence... cette personne n'a pas voulu le comprendre...

—Messire, dit la princesse en l'écrasant de son maintien, il m'était avis que Votre Excellence ne reviendrait jamais sur ce chapitre!... Encore une fois, parlons de ma mère; est-ce vous qui oseriez lui donner des ordres?...

Comme le reptile sur lequel on marche, Duprat, blessé jusqu'au fond de son orgueil vindicatif, se redressa avec une rage désespérée:

—Madame la régente fera ce que je lui dirai de faire.

—Vous avez donc sur elle une autorité bien absolue? Vous vous croyez donc bien sûr de l'influence par laquelle vous la dominez?... Vous ne supposez donc pas que quelque circonstance puisse détruire ce lien?... Si c'est un secret, prenez garde,—la sagesse dit qu'il n'y a d'inviolables que ceux qui ne sont connus que de soi... Si c'est un crime,—Marguerite de Valois, en accentuant ces mots, s'était redressée de toute sa hauteur, imposante et magnifique comme l'incarnation de la justice céleste,—si c'est un crime, la sagesse dit encore que nul ne reste impuni.

—Votre Altesse, balbutia le chancelier, a des formes de discours impétueuses...

—Dites que j'aborde avec courage les objets les plus redoutés; dites que je plonge un regard au fond des abîmes... N'est-ce pas là qu'il faut aller chercher la vérité?... Les fantômes s'évanouissent devant celui qui a la vaillance de les poursuivre. Il en est de même de certains secrets, de certains pactes...

—Ne parliez-vous pas de votre sincérité, tout à l'heure, messire? Eh bien, je serais capable, sachez-le, de vous donner, à l'occasion, une preuve de la mienne,—s'il arrivait, ce qui ne doit pas arriver, messire, une recrudescence de persécution contre les captifs de la Grosse-Tour; moi, la sœur du roi, j'irais trouver le roi,—si loin qu'il fût!—et je lui dirais une seule parole, je prononcerais devant lui un seul nom, qui lui dessillerait les yeux et lui ferait connaître ce dévouement dont vous vous targuez.

Cette parole, ce nom, c'est tout un drame, c'est la page rouge de son règne,—elle a été tracée par vous, messire, avec du sang innocent:—souvenez-vous de SEMBLANÇAY!!!

A ce nom de la plus signalée de ses victimes, une teinte livide envahit les traits d'Antoine Duprat.

L'ombre du surintendant se montrant à lui, ne l'eût pas plongé dans une stupeur plus cruelle que ce reproche d'homicide, éclatant à son oreille par cette voix indignée.

Mais ce ne fut qu'un éclair. Satan, foudroyé, ne tarda pas à relever son front marqué du sceau infernal, et il le releva plus redoutable et plus audacieux qu'avant sa chute.

Il éclata en un rire nerveux et rauque, tel que doit être celui des damnés; la princesse elle-même en ressentit un vague effroi:

—Vous m'avez dit le nom de la victime, exclama-t-il; eh bien, voulez-vous que je vous dise, moi, celui du délateur?... Prononcez plutôt une autre parole, celle que j'ai sollicitée à vos genoux, et le nom de Rainier Gentil remplacera sur la liste d'écrou des fosses du Louvre celui de Jacobus de Pavanes...

—Infâme!... s'écria la princesse; vous osez espionner et insulter la sœur de votre roi!...

Le lecteur a tout compris, sans nul doute: le monstre suspendu à la fenêtre de l'oratoire de la princesse avait reconnu dans un des deux hommes masqués admis en sa présence le traître Rainier Gentil, et avait tout dénoncé à Duprat.

Ce Rainier Gentil était Italien de naissance; il était conseiller aux enquêtes, et secrétaire du baron de Semblançay; c'était lui qui, vendant son maître, avait soustrait dans son chartrier les pièces faisant foi de son innocence, pour les donner à Antoine Duprat.

C'est à lui que font allusion ces vers où Clément Marot, dans l'élégie consacrée par ce poète à la mort de Semblançay, fait dire à cette grande victime:

En son giron jadis me nourrissait
Douce fortune, et tant me chérissait...
Mais cependant sa main gauche très orde
Secrètement me filait une corde
Qu'un de mes serfs, pour sauver sa jeunesse,
A mis au col de ma blanche vieillesse.

—Mon roi, répliqua le chancelier, brisant tout faux respect,—mon roi connaît mon ardeur à le servir...

—Traître! il connaîtra votre forfait!... Vous lui avez arraché l'arrêt de mort de l'homme qu'il appelait son père!... Tremblez, il saura tout!...

Duprat fit entendre un rire strident, pareil au sifflement d'une vipère, et grimaçant une entière assurance:

—Le roi François Ier est un prince éclairé, dont on ne surprend pas aisément la religion. Il ne se rend que sur de bons motifs.

—Celui-ci n'est pas assez terrible, peut-être!...

—Le roi n'a pas condamné le surintendant sans l'entendre. Lorsque le baron de Semblançay a osé accuser la mère du roi, pour se justifier du grief de péculat, le roi lui a demandé des preuves...

—Des preuves!... répéta Marguerite avec délire.

—Le roi, poursuivit Duprat, demandera aussi des preuves à sa sœur. Mais sa sœur ne pourra les lui fournir, et les eût-elle, elle hésiterait peut-être; car ces preuves, elles ne condamnent pas seulement son ennemi le premier ministre, mais sa propre mère...

—Ah! oui, n'est-ce pas, vous vous êtes dit: —La princesse Marguerite connaît la vérité sur le procès du surintendant, elle sait que j'y ai pris la plus grosse part, mais qu'importe! elle ne pourra faire entendre à son royal frère que des accusations sans consistance, et puis elle ne voudra pas livrer sa mère pour le plaisir de perdre un ministre, et de sauver son amant.

N'est-ce pas, je lis à livre ouvert dans votre pensée, monseigneur. C'est bien cela!... Vous vous êtes tenu ce langage!...

Eh bien, j'en suis fâchée pour votre pénétration, vous vous trompez!... Pour délivrer le monde d'un monstre tel que vous, pour sauver le chevalier de Pavanes, qu'elle aime de toute sa tendresse de femme, de toute l'horreur que vous méritez, de toute la haine que vous portez à ce noble captif, —pour accomplir cela, la princesse Marguerite ne reculera devant rien!...

On eût dit une lionne courroucée, dont le chasseur téméraire a frappé le compagnon dans la saison des amours.

Elle agitait son épaisse chevelure comme une plantureuse crinière, ses yeux dardaient des regards de feu, et ses blanches mains s'agitaient en des mouvements à la fois gracieux et menaçants.

Antoine Duprat affecta de rentrer dans le calme, à mesure que son interlocutrice se montrait plus exaltée.

—Votre Altesse y réfléchira, dit-il, elle ne tentera pas une fausse démarche. Le roi ne prendra pas parti contre son premier ministre et sa mère, s'il ne lui est valablement démontré qu'ils ne sont pas victimes d'une calomnie...

Allons, Altesse, vous voyez que je suis le plus fort, le plus habile, et que mes serviteurs rendraient des points aux vôtres dans ce genre d'escarmouches...

Cette hypocrite placidité acheva d'éperonner sa colère.

—Sur mon âme, dit-elle, en lui lançant ses arguments en traits acérés par le sarcasme, à vous entendre, messire, on croirait que les honnêtes gens sont condamnés à servir de jouet aux autres, et que la cause juste inspire moins bien ses soutiens que la mauvaise!... Vous vous abusez, je vous jure! Quand on sait à quels adversaires on s'attaque, on se prémunit en conséquence. Pensez-vous donc que je n'aie pas songé à ces subterfuges, à ces subtilités sur lesquelles vous vous êtes fié?...

«Parce que ces témoignages écrits sont détenus par vous, me croyez-vous donc désarmée? Me jugez-vous donc si imprudente que j'eusse été vous faire connaître mes découvertes et mes desseins, pour le plaisir de vous braver et de vous dire mes projets?...

«Allons, messire, vous êtes trop bon diplomate pour supposer tant d'inconséquence à une femme de la cour, à une femme amoureuse!...

«Il est plus d'un moyen de convaincre le roi. Vous êtes maître des témoins muets du forfait qui crée une alliance odieuse entre la régente et vous; mais s'il existe un témoin vivant, un troisième complice...

«Si, garanti par moi, ce complice repentant, et moins coupable que les autres, d'ailleurs, confesse et déclare au roi la trame à laquelle il prit part, le roi hésitera-t-il encore?...»

Le chancelier poussa de nouveau son rire d'aspic.

—Malheureusement pour tant d'habileté, dit-il, ce complice, ce témoin ne fera pas cette confession.

—Et qui l'en empêchera?... Cet homme est à moi!

—Cet homme n'est à personne, madame, il appartient à la loi.

—Que prétendez-vous dire?

—Je veux dire qu'un homme a été arrêté, il y a quelques jours, comme il sortait furtivement, à l'abri de la nuit, du palais du Louvre...

—Vous avez osé!... s'écria la princesse, pâle d'indignation.

Duprat poursuivit imperturbablement en aiguisant à son tour chaque syllabe:

—Cet homme était recherché pour crime de concussion dans des fonctions publiques... A l'heure que voici, on le juge devant le tribunal qui a condamné le surintendant Semblançay à mort, pour un motif absolument pareil... Il est vraisemblable que les magistrats qui ont si bien compris leur devoir une première fois, n'y failliront pas aujourd'hui.

—Savez-vous que c'est véritablement infâme, de rendre la justice, qui est religion et chose sacrée, complice de tant d'abominations?...

—Et alors, reprit le chancelier avec son calme sardonique, Votre Altesse comprend le surplus: ce délateur mort, plus d'indiscrétions possibles, plus de témoin importun.

—Ah! c'en est trop! je devancerai vos coups, je préviendrai cet arrêt d'iniquité... Ou plutôt, je m'égare, il est impossible que le parlement laisse deux fois surprendre sa conscience; il refusera le service odieux qu'on ose réclamer de lui...

—Écoutez, interrompit Duprat.

Il alla à la fenêtre donnant sur le quai et l'ouvrit.

Un crieur public s'était arrêté en face, et sa voix monta jusqu'à la princesse:

«Arrêt du parlement, qui condamne maître Rainier Gentil, conseiller aux enquêtes, à être pendu au gibet de Montfaucon, pour crime avéré de péculat dans des fonctions publiques, et ordonne que l'exécution aura lieu dans les vingt-quatre heures, à la diligence de M. le procureur au Châtelet.»

Marguerite de Valois se soutint au dossier d'un fauteuil: ses jambes fléchissaient sous elle.

—A présent, madame, demanda le chancelier, conviendrez-vous que je l'emporte?... Eh bien, fit-il en se rapprochant avec une ardeur involontaire, et en modérant les inflexions de sa voix, il ne tient qu'à vous que tout ceci soit un rêve, que le conseiller Gentil vive, et que le captif des fosses du Louvre soit mis en liberté.

A cette nouvelle et outrageante proposition, toutes ses forces lui revinrent, et de son geste impérieux montrant la porte à ce tentateur exécré:

—Sortez! lui dit-elle.

XXI
LE PHILTRE DE L'ALCHIMISTE

En des temps comme ceux-là, dans un pays gouverné par des mains telles que celles de Louise de Savoie et d'Antoine Duprat, la justice n'a pas un bandeau, mais un voile pour se cacher la face; ce n'est pas une balance, c'est une hache qu'elle tient.

Le conseiller Gentil, cet Italien infâme qui avait secondé le crime de la régente et du chancelier, méritait la mort, à coup sûr, et c'était un acte providentiel qu'il la reçût de l'homme auquel il avait sacrifié son loyal maître. Mais son arrêt, tel qu'il fut rendu, n'était pas moins inique, car il reposait sur des griefs imaginaires, et non sur son forfait trop réel.

Duprat n'avait garde, en effet, de mettre l'accusation sue ce terrain; il lui importait à tout prix d'étouffer le mystère de l'affaire de Semblançay.

Quelques années auparavant, nous l'avons dit plus haut, soupçonnant Jean Poncher, général des finances, seigneur de Chainfreau, secrétaire du roi, ancien argentier de Charles VIII et de Louis XII, d'être sur la voie de la vérité, il s'était hâté de se défaire de lui, sans s'inquiéter de son rang ni de ses titres, par un de ces mêmes arrêts d'un tribunal servile.

Jean Poncher, innocent et intègre, avait été pendu, sous prétexte de péculat, comme le surintendant Semblançay, et aujourd'hui, Rainier Gentil, seul coupable dans cette trame ténébreuse, et le seul qui pût relever la vérité, subissait la même peine.

C'était donc la troisième tête qui tombait pour assurer le repos des deux instigateurs, des deux seuls personnages qui eussent profité de la dilapidation des fonds de l'armée, la régente et le premier ministre.

Il eût fallu en immoler cent autres, cent autres eussent péri: quand on est entré dans cette voie, on ne s'arrête plus.

Rainier Gentil était d'ailleurs loin de jouir de la même estime que le baron de Semblançay et que Jean Poncher; son supplice ne souleva pas les mêmes réprobations que le leur. Son innocence fut peu discutée par l'opinion, qui s'étonna tout au plus, tant on l'avait accoutumée à ces formes judiciaires, de la promptitude et de la discrétion avec laquelle son procès avait été conduit.

Évidemment, tout s'était passé de façon qu'il ne pût ni se défendre ni tenter la révélation de ce qu'il savait touchant ses deux puissants complices. Le chancelier assistait à la séance, près du président, et dès que l'accusé essayait de prendre la parole, on lui imposait silence sous menaces de le mener à la salle de la question, et de le juger en son absence.

La cour, subissant d'ailleurs l'influence du chancelier, affecta de ne pas s'émouvoir de l'exécution; on s'en occupa un jour à peine au Louvre, comme d'un acte de bonne justice.

La régente, qui en profitait pour sa sécurité propre, en manifesta elle-même un contentement qui acheva d'imposer aux courtisans l'attitude qu'on attendait d'eux.

Il survint enfin une circonstance qui ne permit plus d'y songer, sous peine de se mettre en opposition flagrante avec le vent du pouvoir: la princesse Marguerite fit distribuer des invitations pour une petite fête intime.

Les plaisirs bruyants, tels que la danse et le jeu, devaient en être exclus, mais on y retrouverait les amusements moraux, les exercices intelligents et gracieux qui naguère signalaient ces réunions chez la dixième muse, ainsi que les poètes la qualifiaient.

Cette nouvelle causa d'abord une grande surprise. Depuis la mort de la reine Claudine, celle du duc d'Alençon et la captivité du roi, il ne s'était tenu au Louvre d'autres assemblées que les audiences glaciales et attristées de la régente.

Tout l'intérêt fut pour ce signe de renaissance, on se confondit pour y trouver mille prétextes plus ou moins plausibles, et, en fin de compte, les invités se préparèrent à s'y rendre, en tenant fort peu de cas des idées de la régente sur la modération nécessaire dans le costume.

Bref, il y avait si longtemps qu'on ne s'était trouvé en demeure de se parer, que les cavaliers et les dames déployèrent un luxe qui rappelait de loin les folies du camp du Drap-d'or.

La fête ainsi improvisée eut donc le sort heureux des plaisirs que l'on n'a pas prévus, et dont pour cela on profite bien mieux que de ceux dont on escompte d'avance les jouissances.

L'appartement de la princesse, situé, comme on sait, dans l'aile méridionale du palais, avait vue également sur la rivière et sur la cour, et sur les jardins intérieurs.

A l'exception de l'oratoire donnant de ce dernier côté et relégué dans la partie la plus retirée du logement, toutes les fenêtres se montrèrent éclairées à la fois; si bien que de l'autre côté de la Seine, les habitants du faubourg Saint-Germain durent se demander avec surprise d'où venait ce réveil, et quelle fête non prévue par le calendrier se célébrait là-bas.

Il y eut musique vocale et instrumentale, lecture de poésies, exercice devenu fort rare depuis la persécution des lettrés.

La duchesse d'Alençon elle-même récita un fabliau de sa composition, qui n'obtint pas un succès de complaisance, mais un de ces accueils sincères tels que les décerne un véritable parterre enthousiasmé. C'était un des contes qui devaient composer plus tard le *Heptaméron*, et devenir immortels.

Elle avait gardé sa toilette de deuil; mais, pour faire honneur à ses invités, elle s'était résignée à y ajouter quelques parures, à se faire coiffer avec quelques ornements; ses cheveux bouffants et relevés portaient au sommet sa couronne de duchesse entrelacée d'un léger crêpe.

Elle se multipliait plus vive, plus affable, plus gracieuse qu'en aucun temps. Elle avait des sourires pour tous, des paroles aimables pour ses intimes, et son charme rejaillissait sur l'assemblée.

C'était une gaieté communicative et que ne gênait aucune influence fâcheuse, car le chancelier Antoine Duprat avait été excepté des invitations. Sa présence importune eût tout gâté; cet homme avait le privilège de porter avec lui la contrainte et la défiance.

On conçoit que la princesse devait l'exclure. Le résultat de leur dernière entrevue les avait rendus irréconciliables.

Duprat était le mauvais génie de la cour, et cependant la princesse, qui écrivait des contes, eût peut-être fait sagement de se rappeler celui des banquets auxquels on oublie de convier la méchante fée!...

Triboulet, qui tirait beaucoup moins à conséquence, et qui n'était pas susceptible de garder, ostensiblement du moins, rancune d'une parole offensante, s'était impudemment glissé parmi ces beaux seigneurs et ces belles demoiselles.

Les pages ni les huissiers n'avaient pas d'ordre pour l'en empêcher, et Marguerite de Valois, ne voulant pas troubler par le moindre nuage la gaieté de ses invités, fit semblant de ne pas le voir.

Peut-être bien calculait-elle qu'il valait mieux qu'il ne fût pas en ce moment à épancher son venin avec le chancelier, et qu'il pût, après la fête, lui porter le témoignage de l'entrain dont il aurait été témoin.

Puis encore, sa verve et ses saillies contribuaient à cette gaieté.

Il allait, venait, se montrait partout, lutinait chacun, lançait des épigrammes, débitait des lazzis. La pétulance de ses saillies émerveillait ceux qui étaient les plus blasés sur ce chapitre.

En roulant ainsi de pièce en pièce, il s'égara quelques minutes dans la salle à manger, où les varlets venaient de disposer un souper splendide.

Sa taille lui permettait de se faufiler derrière les sièges ou sous les tables sans être aperçu.

Leste comme une des levrettes dont il était le compagnon, il se blottit derrière le dossier du fauteuil destiné à la princesse, au haut bout de la salle, à gauche d'un autre siège surmonté de l'écu aux fleurs de lis, réservé à la régente.

Et c'est alors qu'il eût fallu le voir!

La prunelle ardente, les narines enflées, l'écume au coin des lèvres, sinistre autant qu'il affectait d'être insouciant tout à l'heure, il tira de son pourpoint un imperceptible flacon de grès, et étendant le bras vers une aiguière de vermeil, posée devant le couvert de la princesse, il y vida tout le contenu de sa fiole.

Il tenait d'une main sa marotte inclinée vers la natte.

Marguerite de Valois, par suite de son état maladif, depuis ces derniers temps, ne buvait pas de vin, mais seulement une espèce d'orangeade, prescrite par un docteur. Cette aiguière ne servait qu'à elle.

Le nain malfaisant se glissa ensuite, tout bouleversé par son action, sous la table, et sortit à l'autre bout de la salle, pour courir rejoindre les invités dans un salon voisin. Il ne songea même pas à se retourner, crainte peut-être de se voir poursuivi par son ombre, — les méchants ont peur de tout.

Cependant, s'il eût vu quelque chose, ce n'eût pas été cette ombre de lui-même, mais entre deux rideaux d'une tenture entre-bâillée, les yeux vigilants et les traits austères de Michel Gerbier faisant fonctions d'intendant de sa maîtresse.

Gerbier ne rappela pas le bouffon, il le laissa partir au contraire, puis il alla prendre l'aiguière, et en changea le contenu, par précaution pure, car il avait reconnu le flacon dont s'était servi Triboulet, et ce flacon, sorti du laboratoire de Jean de Pavanes, ne l'effrayait pas.

Chose singulière, à mesure qu'il se rapprochait des salons, Triboulet, loin de reprendre sa belle humeur, devenait plus sombre. Il s'agitait, se démenait en vain pour s'exciter lui-même; le rire se refusait à refleurir sur son visage, et il se sentait si lugubre, qu'il n'osait se montrer en cet état; il avait peur qu'on ne lût sa mauvaise action dans son trouble.

Au lieu donc d'entrer tout d'un coup dans la foule, il prit un détour afin de gagner le temps de se remettre.

Nous l'avons dit, c'était une nature incomplète; il aimait le mal, mais sans en posséder toute la profondeur.

Dans ce détour, il aperçut deux femmes qui traversaient à la hâte une galerie joignant la chambre de la princesse.

Son instinct d'espion l'entraîna sur leurs pas; elles se glissèrent dans un cabinet de toilette, et il reconnut la princesse et mademoiselle de Tournon.

—Vite, vite, chère Hélène, disait Marguerite, du blanc sur mon front, du rose sur mes joues, du carmin sur mes lèvres!...

Et elle se laissait tomber sur une chaise devant une table chargée de cosmétiques.

Dans leur hâte, elles avaient seulement poussé la porte, et l'entre-bâillement permettait d'observer et d'entendre tout.

La glace placée sur la toilette renvoya au bouffon l'image de la princesse; cette image lui fit peur.

La belle des belles était pâle et défaite comme une morte.

—Ah! que je souffre, soupira-t-elle.

—Du courage!... encore cet effort, ma chère dame!... lui dit Hélène en s'efforçant de réparer, à l'aide de fard et de couleurs, les ravages de cette figure flétrie soudainement.

Marguerite de Valois se laissait faire, elle était anéantie.

— Et dire, reprit-elle, que voilà trois fois, depuis deux heures, que je suis obligée de recourir à ce mensonge, pour ne pas faire horreur à mes invités!... L'émoi, les angoisses qui me torturent font couler mon fard et fondre mon carmin.

— Chère maîtresse, ne vous laissez pas abattre au moment décisif.

— Sois tranquille! Ne vois-tu pas comme je suis rieuse, affable; comme je mêle mon mot à tous les entretiens; comme je souris a tous les groupes!... Va, Dieu me sera en aide, j'irai jusqu'au bout... si je ne suffoque pas!... reprit-elle en comprimant avec sa main son sein gonflé par les tortures.

Hélène, tout en remplissant sa tâche, laissa perler une larme qui vint brûler la main de sa royale amie.

Celle-ci la regarda alors avec une inexprimable affection.

— Tu pleures de mes maux, tendre sœur, lui dit-elle: oh! merci, va! cette larme te sera comptée au ciel!... Ah! je n'ai pas le droit de pleurer, moi!... je donne une fête!... Que Dieu pardonne à ceux qui me rendent si malheureuse, et qu'il m'accorde cette nuit la réussite de mon projet suprême, ou qu'il reprenne ma misérable vie!...

Sa confidente sentit la nécessité de rompre cet épanchement.

— Voici le mal réparé, dit-elle; hâtons-nous de rentrer dans les salons, on y remarquerait l'absence de Votre Altesse, et l'heure du souper est venue.

Quelques secondes après, elles repassaient plus fraîches plus animées, au milieu de la brillante assistance, où déjà Triboulet faisait tinter ses grelots.

Mais, à son extrême contentement, il ne fut pas obligé de recommencer ses facéties, car des pages, porteurs de candélabres aux bougies parfumées, ouvraient les abords de la salle du festin, où la régente et sa fille précédaient le reste de la cour.

Michel Gerbier, une chaîne d'argent fleurdelisée au cou, présidait au service, un maître-queux découpait les pièces sur un buffet, et des varlets, écussonnés sur toutes les coutures, pourvoyaient aux besoins des convives.

Le fou de la cour se tenait près d'un dressoir surchargé de vaisselle, se faisant petit et silencieux pour ne pas y être découvert.

Il tenait d'une main sa marotte inclinée vers la natte du parquet, et se rongeait, jusqu'à en faire sortir le sang, les ongles de l'autre.

Il eût fallu une sensation bien plus cuisante pour l'arracher à l'attention qu'il portait à la princesse Marguerite.

A travers l'éclat des bougies, le reflet des cristaux, le rayonnement des vases d'or; au milieu de l'atmosphère saturée de parfums de toilette et d'aromes culinaires, dominant de son siège élevé, jumeau du trône de sa mère, la longue file des invités, elle paraissait plus qu'une femme, plus qu'une altesse, elle semblait une de ces déités que l'antiquité revêtait d'une forme féminine, pour idéaliser la beauté et rendre la divinité palpable.

Les varlets ayant commencé à remplir les coupes, Michel Gerbier prit l'aiguière de vermeil placée devant sa maîtresse, et versa de l'orangeade jusqu'au bord du hanap qu'elle tendait de sa main délicate.

L'intendant versait hardiment, sans trahir aucune méfiance, et cependant Triboulet, dont le cœur battait par saccades violentes, ayant cru voir son œil dirigé vers l'angle où il se dissimulait, éprouva une défaillance, et s'affaissa sur ses talons.

Ce bruit insaisissable se perdit dans celui du banquet; et quand le fou royal se hissa sur la pointe des pieds, peu de secondes après, pour fixer encore son regard vers l'astre qui le fascinait, l'intendant était dans une autre partie de la salle, et Marguerite de Valois faisait raison aux santés de ses convives, en buvant une longue gorgée de son breuvage particulier.

Toutes les arquebuses du Louvre auraient pu éclater en cet instant aux oreilles du bouffon, sans qu'il les entendît. Son existence, ses aspirations étaient attachées à cette coupe. Au mouvement de ses lèvres, on eût juré qu'il la buvait lui-même.

Lorsque la princesse la reposa sur la table, il passa sa manche sur son front, comme un homme qui vient d'accomplir un rude labeur; il poussa un soupir pareil à un gémissement, et commença à grimacer un sourire hébété, qui se termina par un frémissement de tous les muscles de sa face.

Son œil halluciné par la persistance de sa contemplation, et son imagination enfiévrée lui montraient la princesse changeant de couleur et blêmissant sous son fard.

Parfois, il croyait la voir pâmée entre les bras de ses serviteurs; le moindre de ses mouvements lui procurait des angoisses étranges. Un observateur superstitieux eût certainement pensé que le bouffon croyait sa destinée attachée à celle de la sœur du roi.

Il trépignait d'impatience, se tordait d'inquiétude, roulait des yeux hagards; véritablement, ce soir-là, il était fou.

Il y avait des instants où les oreilles lui tintaient, le choc des gobelets devenait pour lui un grincement lugubre; les éclats de gaieté, des cris de menaces sardoniques. Alors, il se prenait les tempes à deux mains et cherchait à appuyer son front sur le bord froid du marbre du dressoir, pour se calmer par cette sensation.

Enfin, ce supplice eut un terme.

Il était neuf heures, la princesse se pencha vers sa mère, lui dit un mot, et la régente se levant, ce fut le signal de la retraite.

Les deux princesses s'embrassèrent, Louise de Savoie fit signe à sa favorite, la petite d'Heilly, de s'approcher et de l'accompagner; Marguerite de Valois envoya un sourire d'adieu à ses invités, et prenant le bras de mademoiselle de Tournon, regagna sa chambre.

Triboulet eut une impulsion involontaire, comme s'il allait s'élancer sur sa trace; son gros torse s'agita sur ses frêles fuseaux incrustés dans le plancher, ses bras suivirent le mouvement de son torse, il baissait déjà la tête à l'exemple du bélier qui donne en avant contre l'obstacle de son chemin; Michel Gerbier, l'intendant, l'échanson, se trouva devant lui, et son aspect le fit reculer jusqu'au fond de l'angle discret qu'il commençait à fuir.

Le père nourricier de la princesse Marguerite n'offrait pourtant rien de terrible. La paix, le contentement régnaient sur son excellente figure, sa démarche était à l'avenant, celle d'un majordome qui se réjouit du succès d'une fête dont il avait la responsabilité.

Les convives les plus retardataires achevaient de disparaître au fond des galeries avoisinantes; les varlets éteignaient les girandoles, les pages retournaient à leur dortoir. La tranquillité succédait à l'animation et au bruit.

Gerbier se montra surpris et content de rencontrer le bouffon sur ses pas.

Eh! par là, mordieu! s'écria-t-il, c'est maître Triboulet! Qu'êtes-vous donc devenu pendant le festin, mon joyeux compère? On ne vous a pas vu... Pensiez-vous que l'ordonnateur vous eût négligé?... Vous eûtes tort; votre place était marquée: la folie ne nuit jamais dans un souper de prince.

Le bouffon allait répondre, il lui coupa la parole.

—Pas d'excuses, dit-il, tout peut se réparer. Les maîtres ont festoyé, mais cela ne remplit pas la panse des serviteurs. Messire Triboulet, si vous êtes en bonnes dispositions, c'est moi qui vous invite.

Le bouffon, suffoqué d'abord en se voyant rencontré dans son coin par Michel, pour lequel il ressentait une méfiance innée, céda à cet accueil engageant. Les soucis qui couvraient son front de rides pareilles à des cordes rugueuses s'amoindrirent peu à peu, puis se changèrent en une satisfaction rutilante, lorsque l'intendant ajouta:

—Nous n'aurons pas loin à aller. Vous savez qu'un bon majordome sait penser à ses maîtres, sans s'oublier. Ma foi! j'ai fait mettre de côté, là, dans un office, où nul ne nous dérangera, un quartier de venaison, la moitié d'un pâté de paon, un chapelet d'ortolans rôtis, et quelques fioles d'un vin d'Argenteuil dont vous me direz des nouvelles.

—Là, tout près?... répéta le bouffon pour lequel cette circonstance avait un intérêt considérable.

—Au bout de ce couloir; tenez, vous voyez la porte. Vous acceptez, n'est-ce pas?

—Pour vous obliger, ricana le bouffon avec un clignement d'yeux aussi aimable que possible; je pense que vous êtes comme moi, je ne trouve rien de fâcheux comme de souper sans compagnie... et puisque le vin est bon...

—Soyez sans crainte. Je ne vous verserai pas de l'orangeade, comme à madame Marguerite!...

Ce diable de Michel Gerbier eut beau dire cela avec un gros rire de bonhomie, sa plaisanterie figea le sang dans les veines de son invité.

Mais il eut honte de cette impression, et, secouant frénétiquement ses grelots, pour se donner une contenance:

—Pouah! de l'orangeade! une médecine qui rend malades les gens en bonne santé!... Vous êtes expert ès matières de gourmandise, maître Gerbier; j'ai faim de venaison et soif de vin d'Argenteuil!

—Alors, mon camarade, aux fourchettes et aux bouchons!

Des mets succulents et surtout épicés par un raffinement perfide, encombraient la table de l'office.

Le majordome referma avec précaution la porte sur lui et son compagnon, et ayant donné une escabelle à celui-ci, se mit en devoir d'ajouter au menu les objets indispensables à un couvert complet: fourchettes à trois dents, couteaux bien affilés, et deux gobelets d'étain, luisants comme de l'argent, qu'il prit sur une étagère, où peut-être ils ne se trouvaient pas tout à fait rangés par hasard, comme ils en avaient l'air.

Absolument pareils à première vue, ils portaient cependant vers le milieu de leur hauteur, une lettre gravée différente. Mais qui eût été s'aviser et surtout se préoccuper de cela!

L'amphitryon en donna un à son hôte et plaça négligemment le second à sa place, puis, ayant apporté sous sa main plusieurs bouteilles de grès à large encolure, il attaqua la pièce de venaison.

Dès les premières bouchées, la soif s'alluma de part et d'autre.

Michel fit sauter un bouchon et remplit jusqu'au bord les gobelets, puis tendant le sien pour trinquer:

—A nos santés, maître Triboulet!...

—A notre festoiement perpétuel en ce monde et en l'autre!

Et le bouffon choqua son gobelet contre celui de l'intendant, mais sans se presser de boire.

Il n'y a que les empoisonneurs pour vivre sous la peur continuelle du poison.

Michel Gerbier ne fit pas mine de voir cette hésitation, il engloutit son vin en deux gorgées.

Triboulet, gagné et rassuré par son exemple, le suivit de près.

L'éloge du liquide et celui des mets se succédèrent dès lors sans interruption, au milieu des rasades et des meilleurs morceaux.

Le bouffon n'attendait plus qu'on lui versât, il allait au-devant des fioles. Il buvait, buvait, buvait, non pas en joyeux viveur, car, malgré ses efforts, il ne trouvait pas un lazzi pour payer l'hospitalité de son compagnon; une insurmontable humeur noire éteignait ses intentions de gaieté; il buvait en homme qui cherche à s'étourdir.

Mais, loin de remplir ce but, le vin ne servait qu'à compliquer la tempête et le tumulte qui grondaient en son cerveau.

Deux idées fixes, indélébiles, obstinées, se dressaient surtout devant lui: la mixtion qu'il avait jetée dans l'aiguière de la princesse, et la scène du cabinet de toilette.

Il continuait de boire, que depuis longtemps déjà il ne mangeait plus, mais c'était à la façon de ces ivrognes taciturnes que le vin n'a plus la vertu d'égayer, ni même d'étourdir.

—Eh bien! maître Triboulet, fit le majordome après l'avoir observé silencieusement, ne me chantez-vous point, pour terminer cette petite frairie, une de vos bouffonneries exhilarantes?

—Foi de gentilhomme! répondit-il péniblement, ce n'est pas la volonté, c'est la voix qui me manque. Je me sens incapable de donner une note.

—Plaisanterie pure; je ne vous demande pas des sons de rossignol, mais un refrain que je puisse répéter avec vous.

—Excusez-moi, maître, je me sens tout maussade; c'est la faute de votre vin, vous m'en avez trop versé.

—D'ordinaire, plus on boit plus on rit, et vous êtes tout mélancolique.

—Mélancolique, moi! allons donc!...

Il voulut rire, mais la gaieté ne vint pas.

—Décidément, murmura-t-il, je crois que vous dites vrai; je ne me sens pas bien; et comment se fait-il que vous, qui m'avez tenu tête coup pour coup, vous conserviez votre bonne humeur?

—Hum! ma bonne humeur, répondit Gerbier en secouant la tête; il n'y a pas de quoi, cependant; le service de madame Marguerite n'est pas gai depuis longtemps.

Au nom de la princesse, Triboulet se ranima.

—Elle est fort tourmentée, la belle Altesse?

—Il faudrait le voir comme moi, pour s'en bien faire une idée. Ah! les grandeurs ne donnent pas la félicité!... Son existence se consume dans les chagrins, dans les larmes... Vous l'avez vue sourire et plaisanter ce soir, au milieu de ces gentilshommes et de ces damoiselles... eh bien, je peux vous avouer cela, la mort était en elle...

—Je le sais... prononça tout bas le bouffon, en proie à une émotion singulière.

—Elle passe ses nuits sans sommeil, ses jours sans sécurité. Autour d'elle semble s'agiter un monde d'ennemis implacables, acharnés à sa misère!... Et, seule pour lutter, elle n'a que moi et mademoiselle de Tournon à qui se confier; sa propre mère est l'alliée de ses ennemis!...

Triboulet écoutait en proie à une agitation morale de plus en plus prononcée; mais en même temps les forces physiques paraissaient lui manquer. Ses mouvements devenaient lourds, sa tête retombait malgré lui sur sa poitrine.

Michel Gerbier suivait chacun de ces symptômes, et, à mesure qu'ils augmentaient, sa voix devenait plus forte, ses déclarations plus nettes, ses aveux plus francs.

Il trouvait une éloquence irrésistible pour peindre les peines de sa chère maîtresse, pour flétrir ses persécuteurs, et, voyant le bouffon cloué à sa place par la torpeur insurmontable qui montait de sa poitrine à sa tête:

—Ces persécuteurs, exclama-t-il en se dressant avec force, tu es le plus lâche et le plus infâme de tous!

Le vieillard était transfiguré. Le majordome patelin, l'amphitryon caressant avait disparu. C'était un champion terrible, auguste, solennel, au regard redoutable.

—Qu'est ceci? Que prétendez-vous? balbutia le bouffon confondu.

—Je prétends que l'heure est enfin venue de te jeter tes vérités à la face! Infâme suppôt de Duprat, sache donc que je ne t'ai pas perdu de vue une minute durant toute cette soirée. Je t'ai vu te glisser comme un voleur et un assassin dans la salle du banquet, je t'ai vu répandre dans le breuvage de ma chère maîtresse le contenu de ton flacon criminel.

—Grand Dieu! s'écria Triboulet.

Mais son compagnon poursuivit:

—Par malheur pour toi, j'étais là, j'ai changé l'aiguière, et cependant je ne craignais pas ta sophistication... Ta fiole, pauvre fourbe, ne contenait que de l'eau pure, inoffensive...

—Gaspard Cinchi!...

—Gaspard Cinchi s'était joué de toi!... Le soporifique avait été livré pourtant et devait servir: tu voulais le faire prendre à autrui, et c'est toi qui l'as bu...

—Ce vin?

—Ce vin était sans mixture, je l'ai partagé avec toi, mais j'avais préparé ton gobelet...

—Malheureux!...

—Et veux-tu que je te dise pour quoi je te surveillais, pourquoi madame Marguerite, consumée de douleur, a donné une fête?... C'est parce que nous avons conçu un plan qu'il importait de tenir secret à ton maître et à toi; un plan qui va s'exécuter tout à l'heure, qui va rendre la sérénité de l'âme à madame Marguerite, et confondre les desseins de Duprat et les tiens!... Ah! tu as beau chercher à soulever ta tête, à user de tes jambes engourdies; tu es à moi, ou plutôt à ce philtre puissant, et le succès est à nous!...

Il jeta encore un regard sur le nain, transformé en une masse inerte, et s'apprêta à sortir en l'enfermant derrière lui.

Mais, par un dernier, par un suprême effort, Triboulet souleva sa grosse tête, et tournant de son côté ses yeux glauques :

—Malheur!... malheur! murmura-t-il; pauvre sot!... tu t'es trop méfié de moi... Je vaux mieux que tu n'as cru... Tu as pris pour de la tristesse ce qui était du remords... J'ai tant vu souffrir ta maîtresse que j'ai eu des regrets... Ah!... ma tête s'alourdit... J'eusse pu vous sauver... tu as voulu me perdre... un danger terrible vous menace... C'est ta maîtresse que tu as perdue...

Le Châtelet.

Il balbutia encore quelques syllabes inintelligibles, et sa tête retomba si pesamment sur la table, qu'elle imprima un soubresaut à la vaisselle.

Le vieillard, éperdu, se précipita vers lui, le secoua, l'inonda d'eau fraîche; quelques gouttes du philtre de l'alchimiste avaient provoqué ce sommeil, rien n'était capable de le rompre.

En cet instant, un refrain lancé par un batelier monta de la rivière jusqu'à l'endroit où ils étaient.

Triboulet eut un dernier tressaillement machinal, et Michel Gerbier lui jetant un regard désespéré, s'élança à travers les galeries vers la chambre de la princesse.

XXII
SUR LA GRÈVE

Qu'avait donc comploté et que savait donc Triboulet, ce séide assidu d'Antoine Duprat?

D'abord, son flair diabolique l'avait mis sur la voie des projets désespérés de la princesse; il n'avait pas été une minute dupe de la joie factice qui lui faisait donner une fête. Mais s'il voyait clairement que cette fête n'avait pour but que d'égarer l'attention, il ne se doutait pas des tortures qu'elle imposait à la pauvre Marguerite.

Triboulet valait mieux que Duprat.

Rien au monde n'était capable de détourner celui-ci d'un mauvais dessein. La vie de ses adversaires, le bonheur de ses ennemis étaient de faibles hochets qu'il brisait sans plus de scrupules qu'un enfant brise ses jouets.

Le bouffon, au milieu de ses penchants détestables, n'était pas aussi absolu, et quelquefois une bonne pensée surgissait parmi ses pires entraînements.

Il était possédé d'une passion insensée pour la même femme que son patron; mais on a vu déjà que, loin de prétendre comme celui-ci, à la réciprocité de sa tendresse, il se rendait justice et fût devenu, au prix de la plus légère faveur, son esclave dévoué.

Ses mépris, ses dédains avaient exaspéré son humeur; renonçant à la flétrir, il l'avait traquée pour la réduire au désespoir, pour perdre le rival heureux dont il enviait jusqu'à la captivité.

Maître de ses secrets, il avait livré le plus grave de tous à Duprat, dans un but horrible et qui ne pouvait être entrevu que par une imagination en proie à un délire infernal.

Tandis que le chancelier dresserait un piège à sa victime, lui, Triboulet, maître de leurs plans à tous, usant du philtre qu'il tenait précieusement en réserve, plongerait la princesse dans une sommeil insurmontable, et, s'introduisant près d'elle, aurait à sa merci cette beauté superbe.

C'était odieux, c'était infâme, c'était lâche, mais qu'attendre d'un tel être, transporté d'une telle frénésie!

Et vous l'avez vu, fidèle à son complot, ramper jusqu'à l'aiguière de la princesse, et y vider le flacon que la sage prévoyance de l'alchimiste avait rempli d'un liquide inoffensif.

Il aimait cette femme, pourtant; il l'aimait d'un amour sincère dans son exaltation. Ce qu'il faisait contre elle, c'était par la rage de cette passion misérable, à jamais condamnée à rester inassouvie.

Aussi, l'émoi qu'il ressentait en accomplissant la sophistication, sa défaillance après l'avoir accomplie, étaient autant des symptômes de désespoir et de remords que des marques de colère.

Il se voyait déjà maître de cette femme, livrée à lui par ce subterfuge; il allait la posséder à sa merci, plus heureux que Duprat, auquel elle ne serait jamais!... Oui, mais à quel prix? dans quel état? Et ce philtre, était-ce bien un soporifique et non un poison?

A cette idée, d'avoir peut-être à se reprocher la mort de l'œuvre la plus accomplie de la création, il avait cru mourir lui-même.

C'est en proie à ces violences, à ces luttes, tout prêt à courir renverser le breuvage pernicieux, qu'il s'était égaré jusqu'à la porte du cabinet de toilette.

La découverte des angoisses de la princesse l'avait frappé en plein cœur, comme un dard acéré. Il ne l'eût pas crue malheureuse à ce point; la haine, l'amour, la compassion, la concupiscence, se livraient dans son esprit et dans ses sens un combat furieux, et suivant que l'une de ces passions triomphait, il éprouvait tour à tour de la rage, du désir, et de la pitié.

Tous les raffinements de l'enfer l'avaient torturé durant ce long repas, où chaque atteinte portée par la princesse à sa coupe lui étreignait la poitrine comme dans un étau.

Il s'attendait à la voir défaillir d'instant en instant, il tremblait que la dose de la mixture n'eût été trop considérable, que le sommeil n'arrivât trop tôt, que Marguerite n'eût pas le temps de regagner sa chambre, et puis surtout l'idée du poison.

Lorsqu'elle s'éloigna, il aurait voulu s'élancer sur ses traces; retenu par un instinct de sûreté personnelle, il espérait, dans son coin, échapper à la vigilance des varlets. Surpris par Michel Gerbier, il avait accepté son invitation parce qu'elle lui fournissait le moyen le plus naturel de ne pas quitter les appartements, et qu'il comptait, par un expédient ou un autre, peut-être en grisant le vieillard, rester maître de la place.

L'éloge de la princesse, le récit de ses chagrins, dont la révélation ne cessait de le poursuivre, avaient porté un coup décisif à son esprit ébranlé.

Il songeait à réparer ses crimes, à prévenir les manœuvres du chancelier, à mériter, par un aveu, par un avertissement salutaire, le pardon de celle qu'il avait persécutée, au moment où, tombé lui-même dans le piège où il comptait la prendre, il avait perdu la faculté de parler et de se mouvoir.

Ses regrets venaient trop tard, et les bonnes intentions de Michel Gerbier tournaient au détriment de sa maîtresse.

A l'instant où le refrain du rameur retentissait sur la rivière, une clarté brillait à l'une des fenêtres du Louvre, retombé depuis une heure, c'est-à-dire depuis la clôture de la fête, dans les ténèbres; une clarté brillait et disparaissait rapide comme l'éclair.

Le batelier s'était tu aussitôt, n'essayant plus de lutter de poumons avec le meuglement de la tempête qui agitait la Seine, et soufflait en rafales le long de la berge et contre l'aile méridionale du vieux palais.

Michel Gerbier traversant les galeries, les salles, le lieu du festin, se lança, la tête perdue, dans la chambre de sa maîtresse.

Trop tard! les appartements ne comptaient pas un varlet, et la chambre était vide.

Où courir, où la trouver, où lui annoncer qu'un piège est sous ses pas, que le plus redoutable de ses ennemis veille dans l'obscurité, et qu'un danger plane sur sa tête?

Autant de problèmes insolubles.

Si du moins ce danger était connu, il se jetterait au-devant pour sauver sa chère Marguerite; mais non, rien! Triboulet s'est endormi avant d'avoir livré le mot de cette redoutable énigme.

Il s'approcha d'une croisée, de celle peut-être où avait lui peu auparavant cette clarté, qui pouvait bien n'être autre chose qu'un signal; machinalement encore, il tira le petit verrou qui en fermait l'un des châssis carrés, et l'ouvrit.

Le vent se précipita par la trouée et vint le fouetter au visage, chargé d'une pluie piquante comme de la grêle.

Les éléments étaient ce qu'il craignait le moins en cet instant; il avança la tête et chercha à découvrir ce qui se passait au dehors.

Il lui fallut quelques minutes pour se faire à cette obscurité mêlée de brume et de pluie.

La fenêtre donnait sur la berge étroite qui séparait le Louvre de la rivière.

Il ne distingua d'abord que les flots houleux, se creusant en vallons et s'élevant en monticules, avec des mugissements pleins de présages funestes. Puis, son œil plus aguerri reconnut un objet qui, tantôt grimpant sur les vagues, tantôt descendant avec elles, et s'efforçant de les prendre par le travers, se rapprochait du palais par de pénibles manœuvres.

Il y avait là une arche en plein cintre, conduisant, comme un tunnel, du Louvre à la rivière. C'était une sorte d'embarcadère terminé par un quai de dalles d'une ou deux toises de longueur, et par un escalier en moellons.

Une épaisse porte en madriers de chêne, bardés de traverses de fer, fermait l'ouverture du cintre, et ne s'était pas ouverte depuis plusieurs règnes. La cour élégante et raffinée de François Ier n'eût songé à se servir de ce chemin fangeux pour se rendre à une partie de batelets sur la Seine. C'était un travail appartenant au système de fortification du Louvre, et destiné dans l'origine au service des défenseurs de la place.

L'attention du majordome se concentra cependant vers cet endroit.

Était-ce l'effet de la crainte, ou une cause réelle? Il lui semblait apercevoir parfois des formes vagues au milieu des amoncellements de pierres et des arbres qui entouraient ce petit quai.

Ce qu'il avait vu glisser à travers les flots et les brisant était un bachot, dirigé par un batelier sombre comme toute cette scène, et qui parvint, non sans peine, à atteindre les degrés et à s'y maintenir.

Un bruit singulier se manifesta bientôt; c'était la porte antique et massive qui roulait sur ses gonds oxydés.

Le batelier se leva tout debout dans son bachot et fit mine de s'avancer vers le bord; il étendait les bras, et deux personnes, un homme et une femme, répondant par leurs gestes muets à cet appel, s'approchaient de lui.

Enfin, un seul pas les séparait encore... Michel Gerbier ne respirait plus; identifié à cette scène, il en ressentait toutes les émotions.

Tout à coup, il se rejeta avec effroi dans la chambre, ferma la fenêtre et ne voulut plus voir. La berge s'était éclairée; des torches avaient surgi, allumées par l'enfer, de chaque côté de l'arcade. Les deux personnages, sortis par la porte de chêne, se virent entourés par une escouade d'archers bardés comme pour un assaut.

Deux d'entre eux s'emparèrent du jeune homme qui ne put faire usage de ses armes.

Le batelier, bondissant sur le quai, l'aviron levé en forme de massue, en asséna un coup terrible sur le pot de fer qui coiffait le plus proche, et le renversa.

—Que faites-vous, mon père? s'écria le captif, saisi aussitôt par d'autres mains redoutables.

Mais le vieillard, c'était un vieillard, dont le feutre s'était envolé au vent, laissant voir une épaisse chevelure et une longue barbe blanches, le vieillard ne répondit pas.

Une hache s'était abattue sur son front, et le flot s'était ouvert pour l'engloutir avec un bruit funèbre.

A ce bruit, les archers eux-mêmes avaient frissonné; les voix s'étaient tues, on n'entendait que celle du jeune homme, qui répéta avec un long gémissement, en cherchant à sonder l'abîme de son regard désolé:

—Mon père! mon père! mon père!...

L'écho de la voûte voisine répéta trois fois ce triple appel; mais le fleuve s'était refermé, et la victime ne reparut plus.

Sa compagne s'élança alors, frémissante et résolue, pour l'enlever à ses persécuteurs, les domina un instant du regard et du geste:

—Arrière! ordonna-t-elle.

Cette attitude, cet accent faillirent leur faire rendre leur proie. Mais un homme, vêtu d'un toge noire bordée d'hermine, le visage caché sous un masque, et la tête couverte du mortier de la magistrature suprême, apparut alors à son tour entre eux et cette femme:

—Place!... s'écria-t-il d'une voix vibrante qui la fit tressaillir.

—Soldats, reprit-elle, je suis la sœur du roi.

—La sœur du roi ne court pas la nuit en compagnie d'aventuriers; sorcière ou femme, arrière, à votre tour! Je ne vous connais pas!... Cet homme est hérétique, décrété d'accusation, revendiqué par le sacré tribunal de l'inquisition.

—L'inquisition!...

—Oui, l'inquisition, dont un message de notre gracieux et très catholique souverain François Ier autorise l'établissement.

—C'est impossible! Le roi François Ier, mon frère, ne peut avoir signé cela!

—Vous en demanderez la certitude au parlement, qui, demain, enregistrera l'édit, et nommera les membres de la chambre ardente.

—Calomnie, vous dis-je, calomnie!... Et vous, qui que vous soyez, qui savez de telles épouvantables nouvelles, reconnaissez en moi, je le veux, la duchesse d'Alençon, la fille de la régente et la sœur de votre maître!

L'homme à la toge noire affecta de ne rien répondre à cet ordre, et d'un geste impérieux:

—Archers, au Châtelet! prononça-t-il.

Ainsi, ce n'était même plus dans les fosses du Louvre que le prisonnier allait être conduit.

Les hommes d'armes, impassibles comme leur consigne, se mirent en devoir d'obéir.

La princesse, c'était bien elle, hélas! se précipita vers son cher chevalier et s'attacha à lui, luttant contre ces hommes de fer pour le leur reprendre.

Alors seulement il parut se ranimer et la voir. Depuis la disparition de son père, il était demeuré anéanti, les yeux obstinément fixés à la place où le gouffre s'était entr'ouvert, puis refermé sur la noble victime.

—Merci, chère dame, dit-il en lui donnant un dernier baiser; merci, il faut nous rendre à la fatalité, vous voyez bien qu'elle est contre nous... Souvenez-vous des paroles et des enseignements de celui qui vient de mourir: «Le corps s'éteint dans le trépas; les âmes survivent, et leur récompense est de se retrouver dans une existence plus heureuse!...» Fût-ce dans un siècle, Marguerite, quelque chose me dit que nous serons réunis.

Les archers l'entraînèrent.

L'homme noir, avant de les suivre, lança un long regard ironique et venimeux sur la pauvre femme dont il venait de briser le cœur, et qui s'affaissa lentement, anéantie, sur la dalle humide et glacée.

Le lendemain, des mariniers trouvèrent un bachot chaviré, et le cadavre d'un vieillard jeté par le flot sur la berge en face du Louvre.

Le bachot s'était crevé en plusieurs places en talonnant contre les degrés de pierre, et le vieillard avait le crâne fendu d'un coup de hache.

XXIII
LE DÉPART

L'inquisition!... Duprat n'en imposait pas, c'était bien le cadeau que, du fond de sa captivité lointaine, et pour le prix des sympathies dont il était l'objet, François Ier faisait à son royaume.

La Sorbonne ne suffisait pas au zèle du chancelier, il lui fallait un tribunal spécial entièrement composé de ses créatures.

Ce fut d'abord aux livres et aux auteurs que l'on s'en prit, l'arrestation et le crime réel de Jacobus de Pavanes en donnent l'explication; le ministre avait à se venger du jeune lettré.

Antoine Duprat triomphait.

La nuit sanglante à laquelle nous assistions dans le chapitre précédent, ne cédait la place qu'à une œuvre encore plus sanglante.

Le jour le surprit présidant le conclave de ses nouveaux séides, leur délivrant leur charte, et préludant par ses instructions aux violences dont nous venons de donner une faible peinture.

Tous les luthériens étaient à ses yeux des Jacobus de Pavanes; afin de frapper celui-ci, il voulait les frapper en masse. Des aspirations sanguinaires rugissaient en lui, et il espérait les assouvir, comme si le sang n'appelait pas le sang, et comme si la hyène est jamais repue de cadavres.

Atteindre cette secte audacieuse et maudite, c'était d'ailleurs frapper du même coup Marguerite dans son affection de femme, dans sa foi de chrétienne. C'était s'attaquer à son cœur et à sa conscience, ces deux forteresses inaccessibles à sa passion et à son fanatisme.

Ah! c'était un grand calculateur, que ce grand misérable!

Une pensée importune ne laissait pas, au milieu de son conclave de jacobins inquisiteurs, de lui revenir sans cesse, comme ces aiguillons douloureux qui sont restés dans une plaie. Qu'était devenue la princesse? Que faisait-elle à cette heure?

Oui, l'idée de cette femme était inhérente à lui, comme la tunique du Centaure; il n'eût pu s'en délivrer qu'en enlevant les lambeaux de sa poitrine. C'était son châtiment.

Il l'avait laissée, elle, la sœur adorée du roi, seule, brisée, au sein de la nuit, sur les dalles imprégnées du sang de Jean de Pavanes, se tordant de désespoir, au bord du fleuve dont l'écume venait lui fouetter le visage.

Il l'avait méconnue, reniée, bravée. Il eût souhaité la rendre plus malheureuse encore, si la chose eût été possible. Et cependant, il essayait de descendre au fond de lui-même, il était contraint de s'avouer avec des rugissements intérieurs qu'il la trouvait belle, plus séduisante qu'aucune autre; que nulle n'avait soulevé en lui de pareilles tempêtes, et que sa détresse la rendait plus irrésistible que jamais.

Ses séides, étonnés, suivaient sans en pénétrer les vrais motifs les nuages qui obscurcissaient son front; et chaque fois qu'il avait suspendu son discours, dominé par ses tourments, il ne reprenait la parole que pour ajouter une rigueur aux rigueurs déjà prescrites.

Une circonstance l'étonnait aussi, c'était l'absence prolongée de Triboulet.

Le bouffon n'était pas de ceux que la plus auguste assemblée intimide, sa qualité de fou le rendait inviolable et couvrait ses témérités. D'où vient donc qu'il ne se montrait pas?

C'était lui qui avait mis son chef sur la voie du plan d'évasion combiné entre la princesse, l'ancien guichetier, le vieux Pavanes et les deux serviteurs dévoués, Hélène de Tournon et Michel Gerbier.

Triboulet, pénétrant partout, surveillant, espionnant tout, avait saisi les fils de cette tentative et les avait livrés à Duprat, qui avait organisé la contremine, trop bien exécutée.

Que le bouffon, conspirateur prudent, ne se fût pas montré au moment critique, rien de plus naturel; mais que devenait-il maintenant? N'avait-il pas vingt choses à apprendre à son patron et à lui demander?

Le lecteur, mieux instruit, connaît le motif insurmontable qui l'avait arrêté et mis à la discrétion de Michel Gerbier.

Il faisait jour lorsque son épais sommeil se dissipa.

Il se retrouva sur son escabelle, la tête appuyée sur la table chargée de mets, de flacons et de vaisselle, et tout d'abord il se crut en proie à un rêve moqueur.

Ce qui confirma un instant cette supposition, c'est qu'ayant voulu se remuer, allonger les bras, détirer ses jambes, il ressentit un engourdissement qui lui interdisait l'usage de ses membres.

La vue du gobelet perfide où il avait puisé le sommeil et l'ivresse finit pourtant par le remettre sur la voix. Il se reconnut. Il était dans l'office, mais il y était seul.

Alors il fut pris d'une profonde inquiétude sur les événements de cette nuit pleine d'embûches. Il se rappela, à son tour, la princesse trahie par lui et si malheureuse!

Quel que fût le résultat de ses projets, il comprenait que son affliction était au comble, soit que Duprat eût ressaisi sa proie, soit que le captif fût parvenu à s'enfuir, pour un exil perpétuel sans doute.

Ainsi Jacobus de Pavanes, ce rival détesté, n'était plus à craindre, et Duprat, le persécuteur, restait avec sa passion odieuse et sa méchanceté. A cette réflexion, Triboulet sentit croître la haine qu'il lui portait si sincèrement depuis longtemps, depuis surtout qu'il avait consenti à le servir.

Devenez donc meilleur, dit-elle sans colère!

L'impression qu'il en éprouva lui rendit le mouvement. Il bondit de son siège et courut vers une croisée donnant sur la cour du Louvre.

Un spectacle inattendu s'offrit à ses regards.

Michel Gerbier, entouré de serviteurs de la maison de madame Marguerite, présidait à un grand mouvement. Il y avait là une litière de voyage attelée de deux mules, dans laquelle on disposait des objets indiquant un départ immédiat, et d'autres mules sur lesquelles les pages et les varlets assujettissaient des bagages.

Tout ce monde, très-affairé, s'agitait dans un va-et-vient précipité, mais plein de circonspection, et prenait soin d'échanger ses observations à voix basse.

Le reste du palais paraissait dormir encore. Les rideaux des appartements de la duchesse d'Angoulême étaient clos, et rien ne trahissait la séance qui tenait le premier ministre debout dans son cabinet de travail.

Quelqu'un allait partir, quelqu'un de conséquence, assurément. Mais qui donc? Mais pourquoi ces préparatifs si soudains?

La réponse ne tarda pas. Une jeune femme en costume de voyage se montra sur le perron et vint parler au majordome. C'était Hélène de Tournon; elle paraissait précéder et attendre une personne, ce ne pouvait être que sa maîtresse.

Triboulet comprit le reste, et quitta précipitamment son observatoire.

C'était en effet Marguerite de Valois qui partait, et cette résolution n'avait pas été longue à germer en elle.

A peine le chancelier s'était-il éloigné avec ses soldats, entraînant le chevalier de Pavanes, et la laissant abimée dans sa fatalité, qu'un homme était sorti de la porte de chêne pour lui prêter son assistance.

C'était l'ancien guichetier, dont l'habileté avait tiré le captif de sa cellule et l'avait amené jusqu'au port, où il venait d'échouer. Cet homme avait craint de paraître devant Duprat; mais, plus compatissant que lui, il ne voulait pas laisser une pauvre femme sans secours en un pareil lieu, dans un tel moment.

A peine conservait-elle l'instinct de sa situation, les forces lui manquaient entièrement; heureusement il en avait pour deux. Il l'enleva dans ses bras, la rapporta dans la cour du palais, et joignant bientôt mademoiselle de Tournon, qui se tenait en vedette, réussit à la ramener dans son appartement.

Revenue à elle, sans vouloir entendre parler de soins ni de repos, elle avait mandé son intendant et lui avait ordonné de disposer, sur l'heure, son équipage de route avec le plus de prudence et le moins d'embarras possible.

—Mais où donc allez-vous, madame? s'était écriée Hélène, doutant qu'elle possédât son sang-froid.

—Tu le sauras, chère Hélène, pour peu que tu consentes à m'accompagner.

—Et moi, Altesse, obtiendrai-je la même faveur? demanda Gerbier.

—Toi, mon fidèle, tu resteras... N'insiste point, il faut que cela soit. Je n'ai que vous deux à m'aimer; si je vous emmène l'un et l'autre, qui prendra mes intérêts, qui veillera pour moi ici? Va, mon ami, mon père, ta tâche ne sera pas la plus douce; ainsi, ton zèle n'aura pas à se plaindre.

—Vous avez des paroles qui affoleraient les gens... Je resterai heureux de vous servir; mais serez-vous bien du temps partie?

—Autant qu'il en faut pour aller à Madrid voir l'empereur, voir le roi mon frère, et revenir.

A cette époque, une pareille expédition offrait des longueurs, des obstacles et des périls innombrables.

—Madrid!... Vous allez en Espagne! exclama son père nourricier tout ému.

—Avec du courage on va partout, et l'on en revient!

Que répondre, qu'objecter à une telle résolution? Et puis, s'il restait une dernière chance à la cause, à l'existence qu'elle défendait, cette ressource suprême ne se trouvait-elle pas dans l'affection que lui portait François Ier qui ne saurait pas résister à ses larmes?

Le vieillard essuya du revers de sa main ses yeux humides, et sentant bien la nécessité d'agir vite, il s'occupa de tout disposer. En sorte qu'au même moment le chancelier préparait la ruine du chevalier de Pavanes, et Marguerite de Valois son salut:

Le bon et le mauvais ange étaient aux prises.

Tout fut prêt avant que Duprat en reçût avis, car son auxiliaire lui manquait.

Marguerite apparut alors sur le perron; adressant à ses serviteurs un geste de bienveillance, et s'appuyant sur le bras de sa compagne de route, elle commença à descendre les marches.

Au moment de franchir les dernières, elle poussa un cri de surprise et se rejeta en arrière. Le bouffon était là, prosterné, comme s'il eût voulu se faire écraser sous ses pieds.

—Encore lui!... dit-elle avec amertume.

Mais il se souleva à genoux, et ses mains jointes tendues vers elle:

—Madame, supplia-t-il, ne partez pas sans me pardonner!

Le malheur rend les méchants impitoyables, mais il augmente la générosité des bons cœurs. La princesse trouva tant de douleur et de repentir dans cette attitude, dans cet accent, qu'elle n'eut pas la force de tenir rigueur à ce triste complice de ses chagrins.

—Devenez donc meilleur, lui dit-elle, sans colère, sans mépris.

Et pour prouver qu'elle pardonnait en effet, elle lui tendit sa main.

Il fit un mouvement pour la porter à ses lèvres, mais il s'arrêta.

—Non, dit-il, plus tard, quand j'en serai devenu digne... et je le deviendrai!

Puis il se contenta de baiser le bas de sa mante, et se relevant avec une énergie étrange:

—De cette heure, Altesse, prononça-t-il, vous pouvez compter sur un esclave, et le chancelier sur un ennemi à la vie, à la mort.

XXIV
QUI TROMPE-T-ON

Rien d'impossible à un cœur soutenu par un véritable amour.

En cette circonstance mémorable, Marguerite de Valois en fournit une éclatante preuve. Ni la fatigue, ni les ennuis, ni les privations d'une si longue course à travers des provinces hostiles ou à demi-sauvages, par des chemins qu'il fallait créer, avec des étapes de périls et de dénûment, rien ne la rebuta, rien ne lui arracha une plainte pour ses propres souffrances.

Si elle exhala quelques paroles de ce genre, ce fut pour compatir à la mauvaise étoile de ses compagnons, de sa chère Hélène et de ses gens, qu'elle dédommageait ainsi amplement des incidents fâcheux de l'expédition.

—Ne nous affligeons pas, ne nous désespérons pas, répétait-elle à chaque mésaventure, nous sommes encore favorisés de notre sire Dieu, car nous possédons notre liberté, et notre seigneur et roi se consume dans les fers!

Ce fut ainsi, en relevant le moral de sa petite escouade, en se jouant des obstacles, qu'elle atteignit la frontière.

Les Pyrénées, fort arides encore aujourd'hui, étaient à cette époque une région entièrement sauvage, très peu et très mal hantée, ce qui n'eût pas été un obstacle pour l'intrépide voyageuse. Mais elle dut s'arrêter avant de les franchir, par une autre raison.

La sœur de François était une femme trop supérieure en toute espèce de choses, notamment en politique, pour ne pas se tenir en garde contre la duplicité de l'empereur Charles-Quint.

Ce n'était pas tout d'entrer en Espagne, il fallait être sûr d'en sortir, et, de l'humeur dont on connaissait le monarque espagnol, d'après sa conduite envers François Ier, qu'il continuait d'appeler son frère, il était à craindre qu'il ne mît en avant le premier subterfuge venu, pour retenir également la duchesse d'Alençon, et réunir dans la même captivité le frère et la sœur. L'histoire nous prouve que cette appréhension, si injurieuse qu'on la trouve, était loin d'être chimérique.

François Ier n'y regardait pas d'aussi près que sa sœur, malheureusement pour lui, car il eût alors évité plus d'une mauvaise affaire, celle d'Italie, par exemple, à laquelle il devait ses mésaventures actuelles.

C'est ici le cas de rappeler, en jetant un regard un peu rétrospectif, que lorsqu'il était question au Louvre d'entreprendre cette campagne, on tenait de grands conseils chez le roi, et chacun cherchait le moyen de s'ouvrir passage dans la Péninsule. Les généraux présentaient chacun le leur, en sorte qu'on passa bientôt de cet embarras à celui du choix. Triboulet s'était glissé dans une de ces réunions, et se montrait fort grave.

—Foi de gentilhomme! s'écria le roi, nous voilà bien empêchés, messieurs, entre tant d'excellents avis; il n'y a que Triboulet qui puisse trancher la difficulté. Ça donc, maître fou, que pensez-vous sur tout cela?

—Je pense, sire, riposta le bouffon, que ces messieurs parlent à merveille; seulement, ils oublient le plus important.

—Oui-da! et c'est, à votre avis?...

—C'est le moyen de sortir dont personne ne parle.

Triboulet avait en cette circonstance le don de prophétie. Le roi devait passer par la captivité avant de revenir, et c'était évidemment aussi en se rappelant la déloyauté de Charles-Quint, que, plus tard, le bouffon, moins fort sur les lois de la chevalerie que sur celles des représailles, donnait son opinion au roi.

Charles-Quint demandait alors à passer par la France, pour aller plus vite châtier ses sujets flamands révoltés, et François Ier, avant de lui répondre, prenait l'avis de son fou.

—Si l'empereur, dit celui-ci, exécute ce beau dessein, et s'avise de mettre le pied sur le territoire d'un souverain qu'il a si odieusement maltraité, je lui donne mon bonnet de fou.

—Et si je le laisse passer sans obstacle?

—Oh! alors, sire, je lui reprends mon bonnet et vous en fais cadeau.

Ces anecdotes prouvent qu'avant comme après la mésaventure de son maître, Triboulet appréciait à sa valeur son ennemi. Mais revenons au départ de la sœur du roi.

Il était donc sage de ne pas s'aventurer sur les domaines de ce monarque sans générosité. Marguerite le savait et ne le tenta pas. Mis en demeure de lui envoyer ou de lui refuser un sauf-conduit pour visiter son frère, il se vit, sous peine d'assumer aux yeux du monde un odieux vernis, contraint de le lui accorder. Mais il prit soin d'y fixer une durée de quelques jour. (Voyez ANQUETIL.)

Dès qu'elle fut maîtresse de ce sauf-conduit, la princesse songea à rattraper les moments perdus dans l'attente. Elle ne voulut plus prendre de repos qu'elle ne fût arrivée à Madrid.

Si ce n'était pour son amour, du moins pour son frère était-il grand temps qu'elle atteignît cette ville. Le chagrin, le désespoir dévoraient le malheureux captif.

Marguerite le trouva au lit, sérieusement malade, dans un état de marasme, de prostration effrayants chez un homme aussi vigoureusement constitué. Un peu plus, et l'inflexible Charles-Quint n'eût conservé dans sa prison que le cadavre de son ennemi.

Avant de songer à son bonheur, la princesse songea à ce frère adoré dont on ne soupçonnait pas en France la misérable condition. Elle s'installa auprès de lui, véritable garde-malade, et lui prodigua les soins sans lesquels il eût inévitablement péri.

Aborder en un pareil instant le but de son voyage, répondre aux épanchements, à la reconnaissance attendrie de son frère, qui se croyait le seul objet de ce dévouement, par l'exposé des intrigues du premier ministre, par une demande qui devenait une affaire d'État, ce n'était pas le fait d'une âme délicate et affectueuse.

Avant de parler affaires, Marguerite parla guérison. Avant d'aborder la délivrance du chevalier de Pavanes, elle s'occupa de celle de son frère.

François espérait beaucoup de sa présence à Madrid, pour hâter cette grosse solution. Duprat avait trouvé un moyen de neutraliser les efforts de la régente, et d'empêcher que l'empereur prît en considération le traité qui lui offrait la main de la duchesse d'Alençon.

Mais le roi se rappelait que Charles avait été naguère fort épris de sa sœur; Marguerite atteignait, nous l'avons dit au commencement de notre récit, au déploiement de sa beauté et de ses charmes. Sa vue, son entretien, pouvaient ranimer la passion de l'empereur, et lui rendre désirable un hymen qui trancherait toutes les difficultés.

Pour Marguerite, si enviable que fût un trône comme celui d'Occident, elle bornait généreusement son ambition à rendre la liberté à son frère, à sauver la vie de l'homme qu'elle aimait. Mais pour remplir ce double but, ce but sacré, elle était résolue à tous les sacrifices compatibles avec sa dignité.

Quoi que cette démarche pût lui coûter, pour être agréable à son frère, elle sollicita une audience de l'empereur, qui n'avait pas jugé à propos, s'abritant sous les rigueurs de l'étiquette espagnole, de venir le premier à elle. Satisfait de cet acte de déférence d'une princesse aussi illustre, il s'empressa de lui envoyer sa réponse par un des seigneurs de sa chambre.

De ce côté donc, si les choses éprouvaient d'insurmontables lenteurs, elles n'offraient du moins que des symptômes satisfaisants.

En était-il de même au Louvre?

La régente avait éprouvé un vif chagrin du départ subit de sa fille, et surtout du secret observé vis-à-vis d'elle.

Elle ne se dissimulait pas ses torts, son manque de foi; elle comprenait que Marguerite eût voulu recourir à la seule ressource qui lui demeurât, la tendresse de son frère. Et cependant, elle la taxait d'ingratitude, pour n'avoir pas compris qu'elle-même était victime d'une tyrannie détestée, et persécutée par un ennemi commun.

Apprenant que Michel Gerbier était resté à Paris, et se doutant bien que c'était pour maintenir et représenter les intérêts de sa maîtresse, elle le fit venir, afin de s'entendre avec lui sur les messagers à envoyer à Madrid, et sur les moyens de servir et de renseigner la duchesse d'Alençon.

Le vieillard accepta ces offres, qui avaient leur importance, tout en se réservant de ne se confier que dans des limites fort circonspectes, à une princesse dont le bon vouloir avait lui-même des bornes si funestes.

Quant à Duprat, on pense comment il accueillit son confident, lui annonçant, quand depuis une heure c'était chose accomplie, le dessein de la sœur du roi de partir rejoindre son frère.

Mais Triboulet reçut les reproches, les injures avec une résignation parfaite. Il s'excusa humblement de son retard, ainsi que de son absence involontaire aux événements de la nuit, récriminant fort contre le piège que lui avait tendu le majordome, mais se gardant bien, on doit le croire, de se vanter de celui qu'il avait préalablement tendu à la princesse.

A cette confidence astucieuse, le front du chancelier s'obscurcit.

—Oui, murmura-t-il, ce majordome, ce conseiller se mêle trop des affaires de sa maîtresse... C'est décidément un homme dangereux. Je gagerais qu'il a charge d'espionner mes actions, pour en instruire le roi par le canal de madame Marguerite...

—La supposition est au moins vraisemblable, monseigneur, appuya le bouffon; et que me conseillez-vous à son égard?

—De ne pas le perdre de vue, sangdieu! et de le surveiller plus qu'il ne me surveillera moi-même.

—Vous connaissez mon talent en cette matière, messire.

—Oui, tu m'as bien servi; mais il faut redoubler de zèle, cet homme m'inquiète.

—Fi donc! un malheureux, un varlet!

—Le père nourricier de madame Marguerite!... C'est plus grave que tu ne l'imagines. Je la connais, cette princesse renommée pour sa bienveillance; quand on s'attaque à ceux qu'elle aime, c'est une louve en furie.

—Vous lui avez, cependant, parfaitement pris son amant! fit le bouffon d'un air de bonhomie!

—Oh! pour celui-là, pas de pitié! murmura Duprat en serrant ses poings avec fureur. Hérétique au premier chef, l'inquisition réglera son affaire; et le frère Roma lui infligera désormais, soir et matin, une de ses homélies, avec le régime du pain et de l'eau.

—Eh bien, messire, est-ce qu'en cas de forfaiture à votre endroit, la sainte inquisition, en y mettant du sien, ne pourrait pas un peu décréter aussi ce majordome d'hérésie? cela ferait deux néophytes au lieu d'un à ce bon père Roma...

Triboulet accompagna cette heureuse insinuation d'un éclat de rire à donner la chair de poule. Mais le chancelier était homme à comprendre à merveille ces plaisanteries sinistres. Il daigna accorder un sourire à son conseiller, et lui jeta sa bourse.

—Tu as des idées sages, sur ma foi, maître fou! et si tu n'étais pas un si utile bouffon, tu ferais un fier agent de nos frères Démocharès et Roma. Pour l'heure, il suffit de surveiller le majordome, sa maîtresse va trouver auprès du roi, sur lequel elle exerce un ascendant considérable; ne nous créons pas à plaisir des complications sans profit.

—Que Votre Seigneurie se tienne en paix, alors. Je m'incorpore à la personne de maître Gerbier; je veux savoir non seulement ce qu'il fait, mais ce qu'il pense. Il apprendra qu'on ne joue pas impunément des tours comme celui de son vin sophistiqué au bouffon du roi!

—Ce pauvre intendant s'est jeté dans la gueule du loup!... murmura avec satisfaction le chancelier, en regardant le bouffon qui s'éloignait, sa marotte à la main.

Triboulet s'en allait joyeux aussi, raffermi qu'il était dans la confiance de son redoutable et détesté patron.

Il avait promis de joindre Michel Gerbier. Ce fut, en effet, l'un de ses soins, mais il n'y réussit pas aussi vite qu'il l'espérait, car, moins indulgent, moins facile que sa maîtresse, le brave intendant conservait rancune au complice de tant de chagrin. Il n'était pas sans s'apercevoir de ses poursuites, et s'arrangeait de façon à ne pas le rencontrer.

Cependant, quand Triboulet voulait une chose de ce genre, il savait s'y prendre de manière qu'elle arrivât. Aussi, un beau jour, tomba-t-il comme une bombe, sans crier gare, dans l'appartement de la princesse, où Michel Gerbier se promenait seul, en donnant à chaque objet un regard mélancolique.

—Oui, fit une voix derrière lui, voilà le fauteuil où elle s'asseyait, le dernier livre qu'elle ait lu, la fenêtre par laquelle elle aimait à voir rouler les nuages et s'écouler la rivière...

Le vieillard se retourna vivement et reconnut le bouffon.

—Vous ici! s'écria-t-il en fronçant les sourcils. Vous êtes le seul peut-être que je n'y eusse pas attendu! Ces lieux, ces meubles que vous détaillez, ne sont-ils pas empreints de souvenirs tout frais qui devraient vous parler le langage des remords, si vous étiez capable de le comprendre?

«Pourquoi cette salle est-elle déserte et morne? Pourquoi ressemble-t-elle à un logis mortuaire? sinon parce que vous avez réduit celle qui en était la vie et le mouvement à un cruel exil!... Vous regardez ce volume! C'est un livre d'Heures; voyez, il est marqué à l'office des morts...

«C'est la mort, en effet, c'est le désespoir, plus cruel encore, que vous avez attirés sur nous... Est-ce pour contempler votre œuvre ou pour en jouir, que vous vous y glissez comme un voleur ou comme un espion?

—Vous avez la douleur amère, maître Gerbier, fit tranquillement le bouffon de la cour.

Ce calme et surtout ce sérieux peu habituel à un tel personnage, éveillèrent l'attention du père nourricier de Marguerite, et ne sachant démêler la vérité sur le visage grimaçant et fardé de son interlocuteur:

Ayez donc confiance.

—Enfin, demanda-t-il, que venez-vous faire ici?

—Vous voir et vous parler, mon maître.

—Soyez bref, alors; j'ai peu de temps à donner aux ennemis de ceux que j'aime.

—Hum! vous êtes prompt aux mauvaises paroles... Soyez tranquille, je ne vous cherchais pas pour vous en adresser.

—Au fait.

—J'y arrive, l'homme pressé! Vous parliez de souvenirs, tout à l'heure? Dites-moi, n'assistiez-vous pas au départ de madame Marguerite?...

Le cœur gonflé de l'intendant exhala à cette idée un souvenir plaintif.

—Eh bien! poursuivit le bouffon, ne vous rappelez-vous plus ce qui se passa comme elle franchissait la portière de sa voiture?

—Oui, vous étiez là...

—Le front dans la poussière, implorant mon pardon.

—Et ma chère maîtresse, ange de clémence...

—M'a pardonné... Vous l'avez entendue. Çà donc, ne me regardez plus de ce coup d'œil sombre et plein de menaces.

Un serviteur, tel que vous êtes, n'a pas le droit de garder rancune à ceux que ses maîtres ont absous.

—Que souhaitez-vous, enfin?... demanda le vieillard, cédant peu à peu.

—Maître, mon repentir avait touché l'âme miséricordieuse de madame Marguerite; sa grâce ne s'est pas bornée à des mots: elle m'a tendu sa main généreuse... N'en fûtes-vous pas témoin?

—J'en conviens...

—Eh bien! vous ne ferez pas moins qu'elle... Une main loyale est le gage d'une sincère alliance... ou, tout au moins, d'une franche réconciliation: ne me refusez pas la vôtre, maître.

Le vieillard ne la lui avança peut-être pas, mais il la lui abandonna.

—De cette minute, prononça Triboulet avec une espèce d'entraînement, le bouffon a cessé d'exister pour vous, maître. Vous comptez un auxiliaire, un aide dévoué, dans la tâche que vous accomplissez.

—Si vous me trompiez, dit le vieillard, ce serait bien mal, car je ne sais pas me défendre contre un bon mouvement, et j'aurais du bonheur à vous croire... Déjà je vous crois...

Triboulet leva sur lui son regard rayonnant, sa laideur s'affaiblissait sous l'éclat de sa prunelle; une expression de joie honorable le transfigurait.

—Le bien est plus difficile à accomplir que le mal, dit-il; mais il procure un contentement inconnu des méchants... Allons! plus de perte des heures qui s'envolent. Maître, prêtez-moi toutes vos oreilles!

«Vous m'avez pris naguère dans un piège adroit et bien mérité. Le nécroman du quartier des Tuileries s'était joué de moi, et c'était de bonne guerre. Mais il n'a pas dû vous donner seulement une fiole, car je lui en avais commandé deux: l'une contenant un soporifique, l'autre un poison. Or, ces instruments de mort et de crime, il faut qu'ils deviennent pour nous des moyens de justice et de vie.

—Je ne sais ce que vous prétendez faire, répondit Gerbier avec inquiétude.

Mais, sans s'interrompre, son compagnon poursuivit:

—Il vous reste encore le poison tout entier et une partie du philtre?

—Pourquoi me demandez-vous cela?

—Parce qu'il me faut ces deux fioles.

A la manière dont cette déclaration fut dite, l'intendant se sentit pâlir.

—Impossible!

—Il me les faut, vous dis-je!

—Qu'en prétendez-vous faire, enfin?...

—Du poison?... sauver tes jours, si on les menace... Du philtre?... venger ta maîtresse et lui rendre le bonheur!

—Si tu dis vrai, exclama le vieillard en l'entraînant près du guéridon où reposait le livre saint, pose ta main sur ces feuillets, et atteste ta sincérité par ton salut éternel.

—Par mon salut éternel!... prononça avec force Triboulet.

—Alors que notre Seigneur, qui scrute les consciences, te récompense suivant tes œuvres, et qu'il prenne en pitié ma détresse!

Il se recueillit encore une minute; puis, cédant à l'impulsion que l'accent et la physionomie de son compagnon excitaient en lui:

—Viens!... lui dit-il.

Celui-ci se laissa entraîner plutôt qu'il ne le suivit. Un charme cruel l'enchaînait à ces lieux. Marguerite lui semblait vivre en chacun de ces objets; son haleine embaumait cette atmosphère, ses regards étaient encore empreints sur ces tentures, sur ces tableaux. Tout ici était elle-même.

Le pauvre fou eût accepté comme une félicité suprême d'y demeurer toujours. Mais c'était pour elle qu'il était appelé ailleurs, il se décida à s'éloigner.

Le vieillard lui fit traverser la longue file des appartements et l'introduisit dans le retrait le plus reculé, le plus sombre et le plus recueilli.

Triboulet le reconnut avec un serrement de cœur, c'était l'oratoire de la princesse. Le candélabre était toujours là sur la petite table, le coussin du prie-Dieu gardait l'impression des genoux qui s'étaient posés; l'étroite et longue croisée tamisait un jour douteux à travers ses vitres coloriées. Le grand chêne frôlait ses branches contre le mur.

Chaque pas dans ce sanctuaire éveillait un remords chez le malheureux, qui en avait surpris le secret solennel.

Le vieillard souleva un coin de tapisserie, et, prenant une clef, ouvrit une armoire pratiquée dans la muraille.

Il en retira un coffret qu'il remit à son compagnon.

—Les fioles sont dans cette boîte, dit-il; vous reconnaîtrez celle qui contient le philtre à son bouchon qui a été ouvert: l'autre est intacte. Souvenez-vous de votre serment, si vous vous en servez.

Triboulet s'en saisit avec une ardeur fiévreuse.

—Vive Dieu! s'écria-t-il, je les tiens donc!

Le vieillard ne s'en fut pas dessaisi qu'il éprouva comme un regret et fit un geste pour les reprendre; mais le bouffon les étreignit contre sa poitrine.

—Ayez donc confiance, maître!... Sur mon âme, si j'eusse possédé plus tôt ce trésor, madame Marguerite ne serait pas partie pour l'Espagne, et le chevalier Jacobus de Pavanes serait libre!

«N'importe! j'en ferai aujourd'hui l'usage que j'en eusse fait alors, et si notre sire Jésus nous assiste, quand elle reviendra, l'illustre princesse, et ce sera bientôt, j'aurai le droit de toucher sa main bénie, comme j'ai touché la vôtre, et celui de la baiser comme son féal serviteur.»

XXV
MADRID

Charles-Quint se montra, pour Marguerite de Valois, dans leur première entrevue, empressé et galant, connue s'il entretenait toujours les sentiments sur lesquels avait compté naguère la régente de France.

Il la présenta lui-même à sa cour, la plus aristocratique et la plus somptueuse du monde, comme celle de François Ier en était la plus aimable et la plus élégante; et ce fut, entre ces fiers hidalgos, à qui témoignerait le plus de déférence, de respect et d'admiration pour l'étoile qui venait du Louvre luire jusqu'à l'Escurial.

Animée par ces sympathies, Marguerite déploya en retour les ressources de ses grâces et de son esprit; son triomphe devint complet, toute la cour d'Espagne tomba à ses genoux.

Charles-Quint ordonna pour elle des fêtes splendides, telles que les comportaient alors les mœurs castillanes; ce furent des carrousels, dont elle était la reine, des processions fastueuses à travers la capitale, des représentations scéniques, dans lesquelles nos voisins se montraient d'un goût et d'une habileté supérieurs aux nôtres. Puis, vinrent les combats de taureaux, où l'on convoquait les torreros les plus renommés et dans lesquels une population immense venait, moins pour l'attrait de ces spectacles nationaux, que pour admirer la perle de la France.

Charles, enfin, par une courtoisie sans précédent, voulut faire à la sœur de son captif les honneurs de ses principaux *sitios*, c'est-à-dire de ces résidences féeriques consacrées, aux alentours de Madrid, au repos, aux plaisirs des monarques espagnols.

Mais une marque de déférence qui dépassa toutes les autres, et qui mit le comble à l'estime conçue par les courtisans pour Marguerite, fut l'entrevue accordée par l'empereur à François Ier.

Par une succession de subterfuges et d'excuses de mauvais aloi, le fier et implacable vainqueur avait toujours, nous croyons l'avoir dit, ajourné cette démarche. François Ier, roi et gentilhomme aussi, en dépit de ses revers, avait cessé de renouveler une demande qui n'aboutissait qu'à des attermoiements, devenus blessants par leur persistance.

Ce fut dans une promenade à Aranjuez, la splendide résidence des rois, que Marguerite obtint cette faveur. Charles se plaisait à lui montrer les attraits de ce palais, le parc qui l'entoure, et où, par une exception, sous ce dévorant soleil de la Péninsule, on trouve à chaque pas des bosquets, des berceaux partout, de l'ombrage à toutes les heures.

Le Tage et la Xarama baignent ses murs, et lui font une ceinture de leurs eaux transparentes; on peut suivre leur cours sur un rivage verdoyant qu'ils quittent à regret pour s'enfoncer dans les terrains crayeux et arides du reste du pays.

Marguerite, amazone hardie, marchait de concert avec son hôte deux fois couronné, au fond de la vallée qu'on nomme *Calle de la Reyna*, la perfection de ce paradis terrestre.

L'empereur s'efforçait de lui en détailler les aspects ravissants; auprès de la muse du Louvre, il devenait en quelque sorte poète; mais, à son extrême surprise, elle ne lui répondait que par monosyllabes, et son beau front obscurci s'inclinait sur le chemin.

—De grâce, demanda le conquérant, devenu cicérone par galanterie, parlez, Altesse, quelle souffrance vous tourmente, quelle peine vous absorbe, au point de passer, indifférente, au milieu de ces merveilles?

—Pardonnez-moi, Majesté, répondit-elle en soupirant; je dois vous paraître bien ingrate; je réponds mal à la bienveillance dont vous daignez me combler; c'est qu'il est en moi un chagrin que votre bonté même rend plus cruel.

Le conquérant parut flatté d'entendre ce titre de Majesté, qu'il fut le premier des souverains d'Europe à prendre, confirmé par cette charmante bouche.

—Un chagrin... ici! se récria-t-il, dans mon royaume, au milieu de ma cour!... Je ne saurais le souffrir; et s'il est en mon pouvoir de vous consoler, j'atteste Notre-Dame d'Atocha que j'en userai à l'instant.

—Parole d'empereur?

—Je vous la renouvelle!... Parlez donc, Altesse.

—Je suis bien téméraire et bien insatiable, senor, car je ne me contente pas du bonheur inespéré qui m'arrive, je souhaiterais en faire rejaillir quelques rayons sur autrui.

Charles devint plus grave; la princesse affecta de ne pas s'en apercevoir, et poursuivit:

—Une pensée douloureuse a traversé mon âme, en me trouvant à la droite de Votre Majesté, en me reconnaissant l'objet de ses discours les plus gracieux, c'est qu'il y a, non loin de moi, à Madrid, un autre moi-même qui ne prend aucune part à ces joies; qui se consume et se meurt de langueur, tandis que je nage dans les distractions, dans les honneurs.

Charles fronça imperceptiblement ce sourcil qui, comme Jupiter, ébranlait le monde. La princesse ne se laissa pas décourager, et, puisant sa fermeté et son éloquence dans les grandes résolutions qui la dominaient, elle le désarma de ses regards les plus séduisants, de ses sourires les plus irrésistibles.

—Senor, vous êtes le soleil, l'astre vivifiant de cet empire; votre ennemi, vaincu, se désespère dans l'ombre; que vos rayons pénètrent jusqu'à lui!... Vous l'appeliez votre frère, autrefois; oubliez les jours de discorde, souvenez-vous seulement de ceux de l'union. Vous m'avez donné votre serment, mais je ne m'adresse qu'à votre grand cœur: rendez une visite au roi de France.

Nous ne saurions dire au juste quelles pensées, quelles prévisions traversèrent l'esprit de Charles-Quint; répondant par un sourire à son interlocutrice:

—Je suis le souverain ici, dit-il, mais vous êtes la souveraine.

Et, se retournant vers les caballeros qui venaient, à quelques pas en arrière, il leur fit signe d'avancer:

—Senores, leur dit-il, nous vous invitons à venir avec nous, dès notre rentrée dans notre ville royale de Madrid, rendre visite à notre frère de France, François Ier.

—Seigneur, prononça Marguerite, vous êtes un héros!

La joie l'avait emportée un peu loin, mais l'épithète ne déplut pas.

—Je voudrais le devenir du moins, très gracieuse dame, pour justifier vos éloges, et vous retenir à cette cour transformée par vos charmes.

Sur ce terrain et dans ce coin enchanté de l'Espagne, l'entretien pouvait se prolonger en termes encourageants. Les seigneurs du cortège, tenus à une distance respectueuse par leur rigoureuse étiquette, ne saisissaient que quelques mots, mais c'en était assez pour autoriser bien des conjectures.

Nous n'avons pas besoin d'expliquer la plus accréditée; chacun connaissait les précédentes négociations tendant à un mariage entre la princesse Marguerite et l'empereur encore simple archiduc. Les événements politiques avaient porté l'un et l'autre à des unions différentes, mais le veuvage les rendait également libres, et l'on n'ignorait pas non plus l'existence du projet de traité offert par la régente de France et entravé par Duprat.

Aux yeux des plus fins diplomates, la présence de Marguerite de Valois n'avait pour but que la conclusion de cet arrangement, et la courtoisie de l'empereur vis-à-vis d'elle devenait un symptôme significatif.

De ce moment, les hommages redoublèrent; ce fut à qui renchérirait sur les égards du souverain pour la traiter en reine.

Charles exécuta avec fidélité sa promesse, chose assez rare chez lui pour mériter une mention.

Il alla, escorté de ses principaux dignitaires, rendre visite au prisonnier.

Il est vrai que François Ier, dont ce grand nombre de témoins gênait l'expansion, eût préféré une simple entrevue à ce déploiement un peu théâtral. Mais on s'adressa de part et d'autre des paroles obligeantes, et l'empereur, en partant, daigna l'assurer, en désignant la princesse, qu'avec un tel négociateur il était impossible qu'on ne s'entendît pas bientôt.

Cette entrevue était un grand pas de gagné, car le monarque français se trouvait autorisé à aller lui-même au devant d'une seconde.

Impressionnable et mobile comme on le connaît, il en ressentit un contentement qui exerça une salutaire influence sur son moral et sur sa santé.

Déjà, d'ailleurs, la présence de sa sœur l'avait transformé. En l'embrassant, il avait cru embrasser la France. Il respirait auprès d'elle l'air, les émanations de la patrie. Il retrouvait un cœur battant à l'unisson du sien, rempli des mêmes aspirations, et dont le sang était son sang.

Il la savait décidée à tous les engagements pour concourir à sa délibération, et cette certitude, en lui inspirant la crainte de la perdre, la lui rendait encore plus chère.

Elle avait attendu ces dispositions pour aborder l'autre but de son voyage, celui qu'elle voulait mener à bonne fin aussi, et pour lequel, comme pour le rachat de son frère, elle était disposée à s'immoler.

Nous ne savons même ce qu'il faudrait le plus admirer, ou de sa délicatesse envers son frère, ou du courage qu'elle avait mis à repousser toute trace de cette perplexité constante, pour ne laisser voir à l'empereur, aux courtisans ou au captif, qu'un visage souriant, pour ne tenir que des discours pleins de poésie et d'entrain, pour asseoir enfin dans tous les esprits qu'elle était heureuse et ambitieuse, lorsqu'elle portait en elle le deuil de son seul et irréparable amour!

François Ier, gâté par son entourage, entraîné à des excès fatals par sa passion pour le luxe, conservait intacte une vertu, le sentiment de la fraternité. Il ne voulait pas que l'alliance projetée devînt pour sa sœur un sujet d'affliction, il eût plutôt laissé se prolonger son exil.

Une fois donc, causant amicalement avec elle, il voulut en avoir le cœur net.

—Çà, ma mignonne, lui dit-il en se servant du terme familier qu'il employait vis-à-vis d'elle, j'exige qu'on me parle sans feintise: si tu deviens le gage de ma réconciliation avec mon cousin l'empereur, sera-ce sans arrière-pensée et sans regret?

—Ce sera avec contentement, mon cher sire, dès lors que j'assurerai par là la fin de vos ennuis.

—Tu ne ressentiras pas de contrariété à renoncer ainsi à notre belle cour de France, pour t'enchaîner à l'étiquette de ces rigides et vaniteux Castillans?

—Vous êtes bon, mon noble frère, vos scrupules me le prouvent une fois de plus. Mais ici ou ailleurs, à Madrid ou à Paris, à l'Escurial ou au Louvre, qu'importe où l'on souffre, si l'on est destiné à souffrir!

Et Marguerite, dont le cœur débordait enfin, lui adressa un regard si désolé, qu'il se précipita vers elle, et, lui prenant les mains, l'attira sur sa poitrine.

—Qu'est-ce cela? s'écria-t-il; tu as des chagrins, ma mignonne, et tu me les caches!... Parle, je l'exige, et, tout prisonnier que je suis, je trouverai peut-être encore assez d'autorité pour consoler dans ses peines celle qui est venue me consoler dans ma prison!... Pourquoi t'être tue si longtemps? Manques-tu de confiance en moi?

—Ah! soupira-t-elle, c'est qu'en demandant justice au roi, je craignais d'affliger le frère.

—Si c'est justice qu'il te faut, je te la ferai, ma fille! si c'est indulgence, n'es-tu pas assurée par avance de l'obtenir?

—Oui, vous êtes grand et libéral, et pour cela même j'ai reculé devant une révélation qui incrimine des personnes qui vous sont chères.

—Les rois sont faits pour passer par toutes les déceptions, fit-il avec amertume. Va, parle librement; si tu es obligée de dire du mal de ceux que je croyais mes amis, dis-en le moins possible, non par égard pour eux, mais pour moi.

—Je voudrais me taire absolument sur leur compte, mon bien-aimé seigneur, car ces révélations portent sur une personne qui ne m'est pas moins proche qu'à vous-même.

—Je crains de comprendre, un désaccord entre notre mère et toi?...

—Mon frère, poursuivit-elle sans relever cette question, je suis plus malheureuse que vous ne sauriez penser, car je porte en moi deux affections, toutes deux profondes, immuables, et ceux qui en sont l'objet gémissent l'un et l'autre dans les fers; vous, dans ce palais; lui, dans les cachots de la Conciergerie.

—Lui? répéta le roi, dont l'œil s'anima d'un sourire amical un peu sarcastique, à l'idée d'une intrigue de sa sœur.

—Un gentilhomme, un jeune homme lettré, plein de talent...

—Pour qu'il ait été distingué par la dixième muse, par la Marguerite des Marguerites, son mérite doit être hors de contestation...

Et François Ier, entraîné par son instinct de galanterie, continuait de sourire, ne pressentant, sous tout ceci, qu'une intrigue d'amour, et charmé de surprendre le secret de sa sœur.

—Hélas! vous riez, sire, et cependant il y va de sa tête et de mon repos!

—Eh quoi! les choses sont-elles si graves?... Le nom de ce gentilhomme?

—Vous l'avez vu à la cour de l'évêque de Meaux, messire Guillaume Briçonnet, il s'appelle Guillaume de Pavannes...

—L'évêque de Meaux... murmura le roi, auquel ceci remettait en mémoire les embarras causés par le parti de la Réforme.

Le chancelier déclara la séance terminée.

Mais craignant de décourager les confidences de sa sœur:

—Il me revient, en effet, une vague idée de ce chevalier de Pavanes, un beau jeune homme... Et c'est lui auquel tu portes intérêt?

—Un intérêt profond, sire.

—Et pour quel méchef le détient-on à la Conciergerie, ce pauvre gentilhomme?

—On l'accuse d'hérésie, de traduction des livres saints.

—Un crime qui devient bien commun... murmura le roi, tout pensif.

—Dites une accusation bien commode pour perdre ceux qu'on hait, sire.

Le roi entrevit les griefs dont Marguerite avait parlé au début.

—A moins que les torts de ce jeune chevalier ne soient par trop scandaleux, et ne motivent, en effet, une répression véhémente, auquel cas encore, madame notre mère est investie du droit de grâce, il me semble que vous pouviez réclamer d'elle des lettres de pardon pour lui.

—C'est là qu'est mon affliction, sire. Notre honorée mère eût souhaité m'accorder cette preuve de bienveillance, mais elle en a été empêchée...

—Empêchée, sangdieu! Qui donc serait assez osé pour imposer ses volontés à la régente de France? Foi de gentilhomme, je l'en ferai repentir!

—Celui-là, sire, c'est votre chancelier, messire Antoine Duprat.

Ce nom éclata comme une tempête.

—Vous avez raison, Marguerite, prononça le roi tout assombri, vous mettez en cause des personnes qui ne sont pas du vulgaire, et cette affaire est digne de notre attention. Mais nous ne vous avons jamais rien refusé; faites-nous connaître le fond des choses, et ayez confiance en nous.

—O mon généreux frère, mon seul ami, j'en étais bien sûre, vous aurez égard à ma peine; vous êtes le roi, d'ailleurs, vous, le vrai, la seul roi; vous ne recevez d'injonctions de personne, et quand une parole tombe de vos lèvres, elle devient une loi.

Prenez donc en pitié votre sœur et celui qu'on persécute à cause d'elle. N'abandonnez pas à un ministre déloyal le droit de vie et de mort sur vos sujets. Fermez les yeux sur les fautes de votre mère, mais frappez de votre justice ceux qui la poussèrent à les commettre, et qui s'en servent pour l'humilier.

Le faible monarque, en proie à un combat pénible eût tout donné pour écarter cette situation critique. Se décider entre sa sœur, sa mère et son ministre favori, c'était bien autre chose que d'apposer sa signature au bas d'un décret.

Cependant, ceux qui étaient près de lui ayant toujours le dé sur ceux qui se trouvaient loin, et son affection constante inclinant pour sa sœur:

—Allons, dit-il avec résignation, puisqu'il le faut, j'entendrai tout. Parle, ma mignonne, apprends-moi dans l'exil ce que je chercherais vainement sur mon trône, la vérité. Par quels liens le chancelier prétend-il régner sur sa souveraine, et soumettre sa volonté à la sienne?

Marguerite aborda le récit de l'odieuse tragédie qui avait coûté la vie à Semblançay, à Jean Poncher et à Rainier Gentil. Elle ne dissimula rien, mais avec un tact généreux, elle évita d'insister sur les griefs relatifs à la duchesse d'Angoulême.

Plus d'une fois, durant ce long exposé, le sang jaillit à la figure du roi, lorsqu'il sut à ne plus en douter, comment sa mère et son premier ministre, dans le but de perdre un général et de discréditer sa favorite, avaient sacrifié la plus belle partie de nos armées et aliéné un des fleurons de la couronne, l'idée de tant de braves immolés sans fruit, de tant d'héroïsme perdu, faillit lui arracher des larmes.

Un frémissement non moins cruel passa sur son front, quand revint ce nom de Semblançay, de l'homme qu'il appelait son père, frappé, innocent, de la peine des plus indignes scélérats, et cela par la complicité froide et calculée de sa propre mère!

Le soupçon lui en était venu parfois, comme une de ces intuitions horribles... que l'on écarte avec hâte, ou que les étouffe sous des paradoxes. Marguerite changeait le doute en certitude, elle avait reçu l'aveu du misérable qui avait vendu le surintendant.

François Ier la laissa parler jusqu'au bout sans l'interrompre. Il se tenait les coudes appuyés sur la table, le visage caché dans ses mains.

Lorsque sa sœur eut achevé, il sortit de cette attitude, et ses traits étaient tellement bouleversés qu'elle ne put retenir un cri d'effroi.

—Oui, dit-il avec un sourire contraint, décidément la vérité est plus difficile à entendre que je ne le soupçonnais... Rassure-toi, sœur, je ferai justice...

—Que votre arrêt se résume en trois mots, mon auguste frère: Rien contre notre mère, grâce pour le chevalier de Pavanes, la peine des traîtres pour le ministre félon!...

Il lui fit signe de la main de ne rien ajouter, et se rapprochant de la table, il s'y installa pour écrire.

Marguerite ne respirait plus; avec un peu d'attention, le roi eût entendu les battements brusques et sonores de sa poitrine.

Il attira à lui une des feuilles de papier éparses sur la table, prit une plume et étendit le bras pour la tremper dans l'encre.

Deux coups frappés à la porte suspendirent ce mouvement.

La princesse se sentit défaillir, comme s'ils eussent donné le signal de sa perte; le roi eut un geste et une interjection d'impatience.

Un huissier entre-bâilla la portière, et d'un ton respectueux annonça une visite de conséquence.

—Je n'en reçois aucune, fût-ce celle de l'infant! répondit François Ier.

—Sire, insista l'huissier, c'est une députation de la sainte inquisition, son directeur en tête...

Les lèvres pâlies et tremblantes de la princesse s'agitèrent pour répéter tout bas:

—La sainte inquisition!...

Le roi, singulièrement adouci, demanda encore:

—Savez-vous le motif de leur démarche?

—Sire, ils viennent complimenter Votre Majesté sur l'organisation d'un tribunal de la foi ordonnée par elle à Paris.

Marguerite s'était levée pour s'éloigner; à ces mots, elle éprouva comme un étourdissement; la chambre, les meubles tourbillonnaient devant ses yeux.

Le roi la vit chanceler, il lui prit le bras pour la soutenir, et, la conduisant vers la porte de son appartement intime:

—Va, mignonne, lui dit-il; ces visites ne sont jamais longues; nous reprendrons ensuite nos affaires où elles en étaient.

Elle ne répondit rien, se laissa conduire, mais jusqu'à sa sortie, son regard demeura fixé sur la page blanche, à laquelle elle semblait dire adieu.

Comment, dans quel but surtout, les chefs du saint office avaient-ils été informés si exactement de ce qui se passait en France! Pourquoi cette ardeur à en apporter leurs félicitations?

Marguerite de Valois s'était adressé ces deux questions, dont le mot n'était que trop aisé à comprendre. Il fallait affermir dans l'esprit variable du roi la haine contre les réformés, afin de neutraliser son ascendant et de prévenir un acte de grâce. N'y avait-il pas solidarité entre les inquisiteurs d'Espagne et ceux de Paris?

Les adroits diplomates ne venaient pas, du reste, avec une seule corde à leur arc. Avec leurs compliments, ils apportaient des menaces déguisées et des promesses tentatrices.

Ils apprirent au royal prisonnier, que le succès de sa sœur à Madrid avait excité l'inquiétude de son implacable ennemi le connétable de Bourbon. Tremblant pour son influence menacée par celle de la princesse Marguerite, il était accouru du fond de la province dans la capitale, décidé à user toutes ses ressources pour neutraliser les charmes de la sœur du roi et pour combattre par-dessus tout les projets d'hymen qui gagnaient de plus en plus dans l'opinion publique.

Le connétable, arrivé la veille seulement, avait, il est vrai, reçu le plus décourageant accueil parmi les gentilshommes auxquels il s'était présenté. Il n'était à leurs yeux qu'un traître, un transfuge; ils concevaient que l'empereur utilisât ses talents, mais ils s'étaient toujours tenus vis-à-vis de lui sur le pied d'une extrême réserve, et depuis qu'ils appréciaient mieux les qualités de François Ier, depuis surtout que Marguerite de Valois avait conquis leurs sympathies et leur admiration, ils reniaient le prince félon.

L'empereur voulant engager le marquis de Veillanne à le loger, le fier seigneur lui avait répondu:

—Je ne puis rien refuser à Votre Majesté; mais je vous déclare que si le duc de Bourbon descend dans mon palais, je le brûlerai dès qu'il en sera sorti, comme un lieu infecté de la perfidie, et par conséquent indigne d'être jamais habité par des gens d'honneur (ANQUETIL).

L'empereur s'était contenté de froncer le sourcil et avait donné ordre au chef de sa maison, son camerero mayor, d'aviser à loger le duc dans un pavillon de son palais. Il pouvait ne pas estimer Bourbon, mais il en avait besoin, et il n'était pas de ceux qui sacrifient leurs intérêts à leurs scrupules.

Il fallait donc opposer un contre-poids à cet adversaire; ce contre-poids ne pouvait venir de la noblesse, dont les sympathies étaient honorables mais stériles; mais le saint office, qui était un État dans l'État, pouvait l'offrir; il l'offrit, en reconnaissance des services rendus à la foi par l'établissement de l'inquisition et de la chambre ardente, et sous la condition que le zèle des inquisiteurs n'éprouverait aucun contre-temps et s'exercerait en plénitude.

C'était encore un pacte.

Il fut échangé bien des paroles dans cette conférence, car elle se prolongea plusieurs heures.

Enfin on se sépara, et le roi ne se hâta pas, quand il fut libre, d'envoyer chercher sa sœur. Ce fut elle qui revint d'elle-même le trouver.

Elle prit la feuille de papier dont il avait voulu se servir avant l'arrivée de la députation, et la mettant devant lui d'une main tremblante:

—Allons, mon cher seigneur, lui dit-elle, j'ai votre promesse...

Mais il éloigna faiblement le papier, et se rejetant dans son fauteuil de cuir de Cordoue, sans oser la regarder en face:

—Vous avez ma parole, chère sœur, ma parole de faire justice, et je la maintiens...

—Alors?... interrompit-elle en lui tendant de nouveau la page blanche.

—Mais pour faire bonne justice... il faut des preuves... Foi de gentilhomme! apportez-moi ces preuves que vous dites exister, et je signe!...

Des preuves!... Mais elle lui avait dit aussi comment Rainier Gentil avait été exécuté, pour étouffer son témoignage; elle lui avait dit que les quittances et les ordres étaient entre les mains d'un démon qui se ferait plutôt brûler avec que de s'en dessaisir... et il osait les lui demander!... dérision!..

Ah! décidément, encore une fois, Duprat avait le don de prophétie; car il lui avait prédit mot pour mot ce qui lui arrivait!

XXVI
LA CASSETTE DU CHANCELIER

Les persécutions organisées en France par Antoine Duprat, signalèrent à coup sûr une de nos périodes critiques. Ce qu'il y avait d'honorable, d'intelligent dans le haut clergé, au sein même de la Sorbonne et du Parlement, gémissait de ses excès, mais l'inflexible et haineux chancelier ne se ralentissait pas.

Le catalogue des peines destinées aux novateurs occupait les plus chers de ses instants. Entouré de ses assesseurs, il aimait à préluder par cette rédaction au supplice de ses ennemis.

Nous pénétrerons une après-dînée dans sa chambre, où, plus tranquille encore que dans son cabinet de travail, il s'entretenait avec frère Roma et quelques autres membres du *tribunal de la foi*.

A en juger par sa physionomie, une question d'une gravité toute particulière s'agitait entre eux. Les inquisiteurs parlaient beaucoup, entremêlant leurs discours de citation de la Bible et des Pères.

Frère Roma faisait exception néanmoins; ainsi que les grands capitaines qui se réservent pour assurer la victoire par un coup décisif, il écoutait et observait.

Quant à Duprat, il se bornait à des interjections rapides, à quelques mots secs et saccadés. Il est vraisemblable qu'il consultait son entourage pour la forme, sur un point nettement arrêté dans sa tête.

Mais ce n'était pas une affaire de minime importance, car en la roulant sous sa volonté inflexible, il éprouvait d'involontaires frissons, et parfois son œil fixe s'arrêtait sans rien voir sur l'endroit le plus obscur de l'appartement.

Alors, les pommettes de ses joues se couvraient d'une ardeur empourprée, ses lèvres se desséchaient, et la fièvre précipitait les battements de sa poitrine.

De quoi s'agissait-il donc? D'inaugurer l'application de la peine capitale aux novateurs.

Jusque-là, nous l'avons indiqué, on s'était tenu dans les limites des autres châtiments; châtiments terribles, et dignes d'une époque encore barbare, tels que celui infligé à Jean Leclerc et à ses complices.

Ces malheureux, obstinés dans leurs idées réformistes, avaient prétendu maintenir à Meaux l'hérésie abandonnée par l'évêque Guillaume. Jean Leclerc, leur chef, en tête, ils avaient osé, tous les fanatiques se ressemblent et arrivent à des excès, déchirer une bulle relative aux indulgences, affichée aux portes de la ville par des religieux. Non contents de ce méfait, ils avaient substitué à la proclamation catholique un plaidoyer contre le trafic des indulgences et des sacrements.

Arrêtés aussitôt, ils furent amenés à Paris et fouettés pendant trois jours de la main du bourreau sur les places publiques. Puis on les reconduisit à Meaux, pour renouveler ce supplice, et avant de les remettre en liberté on les marqua au front d'un fer rouge.

Mais enfin leur laissa-t-on la vie sauve.

Or, c'est à la vie des novateurs qu'Antoine Duprat en voulait.

Le président de Mouchy était en train d'échafauder une véhémente argumentation, lorsqu'un bruissement léger trahit la présence d'un intrus dans le redoutable cénacle.

L'émoi fut grand, le chancelier, derrière le siège de qui l'étranger se tenait blotti, se retourna vivement, mais se montra aussitôt rassuré.

—Ne craignez rien, messires, dit-il, c'est un familier de ma maison sur lequel nous pourrions compter au besoin, et pour qui je n'ai pas de secrets.

Triboulet s'avança en affectant un air modeste et recueilli dont l'effet ne fut pas aussi prompt qu'il l'espérait.

—Un bouffon!... s'écria le président.

—Le fou de la cour!... exclama frère Roma en manière d'écho.

—Votre serviteur le plus humble, messire, fit Triboulet; croyez-en monseigneur le chancelier: quand on veut le succès d'une cause, aucun dévouement n'est à dédaigner.

—Et maître Triboulet m'a donné plus d'une preuve du sien, ajouta le chancelier.

Les membres du conseil s'inclinèrent en forme d'aquiescement.

—Tu viens à propos, maître, reprit Duprat: il fait ici une chaleur excessive, ouvre un des châssis de la croisée, et donne-moi un verre du breuvage là-bas, dans l'aiguière.

Puis il invita le révérend Démocharès à reprendre son discours interrompu, et pour réparer par sa déférence ce petit incident, il se tourna entièrement devant lui et l'écouta avec une attention marquée.

Triboulet obéit discrètement, entrebâilla le châssis, et apporta, en marchant sur la pointe des pieds, une coupe que le chancelier prit et vida sans même y porter les yeux.

Le discours terminé, il en témoigna sa haute satisfaction; les arguments lui en paraissaient irréfutables, c'était la voix d'en haut qui s'exprimait par la bouche du docteur et concluait avec lui à l'urgence de la peine de mort.

Mais ces émotions achevaient de remuer sa bile et d'allumer son sang.

—Triboulet, dit-il en se penchant à l'oreille du bouffon accroupi près de lui, encore un verre de cette boisson?

Son esclave impassible remplit une seconde fois la coupe et la lui remit.

Il la vida d'un trait. Cette liqueur rafraîchissante semblait exciter le feu dont il était brûlé.

C'était à frère Roma à parler.

—Comme tout le monde, fit-il d'un ton insinuant, je me suis délecté aux sublimes réflexions de notre très honoré président, et puisque la nécessité de la peine capitale est désormais démontrée et acquise, je solliciterai l'attention de vos révérences sur les moyens dont on pourrait user pour en rendre l'application plus éloquente et plus efficace.

Chacun comprit que l'ingénieux jacobin avait découvert un nouveau genre de supplice, et l'intérêt qu'il inspirait se manifesta par les signes les plus encourageants.

—Que monseigneur le chancelier me pardonne, continua-t-il en forme de parenthèse; mais ceci est un sujet tellement intime, que je le crois de nature à être soumis aux délibérations des seuls membres du tribunal de la foi...

Triboulet comprit parfaitement.

—Je me retire, mon révérend, dit-il.

Et en effet, il sortit, en faisant retomber derrière lui la porte assez bruyamment pour qu'on n'en doutât pas.

—Dans la tâche qui m'a été dévolue depuis quelques semaines de prêcher et d'exhorter certains hérétiques endurcis, j'ai reconnu que la persuasion est un moyen peu efficace pour vaincre des résistances insolentes telles que celles du chevalier de Pavanes. Or, la peine doit être proportionnée à l'endurcissement des coupables; autrement il n'y aurait plus équité.

—Mais, hasarda un des jacobins, on ne peut les exécuter qu'une fois!...

A cette réflexion, un sourire triomphant passa sur les traits de dom Roma.

—La chambre ardente, répliqua-t-il, est instituée pour décréter la peine du bûcher, elle ne faillira pas à sa tâche, le zèle connu de ses membres en est un sûr garant. Mais le bûcher tout d'un coup, en une seule fois, c'est bientôt fait pour un crime commis avec préméditation, récidive et scandale. Décapiter ou pendre le condamné, puis le brûler quand il n'est plus en état de ressentir le tourment du feu, c'était digne des anciens temps, des âges barbares...

Je soumets à la sagesse du conseil un procédé nouveau.

Chacun redoubla d'intérêt.

—Nous possédons, dans l'arsenal de nos lois, un supplice qu'on nomme l'estrapade. Il consiste à attacher le coupable sous les épaules, à le hisser à une potence par une poulie, et à le laisser retomber sur la terre un nombre limité de fois, ou jusqu'à ce que mort s'en suive.

Eh bien, vénérés seigneurs, appliquons l'estrapade en même temps que le feu. Une potence sera dressée à côté du bûcher, on y attachera le condamné suivant la pratique habituelle, puis, quand la flamme sera suffisamment ardente, au moyen de la corde et de la poulie, on le laissera retomber non sur la terre, mais sur le foyer, autant de fois qu'il sera nécessaire, jusqu'à ce qu'il ait rendu à Satanas son âme maudite.

Nous prions le lecteur, si quelque doute lui venait à l'esprit sur l'exactitude de ce monstrueux exposé, de se reporter à l'histoire, qui malheureusement entre dans bien d'autres détails (SAUVAL, DULAURE, etc.)

Démocharés et ses assesseurs regardèrent frère Roma avec envie et admiration. Antoine Duprat se leva de son siège et alla lui serrer les mains.

Le nouveau supplice fut adopté à l'unanimité.

Puis, le chancelier, s'excusant sur l'abondance de ses travaux, qui lui causaient une lassitude inaccoutumée, déclara la séance terminée.

Il se sentait, en effet, en proie à une pesanteur de tête. Une somnolence qu'il s'efforçait vainement de combattre répandait la torpeur dans ses membres.

Ayant rendu leur salut aux inquisiteurs, il fit un ou deux pas vacillants à travers la chambre, se retrouva près de son fauteuil, voulut gagner son lit, trébucha, avança le bras pour se retenir, et fut très heureux de s'affaisser sur son siège et non sur la natte.

Trop tard, Sire.

Cependant il lutta encore un moment contre ce sommeil étrange; mais tous ses mouvements se bornèrent à une crispation de ses doigts, à soulever sa tête, qui retomba alourdie contre le dossier, et à retenir ouvertes ses paupières, qui papillotaient et finirent par se clore sous une pression trop pesante.

Il était plongé dans cette léthargie depuis une dizaine de minutes, lorsque le panneau de l'issue dérobée glissa avec discrétion dans sa rainure.

Une étincelle jaillit, éclaira la chambre et Triboulet alluma un candélabre sur un guéridon; la lumière vint frapper en plein visage le ministre endormi, insensible à toute impression extérieure.

Un rire diabolique envahit les traits du bouffon, et se termina par un éclat strident; on eût juré un chacal qui glapit.

Son œil rond comme celui d'un oiseau de proie, rayonnait dans son orbite, attaché sur son maître; il jouissait de l'impuissance où gisait ce tyran si redouté de tous, et dont en ce moment il tenait la volonté, l'existence à sa merci.

L'expression de son triomphe était terrible.

Enfin!... murmura-t-il; enfin l'heure est venue!

S'approchant alors de lui, et le couvrant toujours de son rire sardonique, il se mit à écarter le haut de sa robe d'hermine, fit sauter les boutons du justaucorps qu'il portait par-dessous, et le fouilla.

Alors, ce ne fut plus un glapissement de bête fauve, mais un cri d'aigle victorieux qu'il fit entendre.

Ses longs doigts osseux venaient de se saisir d'un objet passé avec soin au cou d'Antoine Duprat, un cordon portant une petite clef.

Il l'enleva avec prestesse, et, s'adressant à son patron, comme si véritablement il le tenait enchaîné et que celui-ci l'entendit:

—C'est la clef de ton cœur, mon maître; tu m'as choisi pour ton jongleur, je gagne mon argent; ce tour-ci en vaut bien un autre!

Puis, palpant cette clef, talisman inappréciable, et se repaissant de ce contact:

—Pauvre grand dignitaire, te voilà à la merci d'un bouffon! Pauvre ambitieux insensé... c'est moi qui suis le sage de nous deux!... Allons, à l'œuvre!

Le flambeau d'une main, la clef de l'autre, il se dirigea vers le coffret de fer où le chancelier serrait ses richesses de tout genre.

La clef fit son office; les deux compartiments s'ouvrirent ensemble. Dans l'un s'entassaient des piles d'or, dans l'autre se montraient seulement quelques papiers.

Triboulet regarda à peine le premier.

—Voilà qui ferait de jolis grelots à mon bonnet et à mademoiselle du Carillon!... se contenta-t-il de dire avec ironie.

Mais ses prunelles se rallumèrent en considérant les feuillets disposés sous enveloppes dans le second.

—Foi de gentilhomme! jura-t-il avec un rire assez sérieux, on me prendrait pour un larron larronnant; je suis pourtant un bien modeste filou, puisque de tout ceci, je n'en veux qu'à ces chiffons.

Il examinait successivement le titre de chaque dossier et les remettait en place avec soin, jusqu'à ce qu'il rencontrât celui qu'il cherchait.

C'était le plus mince, il ne contenait que trois fragments de papier sur lesquels couraient quatre à cinq lignes d'une écriture rapide, avec une signature de la même main.

—Vive Dieu! exclama-t-il en les agitant avec joie, je les tiens donc!... Ah!... rira bien qui verra la fin de tout ceci!...

Mais, reprit-il en dirigeant son regard sardonique sur le chancelier, puisque je suis un honnête voleur, il faut faire les choses au complet et rendre à chacun son compte, autrement la comédie serait défectueuse.

Il vint à la table, y tailla à même les papiers blancs trois morceaux pareils à ceux qu'il tenait, les plaça dans le dossier, remit celui-ci à son ordre, et referma le coffre-fort.

—A chacun son bien! fit-il toujours riant et moqueur.

Sur quoi il cacha dans la poche de son pourpoint les précieux papiers, replaça fidèlement la petite clef au coup de son patron, rattacha ses vêtements, éteignit sa lumière, et se glissa comme il était venu par la porte secrète.

XXVII
LES DEUX MESSAGES

L'attitude des grands d'Espagne à son égard, compliquée de leur empressement autour de Marguerite de Valois, avait mortellement blessé le duc de Bourbon. Un sentiment pareil, dans une âme vindicative, pouvait amener de graves conséquences.

Il avait sacrifié à sa rancune contre la duchesse d'Angoulême, son honneur de prince du sang français, son pays, la vie de ses concitoyens. Il n'était pas à espérer qu'il ménagerait rien pour envelopper dans un échec commun la princesse et ses admirateurs.

Il se sentait fort parce que tous ces seigneurs réunis n'exerçaient pas sur l'esprit de l'empereur l'influence que ses services, son habileté et le besoin qu'on avait encore de ses talents, lui assuraient.

Quant à l'Inquisition, il s'en savait aussi peu aimé, et n'ignorait pas les bonnes relations existant entre elle et le roi de France, mais il avait déjà réussi à diviser Charles-Quint et le Saint-Père, et, en fait d'intrigues, il se sentait aussi adroit que les révérends fils de Saint-Dominique.

Il commença à déployer toutes ses ressources, s'efforçant de présenter Marguerite comme une rusée comédienne qui ne cherchait qu'à se créer des amis à la cour d'Espagne et à endormir la prudence du monarque, dans un but aisé à entrevoir, et dont il alla jusqu'à donner de prétendues preuves, celui d'opérer l'évasion de François Ier.

Charles dressa l'oreille, mais une considération le retenait, il était résolu de se remarier, et l'union avec une princesse de France lui souriait, par la haute considération dont jouissait cette famille et ce royaume.

Bourbon avait en poche un argument tout prêt. C'était le portrait de la princesse Élisabeth, fille d'Emmanuel, roi de Portugal.

—Sire, lui dit-il, ceci est ma réponse. Tandis que mes ennemis et vos flatteurs ne songeaient qu'à vous trahir, je m'occupais des intérêts de votre auguste personne et de votre gloire. Je suis chargé de vous offrir la main de l'infante dont voici les merveilleux attraits, et l'union intime avec son père...

La sagacité diplomatique de Charles-Quint saisit avidement des ouvertures aussi inespérées, et bien supérieures à ce qu'il rêvait.

—Quoi! s'écria-t-il, vous avez conçu et amené à ce point un tel projet!...

—Rien n'est impossible, sire, à qui se dévoue à Votre Majesté. J'ai voulu que mes services pour elles me vengeassent des misérables persécutions des envieux.

Sire, la princesse Marguerite est veuve, son avoir n'est pas proportionné à son rang, elle est la sœur d'un roi, votre prisonnier, que vous tenez à votre merci. Que Votre Majesté compare: l'infante Élisabeth est à la fleur de l'âge et n'a connu aucun homme; sa dot est immense, et avec sa dot elle apporte des droits éventuels à la couronne de Portugal...

Charles sourit silencieusement, et regarda son favori avec cette finesse qui le caractérisait.

—En vérité, dit-il, vous soupçonnez la princesse Marguerite de méditer quelque plan pour m'enlever mon prisonnier?

—Les indications que j'ai eu l'honneur de soumettre à Votre Majesté, les colloques mystérieux qu'entretient le prisonnier avec les agents du saint office, ne sont-ils pas des preuves?...

—Par saint Jacques de Compostelle! cette rusée Française ne sait pas à qui elle s'attaque!... Mon cher duc, il m'est venu une idée aussi...

—Elle ne saurait qu'être bonne.

—Que diriez-vous si, prenant nos ennemis à leur piège, au lieu d'un prisonnier, je me trouvais en avoir deux?

—Je crois comprendre, sire. Mais la princesse Marguerite, dont la prévoyance aurait pu éveiller les soupçons d'un prince moins magnanime que Votre Majesté, la princesse n'est entrée en Espagne que sur un sauf-conduit...

—Que nous avons eu soin de restreindre à un délai fort court.

—Qui est expiré!... exclama le duc, saisissant déjà avec une infâme satisfaction l'idée de la captivité de la duchesse d'Alençon.

—Qui expire dans quelques jours, reprit l'empereur.

—Ah! fit le duc avec regret, dans quelques jours seulement?...

—Mais, insinua Charles de son accent le plus perfide, comme nous sommes un ennemi généreux, nous nous garderons que rien rappelle ce terme à la princesse qui daigne nous visiter. Nous voulons, au contraire, que les fêtes, les distractions se multiplient autour d'elle, l'enivrent et ne lui laissent pas le loisir de respirer.

—Je recommence à comprendre.

—Sur Dieu! la chose est claire; nous tenons à lui laisser un grand souvenir de l'hospitalité castillane; après cela, ce ne sera pas notre faute si elle oublie que tous les armistices ont une fin, et que cette échéance venue, les princes de France doivent se tenir sur leur territoire, sous peine de demeurer plus qu'ils ne souhaiteraient sur celui d'autrui... Ne vous inquiétez donc de rien, cher duc; si mes gentilshommes fêtent la princesse Marguerite, c'est pour me complaire.

—Oh! Votre Majesté est l'intelligence la plus profonde!... Mais ne daignera-t-elle rien me répondre touchant cette affaire de Portugal?...

—Par Dieu! vous êtes d'une hâte!... vous voudriez tout faire en un jour!...

—Les négociations restent pendantes, l'infante est un parti fort envié...

—Laissez-moi son portrait, et si vous êtes mis en demeure de donner une réponse, dites que je l'ai trouvé charmant...

Charles-Quint ne croyait pas plus que le duc de Bourbon au projet de fuite de François Ier. Mais, dirigés, l'un par sa rancune vivace, l'autre par sa politique égoïste, ils saisissaient volontiers ce prétexte pour ajouter la captivité de la sœur à celle du frère, et obtenir une double rançon.

L'alliance portugaise offrait à l'empereur un attrait plus puissant que celle de la France, et dès lors il rentrait, vis-à-vis de cette dernière, dans l'attitude la plus hostile. On sait que toute la vie de ce prince s'écoula dans ces alternatives sans pudeur ni générosité.

Suivant le dessein arrêté entre le duc et lui, Marguerite se vit l'objet d'une recrudescence d'hommages et de plaisirs.

Seulement, les ingénieux diplomates ignoraient que sous son visage affable et riant, elle portait un cœur cruellement ulcéré, et que l'enjouement n'était qu'au bord de ses lèvres.

Plus que ses ennemis, elle supputait les heures, les minutes, et celles-ci apportaient une aggravation à sa peine, à son anxiété, car il n'arrivait aucun courrier de France à son adresse.

Que faisait le vieux Michel?... Triboulet était-il coupable de nouvelles trahisons?... ou bien, plutôt, les nouvelles étaient-elles si fâcheuses qu'ils n'osassent les lui transmettre?...

Pour le roi, il se retranchait avec l'opiniâtreté des gens faibles dans son invariable argument:

— Apporte-moi les preuves, et, foi de gentilhomme! je signe l'acte de grâce.

Et le temps s'envolait, et le terrain devenait brûlant, et déjà des avis non suspects lui faisaient soupçonner la duplicité de l'empereur et ses méchants desseins.

Avoir accompli une telle entreprise, traversé deux royaumes, affronté tant d'obstacles, rendu la vie et la santé à son frère, et repartir sans cette faveur que lui seul pouvait accorder! Retomber vaincue au milieu de cette cour livrée à la merci d'un intriguant infâme, quelle perspective!

Trois jours encore, et le terme du sauf-conduit expirait, c'était à peine le laps suffisant, en faisant la plus grande diligence, pour gagner la frontière.

La princesse prétexta une indisposition et s'enferma chez elle, s'en remettant à mademoiselle de Tournon de disposer tout pour le départ devenu urgent.

Le roi voyait ces préparatifs et cette tristesse de sa sœur avec chagrin; mais il sentait l'œil de l'Inquisition sur lui, et se flattait qu'en raison de tant de sacrifices, l'appui de ces cautuleux alliés lui viendrait puissamment en aide, pour conclure ce traité sans cesse ajourné par l'empereur.

Au milieu de ces perplexités, et comme Marguerite se disposait à adresser ses adieux à son frère, le bruit d'un cheval entrant à bride abattue dans la cour de son hôtel la fit tressaillir et pâlir.

—Va! va!... dit-elle à Hélène de Tournon, n'osant y aller elle-même, vois ce que c'est!...

Hélène était déjà à la fenêtre:

—Un courrier!... repartit-elle, un courrier de France!...

—De France?... répéta Marguerite éperdue.

Et elle voulut regarder aussi, mais ses jambes se dérobèrent sous elle; elle fut forcée de se rasseoir.

—Ne vous dérangez pas, lui dit Hélène, il descend de cheval,.. Oh! ni l'homme ni la bête n'en peuvent mais!... Des varlets les reçoivent; on amène le messager... Entendez-vous ses pas?... Il monte... il approche...

Certes elle entendait car chacun de ses pas retentissait dans son cœur.

Enfin la portière s'entr'ouvrit, et l'huissier, au courant de l'impatience de sa maîtresse, introduisit sur-le-champ un homme haletant de fatigue, et dont les vêtements disparaissaient sous une couche de poussière épaisse d'un pouce.

Il tira de son pourpoint, un paquet où la princesse reconnut son cachet, confié à son intendant.

Le messager ne s'était arrêté depuis Paris que pour changer quatre fois ses chevaux, crevés sous lui.

—Prenez, madame, dit-il, c'est la bonne nouvelle!

C'était le mot d'ordre qu'il devait prononcer, et ce soin rempli, il fut obligé de demander à se reposer et à se rafraîchir. Mademoiselle de Tournon le confia à l'huissier, qui était à ses ordres.

La princesse n'avait pas encore brisé le sceau, à peine avait-elle pu répéter avec cet homme:

—La bonne nouvelle!...

Un éblouissement, un vertige l'avait prise.

—Regarde, dit-elle à sa compagne, je n'ai pas la force.

Mademoiselle de Tournon rompit l'enveloppe:

—Madame! s'écria-t-elle, madame, ce sont les ordres et les quittances écrits et signés par madame la duchesse!

—Les preuves!... ce sont les preuves!... Oh! merci, merci, mon Dieu!...

Et la princesse, saisissant les feuillets dérobés par Triboulet au coffre d'Antoine Duprat, tomba à genoux devant une image du Christ.

—Madame, reprit mademoiselle de Tournon, les minutes sont brûlantes... Chez le roi, courons chez le roi!

Et la saisissant par le bras, elle la força à se relever et l'entraîna, folle éperdue, mourante de joie, de saisissement, auprès de François Ier.

—Justice, sire! s'écria-t-elle dès qu'elle l'aperçut: c'est justice que je veux, vous me l'avez jurée au nom de votre foi de gentilhomme.

—Qu'apportez-vous donc, ma sœur?

—Ce que vous avez exigé: les preuves!... Voyez, reconnaissez-vous cette écriture?...

—Oui, répondit-il en frémissant et en levant au ciel un regard désolé; je la reconnais, c'est celle de ma mère...

—Eh bien, lisez aussi ce qu'elle a ordonné, et vous ne douterez plus de ma foi, et vous comprendrez pour quelles fins votre déloyal ministre avait confisqué et retenu ces papiers.

François Ier était d'une pâleur effrayante: sa mère si coupable, son ministre favori si infâme!

Il se souvint cependant, au milieu de sa stupeur, qu'il était roi.

—Je n'ai qu'une parole, ma sœur, dit-il; en échange de ces papiers, prenez celui-ci.

Et ayant signé la grâce expresse du chevalier de Pavanes, il alla brûler les lettres de la régente au brasero placé au fond de sa chambre.

—J'ai tenu mon serment, dit-il avec tristesse, êtes-vous contente?

—Recevez mes adieux, sire; je pars, je vais porter moi-même cet acte de grâce...

—Allez, soyez heureuse; moi, je reste seul avec mes chagrins!...

Il retomba près de sa table dans un épuisement profond.

Marguerite fit un pas pour se rapprocher de lui; elle se penchait pour l'embrasser une dernière fois: un bruit précipité dans la galerie l'arrêta.

—Sire, madame, fit un huissier tout troublé, c'est un messager de France.

—Un messager?... répétèrent le frère et la sœur.

—Quelque malheur encore, murmura le roi à demi-voix.

—Qu'ils entre, ordonna la princesse.

Un homme se présenta, si pâle, si défait, que ni le roi ni elle ne le reconnurent d'abord, quoique ce fût leur serviteur le plus fidèle.

Cependant Marguerite, égarée, l'œil halluciné, s'avança jusqu'à le toucher, et, reculant avec un grand cri vers le roi, qui la reçut dans ses bras:

—Ah! Michel Gerbier!... toi ici?... il est donc mort?...

—Quoi! demanda le roi, le chevalier de Pavanes dont je viens de signer la grâce?...

—Trop tard, sire!,..

Marguerite n'entendit pas, elle était évanouie.

Le dévoué Michel n'avait voulu confier à personne cette mission terrible. Il s'était mis en route, pour informer lui-même sa maîtresse de ce dénouement fatal. Il savait qu'elle voudrait connaître toutes les circonstances, et qu'elle n'aurait pas trop d'amis autour d'elle pour la consoler. Et puis, le chevalier mort, que restait-il à faire au Louvre?

Le conciliabule tenu chez le chancelier avait porté ses fruits; le tribunal de la foi avait condamné Jacobus de Pavanes, et la chambre ardente, spécifiant la peine, avait ordonné que le supplice aurait lieu, par l'estrapade et le bûcher réunis, sur la place de Grève.

Mais un autre raffinement, appliqué fort communément depuis aux condamnés déclarés, comme Jacobus, *mal sentants de la foi*, lui fit couper la langue avant de le sortir de prison. On craignait que par ses discours il n'influençât la foule.

Jacobus de Pavanes fut le premier luthérien qui subit en France la peine capitale. Nous eussions voulu atténuer l'horreur du dénouement, mais l'histoire oblige.

La nuit qui précéda son supplice, deux hommes, munis d'un laisser-passer signé du chancelier, c'est-à-dire d'un blanc seing dérobé sur sa table par Triboulet, étaient descendus près de lui.

Il connaissait déjà son sort, que frère Roma n'avait eu garde de lui cacher, et se tenait en prières, récitant à haute voix la traduction qu'il avait faite des psaumes.

—C'est vous, ami? dit-il en présentant sa main chargée de fers au vieillard; merci! Je n'espérais plus voir un visage bienveillant avant de mourir.

—Et vous en voyez deux, repartit Gerbier, en amenant le bouffon, qui se tenait timidement près de la porte.

Une contraction de mépris involontaire passa sur le visage du condamné.

—Oui, une âme repentie et sincère, insista le vieillard.

—Qui sollicite son pardon... ajouta Triboulet, agenouillé devant lui.

—A l'heure où j'arrive, prononça gravement le chevalier, les haines et les ressentiments s'effacent; Dieu m'attend. Maître, je meurs sans rancune contre vous.

Ite missa est.

—Et il a mérité cette parole, reprit Gerbier; car ce qui pouvait être fait pour vous sauver, je l'atteste, il l'a tenté; hélas, trop tard!

—Non, murmura sourdement Triboulet, je n'ai pas tout fait; au lieu d'élixir, c'est du poison que je devais verser dans la coupe du monstre!... Dieu m'est témoin que j'ai hésité, et ce sera mon remords éternel d'avoir causé la mort de bien des innocents, peut-être, pour ménager la vie d'un scélérat!

—Ne vous repentez point, dit Jacobus, la vie des hommes n'appartient qu'à la Providence; malheur à Caïn!

—Ce poison, balbutia Triboulet, je l'ai apporté, je l'ai sur moi... Messire, on a dû vous notifier votre peine... Elle dépasse les forces d'un martyr... C'est une offre désespérée que celle-ci; mais si vous souhaitiez d'échapper à ces tigres... au moyen de ce flacon, demain, au lieu de leur victime, ils ne trouveraient qu'un cadavre...

—Maudits sont ceux qui disposent de la vie d'autrui, mais également maudit celui qui dispose de la sienne... Fût-ce l'enfer, j'attendrai mon heure!...

«Mais c'est trop parler de moi... Maître, d'*elle*, n'avez-vous rien à me dire?

—Oh! sans doute, car elle serait près de vous, comme nous y sommes, si l'espoir de vous sauver ne la retenait au loin, à Madrid, où elle est allée chercher votre grâce.

—Elle a fait cela!... Chère et révérée dame!...

Le condamné, si calme et si ferme jusqu'alors, laissa couler de grosses larmes, puis, cet épanchement passé:

—Vous la reverrez, vous, mes derniers consolateurs, chargez-vous donc de lui transmettre mes paroles suprêmes.

—Je les lui porterai moi-même, mot pour mot, dit Gerbier.

—Eh bien, elle saura comprendre ceci: Qu'elle se rappelle les enseignements de mon père... La vie des âmes n'est pas un vain mot; et je meurs tranquille, soutenu par la foi qu'il arrivera un jour, fût-ce dans un ou plusieurs siècles, je le lui ai dit moi-même, où nos esprits se rencontreront avec plus de bonheur. S'il nous est accordé alors, par l'intuition des sympathies, de nous rappeler cette phase de notre existence passée, qu'il en reste un gage matériel.

Maître, j'ai là, passé sous mon pourpoint, un talisman confectionné par mon père, le savant alchimiste. Prenez-le, je vous prie, et remettez-le à madame Marguerite...

Le vieillard obéit. C'était un bijou de métal précieux, où deux cœurs étaient figurés enlacés dans une formule astrologique.

—Comptez sur moi, messire; cette commission sera remplie. Est-ce tout?

—Ajoutez, en lui remettant cela, que je suis mort content de savoir qu'elle m'aimait toujours, et que je serai pleuré par ses yeux.

Michel Gerbier l'avait alors serré dans ses bras, tandis que Triboulet baisait ses mains chargées de fers; puis il avait fallu s'arracher à cette étreinte, s'éloigner et laisser, pour ne plus le revoir, le martyr en compagnie du Dieu qui le soutenait.

Michel avait prévu juste, sa maîtresse, dont son récit excitait le désespoir, voulut connaître jusqu'au moindre mot, jusqu'au plus petit détail.

Elle pressa convulsivement pendant plusieurs minutes le talisman sur ses lèvres, comme si c'était encore son cher chevalier qu'elle embrassât. Puis, l'ayant à son tour posé sur son sein, elle sembla revêtir avec lui son courage, et se dressant devant son frère :

—Sire, lui dit-elle, je vous quitte, ne comptez plus me revoir dans votre Louvre.

François Ier ne répondit rien d'abord.

L'heure irrévocable du départ avait sonné; au moment où elle montait dans sa litière, il la prit dans ses bras, la combla de caresses, et d'un ton affectueux mais énigmatique :

—Va, lui dit-il, je te consolerai, ma mignonne. Le chevalier t'a pris ton amour, je te donnerai un trône!

On voit que François Ier avait profité à l'école de Charles-Quint, il pratiquait aussi la diplomatie.

Mais disons-le à l'honneur du cœur féminin, la perspective d'une couronne n'était pas même capable de consoler le désespoir de l'infortunée Marguerite. Elle les eût sacrifiées toutes, si un tel sacrifice eût pu désarmer l'inflexible mort.

Ce fut moins une femme qu'un pauvre corps insensible et prêt à s'éteindre, que la litière royale ramena en France.

ÉPILOGUE DE LA PREMIÈRE PARTIE

Nous allons ouvrir l'histoire, pour lui demander un dernier mot sur les principaux personnages de cette première époque de notre récit.

Charles-Quint épousa l'infante Élisabeth de Portugal, mais il ne pardonna pas à Marguerite de Valois de s'être soustraite au guet-apens dressé pour la retenir en Espagne. Ne pouvant s'en venger directement sur elle, il ne voulut plus entendre parler des négociations pendantes et présenta pour la libération de son captif des exigences judaïques.

Il fallait qu'elles fussent bien inacceptables, puisque le roi, auquel les soins et les visites de sa sœur avaient rendu la vigueur et la santé, prit la résolution d'abdiquer plutôt que de s'y soumettre. Il écrivit à sa mère et au conseil de ne plus le regarder que comme une personne privée. A l'appui de cette déclaration, il envoya le pouvoir de remettre la couronne au dauphin Henri, et l'ordre de le faire sacrer au plus tard dans deux mois.

Charles comprit alors seulement qu'il n'avait rien à gagner par la violence. Il rabattit quelque chose de ses conditions, et François Ier put enfin quitter ses fers.

Louise de Savoie se vit alors dépouiller de la régente. C'était la peine méritée par ses crimes. Mais la colère du roi ne dura guère; grâce à son aversion pour les affaires, à son besoin de plaisirs, il ne tarda pas à la lui rendre.

Elle connaissait la destruction des pièces accusatrices, et ne craignant plus rien de ce côté, elle recommença à nier toute participation à l'affaire de Semblançay. Il fallut que le ciel intervînt pour faire jaillir la vérité de ce drame odieux.

Oui, ce fut comme un miracle! La peste régnait à Paris, on était en 1532; la duchesse d'Angoulême se retira à Fontainebleau pour fuir la contagion; mais celle-ci gagnant la contrée, elle prit la route de Romorantin, et, atteinte du mal, elle fut forcée de s'arrêter dans le village de Grez en Gâtinais. On espérait la sauver, lorsque survint une circonstance inouïe. S'étant éveillée pendant la nuit, il lui sembla voir sa chambre tout en feu. C'était une comète qui jetait cette clarté.

En proie comme elle était à des croyances superstitieuses, cette apparition l'affecta si vivement, qu'elle s'écria aussitôt:

—Voilà un signe qui n'apparaît pas pour une personne de basse qualité! Dieu le réserve pour nous autres grands et grandes de la terre. Fermez ces rideaux, je ne veux plus le voir... C'est une comète qui annonce l'heure de mon agonie; c'est aussi celle des aveux et du repentir (Voyez les *Mémoires des Reines de France*).

Elle envoya chercher son confesseur, et quoique les médecins s'efforçassent de la tranquilliser:

—C'est vrai, leur dit-elle, je ne me sens pas faible ni souffrante comme on doit l'être à l'approche de la mort, et si je n'avais vu le signe de la mienne, je n'y croirais pas; mais, je vous le répète, mon heure est venue.

Et trois jours après elle succomba à cet effroi, comme devait succomber, trois ans plus tard, Charles-Quint à la vue d'une autre comète. Mais avant de mourir, et seulement alors, elle avoua sa conduite criminelle dans l'affaire Semblançay, et justifia la mémoire de l'infortuné surintendant.

Et témoignant son irritation à sa mère, François Ier comptait briser Antoine Duprat. Mais il arriva qu'il fallait payer la rançon à Charles-Quint et remonter sur un pied fastueux la maison royale. Or, de grosses sommes étaient indispensables, et le trésor était à sec. Où donc puiser? Un seul homme pouvait résoudre ce problème,—Duprat inventa un nouvel impôt, celui de la gabelle.—Comment disgracier un génie si précieux?

Il est juste de dire, d'ailleurs, qu'il ne devint pas pape, comme il s'en était flatté. Le trône de Saint-Pierre demeura intact de cette affliction. Seulement, on le créa cardinal.

Puis, vieilli avant l'âge par les suites de ses excès, étant devenu morose, et comprenant l'énormité des persécutions exercées à l'abri de son indolence et de ses faiblesses pour ses favoris, François Ier prit en détestation le plus coupable d'entre eux, et disgracia enfin cet infâme Duprat.

Triboulet, protégé par Marguerite de Valois, arriva, en revanche, au comble de la faveur.

Quant à cette princesse, son frère lui tint parole. Il la laissa pleurer suffisamment l'ami qu'elle avait perdu, et un beau jour, revenant à son idée fixe:

—Mignonne, lui dit-il, ton dévouement à mes intérêts t'a fait manquer la couronne d'impératrice. Je sais que tu ne l'as pas regrettée; mais je t'ai donné ma foi de t'en assurer une autre. Le moment est venu de m'acquitter.

—Me remarier! Y pensez-vous, sire! Ne connaissez-vous pas les désenchantements qui ont desséché mon cœur!

Mais François Ier ne croyait pas à la perpétuité des douleurs de ce genre. Il insista, et pour lui être agréable, bien plus que par une ambition qui n'était pas en elle, elle consentit à épouser Henri d'Albret, roi de Navarre.

Tout entière alors à ses devoirs, elle devint le modèle des souveraines; aucun soin important n'échappa à sa haute sagesse. Elle fit fleurir l'agriculture, encouragea les arts, protégea les savants, embellit ses villes et les fortifia. Son nom est demeuré immortel par ses grandes œuvres, par ses productions littéraires, et aussi par la gloire qu'elle eut de donner le jour à Jeanne d'Albret, l'illustre mère de Henri IV.

La mémoire de Jean Poncher fut réhabilitée, comme celle de Semblançay, par des actes authentiques.

Voilà, si nous ne nous trompons, nos comptes réglés avec tous nos principaux personnages.

Nous eussions voulu ajouter quelques renseignements sur les opérations astrologiques du vieux Jean de Pavanes; mais sa disparition subite, qui ne fut jamais expliquée à Louise de Savoie, laissa cette princesse indécise sur l'envoûtement de son ennemi Antoine Duprat, les pratiques jugées indispensables au succès de cette entreprise n'ayant pu être menées à terme par l'alchimiste.

Si le progrès des lumières nous a élevés au-dessus de ces croyances superstitieuses, nous n'avons cependant pas le droit de mépriser de même les idées philosophiques du vieux savant.

Il se pourrait donc que toute trace de nos héros ne fût pas perdue avec le dénouement fatal et historique de cette première partie de notre récit, et que celle qui va suivre présentât à nos lecteurs quelque trace de ces âmes si pleines de foi en l'avenir.

FIN DE LA PREMIÈRE PARTIE

DEUXIÈME PARTIE

I
LES SOUCIS DE LA POURPRE

Un siècle s'est passé depuis que François Ier, voulant recevoir avec splendeur son ancien ennemi Charles-Quint, détruisit la grosse tour féodale qui obstruait la cour carrée du Louvre. Henri II, son fils, François II, Charles IX, Henri III, ont successivement habité l'antique palais, en y apportant quelques appropriations destinées à le rendre plus logeable ou plus commode pour leur service, mais sans en modifier d'une manière sensible l'aspect principal.

Nous voici sous le règne de Louis XIII, nous allions écrire sous celui du cardinal de Richelieu.

Le roi qui affectionnait le séjour de Fontainebleau, avait dû momentanément quitter cette résidence, envahie par les charpentiers et les maçons. Suivant un désir du monarque, on élevait alors la façade du milieu du palais, vers la cour du Cheval-Blanc, et son architecte, Lemercier, construisait la rampe de doubles degrés connue sous le nom de fer-à-cheval.

La cour habitait le Louvre d'une manière plus sédentaire que d'habitude.

La reine mère en occupait une aile presque entière, par les mêmes motifs qui chassaient la cour de Fontainebleau, c'est-à-dire à cause des constructions considérables qui s'élevaient par ses ordres à sa résidence du Luxembourg, pour l'agrandir et la compléter.

Richelieu n'avait pu encore achever le Palais-Royal, qu'il se destinait, et qui devait suffire, après lui, au logement des rois. Il se contentait, pour le moment, d'un appartement au Louvre, où le roi avait souhaité l'avoir sous la main, et où il se trouvait au milieu des manœuvres de la cour, comme l'araignée au milieu de sa toile.

Ce matin-là, un beau matin de printemps, sur ma foi! il s'était levé fort maussade, ainsi qu'avait pu le constater son fidèle valet de chambre Desnoyers, l'unique serviteur en qui il eût à peu près confiance.

Dans ces jours nébuleux, le cardinal refusait de voir personne au moment de son lever; il descendait d'un air taciturne à la chapelle du Louvre, et se faisait servir la messe, sans témoin, par Desnoyers.

A la manière dont il prononçait le *Dominus vobiscum* et l'*Ite missa est*, Desnoyers savait à quoi s'en tenir sur le reste de la journée. Quand ces trois derniers mots: «Allez-vous-en, la messe est dite,» avaient été lancés d'un ton brusque, saccadé, — si le rusé laquais voyait apparaître dans l'antichambre quelque solliciteur auquel il voulût du bien, il se gardait de l'introduire.

Solliciter, en pareil cas, c'était courir au-devant d'un refus net sinon d'une belle et bonne disgrâce. La chose était si bien connue des familiers du château, que les plus intimes, en rencontrant Desnoyers, l'interrogeaient du coin de l'œil, et se sauvaient sans insister, s'il leur répondait seulement ces trois mots cabalistiques:

—*Ite missa est...*

—Je me sauve, la messe est dite! répondaient les plus résolus, en accompagnant leur fuite d'un remerciement doré à l'adresser du serviteur intelligent.

Quel profond philosophe que celui qui a écrit: «Il n'y a pas de grand homme pour son valet de chambre!»

Desnoyers connaissait son maître par cœur, et doué d'une sagacité remarquable, tout en lui demeurant sincèrement attaché, il savait fort bien discerner en lui le bon et le mauvais, le fort et le faible.

Les qualités, les capacités éminentes, les hautes conceptions, étaient incontestables en ce personnage que la nature avait créé homme de guerre et de lutte, et que les destinées avaient couvert d'une robe rouge.

Mais ces mérites avaient une terrible et funeste contre-partie, une ambition immense, un orgueil implacable, une ténacité féroce.

Comme ses vues n'étaient pas droites, ses moyens irréprochables, ses actes exempts d'arbitraire, il éprouvait le châtiment de sa mauvaise conscience. Une méfiance constante envers et contre tous l'accompagnait, attachée à lui comme son mauvais génie. Il faisait couler trop de larmes, — et trop de sang! pour ne pas se sentir entouré de haines, de rivalités et d'embûches.

Ce sentiment de méfiance était toujours celui qui se peignait avant tout autre dans son regard lorsqu'il voyait quelqu'un pour la première fois. C'était là un des traits de sa politiques et de sa philosophie, tant il croyait difficilement au bien.

Puis, l'homme qu'il avait considéré de la sorte était-il devenu son obligé, il se gardait bien encore de s'ouvrir à lui sur-le-champ, ni de l'investir de missions de confiance, — il avait lui-même si largement professé l'ingratitude pour ceux qui l'avaient porté au faîte du pouvoir, qu'il ne craignait rien tant que les ingrats.

Congédie-les lestement.

Desnoyers, grâce à l'assiduité de son dévouement, était donc parvenu, par une faveur exceptionnelle, à obtenir une part dans cette confiance, qu'un seul homme pouvait se flatter de posséder entière, — et encore...

Ce personnage était le père Joseph, la doublure du cardinal, et que son attachement pour celui-ci faisait nommer l'Éminence grise.

Le père Joseph est demeuré pour les historiens et les auteurs de mémoires les plus profonds et les plus indiscrets, à l'état d'énigme. Nous ne chercherons pas à montrer plus de sagacité qu'eux, nous bornant à tirer quelques-unes des conséquences des incidents formant notre récit.

Ce matin donc où le cardinal avait si brusquement récité les versets de l'office, le père Joseph, qui savait d'ailleurs entrer chez lui par plus d'une porte, se présenta tout simplement par celle de l'antichambre ordinaire, où il avisa Desnoyers en train de tambouriner en chantonnant d'un air moqueur la diane sur les vitres d'une croisée.

Il y avait là, sur des banquettes de cuir à clous dorés, un cercle de solliciteurs attendant qu'il plût au maître de leur accorder audience. C'étaient de ces gens peu considérables ou peu sympathiques, auxquels le valet de chambre ne se souciait pas de donner un bon conseil, et auxquels s'adressait probablement la goguenardise de ses allures.

Le franciscain vit tout cela d'un coup d'œil. Il promena sa prunelle cauteleuse sur cette assistance, et n'y distinguant aucun visage bien intéressant, il joignit mons. Desnoyers dans son embrasure.

—Eh bien, Son Éminence?... demanda-t-il.

Le valet secoua la tête d'une façon significative.

—Il ne s'est pas même déridé, hier soir, pour aller au jeu du roi.

—Comme avant-hier, comme les jours précédents... et cela depuis des semaines!...

Pour toute réponse, Desnoyers se contenta d'un regard soucieux et d'un soupir.

Le père Joseph demeura pensif un instant; puis, de ce coup d'œil inquisitorial qu'il savait employer pour tirer aux gens le fond de leurs pensées:

—Rien de madame de Chevreuse? fit-il.

Ceci était un détail intime. Richelieu s'était laissé prendre d'une grande passion pour cette dame, qui se montrait fort éloignée d'y répondre.

—Rien, répondit Desnoyers; monseigneur paraît avoir oublié la duchesse.

Un vague et silencieux sourire du capucin fit comprendre qu'il ne croyait pas à ce prétendu oubli; aussi le valet, qui n'y croyait pas davantage, se hâta d'ajouter:

—Du moins n'en a-t-il pas parlé tous ces derniers temps.

—Et tu n'as aucun indice sur les causes de cette humeur noire? recommença le père Joseph en scrutant toujours sa pensée.

—Pas le moindre, je m'y perds; mais pour sûr, si cela continue, il en fera une maladie.

—Aide-moi, seconde-moi, il faudra bien que nous réussissions à le distraire. Ah! si cette damnée coquette de duchesse voulait y mettre un peu du sien!...

—Oui, mais elle est intraitable.

—Il faudra pourtant qu'elle s'humanise! murmura entre ses dents le franciscain, dont les sourcils se contractèrent quasi à l'instar de son maître.

—Espérons-le, fit benoîtement le valet.

—Çà, reprit le père Joseph en désignant le cercle de solliciteurs rangés à l'autre bout de la vaste pièce, et qui n'osaient même souffler, tant son froc leur causait de respect, tu ne vas pas rebattre les oreilles de Son Éminence des noms et des requêtes de tous ces gens-là. Congédie-les, et lestement.

Sur ce, il se dirigea vers la porte accédant au cabinet du ministre, et comme il l'ouvrait sans façon, il entendit Desnoyers signifier aux solliciteurs qu'il tenait depuis deux heures et plus cloués sur leur banc d'angoisses, cet arrêt souverain et sans appel:

—Messieurs, Son Éminence ne recevra pas aujourd'hui.

Ce fut comme un coup de tam-tam. Ils se levèrent avec stupeur, et les plus opiniâtres ne s'éloignèrent qu'après avoir tenté d'intéresser ou d'attendrir l'inflexible cerbère.

Le cardinal n'était pas dans le cabinet, ou plutôt dans le salon de travail voisin de l'antichambre, et où il donnait ses audiences ordinaires.

L'abbé Desroches, qui possédait le titre de secrétaire intime, mais qui en fait de secrets et d'intimité en savait beaucoup moins que le franciscain et le valet de chambre, était assis à un bureau, répondant à une masse de lettres et de suppliques.

Il quitta sa place dès qu'il aperçut le confident par excellence, et vint le saluer avec une déférence empressée.

—De grâce, mon cher abbé, fit celui-ci, qui affectait en toute occasion une humilité monacale, ne prenez pas garde à moi; demeurez au travail, vous n'en manquez pas, d'ailleurs, si j'en juge par cette montagne d'épîtres décachetées.

—Ne m'en parlez pas, mon père, on croirait que la race des solliciteurs pullule en France, comme les grains de sable; chaque matin c'est une averse de placets plus volumineuse que la veille. Il y en a en vers, en prose, en latin, et jusqu'en grec et en hébreu.

—Et vous répondez en bon français?...

—Vous connaissez la formule habituelle.

—Eau bénite de cour.

—Sauf quelques exceptions fort rares. Comme Son Éminence entend avoir *grosso modo* l'indication de toutes ces requêtes, je lui signale particulièrement les plus bizarres pour l'égayer, ou les plus agréables...

—Pour la flatter.

—Et dans un cas ou dans l'autre, les originaux et les poètes se ressentent de sa générosité.

—Le moyen ne manque pas d'adresse; je vous en fais compliment, mon cher abbé, car Son Éminence a besoin de distractions, et si j'en crois mes renseignements, vous aurez eu de la peine à la faire sourire ce matin.

—Je n'ai pas même essayé, Révérence. Monseigneur a un gros nuage sur le front; les plaisantins seraient mal venus aujourd'hui, se nommassent-ils Boisrobert, Beautru ou Raconis. Je ne conseillerais pas à tout autre qu'à Votre Révérence de s'y frotter.

—C'est bien, j'ai fait congédier tous les demandeurs d'audience: veillez à ce que personne ne nous dérange. J'ai des affaires sérieuses à traiter avec Son Éminence!

—Je m'installe à demeure ici, pour arrêter les plus entreprenants.

—Oh! de l'humeur dont on sait le premier ministre, les plus entreprenants n'auront garde d'insister. Au revoir, mon cher abbé.

Le père Joseph disparut sous la tenture et pénétra dans la pièce voisine, le sanctuaire du maître.

Les portières en étaient rouges, les rideaux rouges, les tapis du parquet et des tables rouges, les meubles rouges.

C'était le cabinet cardinal par excellence.

L'ameublement était somptueux. Le marbre le plus rare, l'ébène sculpté avec profusion, l'ivoire, le bronze, l'or s'y rencontraient sous les formes les plus élégantes, jusque dans les objets les moins en évidence. Le chiffre de Richelieu se détachait en filigranes dorés sur toutes les étoffes, et son chapeau à torsades, cimier de ses armoiries, se reproduisait dans la sculpture des dossiers des fauteuils et des lambris. Il y avait encore deux objets de rigueur et de pur luxe: un portrait du roi dans un cadre splendide, sur le plus beau panneau, et un prie-Dieu monumental, au pied d'un christ d'ivoire, de Germain Pilon.

Un grand bureau à incrustations merveilleuses occupait le centre de ce cabinet, qui laissait bien loin, sous son faste et son confort, celui du roi.

Mais ce faste, ce n'était pas le bonheur.

Le ministre absolu, plus roi que le roi, auquel il ne restait pas de désir à former, avec qui les souverains traitaient de puissance à puissance; l'homme qui se considérait comme la France et ne craignait pas de dire, un jour d'épanchement et de conviction: «La royauté, c'est moi!» était là, affaissé sur lui-même, dans les coussins de son fauteuil couronné, pareil à un trône, l'œil fixe et morne, les traits ravagés, si pâle et si défait, que les reflets des draperies empourprées, au lieu de rehausser son teint, lui donnaient un aspect plus livide.

A quoi pensait-il? D'où venaient ses soucis? des affaires de l'État ou des siennes propres? Sa clairvoyance de lynx avait-elle surpris dans l'air quelque trame destinée à jeter de nouveaux obstacles sur sa voie, si énergiquement déblayée naguère? Voyait-il poindre à l'horizon des orages politiques et religieux? Les menées de Monsieur, frère du roi, les rancunes de la reine mère menaçaient-elles de se rallumer?

Les cachots du Louvre, de Bagneux, de Rueil, le donjon de Vincennes, les cellules de la Bastille contenaient-ils encore quelque prisonnier de conséquence dont il fallût ajouter le sang déjà versé entre leurs discrètes et sinistres murailles?

Desnoyers avait assuré que la duchesse de Chevreuse n'était pour rien dans ce marasme, ce n'était donc pas l'amour qu'il fallait interroger; mais de ces autres causes, laquelle était la vraie?

Le franciscain se le demandait, et se répondait sans hésitation: aucune!

Ces accès n'étaient pas nouveaux pour son maître. Ils se présentaient en quelque sorte périodiquement, et de tous ses secrets, c'était peut-être le seul qu'il ne connût pas.

Le père Joseph, dans quelque disposition que fût le cardinal, était toujours le bienvenu. On disait à la cour que c'était son âme damnée, et le mot n'avait rien d'exagéré. Pour le mal comme le bien, dans les mesures les plus violentes, à travers les crises les plus scabreuses, les péripéties les plus critiques, le franciscain était là, imperturbable dans son dévouement, et ce fut souvent lui qui, plus fort que Richelieu, releva son moral abattu et remit à flot sa barque chavirée.

Il avait d'ailleurs une manière de procéder dans leurs entretiens et leurs conseils, qui séduisait l'Éminence. Sous ses formes humbles et admiratives, il ne l'abordait pas par interrogations, mais par affirmations. Doué d'une perspicacité et d'un tact prodigieux, il ne demandait pas: Cela est-il? il ne disait même pas dubitablement: Si cela était? Il arrivait sûr de lui, et entrant du premier mot au vif de la question: Cela est, disait-il.

Et Richelieu, auquel cette forme évitait les circonlocutions, les ambages, les confidences gênantes, le prenait également pour intermédiaire de ses affaires de galanterie, et pour agent de sa politique.

Comment se faisait-il donc qu'il ignorât le sujet de sa tristesse présente?

Le cardinal, placé vis-à-vis d'une grande glace de Venise, cadeau ducal du doge de la république, le vit entrer, humble et modeste comme il était dans ses allures.

A cette vue, il poussa un soupir de soulagement, et pour se ranimer:

—Enfin, c'est toi, fit-il en le tutoyant amicalement, comme il se plaisait à le faire dans l'intimité.

— Avec une annonce satisfaisante, monseigneur.

—Satisfaisante?... répéta-t-il avec un air de doute et de découragement.

—Je la crois telle, du moins, Éminence, car l'homme que vous avez souhaité voir est là.

—Personne ne l'a aperçu? demanda-t-il vivement.

—Personne.

—Personne ne sait son arrivée à Paris?

—Personne. A sa descente du coche, une voiture sans armoiries, l'a pris et amené jusqu'au poteau du midi, où je l'ai reçu et d'où je l'ai conduit à mon oratoire.

—S'il allait s'aviser d'en sortir?

—Voici la clef; il est sous double tour.

—Et quel homme est-ce?

—Vous allez le voir vous-même. Boisenval, qui l'a été quérir et a fait le voyage avec lui, sans le perdre de vue une seconde, dit que c'est un fou ou un profond intriguant.

—Pourquoi Boisenval?... demanda Richelieu, revenant sur ce nom.

—Comme l'un de nos serviteurs les plus éprouvés. Une mission ne pouvant être abandonnée au premier venu.

—Sans doute; mais souviens-toi que pour ce motif même il faut ménager nos rapports avec lui. C'est un affidé précieux; il vaut mieux qu'il nous serve sous le manteau qu'au grand jour.

—C'était assez clairement dire qu'il fallait réserver le sieur de Boisenval pour le rôle d'espion ou d'agent provocateur. Le franciscain n'eut garde de blâmer cette honnête tactique, et promit au contraire de s'y conformer avec zèle.

—Plus qu'un mot: cet homme sait-il où il est et pourquoi on le mande?

—Boisenval s'est présenté, muni de la lettre que j'écrivais confidentiellement au supérieur de la communauté, à Amiens, pour le prier de m'envoyer ce jeune frère. Le supérieur, avec une déférence dont nous lui tiendrons compte, et sans élever une objection, l'a fait venir et lui a donné l'ordre de suivre ce gentilhomme partout où il lui plairait de le conduire. Il s'est incliné, a demandé la bénédiction de son chef, et s'est remis à la discrétion de notre messager avec une docilité évangélique.

—C'est étrange... murmura Richelieu, qui semblait se consulter lui-même.

Puis ayant vaincu une mystérieuse réticence:

—Allons, conduis-moi! dit-il en indiquant la petite porte d'un escalier dérobé, qui plongeait jusqu'aux souterrains du Louvre à travers tous les étages.

II
LE VISIONNAIRE

Le cardinal et le franciscain descendirent jusqu'aux salles basses du palais. C'étaient des locaux qui, dans l'origine, formaient le rez-de-chaussée. Les remblais et l'exhaussement successif du sol de la cour carrée et des jardins intérieurs, d'une part, la construction de quais et de défenses contre les débordements de la rivière, de l'autre, les avaient réduits à l'état de souterrains.

Au-dessous, cependant, régnaient encore les anciens caveaux, grottes obscures, disposés en compartiments sinistres, à la suite de la destruction de la Grosse-Tour, pour en remplacer les cachots et les fosses.

C'était donc dans cet espèce de sous-sol, désigné sous le nom de salles basses, et en partie consacré au service du palais, cuisines, offices, celliers, que le père Joseph, fidèle à son rôle d'humilité, s'était choisi, au fond de la galerie la moins fréquentée, une cellule et un oratoire.

Ces deux petites pièces donnaient l'une dans l'autre. A moitié enfouies sous terre, comme on vient de l'expliquer, elles recevaient chacune le jour par une croisée carrée, soupirail garni de barres de fer, et plus pareil à des huis de prison qu'aux fenêtres d'un hôtel libre.

Ces croisées se trouvaient presque au niveau du sol du côté de la cour; mais en dedans, elles joignaient le plafond, et l'on ne pouvait y mettre l'œil qu'en montant sur une chaise.

La cellule ne possédait qu'une couchette de cénobite: un matelas sur des planches, deux ou trois sièges de bois, une petite table munie des objets nécessaires pour écrire, et, dans un casier, une demi-douzaine de bouquins mystiques.

L'oratoire était plus pauvre encore: un prie-Dieu sans coussins, sous une grande croix de bois noir; un livre de prières, un bénitier de grès et un bouquet d'anciens rameaux.

C'est là que se retirait le père Joseph, lorsque les intérêts ou les travaux de son patron ne lui permettaient pas de se recueillir dans la chère cellule de son couvent de la rue Saint-Honoré, son asile de prédilection.

Le père Joseph avait alors une cinquantaine d'années; de ses passions, qui avaient été brûlantes, une seule semblait survivre, celle de l'intrigue, et, à ce titre, il ne pouvait trouver un meilleur chef de file que le cardinal.

Il était de grande naissance; son père, Jean Leclerc, seigneur du Tremblay, avait été président des requêtes du palais. Sous le nom de Mastèce, le jeune du Tremblay avait abordé avec gloire la carrière des armes; puis tout à coup, au moment où ses talents donnaient le plus d'espérances, il avait quitté le monde, l'armée et jusqu'à son nom, pour revêtir le froc de capucin, sous lequel son mérite ne tarda point cependant à percer encore. Il atteignit rapidement aux premières fonctions de son ordre.

Ce fut alors que Richelieu le distingua, le manda près de lui, et que s'établit cette alliance pareille à un pacte, qui, de part et d'autre, se perpétua si longtemps.

Lorsqu'ils arrivèrent à la cellule, le franciscain fit tourner la clef dans la serrure, fermée à double tour, ainsi qu'il l'avait dit, et invita silencieusement le cardinal à entrer.

La porte de l'oratoire était ouverte; sur le prie-Dieu, qui faisait face, ils aperçurent celui qu'ils cherchaient, agenouillé, le coup tendu vers la croix de bois, immobile, dans l'attitude de l'extase.

Il ne les avait pas entendus venir.

Richelieu observait d'un air pensif, sans remarquer que son compagnon attendait ses ordres pour agir ou parler.

Évidemment, chose étrange et sans exemple peut-être, il éprouvait certains scrupules, certaine hésitation, une sorte de respect humain probablement dans la démarche à laquelle il se livrait.

Mais il n'était pas homme à balancer longtemps.

—Holà! commanda-t-il de son ton sec et impérieux, monsieur, on souhaite vous entretenir un instant.

L'inconnu ne donna aucun signe d'attention.

Richelieu laissa poindre un geste d'impatience, que le père Joseph réprima d'un autre signe respectueux, mais imposant à la fois.

S'approchant à petits pas de ce singulier personnage:

—Frère Jean, lui dit-il, vous reprendrez votre méditation tantôt; pour l'heure, on a besoin de vous.

Celui auquel il s'adressait quitta enfin la croix du regard, exécuta les mouvements d'un homme qui sort du sommeil, se leva lentement, et se tournant vers ses visiteurs, les salua d'une inclination profonde.

Richelieu se souvint du mot de Boisenval: «C'est un fou ou un intriguant.»

Il avait sa façon d'étudier la physionomie des gens, non pas, comme le père Joseph, d'un regard mêlé d'astuce et de méfiance, mais d'un véritable coup d'œil d'aigle. Ce premier jugement était d'ailleurs sûr et irrévocable.

Il considéra donc l'inconnu de cet air calme et froid qui lui était propre, et sous lequel les plus forts rentraient en eux-mêmes intimidés.

—Mais cette fois, celui qu'il observait demeura impassible, et l'étonna lui-même par l'expression singulière de sa prunelle d'un azur pareil à l'outremer, claire et profonde à la fois.

C'était un tout jeune homme, que son absence de barbe rajeunissait encore. Il était mince et élancé, d'une pâleur étrange, presque transparente, sous laquelle on sentait une organisation nerveuse d'une mobilité et d'une expression extrêmes. Ses cheveux blonds et soyeux tombaient sans art jusque sur ses épaules.

Son costume était d'une grande simplicité et noir dans toutes ses parties.

—Frère Jean, lui dit le père Joseph, savez-vous devant qui vous êtes?

—Devant de puissants personnages, sans doute, mais moins grands que Dieu, devant qui j'étais tout à l'heure.

Richelieu observait toujours; le maintien de ce jeune homme, son organe clair et pénétrant n'étaient pas ceux d'un insensé; la simplicité et l'accent convaincu de sa réponse n'indiquaient pas non plus un intriguant ni un ambitieux; et le cardinal formula son opinion par ces mots adressés au franciscain, qui seul pouvait les comprendre:

Elle paraissait trop pensive pour les avoir remarqués.

— Boisenval est un sot.

— C'est bien possible, répondit par un geste silencieux le père Joseph; mais alors, sembla-t-il ajouter, que faut-il croire?

— Monsieur, dit le cardinal au jeune homme, vous vous nommez Labadie?

— Frère Jean, répondit-il.

— Soit! frère Jean, puisque tel est le nom que vous avez voulu adopter en entrant aux Jésuites de Bordeaux, que vous quittâtes pour ceux d'Amiens. Votre père était un des archers de la citadelle de Bourg en Guienne. Vous n'avez encore reçu que les premiers ordres, et vous vous disposez à faire profession, votre âge s'étant opposé à ce que vous prononciez vos vœux plus tôt.

—Tout est exact, monseigneur, et vous êtes aussi bien renseigné sur mon compte que je le suis moi-même. Daignerez-vous me dire à quoi je suis redevable de cet honneur?

—Il faut d'abord que vous sachiez qui nous sommes: le père Joseph, supérieur des capucins de l'ordre de Saint-François, et...

—Et monseigneur le cardinal de Richelieu, acheva le jeune homme, devinant le titre de son interlocuteur et le saluant de nouveau.

Mais cet acte de respect vis-à-vis d'un prince de l'Église était accompli sans servilité et sans hypocrisie.

—Que Votre Éminence parle, j'obéirai.

—Je suis ennemi des novateurs, monsieur, mais je le suis tout autant des superstitions.

—C'est le propre de la vraie religion de se tenir dans un sage milieu.

—Or, poursuivit le cardinal sans relever cette réflexion, je tiens pour superstitieuses toutes pratiques tendant à violer l'ordre naturel et logique des choses constituées par le Créateur, et à amener des résultats contraires à ses lois.

—Votre Éminence a raison de proscrire les pratiques de nécromancie et d'astrologie, qui sont pactes démoniaques; mais elle appartient à l'Église, dont la foi repose sur des miracles, et elle ne nie pas les miracles, qui sont manifestations divines, mais surnaturelles aussi.

Richelieu échangea un regard singulier avec le père Joseph, en présence de cette logique embarrassante.

—Je m'incline devant les miracles, répondit-il, mais je suis homme à faire brûler les faux prophètes.

Cette terrible parole devait se réaliser un peu plus tard, par le supplice d'Urbain Grandier.

—Tout imposteur mérite châtiment, prononça sans s'émouvoir le jeune homme.

—Je suis charmé de vous trouver de cet avis. Conservez la même franchise, dites-moi pourquoi les Pères de la compagnie de Jésus d'Amiens vous appellent le *Visionnaire*.

—En raison, monseigneur, de l'influence et des pratiques qui m'ont été révélées par des voix inconnues.

—Et si ces voix émanaient de l'esprit des ténèbres?

—Elles émanent du ciel, monseigneur, car elles ne m'ont jamais conseillé que le bien. Elles m'ont enseigné que je posséderais la vertu de dominer certaines intelligences, et d'en obtenir, une fois soumises à ma volonté, des révélations surhumaines.

Le cardinal éprouva comme un frémissement involontaire et ne répondit pas de suite.

Ce jeune homme se trompait peut-être, mais à coup sûr il avait la foi. La réputation qui l'avait précédé et indiqué à Richelieu était étrange et fort accréditée. On lui attribuait des prodiges, et des témoins respectables s'en portaient garants.

Il ne procédait pas par les moyens ténébreux des nécromans; il prétendait tirer toute sa puissance de l'effet de son simple regard et de sa persistance de volonté. Une émanation était en lui, disait-il, qui domptait les résistances et provoquait l'extase et la révélation.

Aujourd'hui que cette influence a pris un nom et s'est constituée en école sous le nom de mesmérisme, nous nous rendons un compte plus exact des courants magnétiques. Sous Louis XIII, on ne connaissait encore que les sorciers.

On avait même perdu, à cette époque, la notion de certains cas fort éclatants de magnétisme, tels que ceux de l'infortuné curé des Accoules, de Marseille, Gaufridy, brûlé pour avoir retrouvé une science oubliée depuis les temps païens, qui la connaissaient et la pratiquaient comme chose divine.

Richelieu, en dépit de la profession de foi qu'il venait de faire à Labadie, était enclin à croire aux œuvres surnaturelles. Autrement, eût-il condamné à l'autodafé Urbain Grandier, dont nous parlions tout à l'heure, coupable absolument du même crime de magnétisme que frère Jean, mandé par le cardinal avec tant de précautions du fond de la communauté d'Amiens?

Labadie n'est donc point un personnage imaginaire; c'est l'histoire qui nous transmet les détails de son existence, et qui ne permet aucun doute sur l'intérêt et l'attention que lui porta le tout-puissant ministre de Louis XIII.

Ce jeune homme mena, dès qu'il eut l'âge de raison, une vie singulière, exceptionnelle, insubstantielle en quelque façon. Il ne mangea jamais de viande ni d'aliments condimentés, les fruits et les herbes composaient toute sa subsistance, et il est permis de croire que ce régime contribua aux phénomènes qui lui valurent son nom de *Visionnaire* et qui l'assimilèrent aux Pères du désert, sur les traces desquels il prétendait marcher.

Mais sans devancer les événements, nous le voyons ici au début de sa carrière, et c'est là que nous devons provisoirement nous arrêter.

Richelieu, en proie à ces accès de misanthropie que nous avons signalés, poursuivi par une idée fixe pleine d'amertume, avait voulu le consulter.

L'interrogatoire préalable qu'il lui imposait avait pour but de s'assurer qu'il n'allait pas au-devant d'une mystification, et que la réputation de frère Jean reposait sur des circonstances au moins plausibles.

—Ainsi, monsieur, reprit-il, vous prétendez, grâce à une seconde vue, renouer le fil des événements passés, évoquer les mystères les plus ignorés, saisir la trame de ceux qui s'agitent, tenir en un mot, en votre main, la clef du passé, du présent et de l'avenir?

—Pardonnez-moi, monseigneur, vous exagérez ma puissance. L'avenir n'appartient qu'à Dieu. Mais il accorde, en effet, à certains hommes, et j'en suis un, le pouvoir de descendre au fond des ténèbres du passé et de l'actuel.

Soit que cet accent eût gagné Richelieu, soit que, comme tous les humains, il crût volontiers à ce qu'il souhaitait, son œil jeta une flamme soudaine.

—Maître du présent!... murmura-t-il, ce serait assez...

Il pensait à la force qu'il aurait, si un agent sûr lui dévoilait, à mesure qu'elles surgiraient, les trames de ses ennemis.

Le franciscain, habitué à lire dans sa pensée, se pencha vers lui.

—Ce serait trop beau!... lui dit-il.

Mais son imagination était lancée.

—C'est le présent que je veux connaître... Parlez, et pour peu que votre art s'exerce avec le moindre bonheur, frère Jean, vous n'aurez qu'à souhaiter; formés par vous, tous les désirs qu'un roi pourrait satisfaire seront satisfaits.

—Ma vie est d'humilité et d'abnégation, répondit le jeune homme; ma cellule pour prier, une chaire pour faire entendre la parole de Dieu, voilà mon ambition. Mais je me suis mis à votre discrétion, monseigneur, et je veux vous obéir.

—Nous vous écoutons.

—Oh! fit le visionnaire, je ne saurais procéder ainsi et avec mes seules ressources!

—Que vous faut-il donc?

—Une personne autant que possible en âge d'adolescence, une jeune fille préférablement, avec laquelle j'entre en communication, par la seule force de la pensée, que je réduise à mon gré en état d'extase, et de qui j'obtienne, par la seconde vue, la révélation souhaitée.

—Je ne comprends pas très bien.

—Que Votre Éminence daigne me mettre en présence de plusieurs jeunes filles, je lui indiquerai la plus propre à recevoir l'impression extatique, et les faits expliqueront ce que mes paroles peuvent avoir d'obscur.

—Une jeune fille? répéta Richelieu; mais on n'en manque pas dans ce palais. Chacune des deux reines en a un essaim autour d'elle. Il s'agit seulement de vous faire choisir la mieux disposée pour votre expérience.

—Rien de plus aisé, intervint le père Joseph; que Votre Éminence et frère Jean veuillent bien m'accompagner.

—Conduisez-nous, dit Richelieu, qui s'appliquait à ne pas trahir l'importance qu'il attachait à cette épreuve.

Et il se mit à marcher après le franciscain, suivi lui-même par frère Jean.

Parvenus au premier étage du palais, le père Joseph ouvrit un petit salon voisin de la grande galerie, et, comme elle, désert en ce moment.

La croisée donnait sur le parterre de la reine-mère; jardinet assez modeste, mais que les limites forcées du Louvre ne permettaient pas d'agrandir d'un pouce, et dont le bon entretien rachetait l'exiguïté.

Deux jeunes filles se promenaient, amicalement enlacées, dans l'allée principale.

C'était un tableau ravissant. L'aînée n'avait pas vingt ans; elle était svelte, châtain et rose. Son costume, plus gracieux que recherché, dessinait ses formes virginales, et, dans son abandon même, laissait pressentir d'adorables trésors.

Sa compagne, un peu plus petite et un peu plus jeune encore, était mise avec une égale simplicité. Elle était blonde comme un épis de blé à peine mûr, blanche comme une de ces belles roses dont un incarnat diaphane irise les pétales.

Elles allaient donc à travers l'allée, sur le sable que leurs pieds mignons ne foulaient guère, et s'entretenaient avec grande ardeur de quelqu'un de ces riens mystérieux si importants à cet âge.

Le soleil s'était mis de la fête, il rayonnait sur le parterre, où chaque plante, épanouie par sa chaleur, s'empressait de le saluer. C'était le printemps, et de tels rayons étaient rares au fond de ce Louvre, échafaudé de cinq grands étages.

Cependant, nos trois observateurs ne paraissaient pas même se douter du charme de cette scène, de l'influence radieuse de ce beau ciel. Hors de leur idée, ils ne connaissaient rien.

Le père Joseph observait les traits de son patron, il se demandait si enfin il allait être initié à la pensée secrète qui exerçait sur cette haute et robuste intelligence une pression si grande et si fâcheuse.

Le cardinal, retombé dans ses réflexions, s'appliquait à modérer son impatience.

Le visionnaire considérait attentivement les deux jeunes filles.

—Eh bien, frère Jean, demanda le franciscain, l'une de ces demoiselles peut-elle convenir à vos expériences?

—Celle-ci, répondit-il en désignant la plus blonde.

—Henriette Duchesne? fit le cardinal.

—Je ne sais pas son nom, il importe peu. Mais avec celle-ci, je m'engage, monseigneur, à vous faire connaître le secret que vous poursuivez.

A ce ton affirmatif, l'œil de Richelieu scintilla comme l'éclair, mais il se voila bien vite sous sa paupière prudente, évitant de s'enthousiasmer à l'avance.

—En ce cas, répliqua-t-il, venez, monsieur, descendons au jardin de madame la reine-mère, et disposez de cette jeune fille.

III
L'ÉVOCATEUR

Le Louvre était fort calme ce jour-là, car, profitant de la clémence de la température, le roi, la jeune reine, Anne d'Autriche, et Marie de Médicis étaient allés, en compagnie d'une partie de la cour, visiter les travaux de Fontainebleau.

Lorsque Richelieu et ses deux compagnons atteignirent le petit pont qui, des appartements de la reine-mère, conduisait au jardin, ils se trouvèrent à la rencontre de l'aînée des deux jeunes filles qu'ils avaient observées du salon supérieur.

Celle-ci éprouva un léger embarras en reconnaissant le cardinal et le franciscain, mais le premier la salua avec un empressement gracieux, et se hâta de lui adresser la parole en jouant à merveille la surprise:

—Mademoiselle de Lafayette ici!...

—Vous voyez, monseigneur, répondit-elle.

—Comment se fait-il, quand le roi est à Fontainebleau?...

Cette remarque était une belle méchanceté de Son Éminence; mais si mademoiselle de Lafayette avait paru contrariée de le rencontrer, ce n'était pas précisément par timidité ni par crainte. Elle vivait depuis assez d'années déjà à la cour, et avait assez l'usage du monde officiel pour ne pas se laisser confondre comme une pensionnaire.

De plus, c'était une intelligence remarquable et un cœur d'or. Elle repartit donc, rendant coup pour coup:

—Le roi est à Fontainebleau, comme le dit Votre Éminence, mais c'est de la reine, ce me semble, que je suis demoiselle d'honneur.

Richelieu eut un de ces sourires énigmatiques qui, sur sa physionomie, exprimaient souvent tant de choses, et insistant sur ce qu'il avait dit:

—Je n'ai jamais ouï prétendre le contraire; mais la reine n'est-elle pas elle-même à Fontainebleau?

—Certes, monseigneur, riposta la jeune fille en aiguisant gentiment son babil, et cependant vous n'y êtes pas plus que moi.

Cette parole avait remué le dard dans la plaie, et s'il se fût trouvé là quelques oreilles moins discrètes que celles du père Joseph, ou moins indifférentes que celles du frère Jean, il en fût bien certainement résulté un ample chapitre pour la chronique scandaleuse, ou deux ou trois épigrammes et chansons telles que les ennemis du cardinal se plaisaient à en inonder Paris et la province.

C'était bien fait, après tout, il avait voulu reprocher à mademoiselle de Lafayette les égards tout particuliers que Louis XIII lui témoignait depuis quelques temps; mademoiselle de Lafayette lui reprochait les rapports un peu trop affectueux qu'on l'accusait d'avoir entretenus avec la reine.

Mais ce qui prouvait en faveur de l'innocence des relations de la demoiselle d'honneur et du roi, c'est que celle-ci avait parfaitement reçu le trait, tandis que le cardinal avait serré les lèvres et froncé le sourcil au seul nom de la reine.

—Je craignais, reprit-il, que vous ne fussiez restée par cause fâcheuse, mais je constate avec plaisir que vous n'avez ni le visage, ni surtout la parole d'une malade; vous possédez toute votre beauté et tout votre esprit.

—Puisque Votre Éminence daigne s'intéresser à ce point à ce qui me concerne, je lui répondrai que je vais bien maintenant, mais que ce matin j'éprouvais comme une indisposition qui m'a empêchée d'accompagner la reine, laquelle a, du reste, auprès d'elle notre chère duchesse de Chevreuse.

Elle appuya sur ce dernier mot; mais Richelieu ne jugea pas à propos de relever cette nouvelle attaque. On sait que ses préoccupations actuelles l'emportaient même sur la passion que lui inspirait la duchesse.

—L'air et le soleil vous ont soulagée, dit-il, et vraiment je plains la cour de ne pas vous admirer, jolie comme vous voici.

—Prenez garde, monseigneur, fit-elle en riant, ces compliments-là pourraient vous coûter cher, si je les répétais à cette personne absente, dont je vous parlais tout à l'heure.

Et elle se sauva pour en finir.

A mesure qu'elle s'éloignait, les traits du cardinal reprenaient leur gravité, et s'adressant au père Joseph:

—Cette jeune fille peut devenir un embarras, prononça-t-il sourdement. Il est encore temps, il faut la briser.

—Laissez faire, monseigneur, répondit à demi-voix avec un sourire étrange le capucin, elle se brisera toute seule.

—N'importe, ayez l'œil sur elle.

—Il y a plus de six mois que je ne fais pas autre chose, répondit toujours sur le même ton et du même air le confident.

—Alors, tout va bien... Maintenant, à l'autre.

Frère Jean se tenait sur le petit pont, examinant avec une grande attention un certain endroit du parterre.

Ce pont était celui qu'on avait détruit naguère, durant la disgrâce de la reine-mère qui précéda son exil à Blois. Comme il accédait au jardin, sa suppression avait changé en une prison absolue les appartements de Marie de Médicis, dont les issues étaient gardées. On l'avait rétabli depuis la réconciliation du jeune roi et de sa mère, réconciliation qui durait toujours et gênait fort le premier ministre en restreignant son influence.

La jeune fille restée seule dans le jardin, était allée s'asseoir sous un berceau de clématites et de chèvrefeuilles, dont l'épaisseur lui masquait les arrivants.

Elle paraissait d'ailleurs trop pensive pour les remarquer ni les entendre.

A peine son amie l'avait-elle quittée, qu'elle venait s'asseoir sur le banc de la salle verte, où ses doigts effeuillaient machinalement un bouquet de belles roses printanières, cueillies tout à l'heure avec grand soin.

Si, au lieu d'un capucin et d'un illuminé, le cardinal eût été en compagnie de quelqu'un des poètes qu'il aimait à traîner à sa suite, celui-ci n'eût pas manqué d'improviser un triolet ou un madrigal dans le goût du jour, c'est-à-dire où Cypris et les nymphes eussent figuré avec honneur à côté d'Adonis ou de Cupidon.

Et certes, il y avait bien de quoi inspirer leur muse! Rien de suave, d'idéal, comme cette enfant si blonde et si blanche. Le vent ondulait les longues boucles de sa chevelure, et découvrait son front harmonieux comme une mélodie éolienne. On voyait courir ses veines azurées sous la transparence de sa peau au reflet virginal.

La nature s'était complue à cette œuvre charmante, elle avait mis son plus profond azur dans ses grands yeux limpides, et pour en rehausser la grâce, elle avait orné ses paupières de longs cils châtains, et découpé ses sourcils dans un arc irréprochable.

Elle avait toute la souplesse de la puberté, sans la ténuité excessive qui l'accompagne souvent et la dépare. Ses épaules étaient voluptueusement arrondies; on devinait sous son jeune corsage la naissance de formes exquises; son poignet avait de délicieuses fossettes, et ses lèvres purpurines encadraient un double collier de perles.

Sous ces grâces vaporeuses et séraphiques, cette jeune fille respirait une candeur si merveilleuse, que son atmosphère en était imprégnée. Ce n'étaient pas les sens, c'était l'âme qui volait vers elle; on eût éprouvé une sorte de honte à lui adresser un désir de convoitise matérielle.

Elle demeurait donc toute songeuse, affaissée avec abandon sur son banc, arrachant une à une les feuilles de ses roses, qui s'abattaient sur le sable, et formaient à ses pieds une natte vermeille et odorante, telle que les sentiers destinés aux archanges doivent être là-haut.

Des oisillons gazouillaient dans la charmille prochaine, et voltigeaient çà et là jusqu'au berceau, où parfois même ils se posaient sans crainte.

Mais, nous l'avons dit, ce spectacle n'était pas de ceux que comprennent des esprits en proie aux passions fiévreuses de nos trois observateurs.

Frère Jean seul, peut-être, dont les études spirituelles avaient développé la sensibilité, eût pu s'y complaire.

Son regard ne se détachait point du bosquet, et c'était lui maintenant qui conduisait l'Éminence et le père Joseph.

Il était arrivé auprès d'elle.

A mesure qu'il s'approchait du but, sa physionomie pâle et morbide se transfigurait.

Sa taille fluette se redressait nerveusement, sa démarche prenait de la solennité et de l'autorité, ses joues se coloraient d'une flamme ardente, et son œil, cet œil verdâtre, qui avait impressionné désagréablement le cardinal, s'inondait de reflets mouvants, tour à tour sombres comme la plus noire ébène et luisants comme des charbons rougis.

Ses mains avaient des titillations fébriles, sous lesquelles ses longs doigts osseux se crispaient jusqu'à pénétrer dans sa chair, pour se détendre ensuite par saccades, au point de se renverser en arrière, à angle droit.

Le bosquet n'était plus qu'à une douzaine de pas.

Tout à coup, il étendit ses bras, pour arrêter par cette barrière silencieuse ses compagnons, au milieu desquels il marchait.

Ce geste fut compris, et le cardinal, qui s'était borné à regarder la tonnelle, ramena machinalement sa vue sur l'illuminé; son expression inspirée l'avait frappé; il se sentait gagné par un vague respect ou une appréhension indéfinie.

Il voulut consulter du regard le père Joseph, mais le père Joseph était tout entier au magnétiseur.

Celui-ci s'approchait seul de la salle verte, le regard flamboyant, les narines enflées, la poitrine haletante, les bras étendus en avant, et les mains agitées d'un frisson surnaturel.

Il parut à ses deux observateurs, sous ce regard et sous ce geste, tenir la jeune fille assouplie et vaincue, comme l'aigle qui fascine le roitelet.

Celle-ci se présentait de trois quarts, il décrivit un léger cercle et se dirigea entièrement derrière elle.

A mesure qu'il se rapprochait, sa marche devenait plus lente et plus accentuée; il n'allait qu'à très petits pas, et son front, sous la violence de ses efforts, était inondé de sueur.

La jeune fille ne l'entendait pas, quoique le sable criât sous ses pieds; de rêveuse qu'elle était, elle devenait somnolente.

Le premier symptôme de cette transition se trahit par son bouquet, dont les brindilles lui échappèrent sans qu'elle tentât de les retenir.

Puis, l'illuminé s'étant approché encore, elle porta mollement la main à son front, où se produisait une torpeur inattendue, mais sa main retomba doucement sur ses genoux, et sa tête elle-même vint s'appuyer lentement sur le dossier du siège, et ses paupières demeurèrent closes, tandis que sa petite bouche grenadine entr'ouverte laissait entrevoir l'émail de ses dents.

Frère Jean était alors arrivé auprès d'elle; il pénétra dans le berceau, et resta encore plusieurs minutes les mains imposées et les yeux fixés sur elle.

Il lui prit doucement le bras, sans qu'elle fît aucun mouvement pour s'en défendre, et convaincu par sa morbidesse que l'expérience était arrivée à son point, il se retourna vers les deux spectateurs et les invita à s'approcher.

—C'est le calme, leur dit-il, la transition de la vie à l'extase. —Encore quelques secondes, celle-ci arrivera.

—Et l'extase?... demanda Richelieu.

—L'extase, c'est la révélation.

—Ce sommeil est bien réel?... insista le premier ministre, toujours sur ses gardes.

—Vous pouvez vous en assurer par vous-même, monseigneur.

Le cardinal pénétra à son tour dans le berceau, à l'entrée duquel il s'était tenu jusque-là, et vint prendre la main de la jeune fille, dont il supputa méthodiquement les pulsations et dont il observa la respiration.

Il allait quitter et reposer cette main, convaincu de la réalité de cet état comateux, étrange, quand il la sentit se crisper violemment, comme pour se soustraire à son contact.

Il la retint alors plus fortement, mais la jeune fille, les yeux toujours fermés et toujours appuyée sur le dossier du banc, exhala une plainte déchirante, dont l'accent semblait plutôt appartenir à une évocation, à un fantôme, qu'à une poitrine vivante.

Frère Jean porta soudain son regard de feu sur le cardinal, qui avait machinalement lâché la main de la jeune fille, mais s'apprêtait à la reprendre.

—Laissez, monseigneur, lui dit-il de cette voix imposante dont il parlait depuis un moment; cette enfant souffre.

Il se pencha vers elle et lui souffla trois fois sur le front; à cette simple sensation elle se calma, ses nerfs se détendirent, elle retomba dans son premier état plein d'abandon.

—Ne m'avez-vous pas dit, demanda frère Jean, qu'elle s'appelait Henriette?

—Oui, Henriette Duchesne.

Il s'approcha, et s'emparant de sa main qu'elle lui abandonna comme au début, avec une passivité bien différente de sa résistance au toucher du cardinal:

—Henriette, lui dit-il, m'entendez-vous?

De l'accent singulier qui avait tout à l'heure produit son cri d'effroi:

—Je vous entends, fit-elle.

—Me voyez-vous?

—Je vous vois.

Cependant, ses paupières étaient toujours abaissées.

Le père Joseph continuait son rôle d'observateur à l'entrée du berceau; le cardinal se tenait à deux pas derrière l'évocateur.

—Henriette, reprit celui-ci, vous êtes en ma puissance...

—Je le sais, répondit-elle.

—Il faut m'obéir et faire ce que je vous ordonnerai.

—Parlez.

—Pour commencer, vous allez répondre à tout ce que vous demandera la personne que voici.

Et démasquant le cardinal, il le poussa vers elle.

Mais alors, étendant vers lui ses deux bras contractés et roidis:

—Non! non! s'écria-t-elle, pas à lui!... pas à lui!...

Richelieu persista néanmoins; mais la poitrine de la jeune fille se souleva par soubresauts, de grosses gouttes de sueur roulèrent le long de ses tempes; en proie à une violence terrible et comme étreinte dans un cercle d'airain, elle se prit à des sanglots inarticulés, et une légère écume teinte de sang monta à l'angle de ses lèvres.

—Au nom du ciel, éloignez-vous, monseigneur! s'écria le jeune inspiré éperdu.

Et, la tête en feu, il repoussa de nouveau son terrible compagnon.

—Que veut dire cela? demanda ce dernier, pâle d'émotion et de dépit.

—Ceci veut dire, monseigneur, que dans l'extase où est plongée cette jeune fille, elle éprouve pour vous une terreur insurmontable; vous lui faites peur, comme si elle entrevoyait un malheur entre elle et vous.

Le franciscain, auquel personne ne songeait, était tout oreilles et tout yeux; le cardinal serra dédaigneusement les lèvres.

Quant à frère Jean, il se pencha encore sur la jeune fille, et par son souffle lui rendit le calme.

—Henriette, demanda-t-il gravement, pourquoi repoussez-vous monseigneur?

—J'ai peur de lui, murmura-t-elle.

—Que craignez-vous?

Elle porta la main à son sein et poussa un grand soupir.

—Répondez clairement, je le veux!

—Oh! mon cœur!... mon pauvre cœur!...

—Cette petite fille est folle, fit dédaigneusement Richelieu.

—Non, monseigneur, répondit le jeune illuminé tout soucieux; cette enfant a la clairvoyance, mais il ne m'est pas donné d'en savoir plus sur ce point. Essayons d'une autre manière. Henriette, savez-vous ce que souhaite monseigneur?

—Je le sais... murmura-t-elle péniblement.

—Voulez-vous le dire?

—Non!

—C'est bizarre, murmura frère Jean, de plus en plus pensif.

—N'avez-vous donc aucun moyen de la contraindre? demanda l'Éminence.

—Elle est à ma discrétion, monseigneur, mais cette résistance m'effraye.

—Si vous voulez que j'ajoute foi à vos pratiques, et que je ne vous tienne pas pour un imposteur, elle parlera!

—Mais savez-vous, monseigneur, que ceci n'est pas sans péril? Toutes ses facultés intellectuelles sont tendues et comprimées avec une énergie suprême sur un seul point... Elle est sur les limites qui séparent la vie de la mort... Si j'allais la tuer?

—Qu'elle parle! ordonna froidement le cardinal.

L'évocateur, frémissant, se décida, non sans peine, et s'adressant à cet inflexible despote:

—Au moins, laissez-moi lui transmettre vos questions?

—Soit.

—Que désirez-vous savoir, monseigneur?

—Demandez-lui quel est l'objet de mes préoccupations actuelles, et quel est le secret dont je poursuis la découverte depuis des années...

—Henriette, dit le jeune homme, interprétant cette question, répondez, il le faut, il le faut absolument: Quel mystère obsède l'âme de monseigneur, et quel but poursuit-il?

Elle se leva droite et rigide, tout d'une pièce comme un spectre, dont elle avait l'apparence et la pâleur glacée; un geste galvanique ramena son bras gauche sur sa poitrine étouffée, et tendant le doigt vers le cardinal, elle laissa tomber trois mots, ou plutôt un seul mot répété trois fois:

—Philippe!... Philippe!... Philippe!.

IV
SECRET D'AMOUR OU SECRET D'ÉTAT

Ce triple cri arraché du fond de ses entrailles, la jeune fille retomba inerte sur son siège, dont elle heurta sourdement le dossier, sans que la commotion parvînt à la réveiller, ni à lui tirer un signe de douleur.

Sa tête s'inclina sur sa poitrine; de grosses larmes, glissant à travers ses paupières fermées, perlèrent au bord de ses longs cils bruns.

L'évocateur ne paraissait ni moins abattu, ni moins troublé. Tout son intérêt était concentré vers elle, il ne songeait plus aux témoins qui l'observaient.

—Philippe?... répétait Richelieu, que signifie ce nom? que veut dire cet émoi?

Ce fut le père Joseph qui se chargea de la réponse.

Il n'avait perdu aucun des détails de cette scène, et lorsque son patron avait émis son vœu, son œil pénétrant s'était avidement dirigé sur la visionnaire.

Au cri sorti trois fois de sa poitrine, il avait tressailli comme il n'était pas dans les habitudes d'un homme aussi complètement maître de ses impressions; et, comme s'il eût appréhendé que l'interrogatoire ne fût poussé plus avant, il s'était élancé vers Richelieu, qui cherchait à se rendre compte de cette nouvelle énigme.

La physionomie vraiment inspirée de l'évocateur, l'extase, le sommeil nerveux de la jeune fille, une influence secrète et prestigieuse, répandue dans l'air, tout éloignait le soupçon de charlatanisme ou de fourberie.

Il y avait là quelque chose d'innommé, d'indéfinissable, mais de réel, qui échappait à l'analyse et confondait la raison; et le ministre répétait à part lui:

—Que veut dire cela? pourquoi ce nom, et quel est ce Philippe?

—Allons, monseigneur, intervint le père Joseph avec son sourire énigmatique, tout ceci n'est pas sérieux.

Richelieu secoua la tête.

—Cette extase?...

—Oui, il est possible, cette enfant obéit à je ne sais quelle influence fâcheuse; elle dort comme dorment les somnambules, et elle rêve comme rêvent les fillettes de son âge.

—Plaît-il?

—Sans doute; nous voulons connaître un secret d'État, car c'est bien d'un secret d'État qu'il s'agit, n'est-il pas vrai?...

Le franciscain insista singulièrement par son accent de bonhomie sur ce mot.

—Eh bien? fit Richelieu, sans y répondre.

—Eh bien, c'est un secret d'amour que nous découvrons.

—Comment cela?

—De quoi rêvent les jeunes filles, je vous prie, sinon de leur grande, de leur unique affaire, — de leur amoureux?

—Au fait, c'est vraisemblable! Et l'amoureux d'Henriette?

—L'amoureux de mademoiselle Henriette Duchesne est messire Philippe, ce petit barbouilleur qui étudie la peinture sous son père, le maître peintre de la reine-mère.

Frère Jean, immobile et étranger à ce dialogue, considérait toujours la jeune fille endormie.

Richelieu songeait.

Le franciscain, l'observant avec soin, et tenant sans doute à lever toute indécision de son esprit, ajouta en riant plus fort:

—Voilà une pauvrette qui serait bien honteuse si elle venait à apprendre qu'elle nous a mis dans la confidence de ses amours.

—Au fait, dit le cardinal, s'arrachant de vive force à sa préoccupation et frappant un petit coup amical sur l'épaule du capucin, tu as raison, frère Joseph, il n'y a, sur mon salut! que toi de sensé ici.

La sincérité de son maître fit rayonner le visage du confident.

—Çà, monsieur, dit le ministre au jeune homme, que sa voix brève tira de ses réflexions, c'est là tout votre pouvoir?

—Tout, monseigneur.

—Je crois, pour le coup, murmura celui-ci à l'oreille du capucin, que la première supposition de Boisenval était la meilleure: c'est un fou.

—Je reviendrais assez à cet avis, répondit le confident.

—C'est bien, monsieur, reprit le cardinal en tendant avec une sorte de compassion dédaigneuse une bourse assez ronde à l'évocateur.

Celui-ci la reçut froidement et remercia à peine; il avait tout l'air de n'accepter que pour ne pas achever de se mettre en disgrâce avec son terrible client.

—Vous allez, ajouta Richelieu, regagner le cellule où vous étiez tout à l'heure, et le père Joseph pourvoira à votre retour dans votre communauté d'Amiens.

Labadie se souvint alors qu'il avait le premier pied dans les ordres religieux, et qu'il se trouvait devant un prince de l'Église. Il fléchit un genou, et lui dit de son air glacé:

—Je suis venu pour obéir à mes supérieurs, Éminence; ils m'ont enseigné le respect qui vous est dû, et m'ont chargé de réclamer pour eux vos bénédictions.

—Je crois que c'est un bon exorcisme qu'il lui faudrait plutôt, fit le cardinal en riant à l'oreille du franciscain.

—Ce serait du bien perdu, monseigneur, riposta celui-ci sur le même ton; le diable qui le possède est un pauvre diable.

Comme le jeune homme demeurait imperturbablement dans son humble position, le cardinal se décida, et, étendant la main sur lui:

—Que le bon Dieu vous éclaire, dit-il, vous et vos révérends Pères d'Amiens.

—Venez, frère Jean, dit alors le franciscain.

Mais Labadie lui montra Henriette plongée dans un sommeil léthargique.

—Rien qu'une minute, mon Père, le temps de tirer cette jeune fille de ce sommeil, qui serait dangereux s'il se prolongeait davantage.

—C'est vrai, murmura à part lui le confident de Richelieu, elle dort toujours...

Il se garda pourtant de communiquer cette réflexion à son maître, qu'il entraîna lentement dans l'allée, en l'entretenant d'objets propres à élaguer ses idées de ce qui venait de se passer.

Richelieu n'en parlait plus, en effet, mais sa préoccupation l'avait repris; il ne répondait que par monosyllabes, ou même ne répondait pas du tout aux observations les plus directes.

Puis, revenant tout d'un coup sur une particularité de l'interrogatoire d'Henriette:

—Pourquoi diable! fit-il, cette petite Duchesne a-t-elle si grand peur de moi, qui ne lui ai pas adressé quatre mots en ma vie?

—Comédie! enfantillage!...

—Non, non! Ce n'était pas ici un coup monté. Elle ne nous attendait pas. Si elle avait eu conscience d'elle-même, elle eût fait comme tant d'autres, elle m'eût souri.

—Votre Éminence a raison, insinua le franciscain, et je tiens le mot. Cette petite n'est-elle pas l'amie de mademoiselle de Lafayette, qui ne vous idolâtre pas? C'est pour le compte de sa compagne que celle-ci a peur de vous.

—C'est cela! exclama le cardinal, saisissant cette supposition. Tu le vois, je te disais bien qu'il faut se défier de ce serpent aux doux regards... Elle me crée des ennemis...

—Soyez sans crainte, monseigneur, je vous répète qu'elle s'en crée de plus redoutables à elle-même, et s'il ne faut qu'y aider un peu, on y aidera.

L'œil de Richelieu se voila d'un nuage.

—Quelle vie!... quelle vie!...

—Une glorieuse vie, monseigneur; vous êtes le maître!

—Le maître!... répéta-t-il avec un sourire amer; oui, je dispose de l'existence, de la fortune, du bonheur des autres,—dérision! je ne puis rien pour moi!... Je connais tous les secrets des souverains, je ne peux pas même découvrir le mien...

Alors, emporté par un de ces orages intérieurs qui lui étaient familiers, il commença à marcher à grands pas, et atteignit en quelques enjambées le pont de la galerie.

Le père Joseph le laissa s'éloigner seul, et revint pensif vers la tourelle.

Il faut dire que, tout en marchant et en conversant, il n'avait pas perdu de vue ce qui s'y passait.

Frère Jean s'était d'abord tenu dans une contemplation immobile et profonde. Le rayonnement de ses prunelles inspirées enveloppait la jeune fille, comme si sa pensée prétendait pénétrer au fond de ce front si candide et si pur.

Sur ces traits, éclairés de nouveau par le feu inspirateur, apparaissaient tour à tour la bienveillance et l'appréhension.

La docilité avec laquelle elle s'était remise à son influence extatique, le flattait et le sollicitait en sa faveur.

Il s'intéressait instinctivement à elle, et il avait lu de la haine pour elle et pour lui dans le mécompte du cardinal. Cette haine seule eût suffi pour les rapprocher.

Avant de la rappeler au sentiment des choses réelles, il était tenté de profiter encore de son état, pour l'interroger sur les périls qu'elle avait paru craindre.

Mais le temps lui manquait, il s'aperçut que le cardinal et son compagnon allaient se séparer. Il ne restait plus qu'un expédient, fort spécieux, pour témoigner de sa bienveillance envers cette enfant, compromise par lui, malgré lui, aux yeux du soupçonneux despote.

Il se pencha vers elle et souffla doucement par petites bouffées, sur son front et sur chacune de ses tempes.

Elle agita, d'abord, insensiblement sa tête, puis sa respiration, à peine saisissable, devint plus forte, ses paupières se soulevèrent peu à peu, comme une rose qui éclôt, et son regard, encore incertain, rencontra celui de l'évocateur.

Le peintre en cet état, est comme le poète absorbé.

Son premier mouvement fut une surprise craintive, que dissipa le geste respectueux et le sourire du jeune homme.

A mesure qu'elle revenait à elle, il avait perdu l'ardeur de son regard, mais une expression particulière, peu commune, se montrait toujours sur son pâle et mélancolique visage.

—Pardon, monsieur, dit-elle en se levant; mais je ne sais, il me semblait...

Il y avait à la fois de la confiance dans son esprit et de la lassitude dans tous ses membres.

—N'ayez pas peur, mademoiselle, lui dit-il. Je suis de vos amis.

—De mes amis?... Oui, j'ai dû vous voir quelque part...

A mesure que le sommeil extatique s'éloignait, elle perdait la mémoire de la vision, mais la sympathie magnétique résistait.

Un regard vers le palais montra au jeune homme le père Joseph et le cardinal se quittant.

Il n'y avait plus une minute à perdre.

—Mademoiselle, lui dit-il vivement, assez bas pour être entendu d'elle seule, vous avez des ennemis...

—Moi!... fit-elle étonnée.

—Un, du moins, qu'il faut redouter.

—Mais, monsieur...

—Je le sais, et vous l'ignorez. Or, je veux vous aider autant qu'il est en mon pouvoir. Si nous ne nous revoyons pas, vous aurez un gage de mon appui et de mon influence.

Il prit sous son pourpoint un petit médaillon en cristal:

—Acceptez ceci, et conservez-le précieusement; c'est en apparence un objet sans valeur. Pour vous, c'est un talisman efficace.

—Mais qu'en ferai-je?... balbutia-t-elle toute émue et gagnée par le ton convaincu dont il parlait.

—Lorsqu'il vous arrivera un grand chagrin, un ennui cuisant, l'appréhension d'un malheur, vous irez trouver la personne en qui vous aurez confiance, une confiance assez grande pour mettre tous les mystères de votre âme à sa discrétion.

«Vous poserez ce cristal sur votre front, et vous direz à cette personne de vous interroger.

Le père Joseph affectait de revenir très lentement et jouait l'indifférence, mais il ne perdait pas un de leurs mouvements et cherchait à deviner leurs discours.

—Gardez-vous d'oublier une seule de mes paroles, poursuivit le jeune homme, il y va de votre bonheur... et peut-être plus encore.

—Mais la vertu de ce médaillon...

—Est infaillible pour vous. Il possède la puissance attractive et lumineuse qui produisait jadis les augures et les prophètes. Son contact vous procurera le sommeil de l'extase, et dans ce sommeil lucide vous lirez à livre ouvert dans le passé et dans le présent, et si vous ne pénétrez pas dans l'avenir, vous en aurez du moins l'intuition.

—Oh! dit-elle en lui tendant le cristal pour le lui rendre, ce médaillon me fait peur... gardez-le... je n'en veux pas. Que ma destinée s'accomplisse... je ne veux pas tenter Dieu!

—Il est à vous, et vous serez toujours libre de n'en pas faire usage. Moi, j'accomplis un devoir en vous l'abandonnant...

Et comme le franciscain arrivait à la porte verdoyante du berceau:

—Silence!... fit-il en posant d'un air impératif son doigt sur ses lèvres.

—Qui donc êtes-vous et de quel nom vous appelle-t-on? ajouta-t-elle, cependant, en glissant l'amulette dans son corsage.

—Frère Jean, murmura le père Joseph d'un ton traînard, je vous attends.

—Frère Jean!... répéta tout bas Henriette.

—Me voici, mon père, tout à vos ordres.

Le franciscain les enveloppa tous les deux de son regard inquisitorial, et suivant le mouvement de la jeune fille pour cacher le médaillon.

—Vous souvenez-vous de ce qui vient de se passer? lui demanda-t-il.

Elle le regarda avec une surprise trop sincère pour ne pas le convaincre.

—Que s'est-il passé?...

—Avec le sommeil on perd la mémoire, dit l'évocateur au père Joseph; de même que le somnambule ne se rappelle ni ses actes, ni ses paroles, de même le visionnaire, sorti de son extase, ne garde aucune connaissance de ce qu'il a vu.

—Que parlez-vous d'extase et de vision, messieurs? fit la jeune fille avec anxiété. S'agit-il de moi?... Je me suis endormie sous ce berceau je ne sais comment; je croyais mademoiselle de Lafayette auprès de moi, et c'est vous que j'y aperçois... Ai-je donc parlé dans mon sommeil? Qu'ai-je pu dire?

—Ne vous inquiétez pas, mademoiselle, intervint de sa parole posée, mais pénétrante, Labadie; votre sommeil était celui de l'innocence, et si vous ne vous rappelez rien, nous non plus n'avons rien entendu.

—Rien! insista d'un ton étrange le franciscain.

Mais Henriette éprouvait en elle un trouble, une perturbation exceptionnelle; elle se sentait circonvenue par un mystère. L'expression diabolique des traits du capucin, la gravité attristée du jeune homme, le contact de cette amulette glissée dans son corsage, lui causaient des éblouissements, des secousses vertigineuses, bien naturelles en un jeune cerveau de dix-sept ans, soumis à une épreuve de ce genre.

Le père Joseph hésitait à s'éloigner, il y avait en lui un désir secret de renouveler, en l'absence de son maître, l'expérience d'illuminisme. Mais, possesseur de lui-même, il refréna ce souhait indiscret, dangereux peut-être en ce moment.

Il adressa à Henriette un sourire aussi aimable qu'il le put.

—Ma belle enfant, lui dit-il, nous sommes au désespoir d'avoir troublé votre repos dans notre promenade aventureuse. Excusez-nous.

Puis, prenant le bras de Labadie:

—Frère Jean, c'est l'heure de nous rendre à l'oratoire.

Celui-ci se détourna une dernière fois vers la jeune fille, pour lui adresser un signe de discrétion.

Elle les regarda s'éloigner, gagner le petit parc, disparaître dans le palais, et s'étant assurée qu'elle était bien seule, elle tira avec une curiosité craintive le médaillon, qu'elle tourna et retourna dans ses doigts, toute songeuse.

—Ce morceau de cristal est un talisman, murmura-t-elle. Il l'a dit... et une voix secrète m'assure que cet homme mérite confiance... Avec ceci, je puis pénétrer l'intention la plus cachée, lire dans le cœur le plus fermé... discerner ce qu'on pense de ce qu'on dit...

Elle revint s'asseoir à la place où l'extase l'avait surprise, et demeura longtemps l'œil arrêté sur les roses effeuillées à ses pieds. Elle poursuivait une idée fixe, une aspiration naissante qui soulevait sa jeune poitrine et donnait de vagues contemplations à son œil d'azur.

Mais en elle tout était trouble et sensibilité excessive, ses idées ne se reliaient pas et elle avait peur de les approfondir. On lui avait parlé d'ennemis, de dangers, de songes révélateurs, à elle qui ne haïssait personne, qui vivait heureuse et innocente comme les libellules dont les essaims se miraient dans la pièce d'eau voisine.

Reportant alors son attention sur le morceau de cristal:

—Ainsi, reprit-elle en lui parlant, avec toi je peux connaître si l'on me hait... et si l'on m'aime!...

Elle articula ce dernier mot si bas, si bas, que le talisman même ne dût pas l'entendre.

—Ah! si j'osais!... soupira-t-elle.

V
L'ATELIER DU LOUVRE

Nous avons expliqué par suite de quelles circonstances la reine-mère habitait alors le Louvre avec le reste de la cour, de préférence à ses autres hôtels ou palais. Celui-ci obtint, du reste, toujours une bienveillance signalée de sa part, et malgré les épreuves cruelles qu'elle eut à y subir, elle contribua puissamment à en déterminer la splendeur, puisque le nom de Marie de Médicis est devenu indispensable du souvenir de ses embellissements.

Installée d'une manière considérable dans l'aile joignant la galerie des peintres ou des tableaux, elle avait autour d'elle toute sa maison, fort importante encore à cette époque; c'est-à-dire, non seulement ses dames et demoiselles d'honneur, les femmes et les gens de son service, mais cet entourage de lettrés et d'artistes qu'elle aimait à soutenir.

Entre ceux-ci, le plus favorisé était son peintre en titre, Duchesne, artiste médiocre cependant, mais qui jouissait alors d'une vogue dont le temps a fait bonne et complète justice.

Non seulement elle l'avait chargé en chef de la décoration de son palais du Luxembourg, où elle lui avait accordé un logement, mais elle avait voulu qu'il eût un atelier près d'elle, dans le Louvre, et les combles de l'aile qu'elle habitait avaient été largement disposés pour cette destination.

Enfin, accumulant faveur sur faveur, elle avait adopté sa fille Henriette, l'avait attachée à sa personne, et la traitait avec une tendresse maternelle.

C'est dans cet atelier du Louvre que nous allons nous transporter.

Le maître peintre, retenu au Luxembourg, n'y était pas venu ce jour-là. Il ne s'y trouvait pour l'heure qu'un de ses élèves.

Une vraie et belle physionomie d'artiste: vingt-quatre ans, la taille haute et pleine, les cheveux et les yeux noirs; les uns soyeux et bouclés sans art, les derniers doux parfois, intelligents toujours, brillants d'inspiration à l'occasion.

Son maintien sérieux indiquait une gravité précoce; sur son front élargi, on lisait une conscience droite, et dans ses contours harmonieux une invariable bienveillance et la modestie du talent.

Nous ne faisons pas un portrait de fantaisie; l'image de ce jeune homme, qui va devenir le héros principal de notre récit, se trouve dans nos musées, et nous nous bornons, quant à ses qualités physiques et morales, à copier le chroniqueur Félibien.

Ami de Poussin, qui entrait comme lui dans la carrière, il était le premier, le plus habile élève de Duchesne, sous lequel il travaillait depuis bientôt cinq ans.

Il était né dans les Flandres, à Bruxelles, et après avoir eu pour maître Feuquières, le paysagiste, il était venu, vers l'âge de dix-neuf ans, se perfectionner en France, où, sans abandonner entièrement la spécialité de son premier professeur, il se livrait volontiers à l'histoire et au portrait.

Son premier protecteur avait été messire Maugis, abbé de Saint-Ambroise, intendant des bâtiments de Marie de Médicis, homme capable, et qui avait, dans les ébauches de l'élève, deviné le grand artiste.

Son œuvre actuelle était une nymphe commandée pour le Luxembourg.

L'ébauche était finie, les détails commencés. Les mains et les pieds se détachaient déjà avec une perfection rare, car ce devait être un des premiers mérites de ce maître à venir.

Cependant, au moment d'achever la main droite, négligemment posée sur une branche d'arbre, tandis que la gauche retenait les plis d'une écharpe emportée par le vent, il s'était arrêté pris d'embarras et d'hésitation.

Quittant son siège, la palette et les brosses d'une main, se faisant un garde-vue de l'autre, il s'était reculé de plusieurs pas, étudiant ses effets et cherchant les lignes qui manquaient à son idéal.

Le peintre, en cet état, est comme le poète absorbé à la poursuite d'une inspiration, isolé de ce qui l'entoure, hommes ou choses.

Le nôtre ne s'aperçut pas que quelqu'un entrait et furetait autour de lui.

Cet atelier, d'ailleurs, était une sorte de lieu de rendez-vous, un salon banal où les beaux seigneurs et les belles dames de la cour venaient volontiers passer quelques instants.

Les tableaux, les statues, les curiosités que Duchesne et ses élèves aimaient à y entasser, en faisaient une exposition permanente. Et puis les princes, le cardinal même, montrant un goût particulier pour l'art de la peinture, il était du meilleur ton de se régler sur eux.

Il était encore très matin, et les visites commençaient d'habitude plus tard.

Il était convenu, d'ailleurs, d'une manière tacite, tout au moins, que les artistes ne devaient jamais se déranger pour ces amateurs; tout au plus quittaient-ils leurs sièges pour recevoir le roi, qui, comme on sait, estimait assez leur métier pour tenter parfois de manier lui-même les pinceaux.

Certes, il serait curieux d'installer aujourd'hui, dans le musée des souverains, le portrait qu'il fit de son premier ministre Richelieu, dans un de ses accès d'affection pour celui-ci; mais, si nous ne nous trompons, les archéologues les plus opiniâtres ont perdu la trace de cette curiosité.

Cette digression à la seule fin de faire bien comprendre les immunités accordées aux peintres dans le Louvre du commencement du dix-septième siècle.

Le visiteur matinal paraissait moins attiré par le désir de voir les tableaux que le personnel de l'atelier.

Son attention se dirigea uniquement sur le jeune artiste, dont il se rapprocha à pas comptés.

Arrivé tout à côté de lui, il profita de sa préoccupation pour le regarder avec une expression singulière, moitié doucereuse, moitié inquiète.

Puis entamant l'entretien:

—Déjà à l'ouvrage, monsieur Philippe? lui dit-il.

—Sa révérence le père Joseph!... fit celui-ci, tiré de sa méditation. Excusez-moi, mon père, je ne vous avais pas entendu venir, et je ne vous voyais pas.

—Il n'y a pas de mal; ce serait à moi de m'excuser plutôt de vous troubler si matin... Il est six heures à peine.

—En voici deux que je travaille, répondit avec simplicité l'artiste.

—Vous irez loin, si vous continuez cette vie active.

—Mon Dieu, je ne sais, mon père; mais c'est une règle que je me suis imposée de me mettre à la besogne chaque jour dès quatre heures.

—Chaque jour?

—Ah! le dimanche excepté.

—Excellentes dispositions, mon jeune ami; je n'en obtiens pas plus de mes capucins de la rue Saint-Honoré. Si vous n'étiez déjà un habile peintre, vous auriez pu faire un excellent moine.

Le franciscain poussa un petit éclat de rire, peu familier à sa nature, mais le jeune homme répondit avec une gravité singulière:

—Qui sait? je le deviendrai peut-être.

Et il se rapprocha de sa toile, sur laquelle il affecta d'appliquer quelques touches importantes, pour dissimuler le nuage qui venait de monter sur son beau front.

Le franciscain l'observait trop bien, pour être dupe de cet expédient.

Il laissa passer une minute de silence, et se rapprochant du chevalet par un mouvement calculé comme toutes ses allures:

—Voici une figure qui ne témoigne pas d'une grande vocation mystique, reprit-il avec un sourire, à moins qu'il ne faille traverser l'Olympe pour atteindre au paradis...

L'habit que portait l'auteur de cette légère critique l'expliquait sans doute, cependant le jeune homme en éprouva quelque embarras, dont il s'aperçut.

—Eh quoi! reprit-il, vous formaliseriez-vous pour si peu! Oh! je le sais, les amours-propres d'artistes, chose sensible! Mais rassurez-vous, ce n'est pas un blâme que je vous adresse. Je suis, au contraire, un des appréciateurs de votre talent, et je me plais à reconnaître que vous donnez un remarquable aspect de chasteté aux sujets les plus profanes: témoin cette nymphe...

—Mon talent!... mon père! le talent d'un élève, d'un écolier!... c'est un trop beau mot pour une si mince affaire.

—Non pas, non pas, fit-il, patelin et insinuant; encore quelques efforts, et vous figurerez au rang des maîtres...

—Vous allez me rendre honteux de mon insuffisance.

—Mon jeune ami, l'excès de modestie est un mal aussi dangereux que l'excès de vanité; vous n'êtes pas entaché de celui-ci, mais défiez-vous de celui-là. Je ne suis qu'un humble capucin, peu expert en beaux-arts, mais la voix publique, qui s'y connaît davantage, s'exprime avec éloge sur votre compte. J'ai admiré ce paysage que vous donnâtes dernièrement à votre ami Nicolas Poussin, et j'ai entendu, à ce propos, quelqu'un dire, à mes oreilles, qu'il ne vous manquait pour vous perfectionner qu'un séjour de quelques années en Italie.

Le paysage offert par l'artiste à son collègue le Poussin était, en effet, une œuvre si remarquable, qu'elle est restée célèbre, et figure parmi les événements de sa carrière, quoiqu'il fût bien jeune lorsqu'il l'exécuta.

Que cette toile eût été distinguée par les connaisseurs, il n'y avait là rien que de naturel; ce qui l'était moins, c'était cette longue conférence du conseiller intime de Richelieu avec ce pauvre petit peintre auquel il n'avait daigné adresser, en toute sa vie le quart des phrases élogieuses qu'il lui prodiguait en ce moment.

Le jeune homme, avec sa franchise innée, ne put s'empêcher de lui en témoigner sa surprise:

—Vous me rendez confus, mon père, et de la part d'une personne telle que vous, occupée d'intérêts si hauts, conseiller d'un premier ministre et d'un roi, cette bienveillance...

—Vous étonne?

—C'est vrai; je crains qu'étant venu ici pour rencontrer maître Duchesne, vous ne songiez à passer le temps...

—En me raillant de son élève!... Non, certes, fit très gravement le capucin. C'était bien vous, monsieur Philippe de Champaigne, que je tenais à voir.

—En ce cas, mon père, daignez m'expliquer le motif...

—Je viens de vous en toucher un mot. Je ne suis que le dernier des serviteurs de Son Éminence, et mon devoir est de me conformer en tout à ses intentions...

—Son Éminence me connaît!... exclama l'artiste avec plus d'anxiété que de désir.

Il est présumable qu'élève du peintre de Marie de Médicis, accueilli par la bonté de cette princesse, appartenant par ce côté à sa maison, le jeune Philippe de Champaigne partageait jusqu'à un certain point les idées de sa protectrice pour le cardinal, et craignait tout ce qui venait de lui, fût-ce l'apparence d'un bienfait.

Le franciscain, diplomate incarné, possédait surtout le talent de rendre sa physionomie muette, ou de ne lui faire dire que ce qu'il voulait. La gêne et la méfiance de son interlocuteur n'y produisirent aucune altération.

—Je n'ai pas dit précisément, répondit-il, que monseigneur vous connût, mais que son intention étant de protéger les jeunes talents, je tiens à m'y conformer, en vous aidant en une entreprise chère à tous ceux de votre art.

—Le voyage d'Italie?... fit le jeune homme en le considérant avec une sorte d'émoi.

Le rusé franciscain affecta de se méprendre sur ce sentiment, et de son sourire le plus paternel:

—Vous l'avez dit, le voyage d'Italie!

—Mon Dieu, pardonnez-moi, je m'abuse sans doute, je comprends mal.

—Vous comprenez fort bien, au contraire. Je souhaite vous faciliter les moyens d'un voyage et d'un séjour de quelques années dans la patrie des beaux-arts et des grands peintres.

L'artiste pâlit à ces mots, et considéra, sans oser répondre, son interlocuteur, dont le sourire, loin de le rassurer, accroissait son tourment.

"Ainsi, ce n'est pas de l'amour? fit-elle....

De telles paroles dans sa bouche équivalaient à une éclatante faveur ou à un ordre d'exil.

Mais la physionomie de cet homme était celle d'un sphynx, sur laquelle un observateur de profession, tel qu'était le jeune peintre, parvenait même rarement à lire.

Dans cette cour soupçonneuse, comme toutes celles où le pouvoir tombe aux mains d'un intrigant ambitieux, les esprits les plus droits, les consciences les plus fermes, ne sont jamais sûres du lendemain. Les manœuvres les enlacent sans qu'ils s'en doutent; on interprète leur abstention, on soupçonne la haine sous leur silence; pour peu qu'ils aient des ennemis, — et le mérite n'en manque pas, — ils ne sauraient se soustraire au sort commun.

Cependant Philippe était bien fort de sa conscience, et comme la paix, ou du moins l'armistice continuait de régner entre le premier ministre et la reine-mère, il ne croyait pas possible qu'on interprétât à mal sa reconnaissance pour cette princesse.

—Mon père, répondit-il, avec cette douceur un peu triste qui était le fond de son caractère, je ne vous ai rien fait. Je suis un humble apprenti en peinture, étranger à toute question de palais ou politique. J'honore la personne et le rang de monseigneur le cardinal, et si les bienfaits de Sa Majesté la reine-mère m'attachent à son service, chacun sait avec quel soin je me suis toujours tenu en dehors de toute intrigue.

—Rassurez-vous, je sais tout cela, et je n'ai rien dit, ce me semble, qui motive une si chaude justification.

—C'est vrai; mais je suis timide, un peu sauvage, si vous voulez; j'ai peur de l'inconnu. L'éloignement m'alarme. Je vis solitaire, inaperçu dans ce Louvre. Sans vous, je n'aurais pas soupçonné que monseigneur le cardinal connût seulement mon nom obscur.

«Mon père, vous êtes tout-puissant, eh bien, reportez sur quelqu'un de plus digne la faveur que vous m'offrez; quant à moi, faites seulement qu'on ne s'aperçoive pas de ma présence ici.

«Vos paroles et votre regard expriment l'intérêt; ne me refusez pas cela; vous ne sauriez être mon ennemi, enfin?»

—Votre ennemi! non certes, je ne le suis pas.

Ici la voix du franciscain prit une inflexion plus nette et plus imposante.

—Vous vous méprenez sur mes desseins comme sur mon influence. Mon jeune maître, n'oubliez jamais ceci: Si un jour quelque danger suprême vous menaçait, je serais là, au-dessus du cardinal, au-dessus du roi, pour vous protéger peut-être.

L'artiste le regarda avec une stupeur extrême, car cette fois il n'y avait pas à mettre en doute sa sincérité; le moine patelin avait disparu pour une minute.

—Oui, poursuivit-il, frappant un dernier coup pour déterminer la confiance de son interlocuteur,—moi qui ne suis, qui ne peux rien, en cette unique circonstance j'aurais quelque crédit peut-être... Eh bien! par cette protection que je vous atteste, croyez-moi, partez pour l'Italie... ce sol ne vaut rien pour vous.

—Je crois à votre intérêt, à votre sincérité, mon père, et cependant l'obéissance m'est difficile, impossible!

—Impossible!...

—Ceci est un des intimes secrets de mon âme. Lorsque mourut ma mère, elle m'attira vers elle sur le lit d'agonie, où ses forces épuisées lui permettaient à peine d'articuler quelques mots, et je n'oublierai pas les derniers qu'elle prononça:

«Va, me dit-elle, va, mon fils, vers la France... Toutes les douleurs, tous les regrets de ta mère sont là... Si Dieu est juste, c'est là aussi qu'il te tiendra compte de ce triste héritage, et qu'il te paiera en bonheur et en gloire...»

—Que voulait dire votre mère, par ces mots pleins de réticences? demanda le père Joseph, en interrogeant le jeune peintre.

—Je ne pus le savoir; comme elle achevait cette confidence, un dernier hoquet contracta sa poitrine, ses lèvres s'agitèrent sans articuler aucun son, son regard s'éteignit... elle était morte!

A ce souvenir, Philippe couvrit son visage de ses mains; mais, chose étrange, l'œil du franciscain lança un éclair, et sa poitrine poussa un soupir de soulagement.

—Remettez-vous de ces impressions pénibles... fit-il, revenant par nature à son ton cauteleux et insinuant.

—Vous voyez bien qu'il faut que je reste en France, reprit l'artiste; c'est un devoir... Ma mère ne peut pas avoir menti; car ma mère était une sainte...

Et tirant de son pourpoint un médaillon, il le baisa avec ferveur.

La prunelle du franciscain acheva de s'allumer sous ses sourcils grisonnants.

—Ce médaillon, prononça-t-il, c'est un portrait?

—Le sien.

—Son portrait!... Eh bien, écoutez, j'y consens, vous resterez, je vous protégerai; mais ce médaillon, il me le faut.

Philippe le pressa dans sa main, comme si l'on tentait de lui enlever un trésor.

—Le portrait de ma mère!

—Il me le faut, vous dis-je!

—Jamais!

—Enfant, prenez garde!... Ne me croyez-vous plus votre ami?

—Si vous êtes mon ami, laissez-moi mon bien! Qu'en feriez-vous, d'ailleurs?

Le père Joseph hésita avant que de répondre; puis, d'un ton d'aigreur qui eût troublé l'âme d'un familier de la cour plus au fait que l'artiste de son influence et de son esprit de rancune:

—Soit! répondit-il, conservez-le, c'est d'un bon fils; mais, sur votre tête, prenez garde qu'il tombe jamais sous les yeux d'un autre que moi!

VI
LES AMOUREUSES

Le petit peintre des combles du Louvre, l'élève du médiocre maître Duchesne, se nommait donc bien Philippe de Champaigne; il devait être une des illustrations de l'école française, qui le revendique avec raison, puisque, né en Flandre, il ne passa dans ce pays que ses premières années et y fit seulement ses études élémentaires.

Le lecteur se rappelle ce nom de Philippe! proféré trois fois, comme un cri désespéré, par la jeune fille extatique du jardin de la reine-mère, et l'explication fournie si précipitamment par le père Joseph, pour détourner l'attention du cardinal de ce même nom.

Philippe!—Était-ce bien seulement un secret d'amour, comme il le disait, que renfermaient ces trois syllabes? Sa démarche, au moins bizarre, près de celui qui s'appelait ainsi, pourrait nous en faire douter. Mais les événements seuls seront en droit de nous éclairer sur tout ceci, et l'heure de la lumière n'est pas venue.

Fort troublé par cet entretien, peu rassuré sur les bonnes intentions du séide de Richelieu, notre héros ne s'était remis qu'avec peine au travail.

Mais soudain, son front se rasséréna, un sourire radieux illumina tous ses traits; le pinceau prit sous ses doigts une assurance nouvelle, et les couleurs de sa palette se fondirent avec une ardeur inspirée.

Qu'était-ce donc? Quel bon génie avait dissipé l'influence laissée dans l'air par le capucin?

C'était une visite d'un autre genre, annoncée dès la porte de l'atelier par une voix argentine et rieuse.

Il ne se retourna pas; nous avons expliqué comment les artistes étaient chez eux en cet endroit, mais une vive rougeur succéda aux teintes livides qui couvraient tout à l'heure ses traits, et il laissa approcher les survenants avant de les saluer.

Ils étaient trois, un homme jeune encore et deux jeunes femmes; l'une de vingt-six ans,—c'était l'aînée,—l'autre de dix-huit.

Elles se donnaient le bras; leur compagnon marchait à côté de la première, vers laquelle il se penchait à chaque mot et qu'il dévorait de regards plus passionnés encore que son maintien.

—En vérité, ma chère Marie, disait la plus jeune, c'est indiscret à nous de venir si souvent déranger les élèves de maître Duchesne, et faire perquisition dans ses domaines.

—Petite dissimulée! répliqua à demi-voix son amie, en la menaçant doucement du doigt, prenez garde que je ne me mette à lire au fond de vos cachotteries!

Elles arrivaient près du chevalet, disposé sous le jour d'une large croisée; l'artiste s'empressa alors de les recevoir.

—Madame la Duchesse de Chevreuse, mademoiselle Louise de Lafayette!...

—Et M. de Châteauneuf, acheva la duchesse.

—Maître Duchesne n'est pas là, dit Philippe, il regrettera d'avoir perdu l'honneur d'une si heureuse visite.

—Oh! nous ne cherchons pas après lui! fit la duchesse de ce fin sourire qui était son triomphe,—n'est-ce pas, chère Louise?

—Moi, je suis venue pour vous accompagner, répondit avec hésitation la malicieuse jeune fille.

—Évidemment, reprit la duchesse.

—Et moi, j'accompagne ces dames, que j'ai rencontrées par hasard, ajouta Châteauneuf.

—Un hasard heureux; cela se voit, fit l'artiste mêlant son sourire au sourire général; et puisque je suis seul pour recevoir si noble société, permettez, mesdames, que je vous fasse les honneurs de notre musée.

—Pas du tout, ordonna la duchesse, nous le connaissons suffisamment pour nous diriger nous-mêmes; je vous défends de quitter la palette... d'autant que vous en faites, en ce moment surtout, un usage admirable.

—Merveilleux, appuya Châteauneuf, qui n'avait même pas jeté les yeux sur la toile, absorbé qu'il était à considérer sa chère Marie.

—Cette nymphe est déjà un chef-d'œuvre, dit mademoiselle de Lafayette, se rapprochant du peintre et du tableau.

Philippe balbutia quelques remerciements confus, et, pour obéir, il reprit sa besogne, interrompue cette fois si agréablement.

Châteauneuf et la belle duchesse s'éloignaient peu à peu, sous prétexte d'examiner les objets qui ornaient le vaste atelier, causant à voix basse; tandis que mademoiselle de Lafayette demeurait près du jeune peintre, prenant, à lui voir manier la brosse, un plaisir extrême.

On pouvait dire que tout l'esprit, toute la grâce, toute la beauté de la cour de Louis XIII étaient en ce moment dans l'atelier du peintre de la reine-mère.

Marie de Rohan de Montbazon, devenue veuve à dix-sept ans du duc de Chevreuse, était la favorite de la reine Anne d'Autriche, dont sa verve, ses saillies, son enjouement charmaient les soucis conjugaux, sous l'empire de ce roi dévot et sombre, jaloux de lui-même et mécontent de tout le monde.

Mademoiselle de Lafayette, fille d'honneur de cette même jeune reine, a été déjà entrevue par nous dans le jardin de Marie de Médicis, se promenant au bras de son amie Henriette Duchesne. C'était d'elle que le cardinal, avec sa précision terrible, avait dit:

—Cette fille peut devenir un obstacle!

Un obstacle à lui le grand ministre, cette enfant de rose et de satin? On l'eût fort étonnée si on le lui eût dit. Mais le lynx en robe rouge avait remarqué bien plus qu'elle-même la façon singulière dont le roi, depuis un certain temps, la regardait et lui parlait.

Richelieu était jaloux des sourires du monarque; s'il était parvenu à l'éloigner même de la reine Anne d'Autriche et de sa mère, ce n'était pas pour le laisser tomber aux filets d'une favorite.

En sorte que de ces deux jeunes femmes, l'une, la duchesse de Chevreuse, était pour lui l'objet d'une vive passion, jusqu'ici fort déçue; l'autre, la fille d'honneur, le sujet d'une appréhension sérieuse.

Quant à Châteauneuf, son emploi de garde des sceaux ne tenait plus à rien, et son crédit était très ébranlé. C'était un gentilhomme plein de cœur et de noblesse; mais il était le type de l'élégance et du bon goût, et comme tel fort recherché des dames, ce qui n'eût été rien si, entre toutes, la duchesse de Chevreuse ne lui eût témoigné un intérêt bien tendre.

La duchesse! précisément celle que Richelieu poursuivait de son amour redoutable et ridicule.

Elle avait feint le plus longtemps possible de ne pas comprendre les déclarations de l'Éminence. Mais celles-ci étaient devenues si nettes qu'il n'y avait plus à équivoquer, mais à se défendre.

Or, se défendre de cet homme, auquel la reine elle-même avait, disait-on, cédé, par crainte sans doute plus que par tendresse, ce n'était pas chose aisée. Il possédait de terribles moyens de se faire aimer,—les maris ou les amants des femmes qu'il lui plaisait de distinguer en savaient quelque chose.

Pour lui avoir résisté si longtemps, sans faire briser le garde des sceaux, son rival, il fallait être la duchesse de Chevreuse, la femme politique la plus étonnante de son époque, en même temps que la physionomie la plus naïvement galante et la plus sincère dans ses amours.

Tout en se promenant à travers la galerie et en causant avec son favori, elle donnait çà et là un regard à sa jeune amie et à l'artiste, qu'elle avait, par le fait, laissés en tête-à-tête dans un coin.

Par un fait du hasard, mademoiselle de Lafayette posait négligemment une de ses mains sur le dossier d'un grand fauteuil artistique, tandis que de l'autre elle retenait les longs plis de sa robe, qui eussent balayé l'atelier sans cette précaution.

Or, dans cette pose, elle représentait exactement celle de la nymphe que Philippe de Champaigne était en train de peindre, et ce qui en faisait le mérite et le naturel, c'est qu'elle ne s'en doutait pas.

Elle admirait la peinture et l'habileté de chacune de ces touches du jeune artiste, qui toutes, les plus légères comme les plus accentuées, modifiaient d'instant en instant l'aspect de la toile, vivifiaient l'esquisse, imprimaient l'illusion, et faisaient circuler le sentiment dans les traits de l'image.

Mais son doux et limpide regard s'attachait bien plus longuement sur la physionomie sympathique du peintre que sur la peinture.

Ils échangeaient peu de paroles, d'ailleurs; mais il y a de telles minutes où ce ne sont pas les mots qui servent le plus éloquemment au langage, et lorsque leurs yeux se croisaient, par exemple, avec leurs rayons de la vingtième année, ils en disaient bien plus long que tous les vocabulaires du monde.

—Maître Duchesne doit être fier d'un élève tel que vous, monsieur Philippe, disait la demoiselle d'honneur dans son langage parlé.

—Vous êtes indulgente, mademoiselle, et je ne sais s'il a lieu de l'être autant; pour moi, plus je travaille, plus je m'effraye de voir combien il me reste à travailler pour arriver, non pas à la perfection, mais simplement au bien.

—C'est trop de modestie aussi, et laissez-moi vous assurer que tous ceux qui vous connaissent, vos confrères eux-mêmes, ont meilleure opinion de votre savoir-faire.

—Remerciez-en pour moi ces amis généreux, et recevez-en vous-même l'assurance de ma gratitude. S'il faut vous avouer la vérité, c'est là mon faible, comme celui de bien d'autres; les encouragements me soutiennent, m'élèvent, m'animent,—mais les encouragements ne sont pas ce que maître Duchesne me prodigue le plus.

—Oh! ceci n'a rien qui m'étonne; sa réputation est établie, ses confrères ne sont pas comme les vôtres, des amis, des camarades; il n'a jamais vu en eux que des rivaux.

—Si la chose est exacte, fit doucement Philippe sans la démentir, il faut le plaindre; l'amour-propre poussé à ce point est plus qu'un défaut, c'est un malheur pour celui-là même qui en est obsédé.

—En ce cas, je vous le garantis, maître Duchesne doit être fort malheureux. D'excellents connaisseurs mettent son mérite en doute, et, dans sa propre famille, on apprécie mieux qu'il ne le fait certains peintres dont il cherche à rabaisser les qualités.

—Vous m'excuserez, mademoiselle, fit en souriant le jeune homme, maître Duchesne est mon professeur; ce n'est pas à moi à partager les griefs de ses adversaires, surtout au moment où je me verrai peut-être forcé de renoncer à ses leçons.

—Certes, vous pouvez vous en passer.

—Ce n'est pas là ce que je veux dire; j'aurai longtemps encore besoin de maîtres, mais il est possible que j'aille les chercher en Italie.

—En Italie? balbutia Louise.

—Un voyage qui ne me souriait guère, je l'avoue, mais qui peut devenir indispensable.

—Vous partiriez!... Rien ne vous attache donc à la France? L'art exerce-t-il sur vous une influence si impérieuse?

—L'art est partout, mademoiselle, mais le bonheur?

—Le bonheur!... Vous n'êtes pas heureux, monsieur Philippe?

Elle se rapprocha de lui par une impulsion irréfléchie, et son regard affectueux se mira dans celui de l'artiste, qu'il interrogeait avec une sollicitude touchante.

Mais, rougissant aussitôt à l'éclair qui anima la prunelle noire et passionnée du jeune homme, elle abaissa ses longs cils et voulut se reculer.

—Oh! non, s'écria-t-il, restez, restez ainsi, je ne vous vis jamais si belle!

—Y pensez-vous!... murmura-t-elle toute troublée, en se retirant en quelque sorte sur elle-même avec un pudique émoi.

—J'ai une faveur à vous demander, reprit-il.

—A moi? oh! de grand cœur!

—Mon âme est pleine d'incertitudes et de combats; je ne sais si je partirai...

—Encore ce mot!

—Mais si cela doit être, je voudrais auparavant faire votre portrait.

—Vous appelez cela une faveur! Mais elle sera pour moi, et je compte bien de plus que vous nous resterez.

Un soupir répondit seul à ce vœu.

—Et puis, dit-elle, j'ai quelque chose à vous demander aussi, moi.

—Oh! parlez.

—Vous me ferez vos confidences.

—Mes confidences!

—Oui, sur ce grand chagrin qui vous fait rêver de l'Italie.

—Je n'ai pas dit que ce fût un chagrin.

—Et moi je le soupçonne... Voyons, mettez-y de la franchise. N'êtes-vous point amoureux d'une de nos dames?

—Oh! si cela était, fit-il d'un accent pénétré, si j'étais assez fou, pauvre barbouilleur sans fortune, pour m'éprendre d'une de ces orgueilleuses beautés, je ne me l'avouerais pas même à moi-même.

—Ainsi, ce n'est pas de l'amour?... fit-elle à demi-voix, d'un ton de regret fort sensible.

Elevée au sein de cette cour d'intrigues et de galanteries, poursuivie par les plus séduisantes déclarations, elle pouvait, sans surprendre son interlocuteur, laisser tomber cette interjection.

Anne d'Autriche.

—Sur mon âme, je vous l'atteste; non, ce n'est pas l'amour qui me force à m'éloigner... Pour aimer, il faut être deux, et personne ne songe à moi...

—Qu'en savez-vous?...

Et pour la seconde fois, elle détourna les yeux.

—Hein! s'écria-t-il, quel mot avez-vous dit?... De grâce...

Mais elle refusait obstinément de le regarder en face, et il fallut qu'il s'emparât de sa main pour la retenir près du chevalet par une douce violence.

—N'allez pas croire au moins... murmura-t-elle.

—Hélas! je ne crois rien... sinon qu'il serait dangereux de prendre mes illusions pour la réalité.

—Allons, fit-elle en souriant, bannissez cet air triste; on nous observe... Quand vous mettrez-vous à mon portrait?

—Demain, si vous voulez.

—Demain, c'est dit.

Ils étaient si absorbés, dans cet entretien où la jeune fille, par un privilège spécial aux grandes dames, avait usurpé sur les attributions du jeune homme, qu'ils n'avaient pas remarqué l'entrée d'un nouveau visiteur.

C'était un gentilhomme d'une trentaine d'années, de fort belle tournure et de fort bonne mine; son costume était élégant, mais seulement par la coupe et par l'étoffe, car il était entièrement noir, sauf les rubans violets qui l'agrémentaient çà et là et les crevés blancs qui zébraient les manches de son pourpoint.

Il avait au cou un ordre de chevalerie, et à la ceinture une belle et vaillante épée, dont il caressait volontiers la coquille, en homme habitué à dégainer sans peine.

Quant au surplus, l'œil vif, le sourire railleur, l'allure insouciante, les traits à la fois énergiques et francs.

—Par là, mordieu! dit-il en joignant la duchesse et son cavalier, je vous saisis enfin, et toujours ensemble!

—C'est que nous nous y trouvons bien, sans doute, cher chevalier.

—Sangdieu! la chose est évidente.

—Alors, de quoi vous plaignez-vous?

—Je me plains de ces tête-à-tête perpétuels.

—En seriez-vous jaloux? fit la duchesse en souriant de son plus malin sourire.

—Il y aurait bien de quoi! Mais ce n'est pas ma jalousie qu'il faut craindre, mes imprudents tourtereaux, vous le savez bien.

—Bon, vous allez encore nous parler de l'Éminence!

—Eh bien, oui! et je vous en parlerai jusqu'à ce que je vous aie rendus sages.

—Prenez garde! fit la coquette aux blanches dents, cela pourrait vous mener loin.

—Voyons, chevalier, que veux-tu? demanda Châteauneuf.

—Vous dire que si vous ne vous méfiez pas de l'Éminence rouge, l'Éminence grise est sur votre piste.

—Le père Joseph?

—Je viens de l'apercevoir rôdant aux alentours de cet escalier.

—Ce brave capucin! dit la duchesse, il quête pour son ordre. Eh bien! s'il vient nous relancer, nous lui dirons que nous ne pouvons rien lui faire.

—Bien parlé, duchesse, applaudit Châteauneuf.

—Oui, bien parlé, gronda le chevalier, bien parlé comme des étourdis.

—Chevalier de Jars, dit la duchesse en lui administrant un petit coup d'éventail sur la joue, vous n'êtes pas aimable, aujourd'hui.

—Frappez, dit-il, mais écoutez! Les humeurs noires de l'Éminence rouge ne font que s'assombrir depuis quelques jours; la cour en est fort troublée; l'Éminence grise est taciturne à l'égal de son patron; il règne entre eux de longs colloques mystérieux... On parle d'une pluie de lettres de cachet. Les plus sûrs d'eux-mêmes ont des transes mortelles... et je vous admire tous les deux, faisant tranquillement l'amour, quand vous devriez mettre un monde entre vous.

—Ah! vous devenez insupportable! fit la duchesse. Est-ce ma faute, à moi, si j'ai eu le malheur de plaire à un premier ministre, quand la simplicité de mes goûts s'accommodait d'un garde des sceaux?

—Adorable! murmura Châteauneuf.

Le chevalier se pencha à l'oreille de madame de Chevreuse:

—Duchesse, lui dit-il tout bas, vous affolez mon pauvre ami; prenez garde, c'est plus dangereux que vous ne croyez... pour lui surtout.

—Vous dites!... fit-elle sur le même ton, gagnée par la gravité peu habituelle de son langage.

—J'ai peur que le cardinal ne se mette la jalousie en tête.

—Que marmottez-vous là, à ma barbe? intervint Châteauneuf.

—Rien qui vous concerne, mon beau gentilhomme, répéta la duchesse. Le chevalier m'apprend que le cardinal, qui sommeillait depuis quelque temps, fait mine de se réveiller... Cela va nous rendre une activité dont nous avions besoin; nous allons nous remettre en campagne, et je veux, si vous me secondez, devenir l'âme d'une jolie comédie que nous intitulerons: «A trompeur, trompeur et demi!»

—Prenez garde, chère Marie, fit le gentilhomme, à quoi bon vous lancer dans ces intrigues périlleuses?

La duchesse regarda le chevalier de Jars.

—Il le demande!... Et se retournant vers son amant: A quoi bon? dit-elle en l'incendiant d'un de ses irrésistibles regards,—à combattre, à perdre, s'il est possible, ceux qui sont envieux du bonheur!

—Un nouveau complot contre l'Éminence? demanda de Jars. En ma qualité de chevalier de Malte, j'en suis.

—Et les fédérés ne nous manqueront pas! appuya Châteauneuf.

—J'y compte bien, répliqua-t-elle.

Puis, toujours rieuse, au milieu des entreprises les plus redoutables, et comme si l'idée de la lutte à outrance dont elle venait de planter le germe n'eût été qu'un jeu comme un autre:

—Eh mais! fit-elle en montrant du doigt l'artiste et la fille d'honneur absorbés dans leur tête-à-tête, voyez donc de quel air cette belle demoiselle considère ce beau garçon... Ah! je connais quelqu'un dont j'étais regardée ainsi naguère.

—Coquette! murmura Châteauneuf.

—Décidément, dit-elle en ramenant du coin éloigné où ils étaient ses deux cavaliers vers le chevalet, le petit peintre est amoureux d'elle. N'est-ce pas votre avis, chevalier?

—Les mains, dit-il en baissant la voix, sont de mademoiselle de Lafayette, mais les yeux ne sont pas encore marqués, et je ne répondrai à votre question qu'après les avoir vus. C'est là que messieurs les peintres trahissent d'ordinaire leurs secrets.

—Bon! intervint la duchesse, ces peintres, cela prend son bien partout.

—Alors, fit galamment Châteauneuf, celui-ci prendra chez vous la grâce et l'esprit.

Elle allait riposter par quelque saillie nouvelle, lorsque la portière, se soulevant, montra, pareil à la tête de Méduse, le chef grisonnant du père Joseph.

Le rire s'arrêta sur toutes les lèvres.

Mademoiselle de Lafayette saisit le bras de la duchesse, de Jars, celui de son ami, et tous quatre commencèrent à s'éloigner, à mesure que le franciscain s'avançait; en sorte qu'ils se croisèrent avec lui vers le milieu du chemin, échangèrent un salut glacial, et achevèrent de gagner la porte pendant qu'il arrivait près du jeune peintre.

—Hum! fit-il, voilà de belles dames et de beaux seigneurs bien silencieux cejourd'hui... Que vous en semble, mon cher peintre?

—Ces dames et ces messieurs étaient venus pour voir maître Duchesne...

—Et ils l'ont attendu longtemps? ricana-t-il sournoisement...

Philippe ne répondit pas.

—Mon jeune ami, reprit-il en posant son doigt jauni sur son épaule, vous étiez là en pleine conspiration.

—Moi, mon père?...

—Mauvaise compagnie, qui compromettrait les plus innocents.

—Ne le croyez pas; ces dames parlaient...

—Je ne vous interroge pas, et ne veux pas vous confondre avec eux... Je vous ai promis mon appui, et je vous dis, plus que jamais: Il faut partir!

Sur ce mot, et sans attendre sa réponse, il croisa les bras dans les larges manches de son froc, et s'en alla à petits pas comme il était venu.

Philippe de Champaigne entendit la porte retomber derrière lui; et baisant avec ferveur le portrait qu'il avait tenté de lui ravir:

—Ma mère, murmura-t-il plein de trouble et de crainte, inspire-moi. Pourquoi cet homme combat-il tes dernières volontés? Dois-je, sur son ordre, quitter la France, où je suis venu t'obéir?...

VII
LA CHASSE ROYALE

Il y avait chasse à Fontainebleau.

Le cardinal permettait de temps en temps cette distraction à son royal esclave, quand il le voyait trop fatigué de l'isolement et de la continence où il le tenait à sa merci, à l'abri des ambitieux, ses rivaux, et des favorites, bien plus dangereuses encore.

Louis XIII n'était ni sot ni méchant par nature. Les vices calculés de sa première éducation, et la timidité causée par une infirmité physique, en firent un pauvre homme et un mauvais roi.

Sa mère et ses premiers courtisans vicièrent son éducation, et le maintinrent dans l'aversion de l'étude, qui élève et fortifie l'âme, afin de le soumettre plus sûrement à leurs caprices et d'exercer le pouvoir en son lieu et place.

Un bégayement insupportable, qui ne lui permettait pas d'achever une phrase de trois mots sans de grotesques efforts, le rendit ridicule à ses propres yeux, lui inspira l'antipathie de la société, lui fit prendre en horreur la conversation, à laquelle il ne pouvait se mêler sans trahir son côté le plus disgracieux.

Comme c'était surtout les railleries des femmes qu'il appréhendait, il devint envers le beau sexe d'une timidité invincible, précisément en dehors de son désir malheureux d'aimer et d'être aimé.

Il avait, dans les premiers temps de son mariage, témoigné beaucoup d'affection pour sa femme, Anne d'Autriche; mais l'influence de sa mère d'une part, les manœuvres de Richelieu sur la jeune reine de l'autre, avaient amené l'interruption à peu près complète des relations intimes des deux époux.

Le pauvre jeune roi, car, par une coïncidence singulière, tous les principaux personnages de ce récit étaient nés dans la première ou les premières années de leur siècle, le roi était condamné par son favori à une vie vraiment monacale.

Il l'entourait de confesseurs stylés qui le plongeaient dans les entreprises mystiques, et ne lui créait lui-même que des occupations de cette nature, dont les plus graves étaient des fondations et des vœux.

Pourtant, lorsque l'arc était trop tendu, la compression trop prolongée, il montait à ce cerveau, dans la force de l'âge et qui avait ses heures de bravoure, ainsi que le prouvent les entreprises belliqueuses de sa première jeunesse, des pesanteurs mortelles, de noirs ennuis, des aspirations de révolte.

Pour ces graves circonstances, le cardinal tenait en réserve quelques immunités qui, loin de diminuer son pouvoir, contribuaient à l'affermir, en rendant le roi convaincu de sa soumission et de son zèle pour lui être agréable.

Les chasses à Saint-Germain, à Compiègne et à Fontainebleau étaient une de ces ressources. On les prolongeait suivant l'intensité de l'humeur fâcheuse du malade.

Richelieu s'arrangeait d'ailleurs pour assister à ces parties, soit en voiture, soit plus souvent à cheval, quitte a revêtir un costume séculier et mondain, pour lequel il délaissait volontiers la soutane.

Ses derniers accès d'humeur noire, en ricochant sur le reste de la cour, avaient gagné le roi, et le remède accoutumé était devenu nécessaire.

Dans sa période taciturne, le cardinal avait fait de nouveaux mécontents; il en était revenu quelque chose aux oreilles du monarque. Le petit coucher, ce dernier quart d'heure du jour où se réglaient les affaires, avait été difficile.

—Il y a des soirs, disait-il quelquefois à ses confidents, où le petit coucher du roi me donne plus de tracas que toutes les affaires de l'Europe.

Il s'en dédommageait bien, il est vrai, par son despotisme et ses exigences sur le roi lui-même, et par le luxe dont il savait s'entourer, tandis que le prince restait dans la simplicité et la négligence.

Les gardes de l'Éminence entraient jusqu'à la porte de la chambre quand il allait chez son maître. Il avait pris partout le pas sur les princes du sang, forcés de s'incliner sous son orgueil.

Une si grande position ne lui donnait pourtant qu'un bonheur relatif, mais encore sa conservation valait-elle bien quelques sacrifices.

Les chasses de Fontainebleau en étaient un.

Comme il s'était contenté cette fois d'une place dans la voiture de la reine, qui ne pouvait suivre que les allées principales du bois, il vit tout à coup glisser comme un tourbillon un groupe de cavaliers et d'amazones, entre lesquels il reconnut la duchesse de Chevreuse, mademoiselle de Lafayette, le chevalier de Jars et son rival détesté Châteauneuf.

De longs éclats de rire, partant de cette compagnie brillante et joyeuse, vinrent frapper son oreille comme un sarcasme.

Mais ce fut bien pis, à une seconde de là; un autre cavalier courait après les premiers, faisant rage pour les joindre, sans se soucier des gentilshommes qui venaient derrière lui à bride abattue, et ce cavalier, qui passa sans tourner la tête du côté de la reine ni du ministre, c'était le roi.

Le cardinal regarda en pâlissant Anne d'Autriche, peu soucieuse de cette négligence de son royal époux, et ne trouva plus la fin de la phrase qu'il était en train de lui adresser.

—Sa Majesté, dit-il, va d'un train effrayant.

—Qu'elle aille, dit tranquillement la reine; ne trouvez-vous pas comme moi qu'elle est plus gaie de loin que de trop près?

—Tout le monde n'est peut-être pas de votre avis, madame; et les personnes après qui le roi court n'en sont probablement pas fâchées.

—La bonne folie! fit la princesse en riant d'un émoi dont elle comprenait parfaitement l'objet, tout en feignant de donner le change. C'est donc vrai que vous êtes amoureux de ma chère duchesse.

—Que dites-vous, madame?

—Eh bien! ne vous agitez point pour si peu; c'est le secret de toute la cour, et votre inquiétude, en voyant le roi courir après elle, en dit bien plus long... Ah! vous êtes jaloux?...

—Ne le croyez pas, balbutia-t-il, au supplice entre les railleries d'une femme qu'il avait aimée et l'indifférence de celle qu'il aimait.

—Aussi, quelle imprévoyance de votre part! Au lieu de venir en voiture avec moi, il fallait aller à cheval avec les gentilshommes du palais.

—Votre Majesté se moque, reprit-il, et cependant c'est pour elle et pour sa dignité que j'éprouve cette émotion.

—Sur l'honneur?

—Je l'affirme. La duchesse est une femme charmante, mais fort coquette, à laquelle je pense peu.

—Ce n'est pas ce qu'on assure.

—C'est vrai pourtant; quand on a été assez heureux pour obtenir un instant l'attention d'une divinité, on ne songe guère à descendre jusqu'aux mortelles.

C'était un compliment assez adroit, dans le goût mythologique du jour; mais la divinité à laquelle il s'adressait ne répondit pas, elle savait à quoi s'en tenir sur sa sincérité. La duchesse de Chevreuse était son amie sincère, elle la tenait au courant de toutes les tentatives galantes de l'Éminence vis-à-vis d'elle, et toutes deux ne se gênaient pas pour en faire des gorges chaudes.

Le cardinal reprit:

—Vous ne me croyez pas, madame?... Votre Majesté n'a-t-elle donc point remarqué la façon dont le roi regarde, depuis quelque temps, certaine de ses filles d'honneur?

—Allons donc! répondit-elle en riant de bon cœur; est-ce que c'est moi que vous espérez rendre jalouse à présent?

—Cependant, si le roi allait vraiment s'éprendre de cette petite Louise?

—Lui?... hélas!...

Et elle bâilla le plus spirituellement du monde, pour exprimer ce qu'elle pensait de la galanterie et des frasques supposées de son triste mari.

Richelieu, dépité de cette indifférence dont il pouvait s'accuser intérieurement, riposta avec assez de vivacité:

—Et si j'assurais à Votre Majesté que des indices certains me prouvent qu'il en est amoureux?

—Le grand malheur!... Eh! mon cher cardinal, vous oubliez qu'il a bien été autrement épris de moi!... Allez, ses passions ne sont pas dangereuses.

—On ne peut savoir... Cette petite Lafayette est d'une coquetterie pire que celle de la duchesse, dont elle suit d'ailleurs les leçons...

—Elle, la pauvre enfant!

Il comprit qu'il ferait fausse route en cherchant une alliée de ce côté; la reine connaissait trop le roi pour en être jalouse, et on l'avait trop tenue en dehors du pouvoir pour qu'elle s'intéressât en quelles mains il pourrait tomber.

Sentant bien qu'il ne fallait plus compter que sur lui-même, il affecta de donner, malgré sa préoccupation, un autre tour à l'entretien.

En son âme et conscience, il eût bien voulu en être encore à la faculté de choisir, comme le lui disait Anne d'Autriche, entre son équipage, même partagé avec une reine, et un cheval même de médiocre allure.

Mais impossible de revenir sur ce qui était fait; il était dans l'équipage, il fallait y souffrir, et renoncer à pénétrer à travers les sentiers étroits où la cavalcade railleuse s'était perdue à ses regards.

Il comprit même que l'inquiétude dont la reine lisait la preuve dans sa parole saccadée, dans ses yeux tourmentés, dans l'agitation de son maintien, égayait les rancunes que cette princesse entretenait discrètement contre lui.

Un de ses officieux, animé pourtant des meilleures intentions, vint lui donner le coup de grâce.

Au milieu du mouvement des piqueurs, de la course des équipages et des cavaliers, des menées et des aboiements de la meute, des fanfares et des appels du cor, on entendit tout à coup au loin, vers un des massifs les plus épais, un bruit de voix et de cris confus, suivi bientôt d'un moment de silence absolu.

Qu'était-ce? un des incidents de la chasse; mais de quelle nature? Sur qui ou sur quoi portait-il?

La reine et le premier ministre échangeaient ces questions, lorsque celui-ci aperçut un gentilhomme débouchant à toutes brides dans la grande avenue où leur voiture était consignée, et s'avançant vers eux.

—Dieu soit loué! s'écria-t-il, voici Boisenval qui va nous donner des nouvelles!

En un pareil moment, ce personnage apparaissait comme un messie au cardinal, pour lequel il exerçait à la cour, le lecteur s'en souvient peut-être, un rôle d'une honorabilité suspecte.

Rempli de vices, insatiable d'argent pour les satisfaire, il trouvait toujours ouvert le coffre-fort du ministre, dont il affectait de se montrer le détracteur auprès de ses ennemis, et pour lequel il exerçait sans scrupule le métier d'agent provocateur et d'espion.

Aussi, quoique ce fût bien lui qu'il cherchât, et à lui qu'il adressât ses renseignements, eut-il soin de ne parler qu'à la reine.

Personnages illustres du XVIIe siècle.

—Approchez, monsieur de Boisenval, lui dit celle-ci, et dites-nous: qu'est-il donc arrivé là-bas?

—Votre Majesté veut parler de ces cris?...

—Précisément.

—Qu'elle se rassure, l'accident n'aura pas de suites... de suites fâcheuses, du moins, se reprit-il en clignant de l'œil vers le cardinal.

—Un accident?

—Oui, madame. Votre Majesté a peut-être aperçu un tourbillon de chasseurs où se trouvaient madame la duchesse de Chevreuse, M. de Châteauneuf, leur inséparable ami le chevalier de Jars et mademoiselle de Lafayette?

—En effet... j'ai même vu le roi prendre la même direction.

—Une cavalcade échevelée, désordonnée, dont j'ai voulu être, et qui a failli rendre tous nos chevaux fourbus... La duchesse et Châteauneuf étaient surtout emportés par deux bêtes intrépides, qui les entraînaient côte à côte en avant, à travers buissons et halliers, si bien que nous les perdions de vue la moitié du temps.

Cette révélation fit froncer le sourcil haineux et jaloux du cardinal, et amena un sourire imperceptible aux lèvres de la reine.

Boisenval feignit de ne rien apercevoir.

—Ce fut dans un de ces instants que le roi apparut au milieu de nous, bondissant par longs élans, comme le plus fort écuyer du royaume... Ah! Sa Majesté était magnifique à voir... insinua l'hypocrite; l'œil animé, le teint coloré, le maintien plein d'ardeur, telle qu'elle devait être à la bataille de Royan, où elle affronta trois fois les boulets ennemis.

—Nous connaissons l'histoire, dit avec un peu d'ironie Anne d'Autriche.

—C'est pour expliquer à Votre Majesté, reprit le narrateur, qui avait son but, que l'on eût juré que le roi allait livrer un nouvel assaut à une place très forte... J'abrège, puisque Votre Majesté le désire. Sa cavale vint s'arrêter juste auprès de celle de mademoiselle de Lafayette... et chacun d'applaudir à la précision de cet arrêt, au milieu d'un pareil élan. «Le roi était radieux.»

—Vous l'avez déjà dit, fit observer la reine.

—Il adressa un sourire plein de grâce à la belle amazone, un peu intimidée par cette surprise flatteuse, et s'étonna de ne pas trouver la duchesse près d'elle. En apprenant qu'elle venait de disparaître derrière un taillis.—«Eh bien, mademoiselle, dit-il, allons la rejoindre.»

«Et sur ce mot, le voilà reprenant son temps de galop, mais en compagnie de la jeune écuyère, avec laquelle il ne tarda pas à se dérober à nous, absolument comme la duchesse et Châteauneuf.»

—C'est d'une inconvenance... gronda sourdement le cardinal.

Mais il n'acheva pas, il venait de remarquer le sourire provoqué par son dépit sur les traits de la reine.

—Ils filaient d'un tel train, poursuivit Boisenval que personne ne s'avisa de les suivre; d'ailleurs, ils ne nous en avaient pas priés.

—Un tête-à-tête! murmura très bas le cardinal.

—Mais tout à coup un grand cri nous arrive; nous faisons halte, et nous pénétrons dans une allée inextricable, un vrai labyrinthe, où nous trouvons le roi qui avait mis pied à terre, soutenant mademoiselle de Lafayette, qu'un faux pas de son cheval avait jetée sur le talus.

—Blessée? demanda la reine.

—Contusionnée à peine... fit le narrateur avec son sourire à deux tranchants.

—Ah! soupira la reine comme soulagée d'une grande appréhension; cette pauvre Louise!... vous m'avez fait une peur!...

—Que Votre Majesté se rassure; le roi est si bon, si bienveillant! Il en a eu soin comme un frère. Il n'a pas voulu remonter à cheval; voyant qu'elle boitait légèrement, il a exigé qu'elle s'appuyât sur son bras, et c'est lui qui la ramène ainsi, doucement, très doucement, vers cette avenue, où il compte trouver une voiture pour la mettre...

—Eh mais, il a raison, et voici la mienne. A la chasse, l'étiquette perd ses droits, n'est-il pas vrai, Éminence?

Richelieu s'inclina avec une grimace que la reine feignit de prendre pour un assentiment.

Il fallut qu'il en passât par là, et partageât sa place dans le carrosse royal avec celle qu'il regardait déjà comme sa rivale dans la faveur du maître.

La position était rude pour un homme de sa trempe; les ambitieux croient aisément les autres travaillés de leur mal.

On juge comment il acheva la promenade, et de quelle façon il passa le reste de cette maudite journée, qui avait, à sa barbe, rapproché Châteauneuf de la duchesse, et le roi de Louise.

Il rentra le lendemain au Louvre la tête perdue, et faillit se fâcher contre son fidèle conseiller, le père Joseph, qui prenait cette confidence avec un calme imperturbable, sinon même un peu sardonique.

—Quoi! s'écria-t-il, toi aussi, tu me trahis!...

—Vous n'en pensez rien, répliqua avec assurance le franciscain; je m'étonne simplement qu'un grand esprit comme le vôtre se tourmente si fort pour une petite fille.

—Une petite fille qui peut devenir notre tyran à tous.

—Je n'en crois rien.

—Si le roi l'aime, enfin!... et il l'aime!...

—C'est possible, mais elle, aime-t-elle le roi?

—On aime toujours un roi!...

—Oh! oh! c'est selon; les ministres, oui; les courtisans, sans aucun doute; les grandes dames blasées, c'est certain; mais une fillette de dix-huit ans, qui se plaît à rêver aux étoiles...

—Aimerait-elle ailleurs, enfin?

—Peut-être oui, peut-être non!... Qui sait ce que pense la plus naïve?

—Tu me fais mourir, avec tes énigmes!

Il se leva brusquement de son siège et se mit à arpenter à grands pas sa chambre, se parlant tout haut à lui-même, comme il lui arrivait dans ses heures de perplexité.

—Quelle situation!... quel tracas!... Partout des ennemis; partout des pièges!... Cette duchesse qui me brave avec son amour!... cette petite coquette dont le roi s'amourache... ce tourment intime que je porte en moi... Ah! c'est pour l'heure que j'aurais besoin des lumières d'un prophète!...

—Le prophète est là... lui dit froidement le père Joseph, saisissant cette parole au vol.

—Tu dis?

—Ce visionnaire...

—Il n'est pas reparti?

—Monseigneur, j'ai beaucoup observé ce jeune homme. Inspiré, adepte d'une science inconnue, ou faux prophète, il porte avec lui une autorité qui impose... Quand on tient de tels hommes, on ne les lâche pas.

—Ah! je te reconnais là, mon fidèle! lui dit le cardinal avec admiration; mais pour que tu aies agi ainsi, il faut que cet homme vaille mieux et puisse plus que je n'avais pensé... Je veux le consulter une seconde fois... Qu'on l'amène!

VIII
UN ROMAN COMPLIQUÉ

Lorsque le père Joseph revint avec frère Jean Labadie, la chambre du cardinal était déserte; sa barrette rouge, abandonnée sur sa table, indiquait son absence.

Le pâle jeune homme se laissa conduire sans interroger.

Il promena lentement son regard verdâtre autour de cette pièce somptueuse, et le ramena sur la barrette, où il s'arrêta pensif.

—Nous sommes arrivés, frère Jean, lui dit son guide, dont l'œil soupçonneux saisissait tous ses mouvements.

—Que veut-on de moi, mon père? demanda-t-il sans détacher son attention de la coiffure habituelle du cardinal.

—L'autre fois, c'est monseigneur qui vous a consulté; aujourd'hui, c'est moi qui souhaite user de vos lumières.

—A quoi bon, puisque vous n'y croyez pas?

—Qu'en savez-vous?

—Au fait, depuis une semaine vous me retenez prisonnier dans cette cellule, dont vous vous êtes constitué le gardien... dans quel but, si vous me considérez comme un insensé ou un menteur?

—Votre première épreuve n'a pas convaincu le cardinal, mais peut-être, plus faible d'esprit que lui, j'en ai été ébranlé. Rien n'est impossible à Dieu, et je souhaite m'assurer qu'il vous inspire, comme disent ceux qui vous connaissent.

—Et vous commencez par m'emprisonner? prononça froidement le jeune homme.

—Une prison bien douce, convenez-en, auprès de celle que la Chambre ardente et le Parlement imposent aux nécromans, aux astrologues sacrilèges et aux démoniaques.

Une sorte de sourire, pâle comme son visage, mystérieux comme l'étrange reflet de ses prunelles, glissa sur ses lèvres.

—J'accomplis une mission, dit-il, et je sais qu'à l'heure où celui qui m'envoie l'ordonnera ainsi, ni les tortures, ni les bûchers ne m'atteindront, car les portes de vos cachots les plus sûrs s'ouvriront d'elles-mêmes, comme s'ouvrirent jadis les souterrains de Rome à la voix de l'archange qui délivra l'apôtre.

«Mais à cette heure, je suis en votre pouvoir par la volonté des chefs auxquels j'ai promis soumission. Ils m'ont ordonné de vous obéir comme à eux-mêmes: commandez.»

Et, sans s'émouvoir, il s'assit dans le fauteuil qu'occupait d'ordinaire le ministre, et parut attendre.

Le confident sans foi ni loi, l'âme damnée de Richelieu, sentait en lui un trouble indéfinissable en présence de cette gravité et de cette parole solennelle dans son calme.

Il comprenait que ce n'était point là le maintien ni le ton d'un homme vulgaire, et il s'expliquait l'influence exercée par lui, même sur les intelligences austères de ses supérieurs.

C'était un faux apôtre, sans doute, mais c'était un apôtre; et le père Joseph se demanda un instant, comme devaient le faire plus tard les docteurs sévères, imbus des traditions et des *disputations* théologiques en vogue alors, si ce novateur n'était pas l'Antechrist.

Ne nous moquons point de ce doute ni de cette hésitation. Reportons-nous seulement à cette époque de démoralisation et de superstition tout ensemble. Rappelons-nous que Richelieu faisait brûler les sorciers et les magnétiseurs, et, consultant l'histoire, constatons ce qu'avait de surnaturel, de mystérieux et d'étrange ce jeune homme, qui commandait à l'extase et qui osait déjà poser les bases d'une religion nouvelle.

Il est présumable aussi, pour rentrer dans le cadre de notre histoire, que les premières expériences du jardin de la reine-mère avaient éclairé comme des révélations certains doutes de l'Éminence grise sur les accès de tristesse ou de remords de son patron.

—Ne croyez point, dit-il, que je prétende abuser de votre soumission. Je vous ai confiné dans mon propre logement pour vous tenir à l'abri des curieux et des importuns. Je ne dédaigne pas vos facultés, puisque j'y ai recours, et quand vous retournerez vers vos pères d'Amiens, je veux que vous y retourniez content.

Cette déclaration fallacieuse n'abusa pas le jeune apôtre, qui répondit avec simplicité:

—Faites venir cette jeune fille que vous m'avez montrée, je suis prêt à l'interroger.

Le franciscain avait tout prévu, et Desnoyers, le valet de chambre du cardinal, introduisait en ce moment même Henriette Duchesne, qu'il était allé chercher sous un prétexte quelconque.

A la vue seule de frère Jean, elle ressentit une commotion singulière; elle hésita sur le seuil et porta la main à son front, pour ressaisir ses idées.

—Venez, ma belle enfant, lui dit le père Joseph, en lui prenant la main et en l'attirant.

Ce contact lui causa une impression désagréable, mais ayant regardé le jeune homme, elle prit confiance dans son sourire amical et doux, et se laissa conduire au fauteuil qu'il venait de quitter.

Pendant qu'elle échangeait quelques mots avec le père Joseph, il passa derrière son siège, et son front s'imprégnant tout à coup d'une ardeur profonde, son œil s'irradiant en un rayonnement prestigieux, il étendit ses deux mains au-dessus de sa tête.

Le résultat fut bien plus rapide que la première fois.

Le mot commencé expira sur ses lèvres, ses paupières se fermèrent sans effort, et un long soupir annonça qu'elle entrait dans le sommeil extatique.

A partir de cette expérience, frère Jean pouvait désormais, quelle que fût la distance, quels que fussent les obstacles, commander à cette nature assouplie, et provoquer en elle, où qu'elle se trouvât, les phénomènes du somnambulisme et de la vision.

—Que souhaitez-vous lui demander? dit-il au capucin.

Celui-ci avait évidemment son thème arrêté d'avance.

—Peut-elle s'expliquer sur le compte d'une dame dont la conduite politique occupe Son Éminence?

—N'exigez pas cela! répondit-elle en s'agitant. Ce n'est pas une, ce sont deux femmes que le cardinal poursuit... et ces femmes, je les vois, ce sont mes amies... Louise surtout... Ah! ce cardinal, il fera le malheur de tout ce que j'aime!

—Qu'elle parle encore, ordonna le père Joseph.

—Il les perdra! dit-elle, obéissant avec une espèce de rage intérieure à la pression exercée sur sa volonté, mais elles le haïssent trop pour l'aimer jamais ni l'une ni l'autre.

Ici, une des draperies qui retombaient sur les portes, celle de l'escalier dérobé, s'agita.

Mais ni frère Jean ni le franciscain ne s'en aperçurent, et celui-ci reprit:

—Pourquoi cette haine de la première de ces femmes?

—La première, répliqua la jeune fille avec un accès de désespoir, c'est la duchesse de Chevreuse, qui s'entretient en ce moment, avec monseigneur de Châteauneuf, de l'amour du cardinal.

Le père Joseph devint livide, et tourna machinalement un regard inquiet sur la tenture, dont les plis étaient redevenus immobiles.

—Mon père, implora frère Jean, ceci ne vous suffit-il pas? Voyez, cette enfant souffre d'étranges tortures à cet interrogatoire.

—Si vous voulez me convaincre, répondit l'implacable moine, il faut aller jusqu'au bout... Que fait la seconde de ces femmes, et qui aime-t-elle?

La poitrine de Henriette se souleva, houleuse comme l'océan battu par la tempête; ses bras se tordirent convulsivement, de grosses larmes descendirent le long de ses joues, et d'un accent qui navrait l'âme:

—Louise! s'écria-t-elle, oh! non, je vois mal!... Maître, arrachez-moi à cette apparition odieuse... maître, je vous en supplie, faites cesser ce supplice... Louise!... mon amie la plus chère... Philippe!... Philippe!... Philippe!...

Et ce nom jeté trois fois comme un appel suprême, elle retomba anéantie, à ce point que le père Joseph même en demeura tout haletant.

—C'est assez, n'est-ce pas, mon père; je vais la réveiller?

—Plus qu'un mot.

—Quoi!... vous exigez encore...

—Qu'elle explique pourquoi, dans son extase, elle éprouve tant de répulsion pour monseigneur le cardinal, qu'elle voit avec plaisir quand elle est éveillée.

Frère Jean prit sur la table la barrette, et la faisant toucher à la visionnaire:

—Parlez, continua-t-il.

Elle se dressa tout debout, ainsi qu'un cataleptique ou un cadavre, en une seule pièce, et étendant sa main raidie vers la tenture:

—L'homme rouge, dit-elle, notre ennemi à tous, il est là!...

Et en effet, un long bras rouge écarta la draperie, et Richelieu, pâle et sombre, se démasqua de la retraite où il avait voulu tout observer sans être vu...

La jeune fille était retombée sur le fauteuil, comme un arc détendu après un effort terrible.

Il considéra d'un air pensif ce tableau, et s'adressant à l'opérateur:

—Ceci fini, elle ne se rappelle rien?...

—Rien, monseigneur, heureusement! Si elle se rappelait, ne croyez-vous pas, comme moi, qu'elle aurait horreur d'elle-même; car, si j'ai bien compris, elle a trahi ses alliés les meilleurs... Peut-être pis encore, peut-être a-t-elle vu des traîtres dans ses amis!

—Et comment expliquez-vous cette vision et cet oubli?

—Comme une anticipation sur la vie immatérielle, qui sépare notre âme de notre corps. Si notre âme, ainsi que l'ont avancé quelques philosophes, a déjà passé par une ou plusieurs existences antérieures, cette vision est un retour sur cette période écoulée, saisissable seulement quand l'engourdissement de nos sens laisse la liberté à leur captive. Dès que les sens renaissent, l'idéalité s'évanouit, et de cette existence factice et subtile il ne reste rien, pas même la mémoire.

—Hum! murmura le cardinal, vous êtes ténébreux comme un oracle, et je ne sais jusqu'à quel point tout ceci concorde avec l'orthodoxie...

Mais cette faculté de provoquer l'extase et la vision, pouvez-vous la transmettre, est-ce une science qui s'apprenne?

—C'est un don d'en haut, monseigneur, Dieu seul le dispense.

Richelieu réfléchit une seconde, puis s'adressant à l'évocateur:

—Réveillez cette enfant; c'est assez pour aujourd'hui.

Frère Jean souffla imperceptiblement sur le front d'Henriette, qui s'éveilla, comme l'autre fois, toute confuse et toute étonnée.

Le cardinal la chargea d'une commission artistique pour son père.

Le père Joseph reconduisit le jeune homme à sa cellule, sans que celui-ci manifestât aucune résistance. Seulement, sur le point de voir la porte aux panneaux ferrés se verrouiller sur lui:

—Mon père, dit-il, souvenez-vous de mes paroles: lorsqu'il conviendra au maître que je sers de me tirer de ce lieu, les serrures et les grilles s'écarteront d'elles-mêmes... Le cardinal, préoccupé d'autres soins, n'a rien compris au cri parti du fond des entrailles de cette jeune fille, mais vous avez tressailli, vous... car vous avez saisi le secret de votre maître, et, plus avancé que lui, vous possédez le mot qu'il use sa vie à chercher. Cela ne vous suffit-il pas? Pourquoi cette prison où vous me confinez?

—Frère Jean, répondit doucereusement le capucin, vous oubliez toujours que vous êtes ici, non pas un captif, mais un hôte. Seulement vous êtes un hôte précieux, et ce qui est précieux, on le cache.

Sur ce beau raisonnement, il tourna la clef et remonta près du cardinal, qu'il trouva dans une agitation extrême.

—Il y a quelque chose, dit-il aussitôt qu'il l'aperçut. Ce jeune homme possède une puissance occulte qu'il serait inutile de méconnaître. Cette consultation confirme mes doutes. Je suis entouré d'ennemis. Des gens hardis conspirent contre moi. Le nieras-tu?

—Non, certes, Éminence. Mais que craignez-vous? Vous êtes sur la voie, et vous détenez la force.

—Cette orgueilleuse et indomptable duchesse! gronda-t-il les dents serrées de dépit et d'envie; ce beau garde des sceaux! Une femme que j'ai placée près de la jeune reine; un homme qui me doit sa position!... Je saurai le fond des choses. Si cette petite rêveuse a dit vrai, malheur à eux!

Le château d'Amboise.

—J'ai déjà détaché Boisenval à leurs trousses. Avant peu nous connaîtrons la vérité.

—Cette duchesse! répéta Richelieu, s'animant dans sa colère; sais-tu qu'hier, pas plus tard, animé pour elle-même d'une sympathie insensée, je lui ai fait tenir une lettre!

—Mauvaise inspiration que vous n'eussiez pas exécutée si vous eussiez pris mon sentiment.

—Sermonne à ton aise, la sottise est faite.

—Vous lui parliez en tendre cavalier, et lui demandiez une entrevue?

—Je lui donnais à comprendre que ses ennemis cherchaient à la desservir, à l'entraîner en de méchantes affaires, et que tous ses intérêts devaient la rapprocher du seul homme qui l'aimât véritablement.

—Toujours la tête et les passions de vingt ans! Il faut ravoir cette lettre... à tout prix... Nous l'aurons.

—Si pourtant, fit le cardinal avec une de ces hésitations familières aux amoureux,—si nous nous trompions... si elle allait me répondre... venir peut-être?...

—Y songez-vous?

—Rien n'est perdu; ne précipite rien.

—Je le disais bien, grommela le confident, toujours vingt ans!

—Une autre chose presse.

—Laquelle?

—N'as-tu pas été frappé comme moi de l'accent dont cette jeune fille prononce à tout propos, et surtout à propos de mes affaires, le nom de ce Philippe?

—Et je vous en ai expliqué clairement la raison, répondit avec une précipitation singulière le père Joseph. Ces fillettes ont toujours un garçon en tête, et celle-ci mêle à ses rêves le nom de celui qui lui plaît.

—C'est possible, c'est vraisemblable; mais je veux voir ce jeune homme.

—Vous, monseigneur? A quel propos?

—Je le veux.

—Ce ne sera pas pour aujourd'hui, du moins, car il n'est pas venu à l'atelier du Louvre; maître Duchesne le retient en ce moment au Luxembourg.

—Et demain?

—S'il n'est pas ici, on peut le mander; quoique, en conscience, ce soit attacher à ce mince barbouilleur une importance...

—Moindre qu'il ne la mérite peut-être. Tu me reproches d'être trop jeune... dois-je te reprocher de vieillir? N'as-tu pas remarqué comme son nom s'est trouvé mêlé à celui de Lafayette et de tous mes ennemis?

—Sur ce point, du moins, affirma le capucin, tranquillisez-vous; je connais ce jeune homme, la politique est le dernier de ses soins; il n'a qu'une ambition, celle de devenir le premier de son art.

Richelieu entrevit une vague réticence dans ce langage et cette conduite de son confident. Il fixa sur lui son œil interrogateur.

—Tu me caches quelque chose. D'où vient ta répugnance à me laisser voir ce jeune homme?

—C'est, reprit le franciscain, habile à fabriquer des prétextes et cherchant, par extraordinaire, à tromper son patron, c'est que, s'il ne conspire pas, il est cependant indigne de vous intéresser.

—Qu'en sais-tu?

—Son maître ne fait nul cas de lui, et malgré ses belles paroles sur l'amour de l'art, je lui soupçonne un vif amour pour la créature; car ayant voulu l'encourager et lui faciliter le voyage d'Italie, sans lequel il n'y a pas de véritable peintre, je n'ai essuyé qu'un refus obstiné, qui m'a mis fort mal avec lui.

—Eh mais! fit le cardinal, tu le connais décidément... Il suffit.

Le père Joseph vit bien qu'il n'y avait rien à gagner, et malgré sa répugnance inexplicable à laisser s'opérer cette rencontre et ses efforts à éloigner Philippe de la cour, il se retira sans soulever des objections nouvelles, qui n'eussent fait qu'exciter la méfiance du maître.

Tandis que ceci se passait dans une des ailes du Louvre, il se tenait dans une autre, au fond des appartements de la reine-mère, un conclave qui n'eût pas manqué de causer bien du souci au cardinal et à son confident s'ils eussent pu le soupçonner.

Les membres qui le composaient étaient Marie de Médicis, implacable dans ses rancunes contre l'ingrat Richelieu; le duc Gaston, frère du roi, qui passait les trois quarts de sa vie en exil et le reste en rapports irritants avec Louis XIII et le premier ministre; puis la duchesse de Chevreuse, Châteauneuf, de Jars, Bassompierre et les deux Marillac, Michel et Louis, l'un magistrat, l'autre maréchal de France: c'est-à-dire l'élite des adversaires de Richelieu.

En sortant de cette réunion, où l'on n'avait pas travaillé dans l'intérêt du ministre omnipotent, on peut le croire, la duchesse eut la fantaisie de faire un tour, en compagnie de ses deux cavaliers, dans l'atelier de Duchesne.

Une jeune fille s'y trouvait seule, qui ne les entendit pas tout d'abord, ce qui leur permit de la considérer à loisir.

Debout devant le chevalet, sur lequel se montrait la nymphe de Philippe, elle contemplait cette peinture avec une attention admirative.

Cette jeune fille n'était pas Louise de Lafayette, mais Henriette Duchesne, son amie. Elle s'était glissée là en revenant de chez le cardinal.

—Eh! bonjour, chère enfant, lui dit la duchesse; que faites-vous ici toute seule?

—Un acte d'indiscrétion, répondit-elle en rougissant; en l'absence de mon père et de ses élèves, je visitais l'atelier.

—Oh! oh! interrompit Châteauneuf, voici une toile qui a pris forme. Notre jeune peintre a fort travaillé depuis quelques jours. C'est un garçon de talent, sur ma foi!

—N'est-ce pas, monseigneur? dit Henriette avec précipitation.

—Par la mordieu! exclama de Jars, voilà qui est bien plus intéressant... Pardon, mademoiselle, laissez-moi vous considérer un peu... là... de trois quarts... Eh mais! c'est parfait!... Vous avez posé, je gage, pour ce tableau.

—Moi, monseigneur? Je vous assure...

—Pourquoi vous excuser, ma chère petite? fit la duchesse en passant amicalement son bras autour du sien; M. Philippe aurait pu prendre un modèle moins charmant.

Le fait est que la peinture rappelait de la manière la plus gracieuse l'expression de physionomie de la jeune fille.

—Duchesse, fit le chevalier quand il se vit hors de portée de l'oreille du gentil modèle, volontaire ou non, vous souvenez-vous de ce que je vous disais l'autre jour à propos de ce tableau?

—Sans doute: vous vous faisiez fort de désigner l'objet des amours du peintre quand il aurait éclairé les yeux de son image. Eh bien?

—Eh bien, les mains sont toujours celles de mademoiselle Louise, mais les yeux sont ceux d'Henriette. Et le plus piquant, c'est que nous trouvons aujourd'hui cette petite en admiration près du chevalet, comme l'autre y était ce jour-là... Quel est votre avis sur tout ceci?

—Ah! pardon, c'est le vôtre que nous attendons.

—Le mien? Eh bien, c'est que ces deux demoiselles à la fois sont amoureuses de ce garçon, et... qu'il les aime toutes les deux.

—Un beau roman! dit Châteauneuf en riant.

—Et qui peut servir entre des mains habiles, prononça sur un ton beaucoup plus sérieux la duchesse.

IX
LE MAÎTRE ET L'ÉLÈVE

Nous allons retourner chez la reine-mère, mais pour tout autre chose qu'un complot, cette fois; Philippe de Champaigne avait transporté son chevalet dans le cabinet de la princesse.

Après avoir, comme tous les visiteurs, admiré la nymphe destinée au Luxembourg, elle avait voulu, pour encourager le talent du jeune artiste, posséder son portrait exécuté par lui.

Cette idée lui était-elle venue d'elle-même? Il n'y avait là rien d'impossible; cependant, nous sommes porté à croire qu'un bon génie, modestement caché, avait contribué à la faire naître.

Philippe, dans son inaltérable modestie, l'avait bien soupçonné lui-même; car c'était une faveur fort enviée d'être appelé à peindre la mère du roi, cette princesse encore puissante, qui n'accordait qu'avec discernement sa protection et ses bonnes grâces.

Mais ce qu'il s'efforçait inutilement de découvrir, c'était le nom de cette fée bienfaisante. Quand les anges font le bien, ils s'en cachent, et trouvent une jouissance nouvelle dans leur incognito.

Notre héros était porté à attribuer son coup de fortune à quelqu'un, mais son embarras était grand, car il soupçonnait à un degré égal deux personnes.

L'une était blonde comme les chérubins, dont elle devait fournir si souvent le modèle à son inspiration,—l'autre châtaine,—et déjà plusieurs fois il avait dérobé quelques-uns de ses charmes pour en doter ses images de prédilection.

Nous avons nommé Henriette Duchesne et Louise de Lafayette.

La demoiselle d'honneur d'Anne d'Autriche saisissait toutes les occasions de pénétrer dans l'atelier aux heures où il s'y trouvait, mais la fille du maître peintre, plus favorisée, avait dix sujets, ou du moins dix prétextes par jour pour y venir.

Quelquefois n'y venaient-elles pas ensemble, enlacées à la taille l'une de l'autre, caquetant et folâtrant, inséparables amies, si semblables de goût, que la seule pensée qu'elles ne se fussent pas confiée était absolument la même, fixée vers le même objet!

Louise était l'aînée de deux ans,—un laps énorme à cet âge d'adolescence, où l'imagination marche à si grands pas chez les jeunes filles; et puis elles étaient de la cour, où l'expérience n'attend pas les années. Elle ressemblait à l'archange qui sait et qui ressent.

Henriette ne pourrait être comparable qu'au séraphin béni qui vient d'éclore sous le souffle radieux du ciel. Tout en elle était blond comme son ondoyante chevelure, son regard même avait la transparence de l'azur immaculé.

Elle ne connaissait ni la passion ni les transports; mais la flamme virginale qui s'éveillait à peine en sa jeune poitrine éclairait l'aurore de rêves aux ailes roses.

Elle allait vers Philippe, comme le papillon vole vers l'arbuste qui l'attire, sans préméditation, sans arrière pensée, tout simplement parce qu'elle se trouvait bien près de lui.

Dans ses entretiens, son nom venait souvent sur ses lèvres sans qu'elle y songeât, sans qu'elle y prît garde; parce que son souvenir était plein de lui. Elle en parlait devant son père, devant la reine-mère, devant Louise, devant tout le monde, comme si tout le monde s'intéressait à lui au même degré qu'elle.

Et Philippe?...

Ah! c'est ici qu'il nous faudrait le concours de ces plumes qui servent aux physiologistes hors ligne pour fouiller les replis de l'âme humaine, comme le scalpel aux anatomistes pour disséquer un corps.

Philippe, doué d'une nature exceptionnelle et fort jeune encore, ne connaissait pas l'opinion trop bonne que le sexe masculin est fort disposé à concevoir de son propre mérite. Il ne s'imaginait guère que plusieurs filles adorables éprouvassent à la fois pour lui un sentiment aussi doux que flatteur.

Telle était, à cet égard, son humilité ou son aveuglement, que ses meilleurs amis le lui eussent affirmé, il n'en eût voulu rien croire.

Cependant, il était trop artiste, il possédait à un degré trop profond le sentiment du beau et du gracieux, pour vivre avec indifférence en contact continuel avec ce cortège plein de séduction.

Il pensait à elles; il en rêvait; leur essaim le suivait dans ses inspirations comme dans ses songes, et cette préoccupation se traduisait sous son pinceau en des formes ravissantes, en des regards célestes, en des sourires séraphiques.

Mais si son esprit se hasardait à pousser plus loin son ambition, il s'en effrayait lui-même, et cherchait à triompher de celle-ci autant par modestie que par vanité. En d'autres termes, il n'osait fixer ses désirs sur l'une ni sur l'autre de ces deux jeunes filles, dans la crainte de n'être pas digne d'elles ou de se voir repoussé.

Il flottait de la sorte entre le rêve, l'espoir, la tentation et la peur.

Quant à se décider entre les deux, il n'y songeait même pas, et s'en applaudissait quelquefois. Son amour, si l'on peut appeler de ce nom cette passion indécise et platonique, était éclectique aussi: il embrassait ensemble Henriette et Louise, et ne les eût pas séparées sans un effort pénible.

Pourtant, il faut le confesser, depuis certain entretien à voix basse, observé du coin de l'œil par la maligne duchesse de Chevreuse, ses idées s'étaient un peu fortifiées. Il avait gagné auprès de Louise quelque hardiesse,—de cette hardiesse qui consiste à effleurer de sa main une main qui ne vous fuit pas; à en presser à la dérobée l'extrémité, et peut-être, une fois, dans un accès de bravoure, la poitrine agitée à tout rompre, à approcher le bout de ses lèvres du bout de ses doigts.

Et puis, ces actes hardis perpétrés, savez-vous ce qui se passait en lui? Si, par hasard, Henriette survenait, sa grâce enfantine, son sourire amical, son regard bleu plein d'un avenir de tendresse retournaient son pauvre cœur de part en part et lui inspiraient quasi des remords.

Oh! l'étrange garçon et l'âme pusillanime! Ou bien, je crois, il les lui eût fallu l'une et l'autre,—c'est-à-dire fondues en un seul être de perfection, pour le rendre heureux.

Nous serions dans le vrai en résumant ainsi cette alternative: Louise l'attirait vers elle; mais une attraction invisible, spontanée, mystérieuse, l'appelait vers Henriette.

Il vivait au milieu de ce séduisant embarras lorsque l'attention du père Joseph était venue se diriger sur lui. Pourquoi? comment? à quel titre?

C'était autant d'énigmes.

Mais sans chercher à pénétrer ce qui lui paraissait impénétrable, il en avait ressenti un effroi sinistre.

Son sang se figeait à la pensée que ce conseiller fatal de l'Éminence redoutée de tous ses amis prétendait s'intéresser à lui. Il avait peur de cette protection qui commençait à s'en prendre à tout ce qu'il avait de plus cher, à un talisman sacré et à son séjour au Louvre.

Il savait, par des exemples journaliers, qu'on ne résistait pas impunément à cette volonté: elle possédait des moyens redoutables pour se faire obéir. D'un souffle elle le briserait.

Mais le portrait de sa mère, pauvre et modeste femme, morte dans les Flandres depuis des années, en quoi intéressait-il ce moine taciturne et dissimulé? Ce portrait, personne que lui ne l'avait vu, c'était une de ces reliques que la piété jalouse dérobe aux regards profanes.

Pourquoi vouloir le dépouiller de cet héritage?

Sa mère, confiante en une Providence équitable, lui avait fait espérer une juste fortune en France, et voilà que le premier homme qui eût vu les traits de cette morte se dressait devant lui plein de paroles incompréhensibles et d'ordres cruels.

Sans doute, il eût pu faire une copie et la livrer pour l'original; mais ce subterfuge répugnait à sa droiture, et d'ailleurs un cri s'élevait en lui qui lui disait de ne pas donner l'image de cette sainte à ce mauvais génie.

Il songeait donc à la nécessité d'un exil lorsqu'était venu l'ordre d'exécuter le portrait de la reine-mère. Cet ordre renfermait un prétexte respectable pour éloigner son départ, aussi s'y était-il rendu avec joie.

Depuis plusieurs jours il était donc au travail, et le tableau prenait bonne tournure.

Ce matin même, son maître Duchesne avait promis de venir y donner un coup d'œil, et il n'attendait pas sans appréhension cette visite, si importante non seulement pour son œuvre actuelle, mais pour la sanction de son talent.

Un petit cercle de dames, amies de Marie de Médicis, se tenaient groupées dans la chambre, non loin d'elle, causant et travaillant, autant que peuvent travailler des femmes de la cour en présence d'une Majesté.

Entre elles, nous en citerons deux qui causaient peut-être un peu, mais qui, pour sûr, ne faisaient pas grande besogne. Henriette et Louise tenaient chacune un morceau de tapisserie, mais elles piquaient leurs doigts plus souvent que le canevas, car leurs regards et leur attention étaient du côté du peintre.

Si elle eût été moins distraite, Louise eût remarqué dans son amie les symptômes d'un trouble, d'une anxiété peu ordinaires.

La fille du maître peintre était évidemment sous une appréhension très vive. Tour à tour son visage se colorait jusqu'au rouge cerise, pour redevenir, l'instant d'après, pâle comme un suaire. Ses grands yeux avaient une expression de sauvagerie singulière, et sa poitrine étouffait à grand'peine les soupirs prêts à s'en échapper.

Enfin, ayant consulté l'horloge qui se dressait en face d'elle, entre deux croisées, dans une longue boîte d'incrustations et de ciselures, elle parut ne plus y tenir. L'heure qui s'avançait rendait sa crainte plus pressante.

—Mon père ne va pas tarder, fit-elle bas à l'oreille de Louise.

Celle-ci la regarda et s'aperçut alors du désordre de ses traits.

—Est-ce l'attente de cette visite qui te rend si pâle? lui demanda-t-elle.

—Oui!... répondit Henriette d'une voix expirante.

Les autres dames étaient lancées, avec la duchesse de Chevreuse, dans un colloque si animé et si bruyant qu'elles ne remarquèrent pas les deux jeunes filles.

—Que crains-tu donc? répliqua sur le même ton rapide la demoiselle d'honneur de la reine.

—Tu portes comme moi amitié à M. de Champaigne?

—Un malheur le menace-t-il?

—Peut-être.

—Parle.

—Le père Joseph est venu hier soir en secret avec mon père.

—Et tu as surpris l'entretien?

—J'avais entendu à la dérobée le nom de Philippe, ma curiosité m'a portée à écouter le reste.

—Eh bien? demanda Louise, gagnée par son inquiétude.

—Eh bien, le père Joseph veut lui faire quitter la France.

—Pourquoi cela?

—Il ne l'a pas dit, et mon père ne l'a pas demandé. Il prétend l'envoyer en Italie, sous prétexte de se perfectionner.

—Ton père se séparerait de son meilleur élève?

—Il a promis...

—Est-ce vraisemblable?... Tu t'abuses...

La jeune fille secoua tristement la tête et laissa tomber avec effort cet aveu:

—Mon père est jaloux de M. Philippe.

—C'est qu'il se sent dépassé!... fit Louise avec une sorte d'orgueil. Mais, reprit-elle, s'il veut rester?

—Il partira, te dis-je, car pour l'y contraindre ils ont organisé une avanie indigne!

—Est-ce possible!

—Il est convenu que mon père, dont chacun attend la décision comme un jugement sans appel, va trouver le portrait de Sa Majesté plein d'imperfections grossières.

Le cardinal Richelieu chez Marie de Médicis.

—Oh! tu me donnes envie de faire un esclandre en dévoilant à l'avance cet infâme complot!

—Garde-t'en bien; songe que ce serait perdre à coup sûr ce pauvre jeune homme; le père Joseph ne lui pardonnerait jamais de sa vie la faute que nous commettrions pour lui.

—Que faire? Il faut pourtant empêcher cette injustice! Qui donc pourrait nous venir en aide? Ah! Chevreuse!..

—Elle est bien occupée en ce moment avec ces dames. Tiens, vois plutôt M. le chevalier de Jars, qui vient de quitter la conversation pour donner de plus près un regard à la peinture. C'est le seul ici qui s'y connaisse... On le dit aussi serviable que loyal et spirituel.

—C'est un trait de lumière!

Et se levant sans affectation, elle passa par derrière le fauteuil où siégeait Marie de Médicis, et joignit le chevalier, qui adressait à l'artiste quelques mots d'éloge bien motivés.

—Vous trouvez ce portrait joli, n'est-ce pas? lui dit-elle en lui adressant un signe imperceptible, sur lequel il se rapprocha d'elle et la suivit plus à l'écart.

—Parfait, répondit-il.

—Eh bien, lui glissa-t-elle tout bas, il s'agit de sauver l'auteur.

—Une conspiration! fit-il en riant; oh! mais, c'est mon élément, j'en veux être... avec vous surtout!

—C'est plus sérieux que vous ne pensez.

—Dites toujours, c'est un système à moi de traiter les choses graves le sourire aux lèvres; elles n'en vont pas plus mal pour cela, croyez-en mon expérience... Ce jeune peintre vous intéresse?

—C'est sa position périlleuse qui me touche.

—Allons, je vois qu'avec les jeunes demoiselles il est des sujets sur lesquels il ne faut pas badiner. Parlez, je vous écoute, et je ferai ce que vous voudrez.

En deux mots, elle lui répéta ce qu'elle venait d'apprendre.

—En vérité, dit-il, ce père Joseph!... Quel malheur que la duchesse ne puisse pas être des nôtres; mais vous avez raison, les minutes sont comptées, nous ferons la barbe sans elle au capucin!

—Vous espérez?...

—Laissez-moi faire... et si je réussis,—comme j'y compte,—si je mystifie suffisamment nos ennemis... les ennemis de M. de Champaigne, vous promettez de me prendre encore, à l'avenir, pour complice dans vos conspirations?

—Tout ce qu'il vous plaira.

—Soyez tranquille alors, ce n'est pas à cause de ce portrait que l'on exilera notre jeune ami.

Tandis qu'elle regagnait sa place et s'en allait rassurer son amie, le chevalier revenait vers l'artiste à l'oreille duquel il glissait quelques mots, que l'on devait croire fort gais, à en juger par l'air dont il parlait.

Heureusement, Philippe tournait à peu près complètement le dos à la compagnie, ce qui ne permit pas de saisir le spasme qui traversa son visage, ni l'hésitation qu'éprouvèrent ses pinceaux aux premières paroles du chevalier.

Ce ne fut, du reste, que l'affaire d'un instant.

—Du courage et du sang-froid, mordieu! lui dit son interlocuteur. Vous avez des envieux! Avec moins de mérite, on ne prendrait pas même garde à vous. Vous avez des ennemis! trop fortuné mortel; je voudrais les voir toujours s'acharner contre moi, à la condition de posséder un seul allié comme ces charmantes jeunes filles qui s'intéressent à vous!

«Ça donc, ne songez aux premiers que pour les battre, à celles-ci que pour vous montrer digne de leur appui.»

—Vous avez raison, monsieur, lui dit l'artiste, dont l'œil s'alluma; je vous comprends... et je veux que vous aussi soyez content de moi!

Excité par la circonstance, il saisit la brosse avec une ardeur nouvelle, et sa main ne produisit plus une touche qui ne marquât sur la toile comme un chef-d'œuvre.

Un écrivain immortel l'a dit: L'indignation engendre les poètes, mais elle grandit et fortifie aussi les artistes.

Quelques mots furent encore échangés entre Philippe et M. de Jars, et comme celui-ci allait rejoindre le cercle des dames, un huissier annonça l'arbitre tant attendu.

—Maître Duchesne, premier peintre de Sa Majesté Madame mère!

Il entra obséquieux, servile, comme les gens qui veulent se faire bien venir dans une mauvaise cause.

Il eut pour la princesse des génuflexions, pour les assistants des saluts et des sourires courtisanesques.

Comme Philippe s'était dérangé pour le recevoir, il lui adressa de loin un signe protecteur en l'engageant à rester en place, et dans toute cette stratégie il ne lui fut pas loisible de remarquer l'émotion qui avait remonté au front de l'artiste, la pâleur de sa fille prête à se pâmer, l'air dédaigneux de mademoiselle de Lafayette, ni le sarcasme léger qui se creusa aux lèvres du brave de Jars en lui rendant ses politesses.

La duchesse de Chevreuse, qui possédait réellement, ainsi que nous l'avons entendue s'en glorifier, le génie des intrigues de cour, fut la seule à surprendre ces détails, et, fort aiguillonnée, elle adressa au chevalier un petit appel muet, auquel il se rendit sur-le-champ.

—Chevalier, lui dit-elle tout bas, vous êtes d'un complot avec ces demoiselles?

—C'est bien possible.

—Est-ce grave? Voilà cette pauvre Henriette qui perd contenance.

—Une espièglerie.

—Hum! vous êtes bien gai! et pour qui vous connaît comme moi, c'est la preuve que vous cachez une chose difficile ou une bonne action... Puis-je vous servir?

—Plus tard, probablement; maintenant, contentez-vous d'observer.

Le silence s'établit, et la reine-mère adressa à son maître peintre l'invitation de regarder et de juger l'œuvre de son élève.

Il la pria de reprendre l'attitude dans laquelle elle avait posé, et se mit alors à examiner la toile avec une grande attention apparente, et à comparer le modèle et l'image. Il accompagnait cette étude d'une pantomime exagérée et de contorsions bizarres, sans aboutir à formuler son sentiment.

—Eh bien, maître, demanda enfin Marie de Médicis, que pensez-vous du travail de notre jeune peintre?

—Sur ma conscience, madame, répondit-il en redoublant de façons, vous me voyez fort empêché.

«Je souhaiterais pour beaucoup que M. de Jars, qui est très compétent en cette matière, se prononçât à ma place.»

Et de son œil faux il épiait les traits du chevalier.

Mais celui-ci, prenant plaisir à tromper ce trompeur, protesta, en s'inclinant, qu'il ne se permettait pas d'avoir une opinion sur une œuvre de peintre, en présence d'un artiste aussi éminent que l'illustre Duchesne.

Rassuré par là sur les contradictions qu'il craignait de rencontrer, Duchesne commença à critiquer, d'une manière aigre-douce d'abord, quelques détails, puis, pour frapper un coup infaillible, avant de passer à sa conclusion, il attaqua la ressemblance du portrait.

—Il est possible que je m'abuse, insinua-t-il, mais je trouve à reprendre dans les yeux, puis dans l'expression des lèvres, l'élévation du front laisse aussi à désirer. N'est-ce pas votre avis, mesdames?

Suivant l'invariable habitude, en matière de portraits, il n'y eût qu'un chœur pour déclarer que la ressemblance était manquée.

La duchesse et les deux filles furent les seules à ne pas mêler leur voix à la voix commune; mais le chevalier insista plus que personne, et renchérit hautement sur l'opinion de Duchesne.

Celui-ci triomphait.

—Eh bien! intervint le chevalier d'un air de commisération, mon cher Philippe, vous voilà condamné à l'unanimité... ou peu s'en faut. Si vous essayiez de retoucher les principales parties indiquées par notre maître à tous, monsieur Duchesne?...

—Oh! très-volontiers, répondit le jeune peintre; que Sa Majesté et ces dames veuillent seulement m'accorder dix minutes.

—Certes! dit Marie de Médicis, qu'à cela ne tienne.

Elle se maintint dans sa pose, et Philippe se mit à promener, avec une activité fiévreuse, la brosse sur les points critiqués par son maître.

Duchesne s'était retiré près du chevalier, et toutes les dames avaient de loin les yeux fixés sur le jeune homme.

Madame de Chevreuse faisait à part soi une remarque, c'est que le chevalier tenait le maître peintre si attentif à sa conversation que celui-ci négligeait totalement de surveiller son élève.

—Ah! merci, madame, dit enfin Philippe à la reine-mère, je crois avoir exécuté toutes les retouches essentielles, et j'espère que le maître va être plus satisfait.

En même temps il enleva la toile du chevalet et la présenta à Duchesne et aux assistants.

—Parfaitement compris! s'écria le maître peintre.

—Merveilleux! répétèrent les autres comme un écho.

—Ce que c'est qu'un mot d'un grand maître! renchérit de Jars; voilà, grâce à un bon conseil, un méchant portrait devenu une image vivante!

Mais ici un silence craintif imposa une trêve à ses éloges hyperboliques.

Un personnage, que l'on n'avait pas encore aperçu au milieu de ces débats, était entré dans la chambre, et, debout à quelques pas derrière le fauteuil de la reine-mère, avait observé d'un regard perçant toutes les actions du jeune peintre.

Il s'avança jusqu'à la reine, qu'il salua silencieusement, au milieu des compliments sous lesquels Duchesne était menacé de crever d'une apoplexie d'orgueil, et le toisant ironiquement:

—Maître Duchesne, dit-il, vous êtes un sot! Vous, monsieur de Jars, un imbécile ou un fourbe.

Du cramoisi, Duchesne passa au vert.

De Jars salua cette sentence d'un sourire narquois.

Le nouveau venu s'avança encore, promenant sa soutane rouge sur le tapis et posant la main sur l'épaule du jeune homme:

—Monsieur Philippe de Champaigne, dit-il, me ferez-vous l'honneur d'exécuter mon portrait?

—Quoi, monseigneur!... s'écria le jeune artiste confondu, et se croyant la proie d'un rêve.

—Vous consentez?... Merci, je me tiendrai dès demain à votre disposition.

Et comme chacun se regardait avec stupeur:

—Monseigneur, dit la reine-mère, surprise de cette scène, ne nous expliquerez-vous pas...

—Oh! si fait, Majesté!

—Monseigneur... implora Philippe.

—Non pas, monsieur, répliqua le cardinal, car c'était lui, comme on l'a deviné,—il faut qu'on sache que vous êtes aussi bon peintre que garçon d'esprit.

J'étais là, Majesté, observant tout, et n'osant me montrer de peur de vous déranger durant cette séance supplémentaire. J'ai vu, et fort bien vu, que notre jeune peintre, loin de retoucher son œuvre, s'est contenté de promener sa brosse sèche sur les diverses parties que maître Duchesne et ces dames avaient si vertement blâmées.

—Quoi! exclama Duchesne avec rage.

—Pardonnez-moi, maître, implora Philippe, monseigneur dit vrai, je n'ai rien changé à mon tableau.

—Ce qui n'empêche pas que chacun l'a trouvé admirable, après l'avoir condamné sans examen, ajouta le cardinal.

—Monseigneur... mesdames... Majesté... c'est une infamie... une chose odieuse... grommelait le maître peintre, qui sortit pour ne pas étouffer et pour se soustraire aux rires moqueurs des assistants.

Les dames, de meilleure composition, avaient pris gaiement leur partie de cette petite mystification; c'était à qui entourerait Philippe et l'accablerait de mièvreries; on le disputait même à la reine-mère, qui riait ce jour-là comme elle n'avait pas ri depuis longtemps.

Le cardinal trouva moyen de rejoindre M. de Jars, et avant de sortir, il lui glissa ce mot à double tranchant, comme la plupart de ses paroles:

—Chevalier, voilà un petit complot qui vous fait honneur. Si vous m'en croyez, vous renoncerez à en organiser d'une autre sorte.

Et le regard imposant qui accompagna cela disait que Richelieu n'ignorait rien de ce qui se tramait contre lui.

X
LES TROIS LETTRES

Richelieu aimait à être servi plus encore promptement que bien.

Deux jours à peine après son apparition chez la reine-mère, où il s'était rendu dans la certitude d'y rencontrer Philippe, celui-ci arrivait avec armes et bagages dans ce fameux cabinet cardinal, connu du lecteur.

Le père Joseph n'avait même pas été informé par son patron de cette fantaisie, qui devait lui être peu agréable. Mais ce qu'on ne lui confiait pas, il le devinait, et apprenant la mésaventure grotesque du maître peintre, il savait déjà l'invitation adressée à l'élève.

Certes, il y avait loin de cette faveur, qui rapprochait les deux personnages qu'il s'efforçait de tenir éloignés l'un de l'autre, au voyage d'Italie, auquel il avait condamné, dans un but inconnu, Philippe de Champaigne.

Cependant il ne fit aucune allusion à ce qui s'était passé, et parut ignorer absolument ce qui se préparait. L'habile diplomate ne heurtait jamais de front les grandes difficultés. Le côté remarquable de sa tactique consistait à les tourner avec adresse.

Le jeune peintre put donc se rendre chez le cardinal, organiser son chevalet, installer ses appareils pour ménager la lumière, étaler son arsenal tout à son aise.

Richelieu, enchanté de jouer ce tour à son confident, était radieux. Il aidait l'artiste dans ses soins divers et prétendait, quoi qu'il en eût, faire une partie de son ménage de palettes et de pinceaux.

La bonne humeur du ministre était stimulée aussi par une autre raison. Depuis sa lettre à la duchesse, il savait pertinemment qu'elle avait cessé de se rencontrer avec Châteauneuf; aussi, non seulement celui-ci n'était pas venu avec elle à la séance du portrait de la reine-mère, mais on ne les avait vus nulle part ensemble.

Il attribuait naturellement à l'éloquence de son style ce signe favorable, et quoi qu'en eût dit l'oracle de frère Jean, il désespérait moins d'assouplir cette beauté rebelle.

D'une autre part encore, d'habiles compères ne cessaient d'accréditer, depuis un certain temps, de méchants bruits contre le garde des sceaux; bruits vagues et spécieux comme toutes les calomnies, car Châteauneuf était un homme d'État irréprochable. Mais on l'accusait d'entraver, par son caractère despotique, la marche des affaires, de trop sacrifier ses amis, et surtout, ce qui était le grief capital de cette cour livrée au cardinal, d'entretenir des rapports avec les adversaires de ce dernier.

Or, nous savons que dans l'estime de Richelieu, être son ennemi, c'était être l'ennemi du roi.

On ne pouvait savoir ce qui s'était dit chez la reine-mère, mais, chose pire assurément, on connaissait l'existence de ces réunions et les noms de ceux qui s'y étaient montrés.

On évitait, bien entendu, de mêler à ces bruits les rapports de la duchesse avec Châteauneuf, et cette réserve les rendait plus dangereux, en témoignant que la disgrâce du garde des sceaux ne tenait plus qu'à un fil, et qu'on voulait en dissimuler la cause véritable sous le fallacieux couvert d'un intérêt d'État.

Châteauneuf, absorbé par son amour, refusait de reconnaître l'imminence de ce péril. Mais Chevreuse, dont la tendresse avivait le tact, ne s'y méprenait pas; déjà elle manœuvrait en conséquence.

Richelieu, cédant aux insistances respectueuses de l'artiste, confus des soins qu'il lui voyait prendre, consentit à la fin à s'asseoir, mais de manière à observer les dernières dispositions de son nouveau peintre, puis la séance commença.

Mais, phénomène bizarre, ce ne fut pas tout d'abord l'artiste qui se montra le plus attentif à étudier son modèle. On eût dit que les rôles étaient intervertis.

L'œil du cardinal s'attachait avec un intérêt puissant sur les traits de Philippe, en embrassait les lignes, les contours, et cherchait à plonger jusqu'au fond de ses prunelles.

Et voilà qu'au mépris de leurs conventions, quittant l'immobilité nécessaire à sa pose, il se leva par une impulsion irréfléchie, s'en alla tout droit vers l'artiste, qui n'y comprenait rien, mais que la fixité de son regard, l'expression singulière de son front, l'animation fiévreuse de ses pommettes, tenaient dans un vague émoi.

Il vint donc jusqu'à lui, et posant sa main sur sa tête pour le considérer mieux en face:

—C'est étrange, murmura-t-il, se parlant à lui-même et peu soucieux d'être entendu,—quel souvenir!... ces yeux... ces traits... vit-on rien de pareil!...

—Monseigneur... hasarda l'artiste.

—Taisez-vous! lui dit-il vivement.

Et il recommença à l'observer; puis tout d'un coup secouant la tête pour en bannir une idée importune, et passant la main sur son front:

—Allons, fit-il, c'est une folie.

Il s'éloigna à reculons et sans le perdre de vue; mais, comme obéissant à une volonté supérieure à la sienne, il se penchait en avant et répétait:

—Étrange!... étrange!...

—Alors, tout à point pour le retenir, la porte livra passage à l'éternel père Joseph, qui s'approcha rapidement de lui, le sourire aux lèvres:

—Eh quoi! monseigneur, s'écria-t-il avec un étonnement parfaitement joué, vous me faites de pareilles cachotteries; vous vous emparez de mon peintre de prédilection, et au lieu de le laisser partir comme je le souhaitais, vous le retenez et lui donnez de la besogne!

Mais sans l'entendre ni lui répondre, le cardinal l'avait pris par le bras, et l'amenant lui-même près de Philippe:

—Ne trouves-tu pas qu'il lui ressemble? lui dit-il d'une voix singulièrement vibrante.

—A qui, monseigneur? demanda froidement le franciscain.

Ce ton pénétrant et glacé sembla de l'eau versée sur un incendie.

—Ah! c'est juste, reprit sourdement Richelieu, tu ne sais pas... nul ne sait... Je défends que l'on sache...

Philippe était tenté de croire à un égarement momentané de cette grande intelligence.

Il se sentait en proie à un embarras indéfinissable, et n'osait plus regarder son modèle.

Mais le père Joseph montrait l'impassibilité d'un marbre, et Richelieu, revenant peu à peu de son exaltation, se laissa tomber sur un siège.

Entrevue de Louis XIII et de Marie de Médicis.

Le franciscain se courba alors vers lui avec une allure féline, et lui dit d'un ton cauteleux:—S'il vous plaisait de remettre la séance à demain, monseigneur... Je souhaiterais vous communiquer quelques affaires sérieuses.

—Sais-tu que je fais une remarque? lui dit son patron en plongeant son regard dans le sien.

—Laquelle, Éminence? répondit-il en homme à l'épreuve de ces interrogatoires.

—Encore un peu, et je finirai par croire que tu cherches à éloigner ce jeune homme, non pas du Louvre seulement, mais de moi.

—Oh! la belle idée que vous avez là! ricana le capucin. En conscience, c'est interpréter d'une singulière sorte ma bienveillance pour ce garçon... Qu'il demeure, si tel est votre bon plaisir, monseigneur. Pour moi, ma confidence n'étant pas de nature à être prônée à son de trompe, je reviendrai quand vous serez seul.

On pense bien que ce dialogue avait lieu en dehors de Philippe, qui se tenait timidement à son chevalet dans un coin.

Le cardinal fit un mouvement pour le congédier, puis se ravisant:

—Eh bien, dit-il à son confident, tu reviendras.

Et se tournant vers l'artiste, qui attendait son bon plaisir:

—Me voici à vous, monsieur Philippe. A tantôt, ajouta-t-il en faisant un geste d'adieu au franciscain.

Celui-ci, quoi qu'il en eût dit, et quelle que fût l'immobilité de sa physionomie, ne se souciait pas de les laisser ensemble.

—Avant de vous quitter, reprit-il, je veux vous donner ce papier, qui vous mettra au courant de ce que j'avais à vous dire.

Il tira de son froc crasseux une enveloppe grise, qu'il lui tendit avec un clignement d'yeux qui le fit tressaillir.

—C'est quelque mauvaise affaire? demanda-t-il.

—Vous en jugerez... Au revoir, monseigneur.

—Adieu, vieux démon, riposta le cardinal en le menaçant amicalement du doigt.

Et jetant le paquet sur la table, sans prendre soin de l'ouvrir:

—Enfin, mon cher enfant, dit-il à Philippe, nous allons commencer... Ah! une minute, le temps de défendre ma porte...

Il prit le petit sifflet d'argent qu'il portait toujours sur lui, et appela. La porte s'ouvrait au même instant, et l'huissier, qui s'était croisé avec le signal, annonçait:

—Madame la duchesse de Chevreuse!

C'était jouer de malheur.

Pour toute autre personne, il eût nettement répondu lui-même qu'il n'y était pas; mais la belle Marie!... comment la repousser...

D'ailleurs, elle était déjà entrée.

Philippe quitta pour le coup sa place et voulut s'esquiver; mais la duchesse, l'apercevant, tendit une main au cardinal et de l'autre retint l'artiste.

—Eh quoi! je mettrais les beaux-arts en fuite! dit-elle. Non pas! si vous bougez, je m'échappe.

—La duchesse a raison, fit Richelieu, et je crois que devant elle nous pouvons continuer notre séance. N'y voyez-vous aucun inconvénient, mon jeune Apelles?

—Au contraire, monseigneur, pour peu que vous ne perdiez pas trop la pose dont nous sommes convenus. Votre Éminence a dans la physionomie, lorsqu'elle reçoit, une animation heureuse que je tâcherai de saisir.

—C'est à vous que je dois ce compliment, duchesse, dit le cardinal, que cette visite animait en effet beaucoup. Et vous, monsieur le peintre, je vous soupçonne de tourner au courtisan.

—Je prends son parti, monseigneur, dit la duchesse; sur mon âme, vous avez dans le regard un rayonnement qui vous sied à merveille!

Philippe s'était mis à la besogne et semblait ne plus être là. L'entretien était devenu un tête-à-tête.

—Vous avez reçu ma lettre? fit tout bas le cardinal.

—Vous le voyez bien, puisque me voici; votre style est comme votre regard, il commande.

—Oh! si vous étiez sincère!...

—Voici un doute qui va nous brouiller... fit-elle avec minauderie.

—Ah! c'est que l'expérience m'a rendu méfiant, et j'aspire après un si grand bonheur, que ce doute n'est que trop légitime...

—Encore!...

—Mon Dieu, tenez, je vis entouré de complots, de manœuvres...

Il prit au hasard le paquet laissé par le père Joseph.

—Voilà des papiers que je n'ai pas encore ouverts; eh bien, je gagerais qu'ils contiennent quelque chose de semblable, l'annonce d'une intrigue, sinon pis!

Et du même mouvement machinal il brisait l'enveloppe et commençait à promener sur les écrits qui s'y trouvaient un regard inattentif.

—Bon! fit-elle sans y prendre garde, c'est votre inquisiteur en robe grise, votre père Joseph, qui rêve pour vous des complots!

—Au fait, dit-il en lisant avec plus d'attention, mais sans perdre son ton badin, c'est bien possible; avec un conseiller tel que vous, je serais capable de voir tout en rose.

—Et cela vous changerait.

—Quel malheur que vous ne veuillez pas devenir mon Égérie!

Il reprenait l'enveloppe, y replaçait en jouant les papiers, et la rejetait sur la table.

—Ah! c'est que... une Éminence! objecta la duchesse.

—C'est bien effrayant, n'est-ce pas?—surtout si l'on aime ailleurs!

Il avait approché sous sa main une grande feuille toute écrite, toute scellée, à laquelle il ne manquait plus que quelques mots.

Il remplit les blancs et signa, du même air indifférent et rieur.

—Oh! répondit la duchesse, quant à aimer ailleurs, Votre Seigneurie s'abuse.

Le cardinal fit retentir un coup de sifflet. L'huissier s'avança:

—Pour le capitaine de service au palais, dit-il, en lui remettant l'écrit.

Puis, reprenant sa première attitude:

—Excusez-moi, dit-il à la duchesse, un ordre pressé... Ainsi, vous n'aimez plus personne?

—Personne!

—Pas même ce cher garde des sceaux?

—Oh! mais plus du tout! C'est une vieille erreur.

—Sur ma foi, j'en suis ravi, belle dame!

—Et d'où vient, monseigneur?...

—De ce que je craignais de vous chagriner en vous apprenant une nouvelle toute fraîche encore.

—Laquelle, je vous en prie? demanda-t-elle avec un sentiment d'anxiété.

—C'est que ce billet que je viens de remettre à Desnoyers...

—Ce billet?

—C'est une lettre de cachet qui l'envoie à la Bastille.

—Ah! traître!... exclama-t-elle en se levant.

—Le mot est dur, fit-il en persiflant, et je ne sais plus celui que j'emploierai pour les auteurs de ces lettres.

En disant cela, il avait ressaisi l'enveloppe abandonnée sur la table, et en avait tiré trois épîtres qu'il lui mettait sous les yeux; mais en les détaillant, son organe était devenu sec et rauque:

—Ceci est le billet que j'eus la faiblesse de vous écrire... Reconnaissez cet autre, c'est celui par lequel vous envoyiez ma déclaration à votre amant, en vous raillant de moi... Le dernier est la réponse de l'amant!... Le roman est complet, sur ma foi, et vous en connaissez à cette heure la conclusion.

—Châteauneuf à la Bastille!... Mais c'est odieux!....

—Oh! de grâce; nous savons que les mots héroïques ne font pas défaut à votre muse... Vous avez agi avec félonie, madame; il me semble que moi, du moins, j'y mets de la franchise... Vous avez voulu la guerre, — vous l'avez.

—Soit! prononça-t-elle en se redressant; nous verrons à qui la victoire restera.

Et elle sortit superbe comme une reine.

Richelieu la regarda partir, et quand la draperie fut retombée derrière elle:

—Il faudrait bien des séances ce de genre, dit-il à Philippe, pour amener notre œuvre au but. N'importe, nous nous y remettrons demain; les jours se suivent et ne se ressemblent pas. Et puis, vous me plaisez.

L'artiste s'inclina.

—Non, pas de fausse modestie! Vous avez de l'esprit et du talent; je me sens porté vers vous d'une bonne amitié. Je veux que vous deveniez mon peintre en titre.

—Moi, monseigneur?

—Sans doute! On dirait que cette proposition vous alarme?

—Elle me surprend et me confond... Je m'en sens tellement indigne...

—Non, vous dis-je, vous avez du talent, et je vous attache à ma maison...

—Votre Éminence me comble... et je crains de lui paraître bien ingrat...

—Quoi donc! refusez-vous?...

—Je ne suis pas libre de moi... les bienfaits de la reine-mère...

—Ah! fit avec amertume Richelieu, je comprends, vous voulez rester avec mes ennemis...

—Vous n'avez pas d'ennemis, monseigneur.

—Si fait! Vous venez d'en avoir la preuve... Mais, ajouta-t-il en serrant ses poings, vous avez vu aussi comment je me venge! Parlez donc, pourquoi ce refus?

—Éminence, balbutia l'artiste en se courbant jusqu'à terre, vous me faites peur!

Loin de s'irriter de cet aveu, Richelieu devint profondément triste, et quand le jeune homme fut sorti:

—C'est dommage, murmura-t-il, j'aurais bien voulu qu'il m'aimât... Il lui ressemble tant!...

Et à cette idée, une larme,—chose étrange!—coula lentement le long de ce mâle et grand visage, qui semblait si peu fait pour de telles faiblesses.

XI
LE FANTÔME AUX BRAS D'ACIER

Et le visionnaire, le jeune homme aux joues pâles, aux regards phosphorescents, que devenait-il durant ces intrigues de la cour et des courtisans?

Tenu implacablement au secret par le franciscain, pour lequel cette captivité n'était qu'un jeu, et qui était résolu à avoir le dernier mot de sa puissance surnaturelle, il n'avait plus franchi la porte de la cellule.

Le père Joseph seul en avait la clef; seul il pourvoyait à ses besoins presque insensibles, car, fidèle à son existence quasi-insubstantielle, frère Jean ne connaissait toujours d'autre breuvage que l'eau, d'autre aliment que les racines et les fruits.

Le franciscain, plus attentif que son patron, avait été saisi des phénomènes produits par le visionnaire, — il continuait à lui donner ce nom, faute de lui en trouver un autre, — et il lui avait signifié qu'il n'ouvrirait sa prison qu'à une condition seule; c'est qu'il l'initierait à sa science et à ses pratiques.

Mais frère Jean avait déjà refusé au cardinal, il refusa au capucin.

—Je ne vous communiquerai pas, répondit-il avec fermeté, ce qui me vient de Dieu, car je ne veux m'en servir que pour le bien, et ma conscience m'apprend que vous n'en tireriez profit que pour assouvir vos idées d'ambition et de haine.

Si le père Joseph insistait en lui laissant entrevoir la perpétuité ou l'aggravation de son emprisonnement:

—Il n'arrivera, répétait-il avec son pâle sourire, que ce qui est écrit là-haut; le jour est marqué où je sortirai d'ici, et ce jour venu, ni vous ni vos verrous ne me retiendront.

Ni caresses ni menaces ne parvenaient à ébrécher cette volonté de bronze dans un corps qui avait à peine le souffle.

Mais comme si le prophète eût commandé à des êtres surnaturels ou que ceux-ci se fussent mis en peine de se rapprocher de lui, bien que nul autre que le cardinal ne connût sa présence dans la partie la plus ignorée du Louvre, il courait parmi les gens du palais des bruits singuliers.

On s'entretenait de visions, d'apparitions, de fantômes circulant la nuit, à travers les êtres de cette résidence, et glaçant d'effroi jusqu'aux factionnaires qui les apercevaient en accomplissant leur veille sur le haut des remparts.

C'était comme une panique, car ces rumeurs, assez vagues à l'origine, prenaient, en passant de bouche en bouche, des proportions effrayantes, et finissaient par monter des serviteurs jusqu'aux maîtres.

Ne fallait-il voir là qu'une vaine terreur, un ressouvenir des antiques traditions, qui peuplaient le vieux Louvre de spectres ou de méchants génies?

Non, il y avait quelque chose de bizarre, que l'on ne pouvait supposer ni comprendre à cette époque, mais qui, pour nous, n'a rien d'invraisemblable, expliqué par la vertu de l'évocation magnétique dans les limites les plus indéniables.

Un incident décisif acheva d'établir la réputation des spectres du Louvre, car ce n'était plus une, mais vingt apparitions, une ronde infernale tout entière, que les poltrons affirmaient avoir vue.

Le gouverneur du Louvre, homme prudent et sage, ayant eu vent de ces récits, et craignant qu'ils ne cachassent quelques manœuvres ou quelques méchantes entreprises, résolut de s'en éclaircir et d'y mettre un terme.

Les apparitions ne paraissaient pas s'opérer d'une manière régulière ni quotidienne. Il prit le parti de ne confier la garde de la région du palais où l'on assurait les apercevoir qu'à des hommes sûrs. Chacun de ses meilleurs officiers et les gardes suisses furent chargés de ce poste, avec une consigne sévère, pour surveiller la sûreté des cours et rechercher tout symptôme de bruit ou d'alerte.

Une semaine presque entière se passa sans amener aucun indice, quand vint le tour d'un officier connu comme esprit fort autant que bon soldat.

Ses vigies reçurent injonction de porter tout leur intérêt sur l'objet signalé et de l'appeler si les spectres menaçaient d'apparaître.

La première partie de la veille s'était accomplie sans alerte. Mais un peu après une heure du matin, un hallebardier suisse, de faction vers la porte Saint-Germain-l'Auxerrois, jeta tout à coup le cri d'alerte.

Le poste entier débusqua aussitôt, et les soldats, moins affermis contre la superstition que contre les arquebuses, aperçurent distinctement une forme blanche qui traversait lentement les espaces intérieurs du Louvre.

La clarté brumeuse de la nuit l'enveloppait d'une vague auréole, et le suaire qui la recouvrait, pareil à un manteau de marbre, n'agitait pas ses plis au souffle de l'air.

Impassible et muette, le cri de la vigie, le bruissement des armes, n'avaient pas inquiété son oreille de pierre, et l'officier, entouré de ses dix hommes, s'avançait sur ses traces, sans qu'elle modifiât, pour la ralentir ou la hâter, sa marche rigide.

Les Suisses avaient le frisson; l'officier lui-même éprouvait un sentiment de surprise voisin de l'inquiétude.

Vainement, à deux reprises, fit-il entendre d'une voix impérieuse le Halte-là! et le Qui vive? réglementaires.

L'apparition ne détourna pas la tête, ne laissa voir aucun signe d'alarme ni de menace: elle continua d'avancer sans dévier d'une ligne.

Cette attitude avait quelque chose d'extraordinaire qui imposait aux plus résolus. Les soldats se guidaient sur leur chef, mais celui-ci, gagné par une irrésistible influence, ne marchait qu'avec une certaine circonspection.

Il gagnait néanmoins du terrain, et à mesure qu'il se rapprochait, l'aspect du fantôme se dessinait mieux, sans perdre pourtant ses contours indécis et sa translucidité.

—Halte! ordonna-t-il une dernière fois, sur le point de l'atteindre. Mais bien qu'il ne fût plus qu'à deux pas, il n'obtint pas plus qu'auparavant une marque d'attention.

Ses Suisses, fort imprégnés des idées surnaturelles de leur pays, se contentaient d'emboîter le pas derrière lui, sans échanger un mot.

Intrigué au plus haut point, excité par son émotion même, il franchit d'une enjambée la faible distance qui le séparait de l'apparition, et vint la côtoyer.

Elle marchait toujours.

C'était la forme d'une femme petite et jeune, à en juger par les blanches draperies qui la couvraient.

Il voulut voir ses traits, mais le long voile de lin qui retombait de sa tête à ses pieds et traînait derrière elle les dérobait entièrement, et il éprouva une involontaire terreur à l'idée de le soulever.

—M'entendez-vous? dit-il; je vous ordonne de vous arrêter!

Sa voix avait décidément perdu de sa fermeté ordinaire.

Il ne reçut pas de réponse, et l'on continua d'avancer.

Alors, sous le poids d'une fascination qu'il essayait en vain de secouer:

—Fantôme ou femme, exclama-t-il, je t'arrête!...

Et d'un geste fiévreux il lui saisit la main.

Mais il la lâcha aussitôt avec un cri d'horreur.

A travers la batiste, il avait éprouvé, au contact de cette main inerte et glacée, la sensation que lui avaient procurée les cadavres quand il en avait relevé sur le champ de bataille.

Ce froid n'était pas celui de la pierre ni du bois, il ne pouvait appartenir qu'à un corps humain ayant eu vie.

Cependant, à ce cri, ces hommes avaient entouré le spectre. Les plus hardis voulurent à leur tour le contraindre à s'arrêter, et s'emparèrent de ses bras; mais soudain, ces bras froids, durs comme le marbre, se raidirent avec violence, et, pareils à deux barres de fer détendues par un ressort, renversèrent du coup ces téméraires.

Un seul osa s'attaquer à cet adversaire terrible; c'était un sergent lucernois, homme intrépide, batailleur à l'épreuve, qui, tirant de sa cotte de fer une façon de lame effilée, en porta, d'un bras vigoureux, un coup vers le haut de la poitrine de l'apparition.

Effrayé lui-même de son audace, il abandonna la poignée et se recula.

Le fantôme oscilla d'abord, mais non comme une créature vivante; — c'était le mouvement d'une statue ébranlée sur son socle, et qui s'agite tout d'une pièce.

Ce ne fut, au reste, que l'affaire d'une seconde. Il reprit son aplomb, et le seul bruit que l'on entendit fut celui du stylet retombant sur le pavé de la cour.

Les Suisses n'en attendirent pas davantage, ils regagnèrent avec épouvante leur corps de garde, où l'officier les suivit, sous l'impression de cette main sépulcrale qui avait glacé la sienne.

Ils passèrent le reste de la nuit en oraisons, craignant, s'ils s'endormaient, les mauvais rêves.

Dès que le jour pénétra dans la chambrée, ils se mirent sur la piste parcourue la nuit et retrouvèrent le stylet à l'endroit où s'était passée la scène étrange et rapide qu'ils eussent voulu considérer comme une hallucination du sommeil ou de l'ivresse.

Le sergent affirmait avoir frappé fort, et avoir senti le fer s'enfoncer dans la chair; et cependant la lame était intacte, aucune gouttelette de sang n'en avait altéré le poli, et pas une des dalles n'en portait trace.

C'était à confondre, et tous étaient confondus.

Mais le jour, en calmant l'effroi, amena un autre sentiment. Le capitaine de service allait venir passer sa ronde, chercher ses informations. Fallait-il lui révéler ce qui avait eu lieu? Un poste de soldats d'élite frappé de vertige, battu par un spectre?...

Louis XIII et mademoiselle de Lafayette.

Autant valait s'immoler sur l'autel du ridicule.

Chacun le comprit et s'engagea par serment à garder le silence le plus absolu.

Cette parole fut tenue, nous en avons pour gage l'intérêt de ceux qui l'avaient donnée; seulement, comme il est impossible qu'un secret connu de deux personnes ne transpire pas quelque peu, il arriva que celui-ci, possédé par onze individus, s'ébruita suffisamment pour accroître la réputation redoutable du fantôme du Louvre.

Était-ce donc vraiment une apparition surnaturelle?

Le lecteur a droit de nous adresser la demande, et nous lui devons la réponse. Elle rentre assez, d'ailleurs, dans l'ordre des faits merveilleux pour mériter son intérêt.

Depuis la séance tenue chez le cardinal, et dans laquelle frère Jean avait achevé d'asseoir son influence sur les sens magnétiques d'Henriette, il arrivait parfois à celle-ci de quitter la nuit sa couchette et de sortir des appartements de la reine-mère.

Obéissant à cette volonté mystérieuse qui l'appelait, froide et glacée comme une vierge qu'on arrache inerte de son sépulcre, vous l'eussiez vue, dans sa marche automatique, descendre lentement les degrés, ouvrir d'un coup sec les serrures, et traverser, le regard à demi clos, l'œil fixe et sans point visuel, à l'instar des fantômes qui savent se diriger sans recourir à nos sens grossiers, les jardins et les compartiments de la grande cour.

Que la clarté des étoiles resplendît sur sa route, ou que la nuit fût impénétrable, elle avançait sans dévier d'une ligne.

Le bruit ni les signes extérieurs ne détournaient son attention; car elle n'existait plus pour eux. Son atmosphère n'était plus la nôtre.

Elle lutta contre les soldats suisses sans en avoir conscience, sa force lui vint de la résistance qu'on opposait à l'instinct qui l'appelait au but où elle allait passivement.

Ces efforts amenèrent la catalepsie, cette mort apparente qui ferait illusion avec la mort réelle; car, ainsi que la mort réelle, elle donne aux membres la rigidité et la sensation du fer, elle suspend le jeu des poumons et arrête le sang dans les veines.

Il n'est plus guère personne qui n'ait vu les magnétiseurs se livrant à des expériences rappelant de loin les scènes du clos Saint-Médard, frappant, tenaillant, piquant et brûlant les sujets en catalepsie, sans leur arracher une marque de sensibilité, sans qu'il leur restât, au réveil, autre chose qu'une cicatrice imperceptible et indolore.

Labadie possédait la volonté et la foi qui commandent ces miracles, et dans Henriette il avait rencontré la nature malléable, l'intelligence jeune et morbide qui les accomplit le mieux.

Cette enfant avait en elle l'âme tendre, poétique, contemplatrice d'une prêtresse de l'antiquité. La vision s'élevait dans son esprit à des profondeurs qui allaient évoquer jusqu'aux cendres les plus éteintes du passé, qui lisaient dans le présent avec une sûreté effrayante et qui s'arrêtaient à peine devant les obscurités de l'avenir.

Le prophète, du fond de son cachot, avait commandé, et soudain, enveloppée par le fluide extatique, elle était venue.

Elle atteignit donc l'aile du Louvre où se trouvait la cellule.

Arrivée au bas du vieux mur, elle s'agenouilla sur la terre, devant le soupirail qui, de ce côté, était au ras du sol, tandis qu'en dedans il touchait la voûte. Là, elle se pencha vers les grilles:

—Frère Jean, dit-elle de cet accent singulier qui n'appartient qu'au somnambulisme, que voulez-vous de moi?

Le prisonnier, pour atteindre au soupirail, avait dû traîner contre le mur la table du père Joseph, et s'y hisser.

De cet observatoire, où il se tenait depuis l'instant où il avait évoqué la jeune fille endormie, il avait parfaitement saisi les bruits de l'attaque dont elle avait été l'objet.

Le regard luisant comme le lion dans les ténèbres, les mains étendues vers le dehors, ainsi que Moïse sur son peuple combattant, il dirigea vers elle cette force qui avait vaincu les agresseurs.

—Henriette, lui répondit-il avec bienveillance, reportez votre attention sur vous-même, et voyez si vous n'avez reçu aucune blessure.

Elle se recueillit et dit sans s'émouvoir:

—Un homme m'a frappée d'un stylet, près de l'épaule. Mais votre souffle me protégeait; ma chair était morte quand il l'a atteinte; demain il en restera à peine une cicatrice dont j'ignorerai la cause.

—C'est bien. Maintenant, mon enfant, faut-il vous expliquer pourquoi je vous fais venir?

—Arrêtez, dit-elle, le visage animé, le front brûlant, le geste rapide, les âmes n'ont pas besoin de mots pour se comprendre. Je lis dans la vôtre. Une méfiance cruelle vous détient ici, et n'hésiterait pas à se servir de vous et de moi pour assouvir ses desseins pervers.

«Le monde qui peuple le Louvre est en proie à l'intrigue; il se forme complot sur complot... Ceux que j'aime sont les plus menacés... On prépare les prisons... on prépare les supplices... Ah!... c'en est trop!... Par pitié!... réveillez-moi! renvoyez-moi!...»

—Non, dit-il d'un ton ferme, je vous ordonne de voir et de parler!

—Eh bien, fit-elle pantelante, se débattant avec des sanglots étouffés contre un mauvais rêve, je vois... je vois un échafaud!...

Et, sans en pouvoir dire plus, elle s'affaissa anéantie sur la terre.

Il lui laissa un peu de répit, mais pour recommencer avec plus d'insistance ses injonctions.

—Parlez-moi de Philippe et de Richelieu! commanda-t-il.

—Philippe!... Richelieu!... répéta sa voix expirante, ordonnez donc aussi que je vous parle de moi, car nos destins sont unis.

—Quels sont ces destins? quelle est cette union? parlez, je le veux!...

Sa poitrine se gonfla comme celle d'une colombe qui va pousser son gémissement nocturne, et ce fut seulement, domptée par la violence de l'évocateur, qu'elle se décida à répondre en entrecoupant chaque mot d'un soupir:

—Votre ennemi est le nôtre... je vois rôder autour de moi son froc gris, et luire dans les ténèbres son œil faux... Richelieu vaut mieux que lui... mais Richelieu souffre... cet homme a pénétré son secret... il nous tient tous enlacés dans ses desseins tortueux.... Je ne vois plus que des supplices et des larmes... Ah! de grâce, tirez-moi de ce songe horrible!

—Plus qu'un mot: le secret de Richelieu?

—Non!... balbutia-t-elle en se débattant, je suis épuisée... je ne vois plus rien...

—Le secret de Richelieu?... répéta le prophète.

Ses lèvres frémissantes s'entr'ouvrirent convulsivement, et un soupir plutôt qu'un mot les traversa:

—Philippe!

—Philippe! répéta Labadie inflexible, c'est ton secret à toi, et je te demande celui du cardinal.

Ses dents claquèrent sous un frisson, et ces trois syllabes invariables en sortirent par saccades:

—Philippe!...

Il la calma peu à peu et lui accorda un nouveau temps de repos. Puis, d'un ton plus doux:

—Henriette, lui dit-il, je vous ai fait souffrir!

—Beaucoup, répondit-elle; j'ai entrevu tant de malheurs...

—Ne pourrez-vous point, une autre fois, vous expliquer sur le but principal de mes questions?...

—Écoutez, dit-elle, ma clairvoyance a des périodes plus ou moins lucides... Appelez-moi lorsque la lune approchera de son périgée, c'est-à-dire lorsque son évolution la rapprochera le plus près de la terre; les effluves qui s'en dégagent sont favorables à ces phénomènes.

—Je vous appellerai... Et, dites-moi, vous possédez toujours le médaillon de cristal?

—Il ne me quitte pas.

—C'est bien; souvenez-vous de ce que je vous ai dit en vous le remettant... A présent, relevez-vous, et allez!

Elle se redressa, et muette, insensible, transformée pour la seconde fois en statue, elle regagna sa chambre, où elle acheva paisiblement son sommeil.

XII
LA FILLE DU MAÎTRE

Cependant les évocations violentes auxquelles Henriette, si frêle et si nerveuse, était parfois soumise, ne laissaient pas que d'exercer une action sur son imagination et sur son tempérament.

Elle ne ressentait pas la douleur, elle n'avait pas la mémoire, mais une fatigue indéfinie circulait dans ses veines, mais son esprit avait des lassitudes ou des découragements inexplicables.

Ainsi la pythonisse, enlevée haletante de son trépied, tombait en des affaiblissements qu'aucun spécifique ne pouvait surmonter.

Était-ce d'ailleurs le seul motif qui dût l'alanguir et l'oppresser? Ce qui s'accomplissait autour d'elle, au foyer même de son père, était-il pour son cœur exempt d'alarmes?

D'une autre part, en dépit du désir de Richelieu, son portrait n'avançait que lentement. Ce n'était ni sa faute ni celle de l'artiste, qui apportait à cette entreprise toute son application, et qui devait, de cette toile, faire le chef-d'œuvre que chacun de nous connaît — ce tableau magistral qui depuis, copié et recopié, sert de type aux peintres, aux dessinateurs, aux statuaires, et même aux comédiens, pour reproduire, chacun dans leur spécialité, la physionomie du célèbre cardinal.

Philippe de Champaigne avait le sentiment de la splendeur de son œuvre; Richelieu, amateur-né des belles choses, admirait celle-ci à mesure qu'elle se complétait. Tous les deux tenaient à la voir promptement finie pour en jouir.

Eh bien, une influence maligne soufflait entre eux. C'était comme une conspiration. Les rendez-vous pris étaient à chaque instant dérangés par des affaires imprévues; des occupations pressantes disputaient les minutes; un courrier ou un incident venaient couper court aux séances, qui auraient dû, pour bien faire, avoir une certaine durée.

Le cardinal pestait, Philippe se décourageait, mais le remède à cela? Bref, ce portrait menaçait de devenir une nouvelle toile de Pénélope.

Dans ses jours de relâche le jeune artiste se consolait en se remettant à sa Nymphe, dans l'atelier du Louvre, atelier où Duchesne ne s'était pas montré depuis la sanglante avanie du portrait de la reine-mère.

Les visiteurs aussi y devenaient plus rares. L'ère des persécutions, rouverte à la cour par l'emprisonnement inique de Châteauneuf, ramenait les esprits aux préoccupations difficiles, et écartait le goût des plaisirs.

Une fois, cependant, comme Philippe était absorbé à un coin malaisé de sa toile, presque achevée, un petit pas et le frou-frou d'une robe de soie annoncèrent la venue d'une femme.

Elle arriva jusqu'à lui, sur la pointe des pieds, et s'arrêta timide et embarrassée, derrière son tabouret.

—Eh quoi! s'écria-t-il en se retournant, c'est vous, Henriette?...

—Vous ne m'attendiez pas? dit-elle avec quelque tristesse.

—C'est vrai, et la surprise n'en est que plus agréable.

—Est-ce un compliment?

—C'est une vérité; en doutez-vous? Si je n'éprouvais du bonheur à vous voir, aurais-je essayé de donner quelque chose de vos traits à cette toile, qui n'a pour l'animer que le reflet de votre grand œil bleu?

—Vraiment, fit-elle avec une joie naïve, vous pensiez à moi en esquissant cette belle divinité!

—A vous et à une autre personne qui devient rare comme vous: mademoiselle Louise, dont j'ai emprunté quelques charmes, pour que cette Nymphe rappelât ce que le Louvre de mon seigneur Louis XIII renferme de plus accompli.

—Il fallait donc prendre plutôt modèle sur notre aimable duchesse de Chevreuse.

—Vous ne me comprenez pas, chère Henriette, dit-il. J'ai voulu peindre et m'approprier par le pinceau ce qui n'était à personne; et ce n'est pas le cas de la duchesse.

—Oh! la grosse méchanceté!

—Comme je vous sais gré de cette visite! reprit-il d'une voix plus sérieuse et plus tendre. Vous ne m'en voulez pas, vous, de cette aventure chez madame la reine-mère?

—Vous en vouloir!... Je suis venue précisément vous demander de ne pas conserver rancune à mon père...

—Maître Duchesne a été mon maître... je n'oublierai jamais ses leçons; et je vous atteste que, sans la gravité des circonstances, j'eusse subi tous ses reproches sans me plaindre... Mais, dites, il doit conserver de ce jour un souvenir.

—Qui m'effraye, répondit-elle avec effort.

—Cependant il ne s'agit que d'une plaisanterie, un peu vive il est vrai, mais dont je lui ai fait témoigner mes regrets. Un homme de son mérite ne saurait garder une longue rancune pour si peu.

Henriette secoua soucieusement la tête et évita de répondre.

—Vous craignez le contraire? reprit-il.

—Eh bien, oui, et c'est là ce qui m'amène.

—Expliquez-vous, de grâce.

—Mon cher Philippe, ne me jugez pas mal par ce que je vais vous dire; Dieu sait que, sans l'amitié que j'ai pour vous, qui m'avez vue si petite et avez été un frère pour moi depuis que vous travaillez chez mon père, je n'eusse pas osé faire un pareil aveu... Ce qui m'alarme, c'est que mon père est jaloux de vous...

—De moi?... lui?...

—C'est pour cela qu'il était décidé à trouver mauvais votre portrait de la reine-mère, eût-ce été un chef-d'œuvre...

—Jaloux de moi!... répétait tout bas Philippe, éclairé par ce trait de lumière.

—Tenez-vous donc sur vos gardes...

—Que puis-je craindre?

—Je l'ignore; mais à coup sûr —excusez les ennuis que mes avis vont vous causer, c'est mon amitié qui me les arrache—il n'est pas seul à vous vouloir du mal.

—A qui donc fais-je ombrage, moi, pauvre et obscur apprenti? Dites, je vous en conjure!

—Connaissez-vous le père Joseph?

—Le capucin du cardinal?... s'écria-t-il, rappelé aux énigmes dont ce personnage l'entourait depuis quelque temps.

—Mon père et lui s'étaient entendus pour l'affaire du portrait. Vous avez là deux ennemis redoutables, et comme l'un est mon père et que c'est vous, mon premier ami, qu'on persécute... j'ai pris la résolution de vous avertir...

—Chère Henriette, dit-il, ému de cette démarche et surtout de la grâce avec laquelle elle était accomplie, vous êtes donc mon bon ange?

—Je le souhaiterais, répondit-elle avec une douce mélancolie. Mais j'aurais plutôt besoin moi-même d'être assistée.

—Eh quoi! vous aussi... souffrante... triste!...

Il lui prit les mains et se mit à la regarder plus attentivement.

Un cercle bleuâtre entourait ses paupières, la pâleur accoutumée de son teint avait une morbidesse inconnue jusqu'alors; son front semblait enveloppé d'un nuage, et l'iris de ses yeux était moins limpide.

—Égoïste! reprit-il, je ne pensais qu'à moi! Mais vous souffrez, Henriette... je le vois bien... Chère enfant, de grâce, parlez. A qui vous confier, sinon à celui que vous appeliez tout à l'heure votre premier ami?

—Eh bien, oui, je souffre... Mais ce n'est pas d'un mal ordinaire ni qui se puisse exprimer par des mots. Il se passe en moi, autour de moi, des choses que je sens et que je ne définis point. Mes nuits sont surtout pleines de songes étranges. Je crois par moments sentir un souffle mystérieux glisser sur mon front à travers l'air que je respire.

«Quelquefois je me réveille en sursaut, comme au sortir d'un cauchemar, et je croirais, à la raideur de mes membres, à la fatigue de mes jambes, à la pesanteur de ma tête, que je viens d'accomplir un rude labeur ou de faire une longue course.

«D'autres fois, je me sens dormir, mais d'un sommeil plus agité que la veille; mon sang bouillonne dans mes veines, je me débats, je lutte contre des visions effroyables, et quand je parviens à me réveiller au bruit de ma voix, j'éprouve des terreurs indéfinies.

«Oh! c'est étrange, allez, et je souffre bien!»

Le jeune homme prêtait à ses discours une oreille attentive.

—Ces rêves, ces visions, demanda-t-il, ne vous laissent-ils aucun souvenir?

—Aucun, mais un invincible sentiment d'effroi, une vague intuition de périls, imaginaires, sans doute, et qui m'obsèdent souvent néanmoins jusque dans mes réflexions de la journée.

—Et vous ne vous êtes ouverte de tout ceci à personne?...

—A personne qu'à vous, pas même à ma chère Louise.

—Peut-être avez-vous eu raison; le monde est facile à se moquer de ce qu'il ne comprend pas. Cela est plus commode que de chercher l'origine des choses, et celles de l'âme ont des abîmes si profonds!

—Oh! merci... fit-elle avec reconnaissance, vous ne savez pas le bien que vous me faites en me parlant de la sorte... Vous aussi vous croyez donc à des mystères qui entourent notre esprit et nous attachent par des liens inconnus à un monde supérieur à celui-ci?

Il ne put se défendre de la considérer avec une surprise qu'elle lut dans ses yeux. L'étude des questions métaphysiques devait partager sa vie avec la peinture. Déjà le désir d'approfondir ces grands objets de la vie mystique s'agitait en lui.

—Je vous étonne, reprit-elle, mais je m'étonne moi-même. C'est sans doute une conséquence des songes qui m'obsèdent; j'éprouve par moments des hallucinations, des vertiges. J'entre dans une sphère inconnue, et je sens mes idées grandir.

«Oh! tenez, j'en suis effrayée quelquefois. Cela m'arrive souvent dans les moments de trouble qui suivent mes laborieux sommeils et précèdent mon réveil entier. Je pense à vous.»

—A moi, Henriette?...

—Il me semble que ce n'est pas la première fois que nous nous connaissons... je me reporte à une existence antérieure; je crois comprendre que mon âme immortelle a déjà animé un corps passager, et que, dans cette première existence, nous nous sommes rencontrés et aimés...

—Est-ce possible! vous rêvez cela?...

—Je ne saurais retrouver les détails précis de cette vie antérieure, mais cette circonstance de notre attachement revient nette et distincte, parce que ce fut sans doute celle qui domina les autres.

La Bastille.

Philippe était de plus en plus pensif.

Dans ce vaporeux pays des Flandres où il était né, au milieu de ce monde artiste où il avait fait ses premiers pas, il avait été bercé avec les idées surnaturelles qui devaient plus tard, en se rectifiant dans le sens des solitaires de Port-Royal, exercer tant d'influence sur sa vie et sur son talent.

En outre, ces visées, d'une si effrayante portée dans la bouche de cette jeune fille, étrangère à aucune étude métaphysique, éloignaient toute idée de supercherie.

—Nous ne pouvons nier, dit-il, que le monde immatériel ne soit fait de tout autre manière que ne le dépeignent nos docteurs, qui l'arrangent à leur fantaisie. Nos âmes sont immortelles, mais l'espace et l'éternité n'appartiennent qu'à Dieu. Est-il donné à nos esprits de vivre de plusieurs existences passagères? c'est là son secret; mais cette croyance ne saurait l'offenser. Et s'il faut tout vous dire, vos paroles, chère Henriette, éveillent en moi des échos inconnus, des aspirations innommées.

«Je me souviens que du premier jour où vous m'apparûtes encore tout enfant je fus porté vers vous d'une douce sympathie, et que je crus vous avoir aimée avant de vous connaître. Il fallait bien qu'il en fût ainsi, puisque pas un nuage n'a jamais altéré cette affection fraternelle dont vous me donnez aujourd'hui une preuve touchante.»

—Cher Philippe, que vous me faites de bien! soupira-t-elle; ah! vous ne sauriez comprendre de quel poids vos bonnes paroles soulagent ma pauvre tête!... Depuis que ces idées me sont venues, vingt fois j'ai craint un égarement de mon esprit, j'ai douté de ma raison...

—Rassurez-vous, ces idées, de grands philosophes les ont ressenties, et si quelque chose m'étonne et reste inexplicable pour moi, c'est qu'elles se soient manifestées en votre jeune tête, si charmante, mais si folle!

—Folle?... pas autant que vous croyez...

Ici l'entretien se trouva malencontreusement interrompu par une visite bien inattendue.

Le chevalier de Jars entra dans la galerie.

Sa physionomie frappa également les deux jeunes gens; elle n'offrait pas l'insouciance un peu railleuse qu'on y lisait d'ordinaire, et qui servait d'enseigne à la bonne humeur et à l'excellent naturel de l'homme.

A la vue de Philippe et d'Henriette, qui se tenaient encore les mains, un sourire effleura cependant ses lèvres, et, comme il regrettait d'être venu se jeter au milieu de ce charmant tête-à-tête, il fut sur le point de se retirer.

Mais, après tout, le mal était fait, et, comme sa démarche avait sans doute un motif sérieux, il prit le parti de demeurer, et adressa un bonjour affectueux à l'artiste et à sa compagne.

—Excusez-moi si je suis importun, mes chers amis, dit-il.

—Importun!... vous, monsieur le chevalier! y pensez-vous? s'écria Philippe.

Henriette appuya cette réponse d'un geste gracieux.

—Peut-être bien à plus d'un titre... Je vous dérange... J'apporte de méchantes nouvelles.

—Pour M. Philippe?... interrompit avec inquiétude la jeune fille.

—Pour tout le monde, je le crains; du moins pour tous nos amis.

—Parlez, monsieur, je vous en prie; les intérêts de nos amis sont les nôtres.

—Enfermé dans cet atelier, qui plane sur le Louvre, ne vous apercevez-vous donc pas qu'il y a comme un souffle d'orage dans l'air de la cour? Vous voyez beaucoup moins le cardinal depuis quelques semaines, en savez-vous le motif? Celui que je suppose, c'est qu'il est absorbé par de tout autres préoccupations que la peinture... Il est retombé dans un accès de cette humeur hypocondriaque qui revient avec une espèce de périodicité peser sur lui et assoupir toutes ses facultés, hors celle de la méfiance et de la rancune.

«J'ai su, par un des gens qui l'approchent, et dont j'ai ébranlé la discrétion à beaux deniers comptants, qu'il lui est échappé, dans les monologues dont il a l'habitude, des interjections contre ce qu'il appelle la petite église de la reine-mère. Il se sent haï, et redoute les justes ressentiments qu'il soulève.

«En venant ici, je l'ai aperçu. Il sortait de chez la jeune reine; ses lèvres blêmes, son front crispé m'ont fait peur.

«J'ai voulu voir Châteauneuf; je me suis présenté à la Bastille. Notre ami est au secret comme un criminel d'État.

«La duchesse vit dans des transes mortelles. Elle a essayé une démarche et n'a obtenu que des paroles aigres et pleines d'une sinistre ambiguïté. Elle se désespère; je crains qu'elle ne se lance dans quelque entreprise qui empirerait les choses.

«Enfin, à force de chercher, une idée nous est venue, un moyen de tout sauver, peut-être... et ce moyen dépend de vous.»

—De moi?... exclama le jeune homme étonné. Oh! si cela est, si je peux quelque chose pour notre belle duchesse, pour M. de Châteauneuf, mes appuis, mes protecteurs les plus chers après Marie de Médicis, me voici tout à leur service. Mais, reprit-il avec un accent de doute, si vous comptez sur mon influence auprès de monseigneur de Richelieu, vous vous méprenez... La bienveillance qu'il me témoigne est bien fragile, et je sens entre lui et moi une influence mauvaise, qui irait au-devant de mon crédit, si j'en pouvais espérer.

—Il ne s'agit pas du cardinal, mais d'une personne dont vous aurez plus de plaisir à devenir l'obligé, et qui, si vous nous secondez, si vous parvenez à la décider en notre faveur, peut provoquer la perte de notre puissant ennemi...

—Y pensez-vous, monsieur le chevalier? J'aurais une influence sur quelqu'un d'aussi considérable?

—J'y pense: cela sera si vous le voulez. C'est l'esprit pénétrant de la duchesse qui a conçu ce projet et ce n'est pas celui qui lui fera le moins honneur.

—De grâce, quelle est donc cette personne?

—Vous n'ignorez pas les intentions du roi pour mademoiselle de Lafayette.

—Mademoiselle Louise!... prononça Philippe avec un trouble soudain.

—Ma meilleure amie! fit Henriette; oh! si c'est d'elle que dépend la délivrance de M. de Châteauneuf, je la lui réclamerai si instamment que nous l'obtiendrons bientôt.

Le chevalier considéra l'émoi de l'artiste et la candeur de la jeune fille, et leur adressant un regard affectueux:

—Vous êtes deux braves cœurs, dit-il; oui, vous nous servirez tous les deux, dût-il vous en coûter un peu, ajouta-t-il à l'adresse particulière de Philippe.

—Mon Dieu, monsieur, fit celui-ci de plus en plus troublé, je ne sais si je comprends bien...

—Vous comprenez parfaitement. Il faut que mademoiselle de Lafayette, que l'approche du roi semble toujours effaroucher, comme un oiseau timide, prenne sur elle de répondre par un mot, un sourire, un geste, aux prévenances de Sa Majesté. Le roi n'est pas si exigeant. Il sera heureux de la mince faveur; il sollicitera comme une grâce d'accomplir un souhait de son idole, et elle obtiendra d'abord l'élargissement de notre ami, puis tout ce qu'elle voudra.

—C'est un plan merveilleux! fit Henriette avec enthousiasme; je veux y contribuer.

Mais le jeune homme ne se hâtait pas de s'y associer aussi vite, et même le chevalier vit poindre un sombre symptôme sur ses traits.

Dans sa droiture innée, il sentait que tout cela aboutissait à pousser Louise au-devant du monarque. C'était tout simplement le fameux plan conçu par la duchesse de Chevreuse, et que les chroniques du temps nous racontent dans tous ses détails.

Un roi est toujours un roi, s'appelât-il *Louis le Chaste*, comme celui dont il s'agissait, et les paroles du chevalier, si bien enveloppées qu'elles fussent, mordaient le cœur du jeune artiste comme un dard enfiellé.

—C'est convenu, lui dit le négociateur; vous comprenez qu'il ne s'agit que d'une manœuvre très innocente, et je vais dire à la duchesse que nous pouvons compter sur vous.

—Je ferai de mon mieux, répondit Philippe.

Le chevalier sentit qu'il ne fallait pas trop aviver cette plaie secrète, et que, pour un premier assaut, c'était assez. Il aborda adroitement un autre thème, destiné à établir un grand vide entre les affections indéfinies ou mal définies du jeune artiste et de la demoiselle d'honneur.

—Maintenant, mon enfant, dit-il à Henriette, il faut que je vous gronde... Je dois vous le faire observer, il est imprudent de vous montrer ici lorsque M. Philippe s'y trouve, après les derniers événements... Si votre père venait à le savoir, ou à vous surprendre...

—Mon père, monsieur, répondit-elle, non sans éloquence, quels reproches aurait-il à m'adresser? Je crois bien agir en réparant ses injustices.

—Oh! ces petites filles, ces enfants terribles!... murmura de Jars, ramené malgré lui à son humeur franche et cordiale. —C'est fort bien, mes enfants, reprit-il, et un ami tel que moi ne voit pas de mal dans ces entretiens; mais le monde est méchant, la cour surtout! On y voit du mal aux choses les plus innocentes... Croyez-moi, l'amour, c'est fort joli, mais ne laissez pas surprendre le secret du vôtre...

—L'amour! répétèrent ensemble les deux jeunes gens.

La fille du maître peintre, rouge comme une fleur de grenadier, se détourna, prête à pleurer.

Et Philippe, tout confus aussi, balbutia:

—Y pensez-vous, monsieur le chevalier? l'amour!

—La peste soit! fit de Jars avec son rire charmant, de quel nom nommez-vous donc ces jolis tête-à-tête?... Vous ai-je donc accusés d'un crime, que vous me regardiez de cet air de courroux? L'amour, mes enfants, c'est le bonheur; ce que je vous en dis, c'est pour que le vôtre se prolonge le plus possible...

—Mais, dit Henriette avec une coquetterie naïve et un embarras délicieux, je vous assure, monsieur, que vous vous trompez; M. Philippe ne m'aime pas!...

—Par la morbleu! il aurait grand tort!... exclama de Jars, et je suis sûr du contraire!

Puis, comme elle se disposait à s'éloigner:

—Sans rancune, mademoiselle Henriette.

Il lui tendit sa franche et loyale main, où elle posa le bout de ses doigts.

Philippe lui prit le bras et la conduisit à petits pas, sans oser lui adresser la parole, jusqu'à la porte.

—Vous reviendrez, n'est-ce pas? lui dit-il avec émotion au moment de la laisser aller.

—Oui, fit-elle tout bas; mais ce n'est point de l'amour, au moins, n'allez pas le croire!...

Sur ce mot, elle s'échappa, pour que ses yeux ne donnassent pas un démenti à ses lèvres.

Philippe revint tout songeur à son chevalet, où M. de Jars l'attendait tranquillement.

—Vous ne m'en voulez pas non plus, lui dit celui-ci, de vous avoir éclairé sur vos propres sentiments. C'est cette adorable enfant que vous aimez; je vous l'atteste, et c'est un bonheur pour vous; car l'amour des grandes dames, voyez-vous, c'est souvent un malheur, c'est toujours un danger.

Mais le jeune homme se taisait, en proie à deux courants qui se disputaient son âme. Il n'osait croire à l'amour de Louise, et il regardait celui d'Henriette comme un rêve.

Tout son être débordait de bonheur, et cependant il éprouvait au cœur des serrements, comme si, pour conserver une partie de lui-même, il se voyait forcé d'en abandonner une autre.

Il n'eut pas le loisir de formuler une réponse.

Une apparition, toujours néfaste, succéda à celle de la jeune fille. Le père Joseph se montra sur le seuil que celle-ci venait de quitter.

Il parut d'abord surpris de voir le chevalier dans la galerie; mais, en homme qui n'a pas l'habitude de s'étonner, il approcha.

—Je ne vous cherchais pas, monsieur, lui dit-il d'un ton glacial; cependant, puisque je vous trouve, je m'acquitte dès à présent d'une commission dont je suis chargé pour vous.

—S'il vous plaisait d'ajourner indéfiniment cet entretien, mon père, fit le chevalier, fidèle à sa bonne humeur, je ne m'en offusquerais point. Vous abordez les choses d'un air qui n'a rien d'engageant.

—C'est que je n'ai rien de plaisant à vous dire, monsieur. Le roi s'est souvenu que vous étiez commandant de Lagny-le-Sec...

—Sa Majesté est bien bonne d'avoir pensé à moi.

—Il désire que les places d'armes soient bien gardées, et il vous invite à vous tenir entre les murs de la vôtre jusqu'à nouvel avis.

—Fort bien, mon père; c'est un ordre d'exil. Me sera-t-il permis, avant de partir, d'aller présenter mes hommages à monseigneur de Richelieu?

—Son Éminence ne reçoit personne... excepté son peintre, que je viens chercher de sa part et qu'elle veut voir de suite.

XIII
LA DÉNONCIATION

Le cardinal était enfoncé dans son fauteuil, sa barrette rabattue sur son front, les sourcils rapprochés, les lèvres pâles.

Sa main froissait deux papiers, l'un épais, qui avait d'abord formé un rouleau tel que celui d'une estampe; l'autre d'aspect sordide, sali de trois lignes d'une écriture grossièrement contrefaite.

Il sortait de dessous ses paupières des éclairs pareils à ceux qui sillonnent un ciel d'orage.

Le tonnerre grondait sourdement dans ce cerveau altier. De Jars ne s'y était pas mépris: la cour était à la tempête.

Il n'y avait au monde qu'un seul homme capable de se présenter à lui en un pareil moment—le roi ne l'eût pas osé: c'était le père Joseph.

Il entra avec son assurance mêlée d'astuce, suivi de Philippe, calme comme à son ordinaire, et persuadé sans doute qu'il s'agissait d'une séance de peinture.

—Monseigneur, dit le franciscain en se penchant vers le grand fauteuil, voici votre jeune peintre.

Et il se retira à deux pas, épiant ce qui allait avoir lieu.

—Approchez, monsieur, fit sèchement le cardinal.

L'artiste s'avança et se plaça devant lui, respectueux mais tranquille.

Richelieu porta sur lui toute l'énergie de sa prunelle étincelante sans qu'il se troublât, et sa vue provoquant de nouveau la sensation qu'elle avait produite dès le premier jour sur le ministre, une expression douloureuse se mêla au courroux qui se lisait sur son visage.

Cependant ce sentiment fut le plus fort.

—Vous êtes un fier ingrat, monsieur, lui dit-il.

—Moi, monseigneur?...

—Je croyais que c'était le vice des hommes faits, mais vous, vous commencez de bonne heure; je vous en adresse mon compliment...

—Que Votre Éminence me pardonne; j'ignore comment j'ai pu mériter ce reproche.

—Vous ignorez!... insista le cardinal, s'animant en présence du sang-froid et de l'attitude ferme de l'artiste.

—Sur mon âme!

—Avez-vous eu à vous plaindre de moi?

—Monseigneur!...

—Je me sentais porté à vous aimer, moi! Vous avez une figure trompeuse qui m'abusait; et puis vous ressemblez à quelqu'un... qui n'eût jamais fait ce que je vous reproche!

—De grâce, veuillez me dire...

—Répondez-moi d'abord. Ne vous ai-je pas accueilli avec bonté dès le premier jour? Lorsque j'ai étendu sur vous ma protection, n'étiez-vous pas dans un de ces moments critiques qui brisent une existence, et surtout une existence d'artiste?

—Tout cela est vrai; mais je n'ai pas cessé de vous en être reconnaissant.

—Laissez-moi parler. Lorsque je vous offris de vous nommer mon maître peintre, de vous attacher à ma maison, à ma personne, pourquoi refusâtes-vous?

—J'eus l'honneur d'en expliquer les raisons à Votre Éminence.

—Les raisons?... les prétextes, monsieur! Les vrais motifs, je les sais aujourd'hui. Vous étiez parmi mes ennemis, et vous y vouliez rester.

—Si Votre Éminence entend parler de Madame Mère, je ne lui ai pas caché que Sa Majesté fut ma première protectrice; je tiens à demeurer près d'elle par gratitude et par dévouement.

—Nous connaissons ces grands mots, j'en suis assailli à la journée. Mais cette gratitude, ce dévouement à la reine-mère vous obligeaient-ils à travailler contre moi?

—Contre vous, monseigneur?

—Oh! vous êtes aussi fort sur la dissimulation que sur le reste, nous savons cela. Malheureusement, vous ne me trompez plus... Connaissez-vous ceci...?

Il déroula l'un des papiers, et le lui mit sous les yeux.

C'était une caricature sanglante, qui courait tout Paris, sous le manteau, avec un formidable succès.

Elle représentait le cardinal et Satan se donnant la main, et se disant réciproquement: *Nihil sine te* (rien sans toi).

Une heure auparavant, Richelieu, entrant chez la reine Anne d'Autriche pour lui faire sa cour, avait vu toutes les dames se détourner pour rire à sa vue, et son regard avait surpris aux mains de la princesse un exemplaire de l'odieuse planche.

Pour un homme d'État tel que lui, le ridicule était la plus amère comme la plus redoutable des hostilités.

Ses espions lui avaient déjà transmis des indices sur l'existence de cette estampe, mais sans parvenir à se la procurer. En la voyant chez la reine, et en reconnaissant l'effet qu'elle produisait, il était rentré chez lui dans une colère qui avait fait trembler tout son entourage.

C'est alors qu'il avait reçu, par un envoyeur mystérieux, l'exemplaire qu'il présentait à Philippe de Champaigne.

Celui-ci le prit, y jeta un coup d'œil, et le lui rendit avec un signe de dédain.

—Que vous semble de ceci? demanda le cardinal en l'interrogeant plus encore du regard que de la voix.

—Une œuvre misérable, indigne de l'attention d'un homme comme vous.

—Ah! fit ironiquement Richelieu, vous trouvez? Et l'auteur de cette œuvre, quel est votre avis sur son compte?

—Quelque mécontent ou quelque pauvre artiste qu'on aura gagé.

—Vous êtes indulgent pour vos confrères.

—Pardon, monseigneur, je suis artiste. Ne prostituant point mon crayon à de semblables objets, je ne reconnais pas leurs auteurs pour mes confrères.

La noble droiture de ces paroles ne désarma pas le cardinal.

—A merveille! Alors vous m'aiderez dans le choix de la peine qu'ils méritent?

—Il n'en est qu'une: le mépris.

—Peste! vous croyez donc les misérables qui commettent de tels attentats contre la majesté du pouvoir susceptibles de sentir le poids d'un châtiment purement moral? Qui m'attaque attaque la royauté, monsieur; et la royauté est chose sacrée, car elle est ici-bas la représentation du pouvoir divin.

Nous avons des lois et des supplices contre les sacrilèges. J'entends que l'auteur de cette planche infâme, qui me vilipende comme représentant du roi et comme représentant de l'Église, subisse la peine réservée aux sacrilèges.

Que vous me faites de bien, soupira-t-elle.

Cet arrêt ne vous paraît-il pas équitable?

—Veuillez me permettre de m'abstenir, monseigneur. Je suis peintre et non membre du Saint-Office. Et puis, l'auteur, ce me semble, ne s'est pas fait connaître; ce dessin ne porte pas de signature.

—Enfin! je vous attendais là! s'écria Richelieu. Oui, n'est-ce pas, l'infâme s'est retranché sous l'abri commode de l'anonyme. A une œuvre diffamatoire et calomnieuse, à un pamphlet, point de signature! Le venin est lancé et le reptile jouit dans son repaire inconnu du mal qu'il cause. Mais tous les autres ne sont pas inaccessibles. La vérité est plus malaisée à cacher que les méchants ne le supposent...

Je connais le coupable!

En prononçant ce mot comme une sentence, le cardinal se leva, et parut dominer l'artiste de sa haute taille et de son air imposant.

Celui-ci, cependant, ne répondit rien; seulement, une marque de commisération pour le malheureux caricaturiste se montra sur sa physionomie.

Richelieu y lut un autre sens, et ajouta vivement.

—Vous le connaissez donc aussi?

—Moi, monseigneur?... Je vous jure...

—Pas de vains serments. Lisez!

Cette fois, ce fut le second papier qu'il lui tendit.

Une vive rougeur alluma le front élevé de Philippe en parcourant ces lignes; puis il les rejeta avec dégoût sur la table voisine.

—Que répondez-vous, monsieur? demanda le cardinal.

—Rien, monseigneur.

—Rien? quand cette lettre vous dénonce comme l'auteur de cette planche infâme!

—Que puis-je objecter à cela, monseigneur? Cette lettre est plus infâme encore que le dessin, et comme lui elle est anonyme.

—Alors, vous saurez me prouver votre innocence.

—Mon innocence parle d'elle-même, monseigneur, et l'on ne prouve point ce que l'on n'a point fait.

—J'admire votre orgueil, lorsque tout vous accuse.

—Moi?

—Vous-même! le refus d'entrer dans ma maison; la ressemblance de cette image, car c'est en faisant mon portrait que vous traciez ma caricature... et, plus encore, vos affinités avec mes ennemis, votre présence aux conciliabules de la reine-mère! Ah! je suis bien informé, n'est-ce pas, et vous ne comptez plus m'imposer votre superbe assurance!...

—Nous parlions d'ingratitude tout à l'heure; certes, c'est une qualité que vous professez à ravir, et je n'ai pas à m'étonner que vous l'appliquiez à mon égard, après avoir vu comment vous agissiez vis-à-vis de votre maître de peinture!

—Mon maître Duchesne?

—Au moment où vous le rendiez la fable de la cour ne cherchiez-vous pas à séduire sa fille?

—Henriette?... Ah! silence, au nom du ciel! Monseigneur, c'est l'ange le plus pur...

—Vous l'avez affolée cependant; le père Joseph me l'a dit...

Et se tournant vers le franciscain, peu satisfait d'intervenir dans ce débat:

—Voyons, parle, ordonna-t-il; en imposé-je?

Le capucin pouvait bien dire tout ce qui lui plairait, Philippe n'entendait plus.

Il restait atteint de stupeur, à cette idée que tout le monde paraissait connaître une passion dont lui seul n'avait pas eu conscience jusqu'à ce jour, et qu'il ne s'avouait pas encore franchement.

Que faire?... Son âme flottait dans un émoi sans égal. Son admiration pour Louise, les doux propos échangés avec elle, était-ce de l'amour? Il avait dû le croire... Mais son amitié pour Henriette, son bonheur à se rapprocher d'elle, qu'était-ce donc?

Choisir entre elles deux, c'était en renier une! Louise si tendre... Henriette si dévouée!...

Son combat intérieur se reflétait sur son visage, et ses deux observateurs ne voulaient y voir que la confusion d'un coupable écrasé par l'évidence.

—Que penseriez-vous, monsieur, reprit Richelieu, si l'on vous envoyait rejoindre à la Bastille l'un de vos protecteurs, M. de Châteauneuf?

—Monseigneur, répondit-il en retrouvant sa fermeté, il est impossible qu'un homme tel que vous sacrifie à ce point à un ressentiment personnel, qu'il immole un innocent sur un indice honteux comme celui-ci.

Comme il se trouvait près de la table, il prit dédaigneusement la dénonciation du bout des doigts, puis désignant le franciscain:

—Je penserais, si cela arrivait, qu'une influence injuste vous a indisposé contre moi.

—N'accusez pas le père Joseph, monsieur! Dès le premier moment, convaincu comme moi de votre crime, il a pris parti pour vous, et si je l'eusse écouté, au lieu de vous réserver à cet entretien et à un châtiment sévère, je me fusse contenté de vous expédier au loin, sans vous revoir.

Philippe reconnut à ce trait la pensée opiniâtre qui tendait à l'éloigner de la France, et surtout de Paris.

Comme il tenait toujours l'écrit anonyme, on le vit tout à coup pâlir, s'agiter, balbutier des syllabes incohérentes.

—Qu'est-ce encore? demanda Richelieu; que voyez-vous dans ce papier?

—La preuve de mon innocence, que je regardais comme impossible, monseigneur!

—Quelle est cette preuve? fit ironiquement le cardinal.

Le père Joseph se rembrunit et perdit un peu de son impassibilité factice.

—Cet écrit ne porte pas de nom, monseigneur; mais pour un œil exercé, chaque mot présente comme une signature celui de son auteur...

Il n'acheva pas, un sentiment inexplicable le retint, et rejetant avec un mélange de dédain et d'amertume le billet parmi les autres papiers où il l'avait pris, il se contenta de murmurer:

—C'est vraiment misérable!

Le père Joseph s'avança vivement, et s'interposant entre les deux interlocuteurs:

—Je vais l'emmener, dit-il, en montrant Philippe.

Cet empressement peu habituel lui valut, de la part de Richelieu, un de ces longs coups d'œil sous lesquels la dissimulation fondait presque inévitablement comme la neige au feu.

—Vous êtes trop pressé, dit-il en se levant; ne voyez-vous pas que, malgré la longueur de cet interrogatoire, nous arrivons à peine au point capital?

Et se tournant vers l'artiste:

—Il me faut ce nom! ordonna-t-il.

—Sur ma foi de chrétien, j'éprouve, rien qu'à y penser, un invincible dégoût...

—Ce nom, vous dis-je! Ne comprenez-vous pas que vous ne pouvez le taire à présent?...

—Soit donc, monseigneur! Exercé comme je le suis à l'étude des lignes et des aspects, je vous le déclare, celui qui a tracé cette dénonciation est maître Duchesne.

—Voilà une parole grave, monsieur, fit froidement Richelieu.

—Une accusation insensée, ou plutôt une hallucination d'accusé... interrompit encore le franciscain.

—Ainsi, reprit le premier, vous attribuez cette lettre au peintre de Madame Mère.

—Dieu m'est témoin, monseigneur, que cette déclaration me navre l'âme; il m'en coûte plus que je ne saurais l'exprimer de m'en prendre à un tel homme d'une action si noire... mais la vérité avant tout... Maître Duchesne nourrit contre moi, vous ne l'ignorez pas, une rancune profonde...

—Toute cette affaire se complique, monsieur, interrompit le cardinal. Heureusement la justice et la loi ont des moyens d'arriver à la lumière et à la vérité.

—Je ne demande pas autre chose.

Le cardinal revint à son confident:

—Mon père, dit-il, vous allez consigner monsieur dans une des petites pièces des salles basses.

Philippe suivit sans objection le capucin, qui le conduisit dans cette partie à moitié souterraine du Louvre que nous connaissons, et l'enferma dans une cellule voisine de celle où déjà il tenait confiné Labadie.

—Commencez-vous à comprendre, lui dit-il en le quittant, que vous eussiez mieux fait de suivre mes avis, et que ce Louvre est plein de périls pour un jeune homme étranger au monde et sans expérience.

Philippe se contenta de lui répondre:

—Il se peut que vos intentions et vos conseils fussent sages, mais je garde la paix de ma conscience, et je ne vois de pénible, dans ce qui m'arrive, que le chagrin qu'en pourront éprouver mes amis.

Après sa sortie, le cardinal demeura assez longtemps en proie à un combat intérieur, provoqué par la sympathie spontanée que lui avait inspirée le jeune peintre et par la crainte qu'il éprouvait, peut-être pour la première fois, de persécuter en lui un innocent.

Mais revenant, par une conséquence obligée, à l'incident qui dominait pour l'heure toutes les considérations, il fit entendre le cri sec et perçant de son sifflet, auquel Desnoyers accourut.

—Qui est là-dedans? lui demanda-t-il en désignant l'antichambre.

—Messieurs de Bois-Robert, Beautru et M. le lieutenant-civil.

—Laffémas? Qu'il entre!

Desnoyers introduisit ce personnage, dont le nom et le caractère ne sauraient être ignorés de nos lecteurs.

Instrument servile des exigences sanglantes de Richelieu, il n'y eut pas d'exemple qu'il lui marchandât jamais la tête d'un prévenu.

L'échafaud et la torture étaient son élément.

—Que m'annoncez-vous, monsieur de Laffémas? lui demanda son patron dès qu'il se montra.

—Que voilà, monseigneur, une superbe journée pour pendre!

Il montrait le soleil qui resplendissait à travers la fenêtre.

Ce lazzi, qui lui était familier,—Bois-Robert le constate dans ses écrits,—annonçait chez lui un excès de belle humeur.

—Il y a toujours des mécontents, monsieur le lieutenant-civil; la cour est un foyer de conspirations; les femmes s'en mêlent, et par hasard elles sont discrètes... Le temps est beau, mais vous n'avez personne à pendre, quoi que vous en disiez.

—Peut-être bien, Éminence.

—Par la mordieu! parlez alors.

—Vous avez embastillé M. de Châteauneuf, consigné M. de Jars; vous tenez en surveillance la duchesse et l'entourage de Madame Mère; M. de Bassompierre est en disgrâce, et cependant l'audace des ennemis de l'État est encore telle qu'ils lancent contre vous des pamphlets et des caricatures. C'est tout simple: Votre Éminence faiblit depuis quelque temps; la chambre ardente chôme. C'est à peine si le Parlement a, pour s'entretenir la main, quelques affaires de pillerie et de fausse monnaie.

«Ah! si Votre Éminence voulait, nous aurions bientôt le mot de tous ces conspirateurs!»

—Il y a du bon dans ce que vous dites là. Nous y reviendrons. Parlons d'abord de cette odieuse estampe...

—Au fait, je venais précisément annoncer à Votre Éminence que j'ai amené avec moi, et laissé en bas, sous bonne escorte de soldats du guet, un certain marchand d'images qui a, le premier, fait circuler celle-ci.

—Vive-Dieu! mon cher lieutenant, ce faquin va nous désigner l'insolent dessinateur et ceux qui l'ont mis en œuvre!

—Eh! eh! monseigneur, la chose va moins vite que Votre Éminence. Cependant je compte bien délier la langue de ce maraud!

—A la bonne heure! Usez de tous les moyens: l'argent, les promesses...

—Votre Éminence est trop bonne, ricana le chacal avec un air hypocrite; c'est là ce qui fait le mal. Promettre?... à quoi bon? Menacer, plutôt.

—Agissez à votre guise, pour peu que vous agissiez promptement.

—Du moment que Votre Éminence s'exprime ainsi, je réponds du succès. J'avouerai même que, plein de confiance en sa sagesse, j'avais déjà pris quelques petites dispositions, d'accord avec le père Joseph.

—Ah! très bien!

—Un de mes hommes a dû mettre en état la salle de la galerie souterraine du Louvre où sont déposés certains ustensiles...

—La salle de la torture?

—Votre Éminence l'a dit, nous allons procéder tout à l'heure à une question anodine, qui déliera la langue de ce pleutre... Ah! si Votre Éminence n'était pas si faible, si clémente, je sais bien quelqu'un dont nous tirerions de beaux renseignements, rien qu'avec un ou deux coins...

—Et celui-là, vous l'appelez?...

—Oh! inutile de le nommer, car Votre Éminence refuserait.

—Qu'en savez-vous? Je veux en finir avec mes ennemis de toute espèce et de tout sexe. Si donc vous connaissez un homme capable de me livrer leurs plans, indiquez-le-moi, et je vous l'abandonne.

—Pas celui-ci, vous dis-je, monseigneur, répéta le pourvoyeur du bourreau, en attisant l'impatience du maître.

—Celui-là comme les autres!

—En vérité, insinua Laffémas, vous me confieriez, pour causer avec lui un quart d'heure, dans cette précieuse salle dont nous parlons, ce beau chevalier de Jars...

—Hein! fit le cardinal, emporté par la surprise... de Jars?

—Je le disais bien, Votre Éminence refuse.

—Je l'ai déjà exilé...

—Un enfantillage; au lieu de conspirer à Paris, il conspirera à Lagny.

—Je ne dis pas. Mais écoutez donc: le chevalier n'est pas un libraire, un marchand d'estampes, un premier venu. S'il n'était même que commandant de Lagny, mon Dieu, l'on pourrait voir. Par malencontre, il est, en outre, de l'ordre de Malte, abbé de Saint-Satur. Lui faire subir la question, sans un motif bien déterminé, c'est nous exposer à des ennuis avec son ordre et les hauts bénéficiaires ses collègues...

—L'intérêt du roi, monseigneur, l'intérêt du roi! Le chevalier, j'en suis sûr, a la clef de tout ce qui se prépare contre votre personne et votre puissance... Au besoin, pour prévenir les criailleries, le Parlement ne nous refuserait pas un ordre d'interrogatoire... Ce chevalier est d'une impertinence... Je suis sûr que notre excellent père Joseph verrait avec satisfaction qu'on rabattît sa morgue et son persiflage...

—Richelieu réfléchissait: il détestait cordialement de Jars, comme tout ce qui était droit et franc, et aussi en raison de ses rapports avec la duchesse et Châteauneuf.

Il ne réfléchit donc pas longtemps.

—Au fait, répondit-il, l'intérêt du roi est là, et, grâce au Parlement, nous agirons en pleine légalité... Eh bien, réussissez avec votre croquant d'imagier... et nous verrons.

—Je réussirai!... affirma la hyène, se pourléchant déjà les lèvres à l'idée d'attacher à son chevalet l'un des plus vaillants gentilshommes de France.

XIV
DEUX CŒURS POUR UN AMOUR

Laffémas, on vient de le voir, était bien servi par ses espions et par son instinct de bête fauve. Il avait du premier bond flairé la meilleure proie.

De Jars, ennemi-né du cardinal, était entré corps et âme dans le complot suscité par la duchesse pour en finir avec ce despote qui, non content de dominer les choses, voulait soumettre aussi les cœurs. Renverser le tyran et délivrer Châteauneuf, c'était une belle entreprise, car de Jars était un ami aussi ardent que Chevreuse était une maîtresse dévouée.

Se servir de Louise de Lafayette pour atteindre le but, c'était une de ces conceptions heureuses que la duchesse seule pouvait former.

Il y avait des difficultés, mais le mérite était de les vaincre.

L'attraction du roi vers la charmante fille d'honneur devenait plus évidente, par cent petits incidents insaisissables pour un œil ordinaire, mais très significatifs pour une attention intéressée.

L'objet de cette recherche ne paraissait pas s'en apercevoir, et cependant son indifférence ne décourageait pas le monarque. Il est vrai que la timidité de celui-ci ne lui avait jamais permis d'aborder clairement la matière, mais c'était encore un motif assuré du triomphe de la favorite en perspective, le jour où, d'elle-même, elle viendrait en aide à cette insurmontable timidité.

Rendre Lafayette toute-puissante sur le cœur et sur les conseils du roi, qui se montrait fort désireux de subir ce joug; continuer à dominer, par l'amitié et l'adresse, l'esprit de Lafayette, c'est-à-dire imprimer par son entremise à la volonté du faible monarque sa propre volonté, tel était en résumé le plan de la duchesse.

Que Louise arrivât à ce rang de favorite, avec elle arrivaient au pouvoir ses amis, et Richelieu était détrôné.

Mais, disons-nous aussi, Louise ne voyait pas, ou ne voulait pas voir, les aspirations du prince. L'ambition était étrangère à cette nature exquise et délicate. Chez elle, le cœur dominait tout... et le cœur était pris.

C'est ici surtout qu'il nous faut admirer le génie de madame de Chevreuse,—ce génie que les historiens n'ont vraiment pas trop vanté.

Le but de sa vie était devenu la délivrance de son amant, tous les expédients étaient légitimes pour y atteindre, même celui qui consistait à pousser mademoiselle de Lafayette dans les bras du roi.

La moralité du lecteur se récrie peut-être à cette idée; nous le prions, dans ce cas, de se rappeler que nous sommes ici dans la vérité historique et que ce n'est pas nous qui avons fait l'histoire. Nous avons entrepris de dévoiler quelques-uns des mystères immoraux du vieux Louvre, et certes ce n'est encore là que l'un des plus anodins.

Or, la duchesse, qui trouvait très simple et très désirable qu'une fille d'honneur de la reine devînt la maîtresse du roi, était cependant l'amie de Louise et de Philippe; de plus, elle avait la première deviné leur affection naissante.

Mais elle ne s'était jamais piquée, pour son compte, d'une fidélité éternelle. Châteauneuf avait succédé dans ses faveurs au duc de Lorraine, à Buckingham et au comte de Hollande. Elle pensait que toutes les femmes étaient façonnées à son image, qu'il fallait aimer son amant présent, comme si l'on ne devait jamais le quitter, et qu'il était bon de le quitter dès qu'on s'apercevait qu'on ne pourrait l'aimer toujours.

Elle se représentait, d'ailleurs, une union sérieuse entre Louise et le jeune peintre comme irréalisable, et se persuadait de très bonne foi que c'était rendre service à l'un et à l'autre d'élever entre eux des obstacles adroits, moins pénibles qu'une séparation brutale.

Elle les aimait de très franche amitié en leur dressant ces embûches, et s'il lui en revenait quelques scrupules, elle rassurait sa conscience par la conviction où elle se plaisait qu'elle asseyait la fortune de Louise et qu'elle faisait le bonheur de Philippe en le forçant à se déclarer pour Henriette.

Duchesne n'avait jamais soupçonné la sympathie de sa fille.

Se doutant bien de la répugnance qu'elle rencontrerait chez Lafayette si elle l'engageait elle-même à s'adoucir vis-à-vis du roi, elle avait donc eu cette idée profonde de l'y faire pousser par Philippe lui-même.

Le lecteur sait les hésitations et la défiance innée qu'avaient inspirées à notre héros les ouvertures de M. de Jars dans ce sens.

On serait tenté de croire, maintenant, que les événements qui se succèdent d'une façon si imprévue devaient amener la ruine de ces plans de la duchesse, l'exil de de Jars, l'emprisonnement de Philippe, la certitude où était le cardinal des manœuvres ourdies chez la reine-mère, et enfin l'incident de la caricature, qui allait se rendre implacable contre ses ennemis, tout venait à l'encontre de ceux-ci.

Eh bien, tous ces faits, ou du moins l'un d'eux, contribuèrent au résultat souhaité, tant les choses d'ici-bas s'enchevêtrent souvent en dépit de la prévision des plus habiles!

Duchesne, qui n'avait jamais soupçonné la sympathie de sa fille pour son élève, ne tarda pas à en être instruit par un message qui vint le trouver au milieu de ses travaux du Luxembourg.

Ce message n'était point signé, mais le porteur était autorisé à faire connaître le nom de celui qui l'envoyait: on apprendra sans étonnement que c'était le père Joseph.

Depuis quelque temps il s'entendait trop bien avec le peintre de la reine-mère pour ne pas lui rendre ce bon office.

Il le prévenait donc, comme sa conscience lui en imposait le devoir, que la jeune Henriette paraissait éprise d'une folle et coupable passion pour cet élève, qui s'était, par son orgueil et son ingratitude, rendu indigne de son maître.

Puis, un triomphant post-scriptum rassurait les craintes que cette découverte lui pourrait inspirer, en lui annonçant que le séjour du Louvre était devenu sans inconvénients pour la jeune fille, vu l'incarcération de l'amoureux.

Duchesne, atterré par le premier avis, respira à celui-ci; mais il n'en accourut pas moins au palais, où il eut avec sa fille une querelle violente, dans laquelle il finit par la menacer de l'enfermer dans un couvent si elle s'avisait de manifester la moindre attention pour ce misérable barbouilleur qui déshonorait son école.

Henriette soutint le choc plus bravement que sa timidité et son innocence ne permettaient de l'espérer. A chaque menace elle se réclama de l'amitié de la reine-mère, qui ne permettrait pas qu'on la persécutât.

C'était le meilleur argument vis-à-vis de Duchesne, qui devait tout à Marie de Médicis et n'osait encore rompre vis-à-vis d'elle.

Mais il résulta surtout ceci de particulier de cette explication, que ce fut par elle que Henriette apprit l'arrestation de Philippe.

On prévoit ce qu'il en advint. Sa première idée, après avoir pleuré et soupiré bien fort, fut de chercher les moyens de lui venir en aide, et tout naturellement elle se souvint de l'entretien avec le chevalier dans la galerie des combles.

Elle résolut de tenter pour son ami ce qu'elle avait songé à faire pour Châteauneuf, et elle courut trouver Louise.

A ce cri:

— Philippe est arrêté!

La fille d'honneur fut prise d'une pâleur et d'une émotion telles, que Henriette en demeura frappée. Elle-même n'avait pas été plus émue en apprenant cette nouvelle funeste.

Jusqu'alors chacune d'elles, renfermant en soi un secret qu'elle n'osait qu'à peine s'avouer à elle-même, n'avait laissé paraître aux yeux de l'autre aucun signe de cet amour, qui était venu à la sourdine, et s'était longtemps ignoré.

Mais le cœur,—le cœur des femmes surtout,—a pour saisir les témoignages de la passion une perspicacité plus subtile que le langage parlé. Elles comprennent avec leur âme tout ce qui touche à leur âme.

Ces deux jeunes filles innocentes n'eurent besoin que de cette minute pour reconnaître que le même sentiment les occupait alors.

Leur émoi, leur frisson, le tremblement de leur voix, l'instinct surtout, leur dirent qu'elles étaient rivales.

—Tu l'aimes!... s'écria Louise.

—Conviens-en, répondit soudain Henriette, tu l'aimes aussi?

Et deux gros soupirs succédèrent à cette explosion.

Mais, prestige adorable d'un premier, d'un sincère amour, ce ne fut ni la haine, ni la jalousie qui sortirent de cet aveu mutuel. Ce fut une alliance plus intime pour le bonheur du bienheureux objet de cette double passion.

Il leur semblait si digne d'être aimé qu'elles ne s'étonnaient pas de l'avoir aimé à la fois, et puis elles s'avouaient, et c'était là comme leur consolation, qu'elles étaient venues à lui de leur propre mouvement, sans qu'il osât rien faire pour les attirer.

A toutes deux il avait adressé de caressantes et douces paroles, mais c'étaient des mots fraternels, tout pleins de retenue et d'exquise délicatesse. Au fond du cœur, elles se flattaient peut-être chacune d'être la préférée, mais il leur était encore permis de se demander s'il les aimait ensemble, ou seulement s'il aimait une d'elles.

Alors aussi elles eurent comme l'intuition des nuages de son âme, des deux courants qui l'attiraient tour à tour, et dans un adorable serment elles se jurèrent de travailler à sa délivrance, sans arrière-pensée, et de le forcer à se prononcer pour celle qui aurait le plus fait pour lui.

C'était un pacte héroïque, et ce qui ne le fut pas moins, c'est qu'elles l'exécutèrent sans une ombre d'hésitation.

L'amour est si puissant, si désintéressé à cet âge, qu'il n'exige même pas de réciprocité: il se suffit à lui-même.

Ce soir-là, il y avait une petite réception dans l'appartement de la jeune reine.

La cour était taciturne, car Richelieu, qui avait cru devoir se montrer, promenait à travers les groupes un visage soucieux, un regard préoccupé.

Anne d'Autriche causait, entourée de quelques dames, au nombre desquelles se faisait remarquer sa favorite, la duchesse de Chevreuse, qui cherchait par une gaieté factice à narguer le cardinal et à lui donner le change sur ses anxiétés mortelles.

Quelques seigneurs jouaient silencieusement; divers personnages allaient et venaient, et le roi, qui aimait assez à s'affranchir de la raideur de l'étiquette en ces circonstances de famille, avait quitté une partie avec Bassompierre et Roquelaure pour faire un tour dans la galerie.

On savait qu'alors il n'aimait pas à être entouré, et l'on s'abstenait de le suivre.

Soit hasard, soit préméditation, il se rencontra, vers l'un des points les plus isolés, avec mademoiselle de Lafayette.

Elle était venue décidée à faire un effort sur elle-même et à rendre au monarque le sourire dont il ne manquait pas de la saluer chaque fois qu'il la voyait, mais auquel d'ordinaire elle se dérobait sous une vive rougeur.

Innocente et pure comme elle était, ses visées étaient loin d'aller aussi avant que celles de la duchesse. Si elle eût compris à quoi on prétendait la pousser, elle eût reculé du premier coup plutôt que de sauver Philippe par un sacrifice indigne de lui.

Mais la réputation immaculée de Louis XIII était de nature à rassurer la plus craintive. Il ne s'agissait d'user envers lui que d'une coquetterie innocente; de lui accorder, non pas des faveurs, mais des semblants de faveurs. Un mot, un regard étaient suffisants pour le charmer; avec un serrement de main, elle était sûre de l'affoler.

Ne racontait-on point tout bas que la reine ayant reçu un jour un billet, l'attacha à la tapisserie de sa chambre, afin de ne pas oublier d'y répondre. Mais le roi, auquel elle voulait en laisser ignorer le contenu, étant entré et ayant souhaité le lire, Anne d'Autriche fit signe à mademoiselle d'Hautefort, qui se trouvait là, de le prendre et de le cacher. Le roi voulut le lui ôter, et ils se débattirent assez longtemps en badinant, jusqu'à ce que, se voyant sur le point d'être vaincue, la demoiselle d'honneur mit vivement le papier dans son sein. Le jeu cessa aussitôt, le roi n'ayant osé poursuivre le billet jusque-là.

Les idées de la duchesse pouvaient donc aller fort loin; il était permis à Louise, vis-à-vis d'un adorateur de cet acabit, de réussir sans perdre sa dignité.

Ainsi, elle était venue bien décidée à se rendre le roi favorable, pour l'amener à la grâce qu'elle souhaitait, et cependant, quand elle le rencontra, le courage faillit lui manquer, elle se troubla et laissa choir sur le tapis un bouquet de roses printanières qu'elle tenait à la main.

Le monarque, empressé, se baissa pour le relever, et au moment de le lui rendre, balbutia, sans trop bégayer:

—Si je le gardais, j'aurais quelque chose de vous...

Elle sentit que c'était le moment décisif; son énergie se retrempa dans cette extrémité.

—Eh bien, sire, répondit-elle avec un sourire auquel son émotion ajoutait un charme infini, partageons.

Sur quoi, prenant les fleurs, elle les divisa en deux paquets, dont elle tendit le plus beau au roi.

Soudain, avec un à-propos dont on l'eût cru incapable:

—Que ne puis-je, dit-il, tremblant plus qu'elle, partager ainsi ma couronne avec vous.

—Votre couronne, sire, répondit-elle soudain, gardez-la tout entière, il vous la faut, pour faire justice à vos sujets...

—Justice? répéta-t-il en l'interrogeant du regard. Vous avez quelque chose à me demander...? Tant mieux, c'est accordé...

—Silence... fit-elle; on nous observe.

Le roi lui adressa un signe d'intelligence, et s'avançant vers le groupe le plus proche:

—Messieurs, dit-il à haute voix, nous chasserons demain à Saint-Germain.

Puis, se rapprochant de mademoiselle de Lafayette:

—Vous en serez... et vous me direz tout.

Richelieu, qui d'ordinaire ne perdait pas le roi de vue, n'avait pu surprendre cet épisode de la soirée.

Au moment où le monarque et la fille d'honneur se rencontraient, un huissier pénétrait dans les salons jusqu'à l'Eminence et lui glissait un mot à l'oreille:

—M. le lieutenant civil est aux ordres de monseigneur.

C'était le mot d'ordre convenu entre lui et Laffémas.

Si bien que, tandis que Louis XIII et mademoiselle de Lafayette échangeaient les phrases et les procédés délicats que l'on sait, Richelieu descendait au fond des cachots du vieux Louvre.

Là, derrière une tenture, il assistait, invisible, au supplice de la question, appliqué au malheureux marchand qui avait vendu la fameuse estampe.

A chaque coin, à chaque coup de maillet, on eût vu ses traits frémir d'un contentement horrible, mais il prêta vaillamment l'oreille; le pauvre diable, cédant plus encore à l'effroi qu'à la douleur, poussa deux ou trois rugissements terribles, et tomba dans une prostration d'où il fut impossible de le tirer.

Il fallut remettre l'épreuve décisive au jour suivant.

XV
LA LETTRE DE SANG

Une nuit épaisse comme celle qui recouvre les tombeaux enveloppait le Louvre de son suaire. Les remparts, les tourelles, les donjons, les bâtiments, tout se confondait en une masse opaque et noire avec ce ciel menaçant.

L'atmosphère était pesante comme lui. Des vapeurs sulfureuses la saturaient, et l'on eût cru respirer l'air d'un volcan qui prélude à une éruption.

C'est à peine si la grosse horloge du palais avait pu laisser tomber, sourds et sans vibrations, les douze coups de minuit.

Tout se tenait immobile, oppressé sous cette influence de la nature.

L'horloge avait sonné depuis un quart d'heure, lorsqu'il se manifesta un bruit presque imperceptible dans une des petites chambres occupées par les femmes de la reine-mère.

La plus jeune de toutes, une enfant dont le sommeil paisible et pur eût ravi les anges, s'agita, par des mouvements indéfinis d'abord, sur sa couchette. Sa tête blonde tourna deux ou trois fois sur son oreiller, à peine creusé sous un si doux fardeau.

Elle semblait, dans ses rêves, résister à un réveil chagrin ou à une voix importune, et s'obstiner dans le sommeil.

Mais cette voix était plus forte, car la dormeuse, assoupie et légère, se dressa sur son séant, dans une pose de houri.

La main sur son front, elle écoutait sans doute la voix immatérielle qui se révélait à son esprit.

Il fallait qu'elle fût étrangement puissante, car l'enfant se laissa bientôt glisser de sa couche, et passant ses petits pieds roses dans les pantoufles déposées tout auprès, elle se dressa impassible et morne, les traits graves, la prunelle à moitié close, mais fixe et sans regard, et marcha vers la porte.

Tout était noir autour d'elle, mais elle se dirigeait dans ces ténèbres opaques avec cette sûreté et cette confiance irréfléchie de la machine qui obéit à son moteur, et qui passe là où l'être raisonneur se verrait arrêté.

Elle traversa le vestibule du rez-de-chaussée, comme elle avait traversé le reste. Sa main vint se poser sans hésitation sur le pêne qui donnait accès dans la cour du Louvre, au moyen d'un perron de quelques marches orné de doubles colonnes, supportant, comme une marquise, le balcon du premier étage.

A peine avait-elle touché le bouton de cette dernière porte qu'une batterie électrique sembla éclater sur le palais. De longs éclairs rougeâtres sillonnèrent l'espace, et la foudre, éclatant au milieu de tonnerres formidables, ébranla le royal séjour jusque dans ses fondements. Des flammes bleuâtres éclairèrent la la pointe des verges de fer où pendaient les girouettes et coururent comme autant de feux follets le long des crêtes et des épis fleurdelisés qui couronnaient les toits.

L'orage, longtemps concentré dans les nuages de plomb, rompait enfin ses outres; les secousses, les déchirements se succédaient sans relâche, comme si le ciel avait déclaré à ce palais des grands de la terre une guerre implacable. Les vitres frémissaient, dans leurs réseaux de métal, les arbres des parterres se tordaient sous les coups de l'ouragan et balayaient le sol de leur faîte, quand ils ne joignaient pas les craquements de leurs troncs brisés aux craquements de la foudre.

Bientôt les cataractes du ciel s'ouvrirent pour un nouveau déluge. La pluie et la grêle, avec leurs bruits sinistres, se joignirent au mugissement du vent, aux détonations de l'orage; le feu et l'eau se disputaient l'empire.

Mais l'influence qui attirait la jeune fille hors de son appartement la rendait aussi insensible aux choses extérieures. Ni l'horreur de la tempête, ni la bourrasque qui la fouettait au visage, ni la pluie qui avait en une seconde imbibé ses légers vêtements de mousseline, ne pouvaient l'arrêter quand la volonté du prophète était sur elle.

Elle descendit le perron, et battue par l'orage qui emportait des lambeaux de son écharpe, qui déroulait les longues tresses de sa chevelure, à travers le sable détrempé des allées qui souillait ses pieds de nymphe, elle atteignit le but où nous l'avons déjà vue se rendre une fois,—le soupirail de la cellule du père Joseph.

Ici ses jambes s'arrêtèrent d'elles-mêmes, sans que sa volonté y fût pour rien, ses genoux s'infléchirent, elle se baissa lentement.

L'orage grondait, la pluie versait toujours autour d'elle ses torrents.

C'est pour le coup que les passants l'eussent prise pour une morte! Rien en sa personne n'indiquait plus la vie; sa chevelure, partie enroulée autour de son col, partie collée en mèches glacées le longs de ses épaules, ses yeux presque fermés, ses joues pâles comme l'ivoire et ses lèvres plus pâles encore, ses membres raidis, froids comme la pierre, tout en elle paraissait d'un cadavre ou d'un spectre. Il eût fallu découvrir un faible battement du cœur.

—Maître, dit-elle de cette voix étrange et saisissante qui n'appartient qu'au magnétisme et à l'extase, vous m'avez appelée, me voici.

—Je vous attendais, répondit le prisonnier. Avez-vous souffert pour venir?

—Je n'ai pensé qu'à venir.

—Et vous en serez récompensée, car il s'agit de votre bonheur et de la sûreté de tous ceux qui vous sont chers.

—Tous à cette heure sont malheureux et persécutés.

—Ne pouvez-vous me dire ce qu'il faut faire pour mettre fin à leurs maux?

—Je le pourrai, si vous me donnez la force et la lumière.

L'évocateur étendit avec énergie les mains vers elle, et la fascinant des rayons ardents de ses yeux:

—Voyez!... ordonna-t-il.

—Toujours le cardinal et l'homme gris... répondit-elle. Implacables, le sang ni les supplices ne leur coûtent rien. Tout pour la domination; le cardinal immole ce qui lui fait obstacle pour régner sur le roi, et le moine ce qui menace son influence sur le cardinal.

—Voyez! voyez!... réitéra l'évocateur en lui imposant, avec une énergie nouvelle, la lucidité qui ne connaît ni les obstacles matériels, ni les distances. Où est le cardinal en ce moment?...

—Tandis que tout repose dans le Louvre, il veille... Oui, c'est bien lui; le voilà affaissé sur son siège, enfermé au plus profond de son

438/569

appartement... Ses traits sont livides, ses lèvres amincies frémissent de rage... La tempête du ciel n'est rien auprès de celle qui bouleverse son cerveau...

—Que fait-il?... Est-il seul?...

—Il promène sa main crispée sur des feuilles à moitié écrites, où restent des lacunes blanches; la place pour mettre des noms... Un homme est là, toujours le même, l'inévitable moine... Cet homme lui fournit de nouveaux feuillets à mesure qu'il a signé les précédents... et dès qu'ils sont signés, il les enlève et les amasse... Il en a déjà une pile énorme... et le cardinal signe toujours.

—Et ces papiers, que contiennent-ils? Lisez, je le veux!... Elle se tordit sous la puissance de son regard électrique, un son douloureux sortit des profondeurs de sa poitrine.

—Il n'est pas besoin de lire ces lignes pour comprendre que chacune est un arrêt de proscription, de torture ou de mort... Ah! s'écria-t-elle d'une voix plus perçante, quel sourire infernal, quel regard cruel!... Voici un de ces blancs-seings que le moine met à part, dans un endroit que seul il connaît... A qui le réserve-t-il, mon Dieu?... Je sens une fibre se briser dans mon cœur... Philippe!... C'est l'arrêt de Philippe!

Et elle s'abîma un moment dans l'amertume de sa douleur, car cette vision avait pour elle tout le relief de la vérité.

Le prophète lui laissa ces quelques secondes de répit. Mais revenant alors à la charge, après avoir calmé ses angoisses par des passes bienfaisantes, il continua ses questions et obtint de nouvelles réponses, nettes autant que précises, sur les actes les plus secrets du ministre et de son confident. Après quoi, reprenant l'objet interrompu:

—Du courage, ma fille, dit-il avec cette autorité de parole qui faisait oublier son âge, parlez-moi encore de Philippe.

—De Philippe? Retenu injustement, il souffre... Je le vois; sa prison n'est séparée de la vôtre que par un mur... il veille tristement en pensant à moi...

Une chasse à Saint-Germain.

—Cherchez bien; n'existe-t-il aucune ressource pour le sauver?...

—Si fait, répondit-elle vivement. Il possède un talisman qui peut lui donner dans l'estime et dans l'affection du cardinal une place telle que celui-ci n'ait plus rien à lui refuser, ni votre liberté ni celle de nos amis.

—Parlez, parlez toujours; quel est ce talisman?

—Un médaillon, un portrait de femme caché sur sa poitrine...

—Vous êtes sûre de cela?

—Oui. Que Philippe mette ce portrait sous les yeux de monseigneur de Richelieu, et celui-ci est vaincu, et le moine ne peut plus nous nuire!

Le prisonnier resta assez longtemps pensif, puis enfin:

—Ne peux-tu, demanda-t-il à Henriette, te souvenir une fois seulement, étant réveillée, de ce que tu as vu et dit pendant ton extase?

Elle secoua lentement la tête, et laissa péniblement tomber un mot:

—Non.

—Ne peux-tu te rappeler au moins ce que je vais te dire?

Mais elle répondit encore d'une voix expirante:

—Non.

—Alors, fit à son tour dans une tristesse mortelle frère Jean, Dieu nous abandonne; nous n'avons plus qu'à courber le front et à attendre, le malheur est sur nous.

Il y eut une nouvelle pause plus prolongée que les précédentes. La jeune fille, changée en statue du désespoir, demeurait anéantie, les genoux meurtris sur la pierre, la tête appuyée contre la muraille visqueuse, trempée par la pluie. Elle eût pu mourir à cette place si l'influence qui l'y avait amenée ne lui fût venue en aide.

Frère Jean étendit encore à plusieurs reprises les mains vers elle, et chaque fois elle semblait ressentir une sensation de calme et de bien-être.

—Henriette, lui dit-il, du courage! Nous blasphémions en désespérant du Ciel... il m'a envoyé une pensée de salut... Une minute encore, et je te congédie avec l'arme qui doit nous protéger tous. Patience, attends-moi!

—Faites et ordonnez, maître, je ne suis là que pour obéir.

Frère Jean venait, en effet, d'être frappé d'une inspiration précieuse. Descendant de l'échafaudage sur lequel il lui fallait se hisser pour parvenir au soupirail et communiquer par la voix avec la jeune visionnaire, il s'approcha des rayons où le père Joseph plaçait ses livres mystiques.

Il détacha le feuillet blanc servant de garde à un large in-folio, et l'étendit sur la petite table, à portée de la lampe qui jetait dans ce lieu funèbre sa misérable clarté. Mais, pour écrire, il lui fallait encore une plume et de l'encre, et le capucin avait eu soin d'enlever tous ces objets quand il avait changé sa cellule en prison.

En homme que les obstacles ne rebutent pas, il fouilla du regard tous les recoins, et n'ayant rencontré rien de mieux, il arracha l'un des clous qui fixaient l'image du Christ à la croix du prie-Dieu.

Un sourire amer se dessina sur ses lèvres à l'idée de ce rapprochement: il n'avait enlevé le clou de l'image bénite que pour le plonger dans ses propres veines. Une ligature fit gonfler celles de son poignet, et il l'ouvrit résolument pour y puiser.

De sa main droite, ferme et libre, il traça alors ces trois lignes en caractères de sang:

«Que Philippe présente au cardinal le médaillon qu'il porte sous son pourpoint, ses ennemis sont battus et son bonheur commence.»

Puis il ajouta en forme de post-scriptum:

«Quand vous serez libre, n'oubliez pas ceux qui restent captifs.»

Chaque mot était le prix d'une goutte de sang, car la pointe de fer oxydée, était un mauvais conducteur, et le sang se figeait et se coagulait presque instantanément sur la rouille qui la rongeait.

Mais il avait écrit tout ce qu'il importait d'écrire pour l'heure. Reprenant donc l'escabelle et la table, il rebâtit son échafaudage et se hissa jusqu'à l'étroit orifice.

—Henriette, dit-il, m'entendez-vous encore?

Elle s'agita, et se penchant vers lui:

—Que voulez-vous, maître?

—Approchez-vous jusqu'au bord des barreaux de fer, et étendez le bras aussi avant que possible.

Elle se coucha sur la terre et passa le bras, comme on le lui ordonnait, à travers les grilles.

—Recevez ceci, continua frère Jean en lui confiant le papier plié, et mettez-le dans votre corsage.

Elle continua d'obéir, avec cette soumission automatique qui signale les actes des somnambules magnétisés.

—A présent, vous pouvez aller, lui dit-il; si ce moyen échoue, c'est que la destinée est véritablement contre nous, et que je me suis trop hâté de louer Dieu!...

Et il étendit pour la dernière fois les mains vers elle, afin de lui donner de la force.

Puis il redescendit de son observatoire, remit chaque chose en place dans la cellule, assujettit le clou consacré dans la plaie du Christ. Après quoi, pour expier sans doute sa profanation, il s'agenouilla sur le prie-Dieu, où, suivant son habitude, il tomba dans une de ces longues méditations extatiques qui remplaçaient pour lui le sommeil, et dans lesquelles il percevait des révélations si incompréhensibles au monde qu'elles lui avaient valu son nom de visionnaire.

Certes, il avait eu une heureuse et intelligente pensée en traçant le billet qui devait suppléer au mutisme d'Henriette. Celle-ci, éveillée, ne se rappellerait plus rien des événements qui avaient traversé son imagination durant l'extase. Sous ce rapport, son esprit était une glace qui ne conserve plus rien du reflet qu'elle a saisi au passage.

Mais grâce à cet expédient, elle allait trouver à son lever, dans son corsage, le papier précieux, et ces indications suffiraient pour dénouer la trame ténébreuse ourdie par le franciscain contre le jeune homme dans un but connu de lui seul.

Faire tenir cet écrit au prisonnier n'était plus qu'un embarras secondaire pour la favorite de la reine-mère, la protégée de l'adroite duchesse de Chevreuse. D'ailleurs, en mettant les choses au pis, frère Jean, plus initié qu'elle-même à ses propres sentiments, possédait la conviction que dans un moment de désespoir elle s'adresserait au cardinal en personne plutôt que de laisser se prolonger davantage les ennuis et les périls de son amant.

Tout était donc calculé pour la réussite sans qu'il y eût lieu de prévoir une chance contraire.

La jeune fille, ranimée par l'énergie communicative du visionnaire, se redressa plus ferme, plus tranquille qu'en aucun instant.

L'orage s'était dissipé, la pluie avait cessé, mais de gros nuages blancs couraient rapidement au ciel, disputant à la terre la clarté que la lune cherchait à y faire descendre. Le vent ne s'était pas tu entièrement, il sifflait en gémissant dans les tourelles et les colonnades, et faisait onduler les plis de la tunique du fantôme qui traversait la cour.

Henriette avait passé insensible à travers la foudre et la grêle, elle n'entendait pas le vent, et chaque pas de sa marche régulière la rapprochait du perron de la reine-mère.

La tête un peu infléchie, les bras pendants, à moitié cachés sous la batiste de son écharpe, les cheveux déroulés sur ses épaules nues, tels qu'il avait plu à la bourrasque de les disposer, elle était belle et effrayante comme une willis vaincue qui rentre au chant du coq dans sa grotte-enchantée.

Elle franchit les degrés du perron, et commença à traverser celui-ci pour atteindre la porte demeurée entrebâillée.

La lune perçant alors une éclaircie illumina avec splendeur ce coin du Louvre. Elle semblait faire une auréole à la blanche apparition; dont la silhouette nageait dans cette clarté vaporeuse.

Son écharpe couvrait à peine le haut de ses épaules, et son corsage sans agrafe laissait à nu la naissance de trésors virginaux dont un chérubin eût été envieux.

Et voilà qu'au moment où elle franchissait la dernière marche, quelque chose, une ombre informe, se remua derrière les colonnes qui ornaient le perron.

Un homme,—un autre spectre, enveloppé, celui-ci, de longs vêtements de couleur sombre,—se détacha d'un pilastre; et s'avançant vers la promeneuse, qui ne le voyait point, il étendit vers ce sein adorable son long bras noir.

L'hyène, en quête d'une victime; n'a pas la prunelle plus ardente que la lueur qui s'échappa de ses yeux.

Mais ce n'étaient ni ces charmes naissants, ni ce sein d'albâtre qui attiraient son œil et sa main.

Un papier apparaissait, au milieu de ces appas que nul homme n'avait contemplés encore, et ce papier seul fascinait ce personnage. C'était lui qu'il convoitait, ce fut lui qu'il saisit et qu'il enleva sans effort, à peine retenu qu'il était sous la gaze infidèle.

Dès qu'il le tint, ses doigts s'y cramponnèrent, et l'élevant en l'air, de façon à braver le ciel, il poussa dans sa folle joie un cri de hibou en belle humeur, qui eût donné l'alarme aux vigies des porteaux si elles ne l'eussent pris pour le grincement d'une girouette.

Ce cri lâché, il se rapetissa sur lui-même, se faufila à la manière des reptiles, et disparut sans laisser de trace, dans quelque fente de muraille peut-être.

Quant à la jeune fille, inerte, insensible, elle n'avait rien vu, rien senti; sa marche n'avait pas été ralentie une seconde, et elle regagnait avec une tranquillité parfaite sa couche et son sommeil.

XVI
LA FAVORITE

Louis XIII n'éprouvait pas pour Saint-Germain la répugnance superstitieuse que devait ressentir son successeur. De ce palais, où pourtant il devait mourir, il contemplait, sans en témoigner aucun effet, les flèches de Saint-Denis, cette nécropole des rois trépassés.

Lorsqu'il n'était ni à Fontainebleau, ni au Louvre, il aimait à partager son temps entre cette résidence et la maison de chasse de Versailles, avec cette distinction qu'il paraissait affectionner Saint-Germain dans ses rares périodes de gaieté et de plaisir; et qu'il se retirait volontiers à Versailles, comme dans une thébaïde, au milieu de ses plus noires humeurs ou de ses ennuis politiques. On voit que c'était précisément tout l'opposé de ce que devait faire Louis XIV.

Dans la situation de ces deux étapes royales, Louis XIII avait incontestablement raison: Versailles existait, à peine, mais Saint-Germain était déjà, ce qu'il est resté, un séjour splendide.

Le château actuel date de François Ier, qui le fit élever sur les fondations de l'ancien, dont l'origine remontait au roi Robert. La France n'a pas compté un monarque qui se soit plu davantage à embellir ce palais, tout peuplé de souvenirs historiques, où les chroniques galantes se mêlent aux drames les plus sombres.

Ce n'est pas notre tâche d'évoquer ces mémoires, ni même de nous étendre sur la description de ces lieux célèbres à tant de titres. Qui ne connaît pas d'ailleurs cette construction de plan, si bizarre et d'aspect si pittoresque, à la fois élégante comme une villa et imposante comme un donjon? Quatre de ces cinq faces, bâties alternativement, par assises et par compartiments, en pierre avec brique, forment une sorte de mosaïque qui attire l'œil; la cinquième, la principale, est en pierre et d'un aspect tout autre.

Mais les grilles, les fossés, les tourelles qui les protègent en effacent bien vite le côté riant, et rappellent que toutes les résidences royales étaient naguère en même temps des citadelles. A l'époque où se passe notre récit, presqu'au milieu du dix-septième siècle, le Louvre lui-même n'était-il pas encore flanqué d'innombrables tours, couronné de créneaux, percé de meurtrières, entouré de fossés?

Les mœurs et les usages avaient habitué chacun à ces accessoires, et la gaieté de la cour, quand il était permis à la cour d'être gaie, n'en subissait aucune atteinte.

Or, pour l'instant, la cour manifestait le plus vif entrain. En désignant Saint-Germain pour théâtre des chasses annoncées, le roi avait implicitement entendu inviter chacun à se montrer joyeux, et quoique l'enjouement ne fût guère à l'ordre du jour, on n'avait eu garde de manquer à cette consigne.

Tout le monde était là, c'est-à-dire tout le personnel éminent de cette cour si profondément divisée en deux camps. Les champions sentaient l'approche d'un engagement sérieux; c'était l'heure de se tenir prêt et de ne rien perdre des chances de chaque parti.

D'une part, donc, on remarquait les deux reines, car Anne d'Autriche n'avait pas moins à se plaindre de Richelieu que Marie de Médicis, et leurs griefs, étant pareils, les avaient rapprochées. Autour d'elles, leurs dames d'honneur, leurs confidentes; à la tête de toutes, la belle et intrigante duchesse de Chevreuse, mesdemoiselles de Vieux-Pont, de Saint-Georges, de Clémerault, la princesse de Conti. Puis, parmi les gentilshommes, Bassompierre, l'ami avéré de cette dernière dame, et déjà presque aussi antipathique au cardinal que Châteauneuf. C'est dire que le maréchal avait amené avec lui le plus grand nombre possible des ennemis du ministre.

D'un autre côté, on pouvait apercevoir l'inévitable, l'ubiquiste franciscain, le père Joseph, le cardinal de Lavalette, autre doublure de Richelieu; Bullion, son surintendant; ses favoris ou plutôt les créatures dont il était le Mécène: Boisrobert, Beautru, Raconis, dont le zèle devait être le marchepied pour l'évêché de Lavaur; sa nièce, madame de Combalet, et, à la suite de ces beaux esprits, un essaim d'ambitieux et d'intrigants.

Nous signalons, dans un paragraphe à part, un personnage dont le nom a déjà figuré dans notre récit; c'est-à-dire ce Boisenval que chaque parti croyait pouvoir revendiquer; un homme serviable à l'excès, souriant et saluant toujours.

Si le cardinal fût venu, on n'eût pas manqué de s'occuper de sa présence, mais il avait jugé à propos de rester au Louvre, et son absence était bien autrement commentée! Personne ne croyait aux prétextes qu'il avait allégués, on le connaissait trop pour ne pas voir une tactique dans cette abstention, mais laquelle? Nul n'eût su le dire.

Enfin, il y avait deux personnes qui dominaient l'attention: c'était le roi d'abord, et, presque à l'égal du roi, la fille d'honneur de la jeune reine, Louise de Lafayette.

Par une exception sans précédent, Anne d'Autriche, qui se montrait volontiers jalouse des préférences platoniques du roi pour quelques dames, voyait sans déplaisir la faveur qui tendait à descendre sur mademoiselle de Lafayette. Elle ne s'en montrait que plus gracieuse pour la belle enfant, et à chaque prévenance du monarque vis-à-vis de celle-ci elle en ajoutait une de sa part.

Les courtisans en étaient étonnés; les uns en éprouvaient quelque scandale, les autres en tiraient des conséquences ironiques; le lecteur, plus éclairé, n'y verra sans doute qu'un résultat des adroites manœuvres de la duchesse de Chevreuse, qui, maîtresse de l'esprit de la reine, savait lui prouver que la fortune de Lafayette devait entraîner la ruine de l'ennemi commun. La duchesse n'avait pas de peine non plus à démontrer, car c'était vrai, qu'en tout ceci la généreuse enfant se laissait pousser par ses amis et guider par son cœur, ne voyant dans la protection royale que le bonheur et le salut de ses amis.

La partie était donc fortement engagée, et Richelieu eût été nécessaire pour soutenir sa propre cause, sans ses fidèles représentants, et surtout sans le plus tenace de tous, le père Joseph.

Louise n'intriguait pas, elle en eût été incapable; sa grâce, sa douceur séraphique, son exquise beauté étaient ses seules armes; ses sourires et ses regards reconnaissants et mélancoliques, ses arguments. Mais les deux reines, mettant à profit l'absence de Richelieu, ne manquaient pas une occasion de semer, dans l'esprit de leur époux et de leur fils, la désaffection et le mépris pour cet antagoniste odieux.

Pour ne rien omettre de cet imbroglio, Marie de Médicis, qui avait pour son second fils, Gaston d'Orléans, une de ces tendresses aveugles qu'éprouvent parfois les mères pour les plus mauvais sujets de leurs enfants, visait à un rapprochement des deux frères. C'eût été un échec éclatant et décisif pour le ministre, qui avait déployé des trésors de diplomatie afin d'entretenir l'antagonisme entre eux, et qui détestait le frère du roi à l'égal de tous ses ennemis en bloc.

Pour être juste, il est bon d'ajouter que si le cardinal n'avait eu que de ces antipathies, elles eussent pu se justifier. Gaston, ou *Monsieur*, suivant le langage de la cour, était un des libertins les plus fous et les plus dangereux; toutes les extravagances coupables et honteuses formaient ses distractions favorites. Ses hauts faits en ce genre, — le seul qu'il cultivât d'ailleurs, — sont demeurés relégués dans les bas-fonds de la chronique scandaleuse, où la plume qui se respecte ne saurait les évoquer sans des haut-le-cœur.

Prises en elles-mêmes, les intrigues de cour qui caractérisèrent à cette époque le règne de Louis XIII n'eussent été que misérables; mais au-dessus des tactiques et des passions ambitieuses elles avaient comme enjeu l'honneur des familles, le saint respect de l'innocence, le repos et la vie des gens.

Que faisait Richelieu, resté seul dans son terrible repaire? Comme la bête féroce qui prépare ses massacres, après avoir rempli de blancs-seings les mains de son pourvoyeur, il dressait les plans des chambres ardentes, des tribunaux criminels, des commissions extraordinaires qui devaient, à la Conciergerie, au Châtelet, à Vincennes, et jusque dans ses châteaux particuliers de Rueil et de Bagnères, rendre à huis clos ces arrêts sinistres où les plus illustres victimes, condamnées sur un soupçon, sur un doute, ne sortaient des tortures de l'audience que pour passer par le fer du bourreau.

Terrible époque, comparable seulement aux jours les plus sombres de l'Espagne.

Cependant on riait à Saint-Germain: un regard de jeune fille avait réveillé dans l'âme du jeune roi le sentiment de la vie, de la beauté et du plaisir. L'absence de l'Homme-Rouge lui donnait un peu de répit. Il se rassérénait à l'air pur de cette résidence splendide. Ses scrupules se détendaient au respir de cette nature si large et si plantureuse. Il redevenait meilleur à la pensée que lui aussi, comme tous ses sujets, pouvait être aimé pour lui-même.

Étonné de ce bien-être nouveau, il écartait l'idée d'un retour à Paris; les créneaux du Louvre lui apparaissaient comme un méchant rêve. Il avait voulu une chasse, il voulait une fête de nuit, après la fête un concert, après le concert une de ces représentations scéniques dont

Boisrobert et Bautru étaient les organisateurs privilégiés en des temps plus heureux. Si bien que, de plaisir en plaisir, de distraction en distraction, il s'arrangeait mentalement un programme de plusieurs semaines.

En résumé, ces joies ne duraient encore que depuis trois jours; — il est vrai que c'est beaucoup ou bien peu, quand on n'en a pas l'habitude. Le roi s'y abandonnait avec d'autant plus d'entraînement qu'il n'était pas sans de vagues appréhensions, et que, s'étonnant avec tout le monde de la résignation de Richelieu, il s'attendait à le voir survenir, comme un mauvais génie, au plus beau moment.

Soit timidité, soit entrave inconnue, soit malencontre, il n'avait pu se trouver encore, à son désir, seul avec Lafayette. Mais il lui faisait parvenir mille petits présents; il l'entourait d'attentions délicates, il lui prodiguait les distinctions les plus enviées; il ne se passait pas un matin qu'elle ne trouvât sur sa toilette un écrin, un bijou, une parure, ou que Boisenval ne se tînt dans son antichambre, attendant son apparition, pour lui remettre des fleurs au nom du plus auguste personnage de la cour.

Les façons obséquieuses et pliantes du courtisan avaient gagné la confiance du faible monarque, plus faible encore depuis qu'il était sincèrement amoureux, et Boisenval, devenu son confident, servait d'intermédiaire entre lui et l'inexpérimentée jeune fille.

Le roi, du naturel qu'on lui connaît, n'était pas fâché de faire faire sa cour par procuration; l'embarras qu'il aurait eu à exprimer les choses galantes qu'il ressentait pour mademoiselle de Lafayette disparaissait quand il n'avait plus qu'à les communiquer à un commissionnaire qu'il connaissait insinuant et plein de paroles dorées.

Le roi n'était pas fâché de faire faire sa cour par procuration.

Louise, guidée par ses mobiles secrets, ne manquait pas de répondre en termes bienveillants. Si l'amour était impossible de sa part, du moins il est probable qu'elle était sincère dans l'assurance de son dévouement, de sa gratitude, car sa générosité innée ne pouvait pas rester indifférente à tant d'affection, et sa bonté lui inspirait une commisération douce pour ce pauvre prince dont elle appréciait mieux les soucis et le délaissement.

A ce degré, il était impossible qu'un tête-à-tête ne devînt pas facile entre le roi et la fille d'honneur. Boisenval était là, d'ailleurs, qui sut le préparer si adroitement que la reine Anne elle-même n'en eut aucun soupçon.

Ce fut, non pas dans une partie de chasse, mais le soir même de la fête musicale, entre le commencement du concert et la collation qui la séparait de la seconde partie.

La grande galerie regorgeait d'autant plus de monde qu'il avait fallu en réserver un bon tiers pour l'estrade improvisée accordée aux chanteurs et aux instrumentistes. Malgré tout le respect dû à l'étiquette, les rangs s'étaient trouvés confondus et houleux dans le personnel des auditeurs, lorsque le roi avait donné le signal d'un entr'acte en se levant de son siège.

Il en avait profité pour gagner la terrasse; Boisenval s'était rencontré tout à point auprès de Louise pour lui offrir son bras et la conduire, sans éveiller les doutes, jusqu'au bas du perron, où il était demeuré en vigie pendant que la fille d'honneur et le souverain se réunissaient.

Cette petite manœuvre s'opéra si promptement que Louis XIII n'attendit pas cinq minutes.

En apercevant Louise arrêtée à deux pas du perron et n'osant s'avancer, il franchit la distance, et par un excès de hardiesse dont il s'émerveilla lui-même:

—Mademoiselle, balbutia-t-il, refusez-vous mon bras?

—Oh! sire, répondit-elle, quelle faveur...

Nous serions très embarrassé de dire lequel tremblait le plus. Mais le roi était lancé décidément.

—La faveur est pour moi... répliqua-t-il.

Et ils marchèrent quelques pas sans rien ajouter.

La soirée était magnifique, le lieu divinement choisi.

Derrière eux, de longs parterres dont les senteurs enivrantes se dégageaient à profusion à cette heure propice, et embaumaient l'atmosphère. A gauche, les clairières du parc, dominées par les massifs de la forêt, avec le bruit vague des feuilles et des branches. Sur la droite, par un contraste tout poétique, le palais débordant de clartés et d'harmonies.

En face, à perte de vue, le panorama féerique sur lequel le ciel étoilé étendait un voile de gaze lumineux, prêtant aux vallées, aux coteaux, aux plaines ou aux bois une physionomie nouvelle, dont le vague apportait de mystérieuses rêveries.

—Oh! que c'est beau ici!... s'écria Louise enthousiasmée.

—Et qu'il ferait bon y être aimé!... répondit le roi, dont le bras pressa imperceptiblement celui de sa compagne.

Ce mouvement si léger la réveilla de sa contemplation, et se rappelant pourquoi elle était venue:

—Aimé, sire! Doutez-vous donc que vous le soyez?... Votre cour, vos sujets...

Il soupira en secouant sa longue chevelure noire.

—Vous non plus, vous ne voulez pas me comprendre.

—Si fait, mon prince; je sais qu'il y a en vous une âme généreuse, un grand cœur, de nobles aspirations, et que vous méritez qu'on vous aime.

—Oui, reprit-il avec obstination, mais on ne m'aime pas.

—Vous vous trompez, sire, ou plutôt vous ne voyez pas que l'affection qu'on éprouve pour les rois n'est pas faite comme celle qu'inspire le commun des hommes; la majesté de la couronne inspire un respect...

—Non, interrompit-il avec un peu d'amertume, il n'y a pas deux sortes d'amour; ce sont les courtisans qui adorent la tête couronnée, mais c'est le cœur d'où vient la tendresse.

Il lui avait fallu plus d'un effort pour achever cette longue phrase, la timidité se joignait à son infirmité naturelle pour embarrasser sa langue.

La bonne et brave Louise, loin d'y voir un sujet de raillerie, sentit sa commisération s'en accroître, et d'un ton convaincu:

—Croyez-vous donc, sire, fit-elle, que ce soit l'intérêt ou l'égoïsme qui me retienne ici, à cette heure, aux dépens de ma réputation, et que dans cette démarche imprudente il n'entre pas un dévouement sincère pour votre auguste personne?

Il se sentit plus ému encore.

—Oh! merci!... dit-il.

Puis ils firent de nouveau quelques pas silencieux, et ce fut lui qui reprit:

—Votre dévouement pourtant ne va pas jusqu'à la franchise.

—Que voulez-vous dire, mon prince?...

—L'autre soir, au Louvre, vous aviez entamé un entretien dont j'attends encore la fin et l'explication.

—Excusez-moi, Majesté, si je n'ai point osé revenir sur cette question. Je vous ai assuré de mon dévouement, et le dévouement évite d'être importun.

—Oui, mais le dévouement vrai est confiant, et vous voyez bien que c'est là ce qui manque au vôtre.

—Je saurai donc vous prouver le contraire.

—Parlez, non comme à un roi, mais, ainsi que vous le disiez, comme à tout autre de mes sujets.

—Cependant, sire, vous êtes le maître.

—Le maître?... répéta-t-il avec une légère ironie; puis s'animant: Eh bien, oui, pour vous, pour vous servir, je saurai l'être.

—Voilà un beau mot.

—N'aviez-vous pas une grâce à me demander?

—Oui, sire, une grâce qui intéresse plus encore la dignité et l'intérêt de Votre Majesté que ceux qu'elle consolerait.

—Qui donc sont ceux-là?

—Au milieu des joies qui se succèdent ici, des surprises charmantes qui éclosent sous vos pas, répondez à votre tour avec la sincérité que vous exigez de moi, sire. La foule qui se presse dans ces salons, l'harmonie de cet orchestre exercent-elles sur vous une telle influence qu'elles vous empêchent de remarquer des vides, de constater des absences, de regretter des voix respectueuses et fidèles qui manquent à ce concert?...

Un nuage envahit les traits du faible monarque, et trahissant sa préoccupation:

—En effet, M. de Richelieu manque à ces fêtes...

—Qui vous parle de M. de Richelieu, sire?... répliqua-t-elle avec une chaleur croissante. Il se retrouvera bien, lui; n'en soyez pas en peine!... Mais que Votre Majesté cherche autour d'elle où sont MM. de Châteauneuf, de Jars, de Marillac, de Thou? L'élite de votre noblesse disparaît une à une, écartée par une puissance ténébreuse...

—Prenez garde, fit-il en portant autour de lui un regard inquiet, si le cardinal venait à savoir!...

—N'êtes-vous pas le maître, sire? ne le disiez-vous pas tout à l'heure? L'amour vient plus souvent qu'on ne pense de l'estime et de l'admiration. Vous voulez qu'on vous aime... veuillez régner, alors. On aimera le monarque magnanime, mais on ne saura jamais que plaindre le prince faible qui délègue son autorité à un ministre indigne.

Les conseils persistants des deux reines avaient préparé le roi à entendre ce langage.

—Et si ce ministre perdait sa puissance, que me demanderiez-vous?

—Je vous dirais encore, sire: Ce ne sont pas seulement les gentilshommes de la naissance, ce sont ceux du talent que l'on persécute! Les écrivains et les artistes sont une des gloires de votre règne; eh bien, sans raison, sans justice, on les frappe, on les écrase!

—Mais, murmura Louis XIII, cet homme a donc juré de me rendre odieux au monde entier. Citez-moi les noms de ces persécutés.

—Pour l'heure, je me contenterai d'un seul, parce que celui qui le porte est le protégé de Madame Mère, et qu'on ne connaît pas d'autre motif à la persécution qui l'atteint... Il se nomme Philippe de Champaigne...

—Et vous souhaitez la liberté de ce prisonnier?

—En l'accordant, sire, c'est aussi à Madame Mère, que vous serez agréable.

—Il suffit. Holà! monsieur de Boisenval! appela-t-il.

Le courtisan accourut.

—Qu'est-ce que j'entends? s'écria le roi, avec la véhémence qui est le courage des caractères pusillanimes, surtout quand ils ne sont pas en face de la personne dont ils ont à se plaindre. Que se passe-t-il donc dans le Louvre monsieur? Quelles persécutions exerce donc M. le cardinal à mon insu qu'il détienne sans raison les fidèles serviteurs de ma mère?...

—Ah! fit le courtisan avec un sourire mielleux. Votre Majesté veut parler de ce jeune peintre?...

—Vous prenez cela d'une façon bien légère, ce me semble...

—Votre Majesté et mademoiselle de Lafayette le comprendront et m'excuseront, quand je me serai accusé d'une inconcevable étourderie. J'ai là, dans mon pourpoint, une lettre de la fille du maître peintre de Madame Mère, annonçant à mademoiselle de Lafayette l'élargissement de ce jeune homme.

Il tira, en effet, le billet de sa poche et le remit à Louise.

—On avait cru, continua-t-il en appuyant sur les mots et en affectant de plonger son regard félin sur celui de la fille d'honneur, on avait cru surprendre un criminel d'État, on n'avait mis la main que sur un amoureux.

—Un amoureux!... répéta Louis XIII.

Heureusement pour Louise, le crépuscule la protégeait, car sa rougeur et son émotion n'eussent pas échappé au roi.

—Il suffit, dit celui-ci, désireux de couper court à cette matière galante qu'il évitait toujours, et de reprendre sa promenade avec la jeune fille.

Mais on pense bien que la distraction de Boisenval n'était pas très sincère, et qu'il y avait quelque machination. Aussi, feignant de ne pas voir l'impatience du monarque, il continua implacablement, avec une fausse bonhomie:

—Oui, sire, ce jeune homme est amoureux... amoureux fou de la fille de son maître Duchesne.

Ce fut un coup de stylet qui mordit Louise en plein cœur.

Le hasard lui vint en aide au moment où, dans l'excès de son trouble, elle se fût perdue. On avait fini par remarquer l'absence du roi, et des gentilshommes de la chambre, armés de flambeaux, se montraient au haut du perron, cherchant Sa Majesté.

—Rentrez avec Boisenval, dit-il à Louise, il est inutile qu'on surprenne notre entrevue; mais promettez-moi que ce ne sera pas la dernière.

—Et vous, sire, murmura-t-elle à son oreille, souvenez-vous que vous m'avez promis de régner.

Tandis que le monarque regagnait seul le palais, Boisenval offrait son bras à la fille d'honneur.

—Avant de l'accepter, lui dit-elle, parlez franchement, monsieur; dois-je voir en vous un allié ou un traître!

—O ciel!... se récria-t-il, quel doute injurieux! lorsque je vous apporte cette nouvelle heureuse de la délivrance de notre jeune peintre...

—Et celle de ce prétendu amour?... car c'est une invention, n'est-ce pas?... une fable?...

—Franchement, répondit-il, je ne puis vous éclairer sur ce chapitre... J'ai répété ce que les gens qui se croyaient bien instruits m'ont dit, un peu au hasard peut-être... Mais que vous importe?...

—Ce qu'il m'importe!... fit-elle sans achever sa phrase.

—Allons, dit-il avec une certaine expression de cynisme et d'effronterie, qui le montra tout à coup à l'esprit effrayé de Louise sous un nouveau jour, vous êtes une jeune personne d'intelligence et de moyens; votre double jeu en ce moment en est garant...

Elle se redressa avec une dignité qui eût imposé à tout autre qu'à ce traître.

—C'est assez, monsieur; vous oubliez, je pense, que le roi vous a ordonné de me reconduire, et que c'est lui que vous représentez ici.

—Ne m'avez-vous pas demandé de vous parler à cœur ouvert? Eh bien, je vous obéis. Le roi vous aime, mademoiselle; par cet amour vous marchez vers une position bien enviée. Mais pour le conserver, il faut que Sa Majesté ignore vos relations avec M. Philippe de Champaigne...

Elle voulut interrompre, il ne lui en laissa pas le moyen.

—Il les ignorera, je m'en porte garant, tant que vous n'essayerez pas d'user de votre faveur au détriment de monseigneur de Richelieu.

Elle aperçut comme un abîme entr'ouvert sous ses pas.

—Est-ce donc au nom du cardinal que vous parlez ainsi?

—Comme il vous plaira, répondit-il. Mais il faut que vous le sachiez, absent ou présent, monseigneur sait tout ce qui se passe à la cour, entend tout ce qui s'y dit, voit tout ce qui s'y prépare... Or, il veut bien que vous grandissiez à côté de lui, mais non au-dessus de lui.

—Quel excès d'insolence!...

—Voici donc les conditions que je vous propose, continua-t-il sans s'émouvoir: nous ne troublerons pas par une révélation indiscrète la confiance du roi... en retour, vous abandonnerez la cause de M. de Châteauneuf et du chevalier de Jars près du monarque... Et comme vous avez beaucoup d'influence vis-à-vis de la duchesse, vous lui direz un mot en faveur du cardinal...

—Infâme!...

—C'est à prendre ou à laisser.

—Arrière!... lui dit-elle en arrachant son bras du sien.

—Vous réfléchirez, osa-t-il dire encore avant de s'éloigner.

Au lieu de regagner les galeries, elle se laissa tomber, accablée, sur un banc de pierre caché dans l'ombre du perron.

XVII
LE SUPPLICE DE L'EAU

Deux mots auront frappé l'attention du lecteur dans le chapitre précédent: Philippe était libre, mais de Jars était arrêté.

Quelques détails à ce sujet sont donc indispensables avant de passer outre.

On se rappelle que le cardinal avait promis à son confident de lui livrer le chevalier en récompense du zèle qu'il apporterait à découvrir l'auteur de la caricature.

Ce père Joseph était tenace, et son ami, M. de Laffémas connaissait son métier. Cette poule mouillée de Barbou avait perdu la tramontane à la seule menace de la question honnête et modérée qu'on se proposerait de lui appliquer; mais il n'en pouvait pas être quitte à si bon marché.

Le désappointement du cardinal, son impatience d'éclaircir cette affaire, l'anxiété où le plongeait l'accusation portée contre Philippe, stimulèrent le lieutenant civil, qui se promit d'avoir, mort ou vif, le dernier mot du pauvre libraire.

Le jour suivant l'épreuve recommença, mais avec plus de soin. Un médecin fut adjoint aux deux tourmenteurs jurés chargés de la partie artistique du supplice, et l'on procéda dans toutes les formes.

Un auteur contemporain nous a conservé la description minutieuse de ces opérations, le lecteur peut donc croire que nous n'inventons rien.

Laffémas, du ton paterne qui convenait à un suppôt de Satan tel que lui, commença par exhorter le patient et par lui donner lecture de l'ordre qui le soumettait à la question. Mais il l'assura que les choses n'iraient que jusqu'où il voudrait, et que l'on se contenterait du supplice de l'eau, sans recourir à celui des brodequins, pour peu qu'il se montrât docile.

Le pauvre marchand, qui craignait toujours, en faisant une confession sincère, de s'exposer à la peine capitale, persista dans son système de dénégations.

—Alors, soupira Laffémas, j'en ai l'âme navrée, mais ces braves gens,—il désignait les tortionnaires,—vont être obligés d'user de rigueur... Si vous vouliez seulement avouer une partie, prononcer un nom propre... celui de ce jeune peintre élève de Duchesne, par exemple...

—Non, messire, c'est impossible; ce serait un mensonge... balbutia Barbou, en proie à un frisson général qui faisait claquer ses dents.

Le spectacle des apprêts à lui destinés n'était pas de nature à lui rendre son assurance.

Le caveau où la chose se passait était éclairé par deux torches à la lueur rougeâtre, fichées dans la muraille.

Les dalles étaient jonchées d'objets d'aspect répulsif, tels que marteaux, tenailles, chaînes, cordages, scies, planchettes et coins. Des tréteaux, des seaux pleins de liquide, des billots et des sellettes complétaient cet ameublement.

Indépendamment du lieutenant civil, vêtu de noir, et des bourreaux aux braies et aux casaques rouges, un moine, le visage dissimulé sous un capuchon, se tenait aussi assis près d'une petite table à portée de l'une des torches, prêt à écrire les réponses ou aveux de l'accusé.

Ce religieux n'était ni un clerc, ni un personnage vulgaire, car M. de Laffémas lui parlait avec toute sorte d'égards et ne donnait pas un ordre sans s'en entendre préalablement avec lui. C'était même sur son invitation que paraissait avoir eu lieu tout à l'heure la question insidieuse relative à l'élève de maître Duchesne.

—Allons, reprit Laffémas avec componction, puisque la douceur est inutile, emparez-vous de monsieur, vous autres, mais avec les égards dus à un digne bourgeois, chez lequel je me suis longtemps fourni de livres et d'estampes de piété.

Et s'adressant à Barbou:

—Laissez-vous faire, vous vous trouverez bien de votre soumission. On n'usera absolument à votre égard que des moyens les plus doux.

Les deux sacripants tenaient chacun le pauvre diable, qui ne songeait guère à se débattre, et qui répétait en grelottant:

—Rien, rien, rien... Monseigneur, je vous jure, je suis innocent.

—Alors, avouez, faites connaître les coupables, répétait obstinément le lieutenant civil. N'est-il pas vrai que vous êtes en relations avec ce jeune peintre? qu'il va fréquemment chez vous?

—C'est pour me vendre des esquisses ou m'acheter des planches; mais en vérité il est innocent et moi aussi. Messieurs, ayez pitié!... Un malheureux père de famille!...

Mais on ne l'écoutait plus. Après l'avoir assis sur un bloc de pierre, on lui attacha les poignets à deux anneaux de fer distants l'un de l'autre et tenant à la muraille; puis on fixa ses pieds à deux autres anneaux, au bout opposé du cachot.

Les tortionnaires, usant de toute leur vigueur, tendirent alors les quatre cordes, et lorsque le corps de l'accusé commença à ne plus pouvoir allonger ils lui passèrent un tréteau sous les reins, après quoi ils recommencèrent à presser sur les cordes, de façon que le corps fût aussi en extension que possible.

Lafférnas se rapprocha, et d'un ton câlin:

—Eh bien, cher monsieur Barbou, fit-il, vous ne voulez donc absolument pas convenir que c'est ce petit peintre?...

—Non, non, non!...

Et il allait se pâmer sans doute, si le médecin, demeuré jusque-là dans l'angle le plus obscur, ne fût venu lui mettre sous les narines un réactif si violent qu'il fit un soubresaut, dont ses quatre cordes craquèrent.

—Vous pouvez commencer, dit en même temps ce savant homme.

—Est-ce à l'ordinaire ou à l'extraordinaire?... demanda le plus avancé en grade des deux exécuteurs, revêtu pour ces circonstances du titre de *questionnaire*.

J'espère que l'épreuve ordinaire suffira, prononça d'un ton dolent Lafférnas, en échangeant un regard hypocrite avec le moine, immobile, la plume à la main.

C'était là que se dressaient les baraques des charlatans.

Puis, se penchant vers Barbou:

—Vous savez, cher maître, que la question ordinaire consiste à faire avaler quatre pintes d'eau aux accusés, et que l'extraordinaire est du double.

—Rien!... je ne sais rien... protesta le marchand.

Le moine haussa les épaules, le médecin eut un sourire d'amphithéâtre, et le lieutenant civil adressa du geste un ordre significatif au questionnaire.

Cet homme prit d'une main une corne de bœuf, creuse et percée, dont il plaça le petit bout entre les lèvres forcément entr'ouvertes du patient, et, de l'autre main, il commença à verser dans cet entonnoir le contenu d'une grande pinte d'étain contrôlée, avec une lenteur savante, et de manière à ne pas suffoquer son homme.

Le médecin tenait le pouls de celui-ci, et un peu avant la fin de cette première pinte il fit signe d'arrêter.

Laffémas renouvela son interrogatoire, mais le marchand secoua négativement la tête pour toute réponse.

Le questionnaire, imperturbable, saisit une nouvelle pinte, et commença à lui faire suivre la même voie qu'à l'autre.

Le patient allait être asphyxié, il fallut encore une suspension, et Laffémas, sans se décourager, renouvela ses éternelles demandes.

Pour le coup, le malheureux n'y tenait plus, il préférait la perspective d'un cachot perpétuel, ou même de la corde, à la continuation de cette épreuve barbare.

—Je parlerai... je parlerai, soupira-t-il.

Les assistants eurent un mouvement de joie et d'amour-propre. Le questionnaire seul, quoiqu'il pût s'attribuer la meilleure part de ce commencement de succès, jeta un regard de regret vers la pinte, encore pleine aux trois quarts, et vers les deux qui allaient rester sans emploi; car à sa trogne bourgeonnée on voyait bien que ce n'était pas lui qui les consommerait.

—A la bonne heure, cher maître, fit Laffémas, je savais bien que vous seriez raisonnable... Allons, parlez librement, nous vous écoutons.

—Ah! par grâce détachez-moi d'abord; ces cordes m'entrent dans les chairs; je sens craquer mes reins... Détachez-moi, je dirai tout!...

—Impossible, cher maître; une fois détaché, voyez-vous, vous perdriez la mémoire... Oh! nous en avons fait l'expérience en plus d'une rencontre... rien n'aide au souvenir comme cette position un peu gênée. Nous serions obligés de vous la faire reprendre, et cela nous fendrait l'âme. Croyez-moi, faites vos aveux le plus vite et le plus complètement possible, afin que nous vous détachions ensuite.

—Est-ce que je serai pendu? murmura Barbou en portant sur les visages féroces et sardoniques qui l'entouraient un regard effaré.

—Allons donc! pouvez-vous le croire! Qui donc vous a induit à ce point en erreur sur la clémence de monseigneur le cardinal? Faites des aveux entiers, vous serez récompensé, au contraire...

—Comme vous le méritez, marmotta dans sa barbe le questionnaire.

—Vous reconnaissez avoir imprimé et vendu la caricature dont il s'agit, n'est-ce pas? demanda le lieutenant civil.

—J'en conviens.

—Vous en avez livré aux seigneurs de la cour?...

—J'avoue.

—Indiquez un peu leurs noms, je vous prie, cela allégera votre cause.

Barbou était honnête homme, il manifesta de l'hésitation.

Le questionnaire se rapprocha, sa corne d'une main, sa pinte de l'autre.

—Arrêtez! s'écria l'infortuné, je me rappelle.

Laffémas échangea avec le moine un sourire lâche et cruel.

—Parmi vos acheteurs, M. de Jars ne figurait-il point?

—C'est vrai.

—Un peu de courage, nommez les autres... A qui en livrâtes-vous la plus grande partie?...

—A M. de Bassompierre... Par pitié, demanda Barbou, desserrez ces cordes... Je suis au martyre...

—Du courage... plus qu'un peu de patience... et de mémoire. Niez-vous encore que l'auteur soit ce jeune Philippe de Champaigne?

—Ce n'est pas lui!... dit avec force le patient.

Le moine fit un soubresaut irrité; Laffémas devint plus doucereux encore, et l'homme à la corne de bœuf s'agita d'une façon menaçante.

—Cher maître, n'essayez pas d'en imposer à la justice... je vous en adjure par vos plus tendres intérêts, ne persistez pas dans cette voie.

—Je ne peux pourtant pas mentir!...

—Mais, alors, quel est l'auteur?

—C'est... c'est M. de Vitry...

—Vitry!... répéta Laffémas décontenancé.

Mais le moine ne partagea pas ce dédain.

—Un ami de Bassompierre... murmura-t-il.

—Comme le lieutenant criminel le consultait de l'œil, il se leva et s'approcha de son oreille.

—Le jeune homme est innocent, c'est clair; mais ce n'est que demi-mal. Consolez-vous, ce que nous venons d'apprendre vaut bien ce que nous cherchions. Faites détacher ce misérable, et ce tantôt venez me voir, nous aurons quelques soins à accomplir ensemble.

—Pensez-vous que monseigneur le cardinal soit content?

—Je vous le garantis. Vous en jugerez d'ailleurs par la besogne qui va vous incomber sous peu.

Et ces deux hommes, si bien faits pour s'entendre, échangèrent une cordiale révérence.

XVIII
LE BILLET SANGLANT

En sortant de la salle de la question, le père Joseph, muni des aveux de Barbou, certifiés conformes par le lieutenant civil et les autres assistants, remonta d'un pas allègre l'escalier des caveaux. Arrivé à l'étage supérieur, le sous-sol que l'on connaît, il lui prit fantaisie de donner un coup d'œil à l'un des prisonniers dont il s'était fait le geôlier.

En bonne justice, il aurait dû commencer par rendre à Philippe la liberté à laquelle il avait droit, mais ce capucin était de ces hommes circonspects qui aiment à tenir des gens à leur disposition, et se hâtent lentement quand il s'agit de les lâcher.

Ce ne fut pas à celui-ci qu'il rendit visite, mais au captif privilégié installé dans sa propre cellule.

Labadie se tenait debout, les bras croisés sur sa poitrine, devant le crucifix, seule et solennelle décoration de cette retraite ascétique.

Il vit s'avancer vers lui le redoutable franciscain, sans se déranger, sans le saluer du geste ni de la parole.

Aux commissures de ses lèvres déprimées, sous son sourcil grisâtre, dans l'alacrité de sa démarche, il avait déjà lu les noirceurs nouvelles, le triomphe de quelque méfait inconnu.

—Dieu soit avec vous, frère Jean, prononça-t-il.

—Qu'il vous accorde sa sagesse, mon père, répondit froidement le captif.

—Vous paraissez soucieux aujourd'hui, frère Jean?

—Et vous plein de contentement, mon père.

—Éclairé d'en haut, comme vous l'êtes, n'en connaissez-vous point la cause?

—La lumière ne luit pas à toute heure; mais puisqu'il plaît à Votre Révérence de m'interroger, qu'elle me permette de lui dire ceci: Vous portez un habit consacré, et si vous êtes joyeux, il ne vous est permis de l'être que sous la condition d'avoir accompli une action bonne.

—Et vous êtes dans le vrai, frère Jean, répliqua avec cynisme le franciscain, c'est une bonne action qui cause mon contentement.

—Dieu en soit loué, mon père, répondit avec une expression marquée de doute le prisonnier.

—Vous ne me croyez point?... N'est-ce donc pas chose excellente que d'arracher le masque à un courage, de faire éclater la vérité, de mettre la main de la justice sur le calomniateur?...

—Homme de sang! s'écria Labadie, dont les traits s'illuminèrent tout à coup de ce reflet étrange qui leur formait comme une auréole, vous profanez le nom de la justice, et jusqu'à celui du Très-Haut; cessez de les mêler à vos actes d'inclémence et de persécution!

—Frère Jean!...

—Vous m'avez mis en demeure de parler, je parlerai! Vos menaces, vous devez le savoir, ne m'émeuvent pas plus que vos prisons!...

—Malheureux!...

Mais d'un geste dédaigneux et d'un sourire souverain frère Jean arrêta le débordement de sa fureur, et frappant la dalle du pied:

—De la voûte qui s'élève sous ce cachot, continua-t-il, des cris, des sanglots, des prières ont monté tout à l'heure! C'est là que vous étiez, n'est-ce pas, épiant l'agonie de quelque victime, encourageant le tortionnaire, et surprenant les aveux arrachés par la torture? C'est là ce que vous appelez faire éclater la vérité!...

«La vérité?... je vais vous la dire, moi!... Vous me haïssez et ne me persécutez tant que parce que je vous fais peur!»

Le capucin eut un rire sauvage et provocateur, auquel il ne manquait que d'être sincère. C'était vrai, son prisonnier lui imposait plus qu'il ne voulait en convenir lui-même.

—Vous souhaitez que je vous dise l'emploi de votre temps, vos pensées, vos désirs?... soit! Ceux qui m'ont envoyé vers vous m'ont prescrit de vous obéir, je fais suivant leur ordre.

«Depuis huit jours et plus, de sinistres desseins vous occupent. Vous dressez des listes de proscription contre l'élite du pays, sans distinction d'âge ni de sexe; les plus jeunes et les plus faibles sont compris, par vous, parmi les plus punissables. Vous n'avez même pas le respect du sang royal, et en vous courbant devant le faible monarque que vous rendez l'instrument de vos passions ténébreuses, vous extorquez des blancs-seings destinés à la proscription de sa mère, à la captivité de son frère!»

—Silence!... exclama le franciscain.

—Vous m'avez enjoint de parler, j'irai jusqu'au bout, insista Labadie d'un ton qui n'admettait pas de réplique.

«Vous parlez de justice... dérision!... Le pouvoir que vous usurpez, votre maître s'en sert pour la satisfaction de sa luxure et de son orgueil... vous pour celui de vos haines et de votre ambition!...»

—Misérable!... vociféra le franciscain; tu parlais de tortures tout à l'heure, prends garde!...

—A la question, peut-être? riposta le captif avec une ironie sanglante. Je ne la crains point, et vous n'oseriez!... Que dirai-je, en effet, si le questionnaire et ses assesseurs m'assujettissaient dans leurs étaux? Que votre dévouement à votre maître est un leurre... que vous ne l'aimez autant qu'à cette condition que sa puissance sera votre puissance, que sa pensée sera votre pensée, et que nulle affection, nul sentiment honnête et pur ne se glissera jamais entre sa condescendance pour vous et votre attachement pour lui!...

—Tu peux dire cela, pauvre fou! le cardinal, qui a les preuves de mon zèle, ne te croira pas.

—Non; mais il me croira peut-être quand je lui montrerai que j'ai mes preuves, moi aussi.

—Toi, imposteur!

—Il me croira, quand je lui apprendrai que pour maintenir entre vos mains cette faveur sans partage, pour empêcher son âme de connaître une impulsion généreuse qui peut-être l'eût fait changer de voie en substituant une influence bienfaisante à votre influence maudite, vous avez,—vous, un prêtre, vous, un moine!—au mépris de vos serments de l'autel, au mépris de la loi d'amour du Christ, vous avez étouffé la voix du sang... vous avez étendu votre bras entre ceux que le Ciel avait créés pour se connaître et s'aimer... vous avez dit au père: Tu ne connaîtras pas ton enfant, et au fils: Tu ne connaîtras pas ton père!...

Le moine, en proie à une de ces colères pâles qui injectent les yeux de bile, s'élança vers le prisonnier pour lui fermer la bouche.

Il lui semblait que les murs recueillaient ces paroles terribles, et que de mystérieux échos les murmuraient déjà autour de lui, grondant et grossissant comme la voix du flot qui monte.

De l'un de ces gestes fascinateurs dont il était doué, le visionnaire l'arrêta avant qu'il atteignît jusqu'à lui.

Il recula, gagné par ce prestige; mais il n'était pas non plus une de ces natures vulgaires qui se laissent impressionner d'une façon durable.

—Frère Jean, prononça-t-il d'une voix saccadée, vous êtes bien hardi pour un hérétique!...

—Hérétique!... répéta ironiquement Labadie; ce sont les jésuites d'Amiens qui m'ont envoyé chez vous, et j'étais un de leurs élèves.

—Cela ne prouve rien, sinon que les dignes pères ont semé le bon grain en un terrain mauvais... Non, l'on n'emploiera pas pour vous châtier la torture, frère Jean, parce que vos aveux seraient autant de blasphèmes! Votre crime est avéré, d'ailleurs; vous l'avez tracé en toutes lettres dans vingt écrits, et vos propositions sacrilèges n'ont pas besoin d'autre témoignage.

—Ce que j'ai écrit, je le maintiens, répondit fièrement le novateur.

—Même vos huit propositions?...

Labadie ne répondit pas et se borna à un geste dédaigneux, ce que voyant, le père Joseph déroula un papier sur lequel il lut:

«Dieu peut et veut tromper les hommes, et il les induit effectivement en erreur.»

—C'est vous qui avez écrit cela?

—C'est moi, répondit avec calme frère Jean; c'est moi, et ce n'est pas à vous que je donnerai l'explication de ce texte.

—Ni de celui-ci peut-être?

Et le franciscain lut encore:

—«L'Écriture sainte n'est point indispensable pour conduire les hommes dans la voie du salut.»

Le novateur se tut, et son adversaire acheva de lire les six autres propositions, qui devaient en effet servir de base à la doctrine nouvelle, et qui étaient ainsi conçues:

«Le baptême ne doit être conféré qu'après l'âge de raison, parce que ce sacrement montre qu'on est mort au monde et ressuscité à Dieu.

«La nouvelle alliance n'admet que des hommes spirituels, et nous met dans une liberté si parfaite que nous n'avons plus besoin ni de la loi ni de ses cérémonies.

«Il est indifférent d'observer ou non le jour du repos; il suffit que ce jour-là on travaille dévotement.

«Il existe deux Églises: l'une, où le christianisme a dégénéré; l'autre, composée des régénérés qui ont renoncé au monde.

«Jésus-Christ n'est point réellement présent dans l'eucharistie.

«La vie contemplative est un état de grâce, une union divine pendant cette vie, et le comble de la perfection.»

—Ce sont bien là vos doctrines, n'est-ce pas?

—Je n'ai garde de les renier, car j'ai résolu de les prêcher par le monde.

—Et moi j'ai résolu que ce scandale et cette abomination n'auraient pas lieu; et pour cela, Jean, je veux vous décréter d'hérésie.

—Libre à vous, mon père; mais ce qui doit être ne sera pas moins.

—Or, savez-vous pourquoi je veux vous châtier ainsi?

—Je pourrais m'en douter.

—C'est parce qu'à l'hérésiarque on n'inflige pas la question, qui fait parler et amène des indiscrétions dangereuses... On le condamne sans l'entendre, sur l'énoncé de ses blasphèmes, et avant de le conduire à l'échafaud, le bourreau, armé d'un fer, lui tranche la langue.

La vibration de sa voix, la menace de son attitude, l'éclair implacable de son regard n'altérèrent pas une minute la tranquillité triomphante du nouvel apôtre.

—Merci, mon père, répondit-il; du moins avec moi vous y mettez de la franchise, et cet expédient pour m'empêcher de dénoncer la vérité étouffée par vous est d'un raffinement qui honorerait un inquisiteur espagnol.

«Ne triomphez pas encore, cependant, et sachez ceci: quand l'heure de la justice et de la lumière est venue, tous les obstacles humains sont impuissants pour les étouffer. La Providence se sert des plus petits et des plus faibles pour déjouer les embûches et les trames des puissants.

«Donc, ce secret que vous éloignez avec tant de soin de votre maître, cette révélation qui pourrait modifier son être, déjouer vos desseins et vous enlever une partie des victimes sur lesquelles vous comptez...

—Eh bien?

—Ce secret, à l'heure où je vous parle, il est en voie de parvenir au cardinal; il lui est parvenu peut-être.

A ces mots, le franciscain poussa un éclat de rire strident, qui grinça contre les aspérités de la voûte.

—Vous refusez de me croire?.. dit le prisonnier.

—Certes, je ne te crois pas, prophète imposteur! répartit le père Joseph.

—Le messager est parti, cependant...

—Partir n'est pas arriver, mon beau conspirateur!

Frère Jean chercha à lire sur ses traits le fond de sa pensée. Il avait le pressentiment d'un nouveau piège.

—Vous avez, reprit son antagoniste, évoqué, par je ne sais quels procédés diaboliques, cette jeune fille que je vous avais fait rencontrer; puis, comptant vous venger de vos griefs contre moi, et couvrant votre désir de liberté du prétexte de servir les amours de deux jeunes gens fous, vous avez eu l'imprudence, l'audace, de confier au papier une révélation qu'à tout prix il fallait étouffer.

—Enfin, ce message?...

Le père Joseph tira de son froc un feuillet que Labadie reconnut.

—Le voici... Vous l'avez écrit avec votre sang... et la flamme de cette lampe va en faire justice, comme le bûcher fera bientôt de celui qui reste dans vos veines.

Mais cette menace ne fut point ce qui attira l'attention du captif, et ne pensant qu'à ceux qu'il avait voulu protéger et réunir:

—Pauvres enfants!... soupira-t-il.

—Gardez votre pitié pour vous-même, vous en avez plus besoin qu'eux.

—Ils s'aimaient, poursuivit mélancoliquement Labadie.

—Vous allez être décrété comme hérésiarque au premier chef.

—Henriette, Philippe... je ne sais de quels noms infortunés vous vous êtes appelés dans vos existences antérieures, mais votre destinée peut-elle donc se montrer impitoyable à ce point? Ah! si du moins...

Il s'arrêta en remarquant les regards avides de son ennemi; mais celui-ci, saisissant le reste de sa pensée:

—Si vous pouviez renouveler vos manœuvres sortilèges contre cette jeune fille, n'est-il pas vrai?... Ne l'espérez pas. Mon devoir était d'y mettre bon ordre. Vous pouvez l'appeler, elle ne viendra pas, à moins que votre influence ne soit plus puissante que les verrous et les gardes, qui assurent désormais les issues du Louvre.

Le captif se contenta de répéter avec un soupir:

—Pauvres, pauvres enfants!...

—Eh bien! frère Jean, dit le franciscain triomphant et s'apprêtant à sortir, que pensez-vous de mon habileté à cette heure? Est-ce que je ne vous tiens pas à ma merci, ou bien croyez-vous encore m'échapper?

Labadie avait passé vivement la main sur son front, comme à l'impression d'une idée inattendue ou d'un souvenir retrouvé.

La duchesse de Chevreuse reçut un messager mystérieux.

—Ne vous hâtez pas de triompher, dit-il, la science a plus d'une ressource, la Providence plus d'un agent.

—Nous verrons bien, fit le père Joseph; mais il faudra que la science et la Providence se dépêchent, car avant peu je me serai entretenu de vous avec M. de Laffémas.

XIX
LE GUET-APENS

A cette époque, l'une des plus déplorables du règne de Louis XIII, le désordre, les intrigues, les compétitions, les violences, ne se renfermaient pas dans les hautes sphères de la cour, celle-ci était exploitée par les intrigants de qualité; mais la capitale subissait les atteintes de malfaiteurs plus vulgaires. Quand le mauvais exemple vient du sommet de la société, il descend si vite et se propage si facilement dans les couches inférieures!

Il n'y avait de police, de surveillance, de répression que pour le service particulier des chefs, ou plutôt du chef omnipotent du gouvernement. Tout se faisait par Richelieu et pour lui. Il occupait à la recherche de ses ennemis personnels toutes les juridictions; aussi ne rencontrait-on sur tout autre objet qu'incurie ou insouciance, sinon protection tacite.

C'est le beau siècle des coupe-bourses et des tire-laine. Ces industriels, autrement hardis que nos modernes filous, se partageaient l'exploitation de la plèbe parisienne. Ils exerçaient chacun leur spécialité; les uns coupaient avec une rare adresse les cordons des bourses, des aumônières, que les hommes et les femmes, par une mode absurde, continuaient à porter, comme au moyen âge, pendue à leur ceinture. La vanité avait créé cet usage, et ce que crée la vanité est tenace.

Les autres, dont le nom indique le genre d'industrie, tire-laine ou tireurs de laine, y mettaient plus d'effronterie encore. Ils fréquentaient toutes les foules, se mêlaient à tous les groupes, occasionnaient des rassemblements quand il n'y en avait pas, et enlevaient violemment, entourés de compères, les manteaux des épaules qui les portaient.

Encore n'étaient-ce là que des espiègleries inoffensives à côté du reste; du moins le sang ne coulait pas, et les victimes en étaient quittes pour apprendre à leurs dépens qu'il ne faut pas se montrer trop curieux quand on court les rues et qu'un bon bourgeois doit vaquer en droite ligne à ses affaires, sans flâner parmi les gens désœuvrés.

Des actes autrement répréhensibles éclataient même en plein jour, dans les lieux fréquentés, à la face de la multitude, qui avait fini par être tellement blasée qu'elle ne s'en émouvait pas.

Le Pont-Neuf en était le théâtre le plus habituel. Grâce à la quantité des passants, les maraudeurs y trouvaient infailliblement à s'entretenir la main. C'était là que se dressaient les baraques et les tréteaux des plaisantins et des charlatans. Les descendants des malingreux et des orphelins de la cour des Miracles, qui pullulaient plus qu'on ne saurait croire, même à cette époque, y exerçaient leurs talents, y étalaient leurs fausses misères; des escrocs y tenaient des jeux publics où nombre de dupes venaient se faire prendre l'argent qu'ils défendaient contre les coupe-bourses; c'était un capharnaüm infernal.

On s'y donnait des coups de poing, mais tout aussi souvent des coups d'épée, pendant le jour, et des coups de couteau la nuit.

Les auteurs du temps ont rempli des volumes par le récit de ces scènes honteuses. La dépravation était arrivée à ce point que l'on risquait de n'être pas attaqué seulement par les bandits de profession, mais par la jeunesse aristocratique, qui prenait grand plaisir à jouer le rôle de filou et de meurtrier. Si invraisemblable que cela soit, les auteurs de ces désordres étaient la moitié du temps des garnements de bonne famille, devenus par désœuvrement, par démoralisation, les émules des vagabonds, des suppôts de brelans. Plus d'une fois l'on constata que les scènes les plus déplorables étaient le fait de gentilshommes ruinés, sinon de princes qui cherchaient à se désennuyer.

Nous avons eu, à diverses reprises, occasion de parler du frère du roi, Gaston d'Orléans. Qui croirait que ce fût un de ces débauchés honteux? On le vit cependant,—et certes il prêtait là d'assez belles armes contre lui à son ennemi, le cardinal, auprès de son frère, si grave et si sombre,—on le vit prendre plaisir, à la suite de ses orgies, à s'embusquer à la brune sur ce fameux Pont-Neuf et à dépouiller les passants comme un brigand vulgaire.

On commençait pourtant à poser, à la tombée du jour, quelques lanternes au coin des rues, et le guet avait charge d'opérer des rondes dans les endroits les plus mal hantés. Mais on ne se faisait pas faute de briser ces essais de réverbères, et quant aux soldats du guet, les attaques et les volées dont ils étaient souvent victimes sont demeurées fameuses.

A moins d'en être impérieusement sollicités par des affaires urgentes, on conçoit que les habitants paisibles ne s'aventuraient guère, passé une certaine heure, dans les environs de ces lieux de mauvais renom, ni même dans le commun des rues, où les méchantes rencontres ne manquaient pas non plus.

C'était sans doute un motif de ce genre qui attirait dehors, par une belle nuit de novembre, un promeneur dont la tournure n'était certes pas celle d'un chercheur d'aventures.

Il était jeune, à en juger par sa démarche, portait la tête haute, sans forfanterie, et son manteau était drapé sur son épaule d'une façon espagnole, élégante et sculpturale.

Il venait de quitter la rue du Cloître-Saint-Germain et se dirigeait vers le quai pour aller au Pont-Neuf.

C'était quelqu'un de brave ou d'imprudent, car on ne distinguait aucune arme sous les plis de son manteau, et à coup sûr il n'avait pas d'épée. Il ne songeait pas, sans doute, en avoir besoin, et marchait d'un pas ferme et dans une attitude résolue.

Tout semblait, par extraordinaire, paisible et calme dans ce tumultueux quartier. Les lanternes jetaient çà et là leurs minces et rougeâtres clartés sur la voie déserte.

Aucun bruit ne troublait cette tranquillité inusitée, lorsque notre jeune promeneur crut entendre, comme il allait déboucher de la ruelle qu'il parcourait sur le quai, un susurrement qui courait sous les auvents de deux vieilles maisons devant lesquels il lui fallait passer encore.

Cet endroit formait comme le point le plus étroit d'un entonnoir, les toits aigus et trébuchants des maisons s'y côtoyaient, et la lumière du ciel, pas plus que celle des lanternes de la police, n'en perçait l'éternelle obscurité.

Le jeune homme fit un temps d'arrêt, prêtant l'oreille, et chercha, sans y réussir, à reconnaître le terrain. Le bruit, d'ailleurs, ne se renouvela pas, et souriant de cette vaine alerte il poursuivit sa marche.

Il ne lui restait plus qu'à franchir l'embouchure de la ruelle, garnie, comme par deux sentinelles en ruine, des deux masures en question; mais, en y arrivant, il lui sembla que sous ces ténèbres opaques se remuaient des formes inconnues.

Il pressa instinctivement le pas et franchit d'un bond ce défilé, très bien disposé pour un guet-apens ou pour un coupe-gorge. Il était de ces esprits droits chez qui le courage n'exclut pas la prudence, et qui ne croient pas que la bravoure consiste dans la bravade.

Le danger dont il avait le pressentiment n'était pas chimérique, car au premier mouvement qu'il fit pour hâter sa marche le susurrement primitif se changea en un coup de sifflet strident et net, qui se répéta simultanément trois fois.

Il ne parvint pas à faire deux enjambées sur le quai; à la première, trois hardis coquins s'élançaient sur lui, armés jusqu'aux dents.

—Arrière! exclama-t-il, arrière, fripons!...

D'un geste hardi, laissant son manteau aux mains de l'un des agresseurs, il menaça les autres d'un petit poignard, la seule arme qu'il possédât.

En cet endroit régnait une pénombre qui, du moins, lui permettait de se reconnaître. Se voyant seul contre trois, et mesurant soudain l'infériorité de son unique moyen de défense avec les lames qui brillaient au poing des ennemis, il ne songea qu'à leur vendre très chèrement une vie qu'il ne pouvait leur soustraire, et par une heureuse manœuvre il s'adossa dans l'encoignure d'une porte bâtarde, contre laquelle il frappa du pied pour éveiller les habitants.

Mais il n'y avait garde que ceux-ci donnassent signe d'existence. Ces bons bourgeois étaient trop ennemis des coups de couteau et trop blasés sur les clameurs qui ne manquaient pas une nuit d'éclater dans le quartier.

—Rendez-vous! cria celui qui paraissait le chef des bandits.

—Jamais! répondit le jeune homme; et, d'un geste indigné, il leur jeta son feutre au visage.

La lune vint alors éclairer en plein ses traits, et la noblesse, la splendeur de son front causèrent à ses antagonistes une involontaire impression.

Ce front, où rayonnait l'intelligence et la résolution, était celui de Philippe de Champaigne.

C'était bien lui, notre héros, poussé par sa mauvaise étoile entre les mains de cette dangereuse escouade.

Il n'était pas coureur de nuit pourtant; son caractère droit et rigide ne donnait pas dans ces excès ni dans ces extravagances. Une circonstance,—dirons-nous heureuse ou fatale?—l'avait contraint à cette pérégrination dans un centre plus fréquenté par les malandrins que par les honnêtes passants.

Il y avait une demi-heure environ, le père Joseph était venu ouvrir la cellule, la prison où il le retenait, et où lui seul pénétrait et pourvoyait à son strict nécessaire avec la ponctualité d'un geôlier, dont il avait les allures et la vocation. Et de ce ton doucereux auquel il était si dangereux de se fier:

—J'apporte la bonne nouvelle! s'était-il écrié à l'oreille de son captif, qui dormait sur son grabat... Debout, monsieur Philippe!

Celui-ci se croyait en proie à un mauvais rêve et ne se hâtait pas d'ouvrir les yeux.

—C'est moi, mon cher peintre, moi, votre véritable ami et protecteur; ne reconnaissez-vous pas le père Joseph?

—Quel malheur vous amène?

—Un malheur, ingrat! Me verriez-vous si empressé? C'est la bonne nouvelle, vous dis-je, la liberté!

A ce mot, le jeune homme s'était trouvé debout.

—La liberté!...

—Votre innocence est reconnue; monseigneur le cardinal sait les noms des coupables; sa première parole a été l'ordre de votre élargissement... Vous m'entendez: vous êtes libre!

—Libre, enfin!... Je peux donc quitter ce cachot, cette voûte, ce palais sinistre!...

—Toutes les portes vont s'ouvrir devant vous comme celle-ci. Mais ne préférez-vous pas attendre le jour?...

—Attendre!...

—La nuit est avancée, insinua hypocritement le moine, et les rues sont loin d'être sûres; vous n'avez pas votre épée... Où voulez-vous aller?

—Je ne crains rien, mon père. Ce simple poignard me suffirait en cas de mauvaise rencontre... et j'ai tant souffert dans cette cellule qu'il me tarde de regagner ma chambrette du collège de Laon, à la Montagne-Sainte-Geneviève.

—Je le répète, c'est imprudent, c'est téméraire; vous n'y songez pas, disait le franciscain, insistant d'autant plus que le jeune artiste se montrait plus résolu à mettre à profit cette liberté subitement reconquise.

Si bien que Philippe avait hardiment quitté le Louvre, peu soucieux de l'heure des ténèbres et de son épée, restée à l'atelier.

On voit que la fortune ne secondait pas son entreprise. Il était, du premier coup, venu se jeter dans une embuscade.

—Rendez-vous, répéta le chef de ses adversaires, et, sur ma foi, il ne vous sera causé aucun mal.

—Non! répondit l'artiste; avec des scélérats, pas de transaction!

Il brandissait fièrement son faible poignard, lorsque le plus adroit de la bande lui jeta son manteau sur la tête, souple comme un toréador qui veut en finir avec le héros indompté du cirque.

Ce fut sa défaite inévitable. Les misérables se ruèrent sur lui, ouvrirent violemment son pourpoint, et, dépouillant sa poitrine, fouillèrent minutieusement ses poches et ses habits.

La tête enfermée sous l'épaisse étoffe, suffoquant, il était incapable de se défendre; son arme inutile était tombée de ses doigts épuisés par un commencement d'asphyxie. Cependant, exception remarquable, les malfaiteurs ne se portèrent contre lui à aucun mauvais traitement, et se contentant de le voler du peu d'argent, des quelques objets d'assez mince importance dont il était nanti, ils détalèrent au plus vite, sans même lui reprendre son manteau.

XX
L'ÉCHAFAUD DE LA PLACE SAINT-PAUL

Le roi ne se pressait pas de rentrer au Louvre. L'automne avait beau s'avancer, les journées devenir plus courtes, le soleil plus rare, la forêt de Saint-Germain moins touffue, le monarque semblait prendre un goût tout nouveau aux agréments de cette résidence, où les réunions et les fêtes se succédaient avec une animation, depuis bien des années inconnues de la cour.

Son esprit triste, son humeur chagrine, son amour pour la retraite se modifiaient par miracle, et chacun murmurait tout bas avec surprise, avec admiration, le nom du génie bienfaisant dont cette révolution était l'œuvre.

Le lecteur le connaît aussi ce nom privilégié. Ce n'est pas qu'une fois assurée de la délivrance de Philippe, Louise n'eût été tentée d'abandonner ce rôle de favorite du platonique souverain. Elle se sentait peu de vocation pour l'existence de parade et de fracas où elle n'avait mis le premier pied que par dévouement: des joies plus modestes, plus intimes, formaient l'objet de ses rêves. Elle eût sacrifié l'amour de dix monarques pour être assurée de celui de son cher artiste.

Mais entrée malgré elle dans cette voie, elle était contrainte d'y persévérer quelque temps encore du moins, car la liberté rendue si soudainement au jeune peintre ne terminait pas grand'chose.

Son amie influente, la duchesse de Chevreuse, le lui avait fait comprendre, avec d'autant plus d'éloquence que pour elle rien n'était sauvé, tant que Charles de Châteauneuf gémirait entre les murs de la Bastille.

La duchesse ne se trompait pas; cette fois son cœur était d'accord avec la saine politique. Philippe était libre; mais arrêté une première fois sans motif sérieux, il était exposé à se voir en butte à de nouvelles atteintes, car celle-ci n'avait fait que le jeter plus avant dans le parti de la reine-mère, et le cardinal avait juré une guerre d'extinction à tout ce qui s'y rattachait.

A la suite de l'aveu de Barbou, l'arrestation de Bassompierre s'était ajoutée à celle de Châteauneuf et de Jars.

Le cardinal ne se montrait plus que le front chargé d'orages. Son confident, le père Joseph, faisait le métier de porteur de dépêches entre Saint-Germain et le Louvre, et, grâce à sa subtilité d'allures, il habitait à la fois, et quasi à toute heure, la ville et la campagne.

Gaston, le frère turbulent du roi, la jeune reine et la reine-mère, tous étroitement entendus avec la duchesse, encourageaient la faveur de mademoiselle de Lafayette, seule barrière capable d'entraver les desseins de l'ennemi commun, seule machine de guerre assez forte pour amener sa perte.

Le roi se contentait de si peu, et Louise était, par nature, si charmante, si gracieuse, qu'elle gagnait chaque jour dans l'esprit de Louis XIII sans recourir aux expédients de la coquetterie même la plus licite.

Depuis quelques jours, cependant, elle portait en elle une indicible amertume. Tous ses soins parvenaient difficilement à la dissimuler. C'était une blessure faite avec une lâche habileté à son affection la plus profonde et la plus chère par ce misérable Boisenval.

On se rappelle ce mot tranchant et empoisonné comme une arme maudite: ce mot, sous l'étreinte duquel elle avait failli se trahir aux yeux du roi, et qui l'avait jetée anéantie sur un banc de pierre au bas du perron royal.

Ce n'était ni l'horreur pour le pacte proposé par le suppôt de Richelieu, — elle méprisait trop désormais le maître et l'espion pour s'en émouvoir, ni leurs menaces, qui tourmentaient ses rêveries et parfois gonflaient sa poitrine jusqu'aux larmes, — elle était trop fière et se savait trop irréprochable pour les craindre; mais cette insinuation cruelle, cette anxiété, infiltrée comme un poison dans ses veines, cette pensée qu'elle avait pour rivale Henriette, son amie la plus chère!...

Que d'angoisses dans ce soupçon! Par quel moyen s'en éclaircir, pénétrer la vérité, qui, toute déchirante qu'elle pût être, serait moins pénible que ces incertitudes!

Les natures douées du don fatal de cette excessive délicatesse de cœur ne s'épanchent que difficilement. Concentrant leurs affections en elles-mêmes, timides et craintives, elles n'ouvrent guère le sanctuaire de leur âme à des tiers, si sûres qu'elles soient de leur amitié. Et puis, ces premières passions ont une retenue égale à leur ardeur et à leur chasteté.

Louise épuisait dans son imagination les moyens propres à connaître son sort, elle n'aboutissait toujours qu'à trouver une seule personne capable de l'en instruire, — c'était Philippe lui-même.

Pourquoi pas? S'il y avait eu entre eux quelque chose comme un commencement de liaison, des paroles sympathiques échangées, la sincérité, la franchise surtout en avaient été les instigateurs; c'était donc à Philippe, le cœur droit, le caractère loyal, qu'il fallait s'adresser.

Nous ne descendrons pas au fond de sa jeune âme pour dépeindre les chagrins, les alternatives de douleur et d'espoir que cette résolution soulevait et mettait en lutte. Elle s'y arrêta pourtant et se promit de saisir la plus prochaine occasion d'approcher l'élève de maître Duchesne et de connaître ses sentiments.

Le malheur était qu'on parlait moins que jamais de retourner à Paris, et qu'il ne se présentait aucune probabilité que Philippe vînt à Saint-Germain où rien ne l'appelait. Il aurait fallu faire naître un prétexte, ce qui n'était pas impossible, mais ce que la surveillance incessante de Boisenval rendait bien délicat, après la façon dont Louise avait répondu aux offres de service de celui-ci.

C'est en faisant cette remarque qu'elle comprit les périls de sa position. Il lui fallait subir la présence de cet homme, sous peine d'être atteinte par les accusations, par les calomnies dont il avait les mains pleines. Avec un prince soupçonneux, jaloux et susceptible, tel que Louis XIII, elle ne pouvait même éloigner cet intermédiaire, cet agent convaincu de traîtrise, qu'en usant de précautions infinies.

Une femme audacieuse eût brisé ces obstacles comme un jouet. Mais une jeune fille, lancée tout à coup dans ce dédale d'intrigues, devait s'y trouver fort empêchée. En ce monde, c'est triste à dire, il arrive souvent que la vertu et la délicatesse ont l'infériorité vis-à-vis de la déloyauté et de l'impudence.

Le cardinal affectait de ne faire au château que de courtes apparitions. Il espérait, par cette tactique de coquetterie souvent heureuse auprès du faible prince, lui inspirer de l'anxiété et lui donner la crainte d'une séparation. Il ne se montrait, en outre, que chargé de grosses affaires, capables d'ennuyer et de dégoûter un souverain plus solide que celui-ci.

Tantôt c'étaient les embarras d'Italie et du Piémont, tantôt les inextricables questions des Flandres; plus souvent encore, l'alliance avec Gustave-Adolphe, et les visées de ce dernier sur l'Allemagne, dans le but de diminuer la puissance prépondérante de l'empereur. Quant aux questions du dedans, le cardinal avait l'habileté de les présenter de telle sorte qu'il eût été impossible au plus retors diplomate de les démêler, et que le roi ne trouvait rien de mieux, en définitive, que de les abandonner à son plein arbitre.

Mais cette fois le cardinal crut s'apercevoir que la bienveillance et la crédulité aveugle de son maître décroissaient. Loin de se plaindre de la brièveté de ses visites, on se montrait plutôt d'humeur à les raccourcir encore. On prêtait une oreille moins complaisante à certains rapports, et l'on entamait d'un ton assez mécontent le chapitre des éclaircissements.

Elle courut chez Louise pour l'entraîner chez la reine.

Un autre jour, le cardinal trouvait le roi entouré des deux reines, et n'obtenait pas l'audience intime qu'il réclamait. Il rentrait à Paris en proie à la fièvre des ministres qui sentent souffler le vent de la disgrâce.

Ses ennemis étaient experts en fait de manœuvres; il ne les avait pas soupçonnés si forts. Quand il confiait ses doléances au père Joseph, celui-ci ne réussissait plus qu'imparfaitement à le réconforter. Mais comme il lui recommandait l'énergie, il résolut d'en faire preuve, afin d'épouvanter ses adversaires en montrant qu'il n'était pas déchu encore, et qu'il pouvait frapper de grands coups.

Ce fut sur le chevalier de Jars que se portèrent ses violences, guidées par la rancune du franciscain, ennemi-né de cette nature loyale, supérieure à toutes les persécutions.

M. de Laffémas et tous ses sicaires furent mis en réquisition.

Un arrêt de la chambre de justice de l'Arsenal, tribunal sanguinaire et corrompu, institué pour la satisfaction des haines personnelles de Richelieu, décréta le brave chevalier de crime d'État.

Alors commencèrent ces interrogatoires, qui sont demeurés parmi les célébrités juridiques les plus monstrueuses.

Dans la salle des tortures, au milieu des instruments de supplice, l'accusé était traîné chargé de liens; et là, sous la direction de cet infâme Laffémas, le procureur général d'Argenson procédait à ses interrogations, complaisamment recueillies par le greffier Dujardin.

Un jour, la duchesse de Chevreuse reçut par un messager mystérieux un mot ainsi conçu:

«Notre cher chevalier est l'objet de persécutions odieuses. Chaque jour amène plusieurs interrogatoires, qui menacent d'épuiser, sinon son courage, du moins ses forces. On le réveille la nuit d'heure en heure, pour lui poser des questions insidieuses, par lesquelles on espère surprendre sa présence d'esprit et l'amener à se couper ou à se perdre avec ses amis.

«Des bruits plus sinistres encore circulent, touchant les desseins du cardinal à son égard. A tout prix, il faut intéresser le roi en sa faveur, et si vous y parvenez, je crois que vous aurez accompli un autre miracle, en augmentant la tendresse d'un homme qui ne pensait pas qu'on pût vous aimer plus qu'il ne vous aime.»

Ce billet n'avait pas de signature, les caractères en étaient déguisés, mais cette dernière phrase suffisait. La duchesse avait reconnu le style de Châteauneuf.

Le mystère présidait aux persécutions exercées contre le chevalier, car Richelieu, qui tenait à frapper un grand coup, ne voulait pas en amoindrir l'effet en y préparant l'opinion. A la cour, à la ville, on ignorait ces séances ténébreuses des justiciers de Laffémas. Mais les murs des prisons ont des oreilles; ces faits se passaient dans les basses-fosses de la Bastille, et Châteauneuf, on ne l'a pas oublié, y était détenu.

Si sévères que fussent ses gardiens, il avait su, à prix d'or, capter leur confiance. Par eux, il avait entretenu d'abord une correspondance avec son compagnon d'infortune; par eux, il avait su la recrudescence de la haine ministérielle; par eux enfin, il avait fait arriver à la duchesse le billet qu'on vient de lire.

Ce fut un éclat de tonnerre au sein du petit conclave ennemi du cardinal. Chacun se resserra autour de ses alliés, et Louise eût voulu volontairement se soustraire au rôle prépondérant qu'on lui imposait. Elle était l'âme, l'espoir de la conspiration.

Disons-le à sa gloire, du moment où elle comprit que sa tâche devenait une mission, que la tête de ses amis était menacée, et que d'elle seule dépendait désormais leur vie ou leur mort, leur perte ou leur triomphe, ces hésitations cessèrent.

Elle aussi, d'ailleurs, n'avait-elle pas à se venger de cet homme qui l'avait jugée assez vile pour accepter son pacte!

Elle avait bravé le serpent; aujourd'hui, il fallait plus, il fallait lui broyer la tête.

Le billet de Châteauneuf n'exagérait rien, au contraire. L'existence infligée à son généreux camarade était un supplice de chaque heure. La salle des tortures était son séjour habituel. On n'osait pas, il est vrai, aller jusqu'à lui mettre les brodequins, ni l'horrible corne de la question par l'eau. Richelieu avait manifesté des scrupules à cet endroit; peut-être craignait-il que ces cruautés inutiles venant à se divulguer, le roi, dont il voyait la condescendance faiblir, ne se révoltât tout à fait.

Mais on agissait avec la menace continuelle de ces machines diaboliques dont la vue devait intimider le patient. On abusait de son sommeil ou de ses insomnies. On lui infligeait toutes les épreuves morales imaginables, pour lui extorquer des déclarations qu'on pût interpréter contre lui et contre ses amis.

Vaines tentatives, raffinements stériles! Le chevalier de Jars n'était pas d'une trempe vulgaire. L'aspect des chevalets excitait son ironie. Il parlait volontiers, mais c'était pour dire à ses persécuteurs leurs dures vérités.

Son énergie finit par lasser leur persévérance; il subit quatre-vingts interrogatoires sans articuler un mot qui compromit son fidèle Châteauneuf, non plus que les princes, ses complices.

Après l'insuccès de cette quatre-vingtième séance, Laffémas, exaspéré, se rendit chez le cardinal, où le père Joseph fut mandé. On eût dit un trio de vampires.

Chacun déployait là son caractère particulier: Laffémas, sa fougue, son emportement, les rauquements du tigre auquel on enlève sa proie; le père Joseph, sa haine aiguë, son raffinement de petits moyens; le cardinal, sa cruauté froide, implacable.

On présume assez ce qu'il devait résulter d'une consultation de ce genre, entre de pareils bourreaux.

Le lendemain, une commission choisie par Laffémas, et dirigée par lui et par le présidial de Troyes, magistrat servile à la discrétion de Richelieu, s'assemblait à l'Arsenal, pour évoquer la cause du chevalier de Jars.

Séance tenante, sans public, sans témoins, sur de misérables arguties, dont l'accusé n'eut pas le droit de se défendre, ses juges, plus dignes du titre d'assassins, prononcèrent contre lui la peine capitale.

Pendant que l'Arsenal retentissait de cet arrêt, il y avait grande chasse à courre à Saint-Germain. Le roi se montrait d'une humeur charmante; il caracolait dans les avenues du bois avec mademoiselle de Lafayette, qui s'efforçait de lui sourire, mais qui, poursuivie par des pressentiments cruels, se sentait la mort dans le cœur.

Le bruit de la condamnation se répandit dans la capitale, où elle jeta la consternation, bien avant qu'on la connût au château.

Il semblait que le cardinal fût décidé à jouer son va-tout. Sans sursis, sans délai, l'échafaud se dressa, et toutes les forces militaires furent disposées pour veiller au maintien de l'ordre et parer à toute tentative d'enlèvement de la victime.

Paris s'était mis en deuil. Une morne stupeur régnait sur la grande ville oppressée. François de Rochechouart, chevalier de Jars, était l'un des gentilshommes les plus réputés pour leur droiture de caractère, pour leur bravoure. Son nom était populaire et sympathique.

Dans cette cité, trop souvent indifférente aux hommes d'en haut et à leurs égarements, il était connu, il était aimé. Puis on en était arrivé à une heure où déjà le peuple réfléchissait. Les excès de pouvoir du cardinal avaient trouvé plus d'une fois des approbateurs nombreux, lorsqu'ils frappaient sur ces nobles orgueilleux autant qu'aveugles, qui se considéraient comme d'une race supérieure au commun des autres hommes et prétendaient se mettre au-dessus des usages des lois et des mœurs.

Mais on s'apercevait qu'il frappait moins sur les ennemis des franchises publiques que sur les siens propres; que c'était sa cause et ses intérêts personnels qu'il défendait, et non ceux de la France. C'était avec anxiété qu'on le voyait s'en prendre à la fois aux bons et aux mauvais; on se demandait où il s'arrêterait, s'il s'arrêtait sur cette pente rapide.

Paris, donc, se montrait soucieux. La foule, informée des préparatifs de l'exécution par cette communication invisible, mais rapide, qui répand les mauvaises nouvelles, se portait en longues files vers la place Saint-Paul, l'un des théâtres de ces exécutions, désignée en cette circonstance à cause de sa proximité de l'Arsenal, où le condamné était détenu depuis sa mise en jugement.

Midi était, suivant l'usage, l'heure fixée pour l'immolation. Dès onze heures il ne restait pas un pouce de terrain libre sur la place ni dans les alentours; les rues avoisinantes étaient engorgées d'un océan de curieux, pressés, écrasés, hors d'état d'avancer ni de reculer.

Les balcons, les croisées, les toits eux-mêmes offraient une profusion de têtes agitées. Une fenêtre seule ne laissait voir qu'une longue tapisserie, qui peut-être abritait des spectateurs non moins anxieux que les autres, mais plus discrets.

Des bruits lugubres circulaient à voix basse, touchant cette croisée énigmatique. C'était celle d'un pavillon attenant à l'un des grands hôtels de la place, un hôtel royal, et n'ayant pas d'autre ouverture au dehors.

On se demandait ce que signifiait ce rideau immobile, et quels personnages il pouvait bien cacher. Alors, les conjectures marchaient leur train, et les regards, fatigués de considérer les apprêts du supplice, se tournaient opiniâtrément de ce côté.

Ces préparatifs étaient faits avec une régularité mathématique, dont les écrivains de l'époque nous ont transmis les détails minutieux. Nous les répétons pour les amateurs de causes célèbres. L'échafaud offrait l'aspect d'une plate-forme en planches, de dix à douze pieds en carré, et de six pieds d'élévation. Les instruments de supplice se composaient simplement d'un billot de huit pouces de haut et large d'un pied carré, d'un sabre fort pesant, que l'exécuteur maniait avec beaucoup d'habileté, et d'une hache au tranchant poli et au manche très court.

Au coup de midi, la multitude silencieuse devint plus morne encore. On entendit dans la rue qui venait de l'Arsenal un sourd roulement de tambour, et bientôt, sous la brume épaisse qui régnait depuis le matin, comme si la nature faisait le deuil de la victime, on aperçut un peloton de soldats de la prévôté débouchant sur la place. Ils étaient suivis par des hallebardiers suisses en nombre imposant.

Au milieu venait le condamné.

On n'avait pas voulu entraver ses mouvements; les cordes qui lui tenaient les jambes et les bras lui permettaient de marcher et de croiser ses mains dans les manches de son pourpoint. Il avait la tête nue, et l'on ne pouvait se défendre d'un sentiment d'admiration pour sa contenance à la fois simple et fière.

Il s'entretenait tranquillement avec son confesseur, et semblait, par ses regards, remercier la population de la bienveillance qu'il lisait dans ses rangs.

Aucune clameur, aucun bruit ne se manifesta. La stupeur était à son comble. La foule respectueuse croyait assister à un martyre.

De Jars franchit sans hésiter les degrés de la plate-forme. Là, comme le bourreau et son aide s'approchaient pour lui faire subir les derniers préparatifs, qui de nos jours ont lieu dans la prison, mais dont on tenait alors à ne pas frustrer le populaire, il se tourna vers son confesseur pour l'embrasser.

—Je vais prier pour vous, mon fils, lui dit celui-ci.

Et il tendait les bras pour lui donner cette dernière accolade lorsque les yeux du patient rencontrèrent le pavillon de l'hôtel royal et sa mystérieuse draperie.

Le même pressentiment qui régnait dans l'assistance lui vint à cette vue, et fixant sa pensée sur ce point, il étendit la main pour le montrer au prêtre.

—Priez pour ceux qui sont là, mon père, dit-il gravement; ils en ont plus besoin que moi!

Ces mots ne pouvaient arriver jusqu'à cet endroit, mais son regard et son geste y parvinrent assurément, car la draperie eut un frémissement et se plissa en plusieurs endroits, comme si quelqu'un s'y cramponnait.

L'ecclésiastique descendit lentement et d'un pas troublé par l'émotion les terribles gradins, tandis que le chevalier, s'adressant à l'exécuteur:

—Je suis à vous, maître, et besognez adroitement, c'est mon seul désir.

—Soyez docile, répondit l'homme rouge; je jure Dieu que vous n'aurez pas le temps de sentir le coup, et qu'il ne sera pas besoin d'user de la hache.

Il faut savoir que quand la tête n'était pas abattue du coup de revers appliqué à l'aide du sabre, le bourreau achevait de la couper sur le billot à l'aide de sa hache, comme un boucher détache une chair pantelante avec son couperet, en revenant autant de fois qu'il le faut à la charge.

Ces quelques mots échangés, il se livra avec un abandon entier à l'exécuteur et à son aide.

Ils lui ôtèrent d'abord son habit, sur lequel figurait encore la noble croix de Malte, insigne de sa consécration à la cause de la foi et de la royauté. Il demeura en bras de chemise et le col découvert; on lia ses mains par-devant, et le bourreau l'invita à se mettre à genoux, pour lui couper plus facilement les cheveux.

—Je n'ai rien à vous refuser, maître, répondit-il en souriant; j'ai déjà été tonsuré, mais je n'ai pas eu encore, j'en conviens, un valet de chambre qui me fît la toilette sur la place publique.

—Sur Dieu! monsieur le chevalier, répondit le maître des basses-œuvres, vous avez une tranquillité merveilleuse; mais ne me parlez plus de ce ton, je vous en prie, vous me rendez tout troublé; la sûreté de mon bras pourrait s'en ressentir, et je ne me consolerais de ma vie d'avoir fait pâtir un si brave homme que vous!

—Merci, maître. Voilà un sentiment miséricordieux que n'aurait jamais eu celui qui vous emploie. Vous valez mieux que lui, sur mon âme.

—Monsieur le chevalier, dit l'exécuteur, flatté de ce compliment, et s'approchant de son oreille, il m'est défendu de vous laisser parler au peuple, mais il en adviendra ce que pourra, je ne veux pas étouffer la voix d'un si vaillant gentilhomme. Souhaitez-vous dire quelques mots?...

—A quoi bon?... Je ne pourrais crier à cette foule qu'une seule chose, c'est que je meurs innocent, et elle le sait aussi bien que moi et que mes juges!... Finissons-en, l'ami; ce brouillard me fait froid, et si j'avais le frisson, on croirait que je tremble de peur.

L'exécuteur poussa un gros soupir, prit les ciseaux passés à sa ceinture et entama les longues boucles qui roulaient sur le cou du patient. Le fer grinça, les assistants frémirent; le chevalier seul resta imperturbable.

Mais voilà qu'au moment où la seconde boucle allait tomber, une clameur violente ébranla l'air. Un remous formidable fit onduler les masses, qui vinrent se heurter contre les hallebardiers, en forcèrent les rangs, et choquèrent si fort l'échafaud que ses étais en craquèrent.

Au milieu de ce tumulte on ne distinguait rien d'abord, mais bientôt un cri strident, lancé à pleins poumons, domina les rumeurs et s'éleva jusqu'au ciel, répété par l'assistance affolée:

—Grâce!... grâce!...

Les ciseaux du bourreau restèrent en suspens.

—Achevez donc! lui dit de Jars; je vais m'enrhumer.

—Sang-Dieu! monsieur le chevalier, n'entendez-vous pas ces cris? Souffrez que je sois moins pressé que vous; mieux vaut un rhume qu'un coup de sabre.

Un jeune homme, tête nue, les habits en désordre, hors d'haleine, pouvant tout au plus articuler encore ce mot suprême: «Grâce!... le roi fait grâce!...» un jeune homme accourait, ou plutôt il arrivait porté sur les bras, sur les épaules de la foule, agitant le plus haut qu'il pouvait un parchemin auquel pendait un sceau,—le sceau royal.

Aux clameurs du public, une porte basse s'était ouverte dans le voisinage du pavillon à la fenêtre masquée. Plusieurs personnages en robe noire en étaient sortis, protégés par des gardes, et s'étaient approchés de l'échafaud.

Dans les groupes des bourgeois, où ils étaient reconnus, on entendait prononcer à demi-voix:

—M. de Laffémas, le lieutenant civil! M. d'Argenson, le procureur général! Maître Dujardin, greffier de l'Arsenal!...

Le cri de délivrance avait tiré les bêtes fauves de leur antre; elles venaient voir si l'on osait réellement leur enlever leur proie.

De son côté, le messager de la bonne nouvelle arrivait sur la plate-forme, où, jetant son parchemin au bourreau, il s'élançait dans les bras du patient.

—Philippe!... mon cher Philippe!... s'écria de Jars en le reconnaissant.

—Sauvé, monsieur le chevalier! vous êtes sauvé!... Dieu est bon, j'arrive à temps!...

Le peuple poussait des vivats frénétiques pendant que l'exécuteur parcourait l'écrit et vérifiait le sceau de cire jaune qui en affirmait l'exactitude.

De leur côté, Laffémas et ses acolytes, étant montés sur la plate-forme, s'emparaient du parchemin avec une rage qu'ils ne songeaient pas à contenir. A leur vue, des sifflets éclatèrent au milieu d'une tempête d'épithètes injurieuses.

Mais ils n'étaient pas gens à s'en émouvoir, et ce fut alors que se passa cet épisode fameux où Laffémas, s'adressant à de Jars, osa lui dire:

—C'est vrai, monsieur, l'ordre de grâce est dans les formes, rien n'y manque. C'est à vous d'en témoigner votre reconnaissance, en déclarant aujourd'hui librement ce que vous savez des projets de M. de Châteauneuf et des princes.

Le vaillant gentilhomme, les mains encore garrottées, et dans l'attitude du Christ couronné d'épines, avec la patience et l'humilité de moins, se redressa d'un air qui fit pâlir son interlocuteur:

—Allez dire à votre maître, prononça-t-il, que je suis reconnaissant envers le roi de sa clémence mais que je m'en croirais indigne si j'y trouvais un prétexte pour trahir mes amis.

Philippe, s'emparant des ciseaux que le bourreau avait laissés choir, coupa les liens de celui qu'il venait de rendre à la vie, et, se tenant enlacés, ils descendirent fièrement de la plate-forme, salués par les nouveaux vivats, par les applaudissements de la multitude.

Personne, pas même le chevalier, n'avait plus pensé à la fenêtre du pavillon royal.

Cependant il s'y passait une scène palpitante d'un sombre intérêt. Aux cris de: «Grâce!» lorsque Laffémas et ses séides venaient s'assurer de l'exactitude de cette amnistie inattendue, la draperie avait éprouvé des secousses violentes.

A la minute où de Jars et Philippe descendaient les gradins, un bras rouge s'était avancé en dehors par le coin de ce rideau, désignant l'artiste d'un geste menaçant.

Ce bras, c'était celui de Richelieu. Le front crispé, les lèvres livides, l'œil injecté de fiel.

—Ce jeune homme! dit-il au père Joseph, caché près de lui, c'est encore ce jeune homme!... Était-ce pour cela que je t'avais dit de le délivrer?...

—Monseigneur... balbutia le franciscain, que cet événement prenait pour la première fois au dépourvu.

—Tu m'avais assuré qu'il devait quitter la France.

Déjà l'astucieux confident avait retrouvé sa présence d'esprit.

—Ce jeune homme ne sait ce qu'il fait, monseigneur. Patience; si j'ai permis qu'il restât, c'est qu'il importe à votre cause qu'il reste.

—Ma cause!... elle est perdue de l'heure où l'on fait grâce à mes ennemis!.. Et ce téméraire enfant que j'avais voulu protéger!...

—Ne touchez pas à un cheveu de sa tête, Éminence. Si cette cause, qui n'est pas seulement la vôtre, mais la mienne aussi, peut être sauvée, c'est par lui, malgré lui!...

XXI
UNE PROTECTRICE

Au milieu du dédale des intrigues dont il était l'objet et de celles dont il était l'auteur, double labyrinthe aux sentiers inextricables, Richelieu avait eu à peine le loisir de songer en passant au jeune peintre, et encore était-ce seulement lorsque son regard tombait sur l'esquisse de son portrait, demeurée en suspens.

Ce n'est pas que, dans les premiers jours, en apprenant, à ne pouvoir plus en douter, qu'il n'avait pris aucune part à l'acte dont on l'avait accusé injustement, il ne se fût senti le désir de lui accorder une réparation. Il en avait même touché un mot au père Joseph.

Mais celui-ci avait habilement glissé sur ce chapitre, et était parvenu à en détourner l'attention du maître, en rappelant sur les exigences de la crise la plus redoutable qu'il eût encore rencontrée. C'est ainsi que le cardinal n'avait plus aperçu Philippe depuis sa sortie de prison jusqu'au moment où il lui apparut tout à coup, porteur du message royal, délivrant une de ses victimes et affrontant son courroux à la face de la ville entière.

Il s'inclina plus bas encore.

Quelques détails rétrospectifs sont ici nécessaires.

On se souvient que nous avons laissé notre héros, dépouillé par les bravi qu'une main ténébreuse avait apostés, au coin du quai de l'École, où il venait de déboucher, pour gagner le Pont-Neuf et de là le collège de Laon, qu'il habitait.

Les bandits ne l'avaient pas précisément maltraité; ils s'étaient contentés de lui enlever le peu d'argent qui garnissait son escarcelle, le poignard de luxe devenu inutile pour sa défense, et surtout ce médaillon sacré, ce portrait de sa mère, pieux héritage qu'il eût racheté volontiers au prix des plus grands sacrifices.

Cet événement ne pouvait sans doute être considéré que comme un des mille épisodes de brigandage qui éclataient, ainsi qu'on sait, dans la capitale, mais surtout dans ce périlleux quartier du Pont-Neuf. N'eût été la perte de son médaillon, Philippe s'en fût d'autant moins affligé que ses larrons, par une distraction inaccoutumée, avaient oublié de s'emparer de son manteau et de son pourpoint.

Il éprouvait d'ailleurs bien d'autres perplexités. Le souci de sa sûreté personnelle s'ajoutait à celui du sort menaçant de ses amis et de ses protecteurs. Il s'était vu plongé sans motif dans un cachot; on l'avait relâché sans lui donner un éclaircissement plausible.

Rien n'indiquait que sa liberté fût mieux garantie aujourd'hui qu'auparavant; il avait présent à la pensée le sourcil crispé du cardinal. Il se sentait en butte à la persécution sourde du père Joseph. Ce moine disposait de moyens obscurs pour arriver à ses fins, et ceux qui lui portaient ombrage devaient, pour peu qu'ils possédassent de prudence et de sagesse, s'effacer devant lui et céder à ses volontés, sans en chercher les raisons.

Philippe avait espéré lui échapper, en se fondant sur son éloignement pour les intrigues qui occupaient la cour. Retenu au Louvre, à Paris, par une attraction de cœur, il avait rejeté les offres avantageuses du franciscain, parce qu'il n'y voyait qu'une sentence d'exil.

Nous ne dirons pas qu'il se repentit de sa résistance; c'était un esprit droit, qui n'agissait point à la légère; il trouvait dans sa bonne conscience la force et la supériorité. Mais il ne se dissimulait plus qu'un réseau de fils redoutables, parce qu'ils restaient invisibles, l'entourait de toutes parts, et que l'accomplissement de ses désirs ou de ses volontés était à la merci de cette influence.

Sous cette impression, malheureusement trop fondée, il s'était abstenu, pendant les premiers jours qui suivirent sa délivrance, de revenir au Louvre. L'absence de la reine-mère, sa protectrice, justifiait cette réserve.

Que de fois pourtant il fut tenté de l'enfreindre? Si ce palais abritait les ennemis qu'il devait le plus craindre, n'était-il pas aussi l'asile où il avait ressenti les atteintes les plus douces de ses premières affections? N'était-ce pas là qu'il avait commencé à aimer, à se sentir aimé?... Il avait laissé attachées à ces murs ses émotions, sa joie, son espérance! Hors de là, que lui offrait la vie? Le désenchantement, le vide et les regrets.

Souvent il lui arriva de se mettre en route, au mépris de toute prudence, pour revoir son atelier, sa grande galerie des combles. Quelquefois, sorti de son modeste logis pour un but quelconque, il se surprenait sur le chemin de ce Louvre, qui l'attirait comme un mirage. Il advint même que, plein de bravoure ou d'impatience, il se mit en route pour y rentrer, et ne s'arrêta qu'à la vue des sombres portails qui y donnaient accès. Leur gravité, leurs voûtes surbaissées, leurs huis flanqués de guérites de pierre, s'offraient à lui comme des avertisseurs et le détournaient de son dessein.

Mais cette lutte ne pouvait durer sans que la prudence fût vaincue par le désir, et quel jour le téméraire choisit-il pour cela?... Précisément celui qui suivit la grâce du chevalier.

Les impressions, les péripéties de cette journée avaient déterminé en lui une exaltation voisine de la fièvre. Il ne se dissimulait pas qu'en manifestant pour de Jars un dévouement aussi sérieux il se créait dans le parti contraire des haines terribles. Mais il en acceptait les conséquences. Il rompait avec la circonspection qu'il avait observée jusque-là pour ses propres intérêts, tandis qu'il travaillait généreusement en faveur des autres, et dût-il se heurter contre le cardinal ou se rencontrer avec le froc du capucin, il voulut rentrer dans le palais.

C'était une satisfaction qu'il s'octroyait, en récompense de ses épreuves de la veille. A ce point de vue, il la méritait bien. Cette grâce, il ne l'avait pas obtenue sans peine.

Nous avons dit comment le vent de la voix publique avait répandu, dans les coins les plus inaccessibles de la ville, le bruit de l'exécution qui se préparait sur la place Saint-Paul. Il était impossible que Philippe, à la piste de ce qui concernait le prisonnier, ne fût pas renseigné dès le premier instant.

Saisi d'horreur et de désespoir à l'idée du crime politique qui allait s'accomplir, il s'était élancé à cheval, et n'avait fait qu'un temps de galop de Paris à Saint-Germain.

On ne le connaissait pas là comme au Louvre. Les demeures des rois ne sont pas accessibles comme celles des particuliers. En voyant ce cavalier couvert de poussière, les vêtements en désordre, montant un cheval de piètre mine, exténué de fatigue, les factionnaires lui barrèrent le passage, et aucun laquais ne voulut d'abord se charger de l'entendre.

Il se désespérait, car les minutes avaient en cette circonstance le prix d'un siècle, le terrain brûlait sous ses pas; il allait se livrer à quelque scène de violence pour forcer la consigne, lorsqu'il fut reconnu par un serviteur de la reine-mère, attiré là par hasard.

Cet homme vit de suite à ses paroles qu'il s'agissait d'une affaire urgente, et le conduisit auprès de la duchesse de Chevreuse.

Mais là ce fut un autre embarras. En l'apercevant pâle, haletant, la pauvre Marie n'eut qu'une pensée; et quand le jeune homme, sans préambule, sans préparation, en homme qui a la tête perdue, s'écria:

—C'en est fait, madame la duchesse, le meilleur de vos amis va tomber sous la hache!...

Elle crut qu'il parlait de Châteauneuf, un nuage passa sur ses yeux, tout son sang reflua vers son cœur, elle se renversa sans connaissance sur son siège.

Des soins empressés la rappelèrent à elle, mais ce ne fut qu'après une scène terrible qu'on lui fit comprendre la vérité.—Hélas! elle était assez triste déjà. Si ce n'était son amant, c'était son plus cher allié que menaçait le bourreau.

Elle courut chez Louise, qu'elle entraîna chez la reine Anne d'Autriche, et qui, à la sollicitation de cette princesse, aux prières trempées de larmes de la duchesse, fit demander une audience au roi.

Louis XIII sortait précisément d'entendre la messe, suivant son usage à la campagne aussi bien qu'à la ville.

Cette demande lui causa une vive émotion,—on connaît son caractère anxieux et timide vis-à-vis des femmes mêmes qui lui plaisaient le plus. Pris ainsi à l'improviste, il balbutia et bégaya longtemps des syllabes incohérentes, avant de réussir à donner à l'huissier de service l'ordre de faire entrer mademoiselle de Lafayette.

Il se leva pour la recevoir; mais elle vint s'agenouiller à ses pieds, et de cette voix à laquelle il était impossible qu'il résistât:

—Grâce?... grâce et justice, sire?... implora-t-elle.

—Grâce, répéta-t-il; qui donc oserait vous menacer?...

Et son visage se couvrit de la pâleur ardente qui précédait les explosions de cette grosse colère qui était son courage à lui.

Puis, voyant que la fille d'honneur était toujours à genoux:

—Relevez-vous, mademoiselle, ajouta-t-il.

Il avança la main pour l'y aider; elle prit cette main et la retint sur ses lèvres.

Un feu inconnu circula sous ce baiser dans les veines de Louis-le-Chaste, son œil s'alluma, et, plus tremblant que la belle sollicituse:

—Parlez, dit-il, ce que vous souhaitez est accordé.

Elle s'approcha d'une table, et lui présentant un parchemin:

—Sire, la grâce d'un innocent qui va mourir.

Il s'assit et prit une plume.

—Le nom?...

—Un de vos plus loyaux, de vos plus braves gentilshommes: monsieur le chevalier de Jars.

—De Jars... condamné!... Quel est son crime?

—S'il en eût commis un, sire, on n'eût pas manqué de vous le faire connaître. Mais vous êtes Louis-le-Juste, et l'on a rendu en arrière de vous cette sentence inique, parce qu'on reconnaissait votre droiture.

—Oh! murmura le pauvre monarque, ce cardinal, ce tyran!... Je ne suis pas heureux, mademoiselle...

—Une bonne action porte le bonheur avec elle, sire.

—Prenez donc cette grâce... et puissiez-vous dire vrai...

—Merci, mon roi, dit-elle en s'inclinant avec reconnaissance sur sa main, vous ne fûtes jamais plus grand qu'à cette heure, où vous venez d'accomplir l'œuvre de Dieu, en donnant comme lui la vie à un homme!

Gagné par l'enthousiasme de l'adorable enfant, il saisit à son tour sa petite main et fit le geste de la porter à ses lèvres; mais à moitié route, cette timidité étrange reparut, il rougit comme un novice, poussa un long soupir, et trouva tout au plus la hardiesse de balbutier entre haut et bas:

—Vous êtes bien belle, mademoiselle Louise!

Deux minutes après, sans que Philippe eût aperçu la fille d'honneur, madame de Chevreuse lui remettait l'acte royal, et lui faisait donner le meilleur cheval des écuries de la reine, sur lequel il regagnait Paris plus promptement encore qu'il n'était venu.

On sait le reste: il était arrivé à temps.

Eh bien, c'est le lendemain de cet événement qu'il ne craignit pas de rentrer au Louvre, malgré l'absence de ses protectrices, malgré la présence du ministre dont il avait contribué à déjouer les projets homicides.

Plus d'un lien rattachait l'âme et les aspirations du jeune artiste au Louvre. N'était-ce pas là,—faut-il le répéter?—que se trouvait son tableau de prédilection, l'œuvre où il avait mis son génie? N'était-ce pas là qu'étaient ses souvenirs, et qu'il avait déposé tout son cœur? Hors de là, que lui importait la vie? Cette visite pouvait lui être fatale, mais jamais autant que le doute et l'éloignement.

Il revit donc ce cher atelier!... tout indiquait le délaissement de ce sanctuaire de l'art, et ce ne fut pas sans émotion qu'il s'approcha de son tableau.

Mais, ô surprise! tandis que la poussière recouvrait tous les objets de la galerie, pas un grain n'apparaissait sur ceux qui lui appartenaient.

Ses boîtes, ses brosses, son tabouret, ses chevalets étaient rangés dans un ordre irréprochable. Un rideau vert s'étendait devant la vitrine prochaine, pour parer aux effets de la lumière trop crue ou aux rayons du soleil sur la peinture inachevée, et celle-ci, à laquelle il ne manquait que les dernières touches, se montrait, sous ce demi-jour, poétique et vivante comme un chef-d'œuvre.

Quelqu'un avait donc pris soin de l'atelier en l'absence de l'artiste? Un soin si touchant le pénétra d'une douce reconnaissance, mais il ne s'y absorba pas longtemps. La contemplation de son tableau, qu'il revoyait après de si dures épreuves, au milieu de tant de sujets d'appréhension, l'occupa bientôt.

Sur cette toile il avait déposé avec tout son talent le secret bizarre de cette affection géminée qui s'était produite en lui, sans qu'il fût le maître de s'en défendre ni de choisir entre deux cœurs également dignes d'amour, deux jeunes filles également charmantes.

Depuis quelques jours seulement il avait senti la nécessité de briser un des rameaux de son bonheur, pour se rattacher à celui qui, seul, s'offrait dans les conditions acceptables à un homme tel que lui. Et, bizarrerie détestable du sort, Henriette, à laquelle il se ralliait, était précisément celle devant qui se dressait le plus grand obstacle. Comment fléchir, en effet, la haine, le ressentiment de maître Duchesne.

Immobile, songeur devant cette toile, il revoyait dans les beaux bras, dans les mains suaves de sa nymphe, les attraits de Louise; puis, considérant sa physionomie, il rêvait aux regards séraphiques, aux appas éthérés d'Henriette.

Tandis qu'il roulait en son esprit ces pensers divers, quelqu'un se glissait dans la galerie, et, s'avançant à petits pas, venait s'arrêter derrière son siège.

Il n'avait rien vu, rien entendu, et parlant à sa peinture comme s'il eût parlé à l'original:

—Chère Henriette! murmura-t-il en souriant.

—Vous m'appelez, Philippe? dit une douce et timide voix; et il sentit une main tremblante prendre la sienne.

—Henriette!... s'écria-t-il avec ferveur, vous! vous en ces lieux! Oh! merci! merci!

Retenant sa main pour la couvrir de baisers, il attira l'enfant à lui, et je ne sais comment cela se fit, il passa un bras autour de sa taille et se mit à la contempler, à l'admirer de si près, de si près, que leurs cœurs se sentaient battre, que leurs souffles se confondaient.

Ce fut une extase de plusieurs minutes, sans phrases, sans paroles.

Henriette rompit la première ce silence.

—Vous m'aimez donc? demanda-t-elle de cette voix enfantine qui est le gage de la virginité.

—Si je t'aime!...

Mais voilà qu'un regard commencé dans un sourire s'acheva sous une larme qui vint trembler au bord de ses longs cils, et cherchant à s'arracher du bras enlacé à sa taille:

—Hélas!... soupira-t-elle, mon père ne le veut pas... S'il me surprenait ainsi, voyez-vous, il me tuerait!...

—Qu'il me tue d'abord! Vivre sans toi! Ah! de cette heure j'ai compris que je ne le pourrais plus!

Au milieu de leur ravissement, il se fit du bruit à l'entrée de la galerie, et quelqu'un toussa d'une façon significative.

—On vient! s'écria Henriette.

—Que je ne dérange personne, dit une voix protectrice; je vous savais ici, mon jeune ami, et j'ai voulu vous voir.

C'était Marie de Médicis, qui était venue passer une demi-journée au Louvre.

Elle se rapprocha des deux amoureux saisis d'émoi, et remarquant les yeux rougis d'Henriette:

—Eh quoi! reprit-elle, des larmes!... Ah! je comprends, chagrins de cœur, anxiétés d'amour... Qu'il n'y en ait pas entre vous, mes enfants!... Je me charge de les aplanir... Vous nous avez bravement servi, Philippe; vous en serez récompensé. Pour commencer de suite, je vous emmène aujourd'hui à Saint-Germain, où je veux que vous fassiez le portrait du roi; cela vous dédommagera de la clientèle d'un cardinal en disgrâce.

XXII
LA JOURNÉE DES DUPES

A très peu de jours de là, car les événements se précipitaient alors avec une rapidité effrayante à la cour de France, le père Joseph arriva en toute hâte au Louvre et pénétra à l'improviste auprès de Richelieu.

Le grand ministre était en proie à une entière prostration, ses éminentes facultés semblaient disparues. Son œil n'avait plus d'éclat, et sur ses traits jaunis par des insomnies fiévreuses on reconnaissait un ennui funeste.

Comme si les rôles étaient intervertis, son confident se dressa devant lui plein de rudesse:

—Est-ce vous que je vois, monseigneur, lui dit-il sévèrement, ou bien n'est-ce que l'ombre de vous-même?...

—Ne crains pas de m'offenser, répondit avec amertume le lion découragé, ce n'est bien que mon ombre; je ne me reconnais plus moi-même.

—Que diriez-vous donc d'un général qui perdrait contenance juste à l'heure où sonne la bataille?

—La bataille est perdue mon fidèle; il ne nous reste qu'à opérer la meilleure retraite possible. Déjà mes dispositions de départ sont prises, mes malles sont en route pour le Havre-de-Grâce.

—Perdue! qui ose dire cela! où est l'ordonnance qui vous enlève vos pouvoirs? où est l'arrêt qui vous exile! Vous possédez encore votre portefeuille, vous habitez le Louvre... votre successeur n'est pas nommé que je sache! Une intrigue de femme a obscurci le soleil de votre faveur; montrez-vous, elle s'éclipsera à son tour.

—Me montrer! pour subir les dédains, la pitié, le triomphe de ceux qui se courbaient hier sous ma puissance.

—Pour les écraser vous-même sous votre mépris, sous vos nouveaux succès!...

—Penses-tu donc que j'ignore ce qui se passe, ce qui se prépare? La grâce de M. de Jars a été le premier empiètement sur nos prérogatives; la proclamation de M. de Marillac, comme ministre en chef, doit être le coup suprême. J'ai envoyé hier ma nièce, madame de Combalet, présenter mes hommages à la reine-mère; ne sais-tu pas de quelle façon elle a été traitée, la hauteur insolente avec laquelle on l'a reçue, les paroles indignes dont on l'a abreuvée, et cela en présence du roi, qui n'a pas trouvé un mot pour la protéger ni pour me défendre?

—Eh bien! moi, monseigneur, fort de mon dévouement à votre personne, de l'admiration que je vous porte, de la connaissance que je possède des choses et des gens de la cour, je vous dis: Montrez-vous; n'envoyez pas de messagers; abordez vous-même, hautement, avec la conscience de votre valeur, ces princes superbes, ce roi qu'on abuse, et, sur ma foi, je vous jure que vous sortirez triomphant de ces triomphateurs!

Richelieu le regarda avec une attention profonde, et quittant son attitude affaissée, les pommettes des joues colorées déjà d'un feu singulier:

—Tu ne me dis pas tout, prononça-t-il. Tu tiens entre tes mains quelque levier inconnu pour remuer les obstacles qui nous circonviennent... Eh bien, soit! j'ai foi en ta hardiesse. Que l'on prépare ma litière, je t'accompagne à Saint-Germain.

—Non, plus à Saint-Germain, monseigneur; depuis ce matin, le roi est à Versailles.

—A Versailles! répéta le cardinal, montrant une hésitation nouvelle. A Versailles, où il ne va d'ordinaire que pour se plonger dans la solitude, pour s'abandonner à ses idées d'isolement et d'humeur mélancolique!... Et qui a-t-il emmené?

—Presque personne: M. de Marillac..

Le cardinal eut un frisson nerveux au nom de ce compétiteur détesté, que l'astucieux confident mettait exprès en avant.

—Les deux reines, mademoiselle de Lafayette et madame de Chevreuse. Quant au reste, rien que des officiers et serviteurs indispensables de sa maison. Ah! j'oubliais, madame la reine-mère a emmené encore ce petit peintre...

—Philippe de Champaigne... Toujours lui!

—Sa Majesté le protège particulièrement et veut qu'il achève, à Versailles, le portrait du roi commencé à Saint-Germain.

—Ainsi, c'est au milieu de tous mes ennemis que tu m'envoies?

—Oui, monseigneur, reprit le capucin imperturbable.

—Et tu te flattes que je vais t'obéir?...

—J'en ai la conviction.

—Décidément, fit Richelieu, gagné par cette assurance, ceux qui s'imaginent qu'entre nous deux c'est moi qui gouverne l'autre, ceux-là se trompent... le maître, c'est toi... Et la chose étant ainsi, je me rends à mon devoir; ouvre la marche, je te suis.

Les officiers avaient été réveillés par ces bruits.

—Si vous le permettez, je prendrai les devants. Je crois bon qu'on ne nous voie pas arriver ensemble là-bas. Soyez tranquille, vous m'y retrouverez, où je vous y donnerai de mes nouvelles en temps et lieu.

—J'y compte bien, vieux sphinx, fit le cardinal ranimé involontairement par l'assurance de son conseiller.

Celui-ci partit en grande hâte sur une très modeste haquenée, tandis que le ministre, affectant de montrer à ses gens et aux officiers de ses gardes, — on sait qu'il en avait une compagnie à lui seul, — un visage serein, prenait place dans la voiture, qui devait, suivant les intentions du père Joseph, le conduire à petite vitesse à la résidence de chasse qui composait alors le château de Versailles.

Ceci se passait en novembre et est devenu une date caractéristique que l'histoire conserve, comme un des enseignements les plus curieux à l'usage des favoris et des intrigants de cour.

L'arrivée du père Joseph ne surprit personne au château, on avait l'habitude de le voir se glisser partout, et quoiqu'on se méfiât de lui, il savait prendre des allures si bénignes qu'on aurait eu des scrupules de fermer les portes à une si humble personne.

En ce moment, les chefs de la conspiration contre le cardinal étaient si sûrs de leur réussite qu'ils n'étaient pas fâchés d'avoir un témoin qui ne manquerait pas de lui en porter la nouvelle toute fraîche.

Le gage de cette réussite, sa consécration, était dans l'appel adressé au maréchal de Marillac sur le désir inspiré au roi par les deux reines.

Ces princesses s'étaient emparées de l'esprit du monarque.

Tandis que Louise le détournait du cardinal et usait de son crédit uniquement pour le salut de ses amis, les princesses, saisissant l'influence politique, préparaient les derniers coups.

Louis de Marillac et son frère Michel, qui fut quelque temps garde des sceaux, devaient leur élévation au cardinal, mais l'un et l'autre n'avaient pas hésité, sur les promesses séduisantes de Marie de Médicis, à s'embarquer dans la conspiration, dont ils devaient recueillir les fruits. La nomination du maréchal était aux mains d'un secrétaire, qui allait la porter au roi, lorsqu'un carrosse entra avec grand bruit dans la cour d'honneur du château.

Les jours sont si courts en novembre que, bien qu'il fût à peine six heures d'après midi, la nuit était presque arrivée. Versailles était une résidence, une retraite intime, où nul, fût-ce le premier gentilhomme de France, n'avait droit de venir relancer le monarque sans une invitation précise. Quel était donc l'outrecuidant visiteur qui envahissait le château?

Dans le salon où se tenaient les reines, la duchesse de Chevreuse et le futur premier ministre, on ne tarda pas à le savoir.

L'huissier de service annonça tout à coup:

—Monseigneur le cardinal de Richelieu!

Chacun se regarda avec étonnement. On croyait le cardinal informé de ce qui se passait,—et il l'était en effet,—et l'on ne comprenait rien à l'excès d'audace qui l'amenait en un pareil moment.

—C'est sans doute, dit Marie de Médicis, qu'il vient chercher la nouvelle de sa disgrâce... Soit, qu'il entre; j'aurai le plaisir de la lui signifier moi-même.

L'huissier se tenait debout, comme un soldat en faction, près de la porte qu'il maintenait ouverte. Ces mots arrivèrent jusqu'au cardinal, qu'ils atteignirent dans les fibres les plus sensibles de son incommensurable orgueil. Il maudit de rage le père Joseph, dont les conseils et l'insistance lui attiraient cette humiliation.

Mais la glace était rompue, on l'avait annoncé; sous peine de se déshonorer, il fallait paraître.

Il s'avança, en composant sa figure de façon à trahir le moins d'émotion possible, et sans adresser un regard à la duchesse ni au maréchal, il vint jusqu'aux deux reines, devant lesquelles il s'inclina avec une humilité sans précédents de sa part.

Anne d'Autriche se fût peut-être troublée, un coup d'œil de son implacable belle-mère lui rendit sa haine et sa fermeté. Elle toisa comme elle le favori en disgrâce, sans lui adresser la parole.

Il se vit obligé de rompre le silence:

—Vous parliez de moi, Majestés, dit-il; me voici pour entendre vos reproches, si vous en avez à m'adresser, et pour me justifier.

—Nous n'avons rien à vous dire, monsieur, répondit sèchement la reine-mère, si ce n'est de vous témoigner notre surprise de cette visite inattendue.

—Cependant j'ai cru entendre Votre Majesté parler d'une nouvelle?

—En effet, une méchante nouvelle pour vous, monsieur. Mais c'est le roi, notre fils, qui vous la transmettra; nous vous invitons à l'aller attendre à Paris.

—Un accueil si sévère... balbutia Richelieu déconcerté.

—Ne vous étonne sans doute point...

—Que Votre Majesté m'excuse, il m'étonne assez pour que j'ose lui en demander l'explication.

—Nous ne vous en devons pas, monsieur.

—Votre Majesté, je le vois, est fort irritée contre moi, et personne ici n'élève la voix en ma faveur.

Il porta les yeux autour de lui, mais Anne d'Autriche répondit d'un ton glacial:

—Souvenez-vous de Chalais...

Le cardinal se mordit les lèvres jusqu'au sang. Il avait naguère osé faire entendre au roi, pour achever de l'éloigner de sa femme, que celle-ci secondait les complots régicides de Chalais, afin d'être délivrée d'un époux qu'elle détestait.

Il regarda alors la duchesse de Chevreuse qui, moins dure, mais plus mordante, se contenta de répondre:

—Lorsque monseigneur de Châteauneuf sera sorti de la Bastille, c'est lui qui portera à Votre Éminence mes compliments et mes explications.

S'adressant alors au maréchal:

—Vous, monsieur, lui dit-il, vous avez sans doute aussi vos griefs? N'allez-vous point me reprocher d'être l'auteur de votre fortune et de celle de votre frère?

—Monseigneur, répondit le nouveau favori, vous m'avez fait maréchal, je ne l'oublie pas, mais le roi m'a mandé ici pour me faire premier ministre. Je dois soumission au roi.

—Il suffit, répliqua Richelieu, que ce dernier trait stimula comme un aiguillon. Ma disgrâce est complète, je le reconnais. Il ne me reste qu'à me retirer. Mais je ne suis pas un valet qu'on chasse, et sans attendre qu'on me signifie ma déchéance, je vais remettre mes pouvoirs au roi, de qui je les tiens, et que je veux assurer, même quand il me frappe, de mon dévouement inaltérable.

En prononçant ces mots, il traversa le salon, vers la porte opposée à celle par où il était entré.

Cette porte donnait dans la chambre du roi.

—Où allez-vous, monsieur?... s'écria Marie de Médicis en se levant.

—Je vous l'ai dit, madame, répondit avec une humilité apparente le cardinal, résigner mes pouvoirs entre les mains de qui je les tiens.

Et il fit encore un pas.

—C'est inutile, répliqua impérieusement la princesse; vous n'êtes plus ministre et votre présence ne pourrait qu'importuner le roi.

—Votre Majesté traite durement ses ennemis vaincus; j'eusse espéré, dans ma disgrâce, la trouver plus clémente.

—Ceux-là seuls ont droit à la clémence qui ne se montrèrent pas impitoyables dans le succès... Encore une fois, monsieur, retirez-vous; vous ne verrez pas le roi, et, s'il le faut, je vais appeler les huissiers...

Il s'était rapproché encore du fond du salon, et saisissant le bouton de la porte:

—Je suis chez le roi, dit-il, jouant son va-tout, c'est au roi seul à me renvoyer.

Sans se faire annoncer, sans frapper, il entra dans la chambre royale, dont il referma la porte sur lui au verrou.

Louis XIII était assis devant un monceau de papiers qu'il examinait à la clarté d'une lampe.

Au bruit de la serrure, il tourna brusquement la tête; à la vue de son ministre, il se dressa debout par un mouvement galvanique, et ses traits devinrent livides.

—Vous êtes bien hardi! balbutia-t-il avec un terrible effort. L'émotion le rendait plus bègue que jamais.

Mais ce bégayement furieux, ces syllabes hachées, saccadées, répétées à l'infini, étaient plus menaçantes que des reproches sévères adressés par une phrase suivie.

Elles eurent cependant pour le cardinal un contre-coup heureux, elles lui donnèrent le temps de se remettre un peu.

—Sire... commença-t-il en s'inclinant.

—Non! non!... rien! exclama le roi, cherchant à exprimer sa volonté par des monosyllabes qui n'excitassent pas sa malheureuse infirmité.

Et joignant la pantomime à la parole, il montrait la porte.

—Les intérêts de l'État... voulut dire Richelieu.

—Rien!... répéta le roi en renouvelant son geste.

—Les intérêts de votre auguste personne... insista Richelieu.

—Sortez donc!... fit Louis XIII, qui cherchait, dans les ordres les plus durs, à exciter sa fermeté dont il se défiait, tant il en avait peu l'habitude.

Dans la pièce voisine, Marie de Médicis et Anne d'Autriche, que la hardiesse du cardinal avait prises au dépourvu, s'efforçaient d'ouvrir, mais, nous l'avons vu, son premier soin avait été de s'enfermer avec le roi.

Celui-ci entendait du moins leurs grattements à la porte, et sachant qu'elles écoutaient, il parlait haut pour qu'elles vissent qu'il ne faiblissait pas.

—On vous trompe, sire... disait Richelieu.

—Dites qu'on me trompait, répéta le roi, et que je ne veux plus que cela soit.

—Votre Majesté refuse d'entendre ma justification?

—Absolument.

—J'aurais pensé que mes bons et loyaux services...

—Assez!...

Pour la troisième fois, Louis XIII, pressé d'en finir, lui montra la porte.

Son regard courroucé, sa voix dure, sa respiration bruyante effrayèrent à la fin son favori qui, redoutant quelque chose de pire encore que ce congé, s'avoua lui-même vaincu et commença à se retirer à reculons.

Il était dit que ce soir-là la chambre de Louis XIII serait accessible comme un vestibule banal. Il ne restait plus que deux pas à franchir au cardinal pour reprendre le chemin qui l'avait amené, lorsqu'une petite porte de service, située au pied de l'alcôve où se dressait le lit, s'ouvrit à son tour.

—Hein!... qui va là?... exclama le roi, voyant des ennemis partout.

C'était Boisenval, qui, courbé en deux, rampant plus qu'il ne marchait, évitant surtout l'œil flamboyant du monarque, tendit un billet à Richelieu et s'éclipsa dès que celui-ci l'eut pris.

Le roi écumait; dans sa rage impuissante, il froissait et dispersait les papiers accumulés sur son bureau, renversait son fauteuil, et s'épuisait en violences apoplectiques, pour articuler quelques bribes de syllabes ayant un sens complet.

D'un seul regard, Richelieu avait embrassé le contenu du papier. Il était de son confident, le père Joseph, et ne renfermait que deux lignes encore fraîches.

Les yeux ardents du roi tombèrent sur ce feuillet, et ne sachant plus sur qui exercer sa colère:

—Ce papier!... s'écria-t-il; encore un complot. Ce papier... je le veux!

Mais depuis qu'il l'avait lu, Richelieu ne tremblait plus; un éclair avait même sillonné ses traits; il s'était redressé de toute sa grande taille, et au lieu de se retirer, il avait fait plusieurs pas en avant dans la chambre.

—Traître!... vociféra le roi en le menaçant de son poing fermé, obéiras-tu!...

A cet ordre il crispa, au contraire, avec une lenteur calculée, le papier dans sa main, et fléchit le genou avec une humilité et un respect qui commencèrent à impressionner le roi, honteux de son excès de langage et d'attitude.

—Sire, fit-il, Votre Majesté peut me broyer sous ses pieds, c'est son droit; elle peut m'accabler de reproches, car je n'ai sans doute pas rempli, comme je l'eusse dû, comme je l'eusse voulu, la haute mission que je tenais d'elle... J'accepte sa colère, je me courbe devant ses arrêts... Mais jusqu'à mon dernier souffle je veux me vouer à sa tranquillité et à son bonheur... c'est pour cela que je lui désobéirai cette fois...

—Ainsi, ce billet?

—Je le détruis... Et en effet, il parsema le tapis de ses fragments.

—Ah! j'avais donc deviné!... c'était une trahison nouvelle!... Parlerez-vous enfin?...

—Sire, insinua Richelieu, toujours agenouillé, ne voyez dans mon silence que mon respect pour Votre Majesté... Mon devoir, je le sais, est de vous obéir, mais ne l'exigez pas... Il m'en coûterait trop de briser les illusions de Votre Majesté... de lui prouver que ceux en qui elle a mis sa confiance en font un abus odieux... que l'on a tracé autour d'elle une trame destinée à surprendre sa magnanimité, son besoin d'affection, de tendresse...

A ce dernier mot, le roi baissa les yeux, sa fureur sembla s'éteindre sous la honte d'avoir été deviné dans la poursuite d'une aventure de galanterie.

Richelieu feignit de ne rien remarquer; il poursuivit sur le même ton d'hypocrite condoléance:

—Enfin, j'aurais un remords éternel de montrer que la personne qui a servi d'instrument à mes ennemis auprès de Votre Majesté jouait un rôle infâme, et feignait pour vos bienfaits une fidélité qu'elle ne pratiquait pas!...

Ici, Louis XIII se redressa par un dernier élan:

—Vous attaquez mademoiselle de Lafayette, monsieur!...

—J'ignore, sire, le nom de cette personne, mais je crois savoir...

—Des preuves!... exclama le roi; des preuves!...

—Eh bien, répondit Richelieu, se relevant de son humble posture, et saisissant avec véhémence le roi par le bras; eh bien, vous en aurez, sire!...

Il l'entraîna vers une fenêtre donnant sur le parc, et lui montra, d'un geste muet, près d'une tonnelle éclairée en plein par la lune, une jeune femme et un jeune homme, causant avec vivacité et se tenant les mains enlacées.

Le roi faillit s'affaisser sur lui-même à ce spectacle; il se retint à l'espagnolette de la croisée et au bras du cardinal. Pour le coup, la parole lui manquait tout à fait.

Mais bientôt les jeunes gens s'étant séparés et perdus dans l'ombre, chacun de leur côté, il sortit de cet accès d'épuisement.

—Monseigneur, dit-il à Richelieu, vous êtes mon seul ami... ne m'abandonnez pas...

En disant cela, de grosses larmes roulaient dans ses yeux.

XXIII
LA FAVORITE

Quel était donc ce couple dénoncé par la vigilance du père Joseph, et livré en holocauste par le cardinal, pour ressaisir son crédit sur le roi?

Nous faisons peut-être outrage à la pénétration du lecteur en lui posant cette question, qu'il aura résolue avant nous. Oui, ces deux jeunes gens, qui s'entretenaient avec si peu de précaution, sous l'abri insuffisant de la salle verte du parc, c'étaient Philippe de Champaigne et Louise de Lafayette.

Amené par la reine-mère à Saint-Germain, l'artiste n'avait pu qu'y entrevoir la charmante fille d'honneur. Quel que fût leur désir commun d'avoir un entretien, la prudence la plus élémentaire le rendait impossible dans cette résidence, où Louise était l'objet de tous les regards, où elle se sentait surveillée par le perfide Boisenval, où la cour était réunie comme une fourmillère dans l'étroite enceinte du palais.

A Versailles, au contraire, les choses rentraient dans une sorte de solitude. Un très petit noyau accompagnait le roi, et Louise avait entendu, avec un soulagement bien vif, Boisenval annoncer et répéter sur tous les tons qu'il n'était pas de ce voyage, et n'irait pas à Versailles avant d'en recevoir l'invitation formelle des princes.

Moins innocente, Louise se fût tenue sur ses gardes, en raison même de ce luxe d'affirmation. Mais il est écrit que les fourbes auront le dessus des esprits honnêtes.

Boisenval avait suivi la royale caravane, et s'était installé dans les environs du château, où il devenait d'autant plus dangereux qu'on n'était pas en garde contre ses manœuvres. Un seul homme connaissait sa présence en ce lieu, et le stimulait encore: c'était l'éternel père Joseph.

L'abattement de son patron, loin de le gagner, lui donnait plus d'ardeur. Il se piquait au jeu; comme un grand tacticien, il n'avait jamais plus de sang-froid, plus d'imagination que dans les occasions décisives. Il se plaisait à envisager le péril afin de le combattre pied à pied, d'opposer la ruse à la ruse, la force à la force, de faire tomber ses adversaires dans le piège creusé par leurs propres mains.

Madame de Chevreuse, si habile que nous la sachions, ne possédait pas au même degré ces qualités indispensables; la diplomatie, l'intrigue, formaient son élément principal. Elle perdit souvent ses batailles à force d'enthousiasme, pour avoir cru trop vite à la victoire.

Cette fois, absorbée des soins d'un triomphe qu'elle regardait comme immanquable, elle ne songeait plus déjà, dans le petit cénacle où nous l'avons laissée, en compagnie des deux reines et du maréchal, qu'à pourvoir aux suites de ce succès.

On se partageait très gravement les dépouilles du cardinal, comme la succession d'un homme enterré. Personne ne pensait à la jeune fille qui avait servi d'instrument à ce revirement politique; on la connaissait si modeste, si peu ambitieuse, que l'on savait bien qu'elle n'aurait jamais les velléités tyranniques d'une vraie favorite.

On faisait là, sans s'en douter, par cet oubli même de sa personne dans cette répartition du butin, son plus noble, son plus éloquent éloge.

En effet, elle ne songeait guère, la tendre enfant, à ces questions de titres, de fortune, de faveur!... Son cœur battait d'une émotion plus douce; un mot échangé dans la journée avec Philippe l'attirait dans le parc, où enfin elle allait le revoir, lui parler sans témoins!

Mais ce bonheur n'était pas sans mélange. A l'ambroisie, un génie mauvais avait pris soin de joindre le fiel. Louise allait savoir si, comme Boisenval l'avait insinué, elle devait ne plus voir qu'une rivale, et une rivale préférée, dans la plus intime de ses amies.

Henriette! Philippe!... que d'insomnies ces deux noms, retentissant sans cesse à son esprit, lui causaient depuis cette révélation venimeuse.

Peu s'en fallut, dans son anxiété, qu'elle n'arrivât la première, car le jeune peintre, par une inquiétude bien différente, était balloté entre un égal désir de venir à cet entretien et un insurmontable serrement de cœur.

Durant le peu de jours qu'il venait de passer à Saint-Germain et à Versailles, il n'avait que trop vite été confirmé dans les bruits, déjà parvenus à lui sous une forme plus vague, touchant la nouvelle fortune de la fille d'honneur de la reine.

Dès qu'elle l'aperçut, celle-ci s'élança au devant de lui, tandis que, saisi d'une émotion insurmontable, il ne trouva pas la force de lui abréger la distance.

—Philippe! mon ami, s'écria-t-elle en s'emparant de sa main qu'il lui tendait à peine, je vous retrouve donc!...

Et lui, au lieu de baiser cette main charmante qui s'attachait à la sienne, il la pressa imperceptiblement du bout des doigts.

Le cœur n'a pas besoin de longs discours pour comprendre ces choses. Louise se retira soudain de cette froide accolade, et l'amertume succédant brusquement à la joie qui inondait ses traits:

Henriette étant venue la joindre...

—Philippe, poursuivit-elle, ce qu'on m'a dit est vrai, vous ne m'aimez plus!

—Avant de vous répondre, mademoiselle, répondit-il péniblement, permettez-moi de vous demander si vous m'avez jamais aimé?

—Si je l'ai aimé!... s'écria-t-elle dans un long soupir; mon Dieu! il ose en douter...

—Que voulez-vous, mademoiselle, je suis un pauvre esprit froid et inquiet, droit comme la justice, mais sévère comme elle. Les ruses, les astuces, les intrigues des cours ne sont pas mon fait. Je me dirige sur la lumière, tenant pour vrai ce que je vois, et non sur les ténèbres où je soupçonne le mensonge. Eh bien, ce que je vois me dit que vous ne m'aimez pas.

—Dites que vous en aimez une autre, monsieur, et épargnez-vous ces détours.

—Sur mon âme, écoutez-moi, mademoiselle. Mes lèvres n'ont pas l'habitude du mensonge: ce qu'elles disent, je le pense. Un moment, oui, je le confesse, je crus être aimé de vous, et ce bonheur inespéré, immense, faillit me rendre fou... Ah! vous ignorerez toujours par quelle idolâtrie j'eusse voulu répondre à cet amour, s'il eût été vrai... Vous avez eu, entre toutes les femmes, le premier battement de mon cœur... Hélas!...

—Et ce cœur s'est bien vite refermé et donné à une autre, n'est-ce pas?

Il voila son visage sous ses deux mains, peut-être pour lui dérober ses larmes, et s'écria sourdement:

—Ah! Louise, je vous eusse trop aimée!

—Trop aimée! répéta la jeune fille avec une ironie déchirante; et d'où vient que cette tendresse s'est évanouie si vite?

—Elle le demande! Mais c'est qu'elle ose le demander!... dit le jeune homme, plein d'amertume et de mépris.

—J'ai le droit d'interroger quand on m'accuse!... Dites donc, ingrat, quelles preuves ne vous ai-je pas données de mon amour? C'est moi qui, vous voyant mélancolique et isolé, suis allée à vous la première! C'est moi qui, oubliant les lois de l'étiquette, les dangers de la médisance, la surveillance sévère attachée à mon emploi, n'ai pas craint de vous rendre visites sur visites dans votre atelier; de vous laisser prendre modèle sur ma pose, sur mes mains, pour votre tableau préféré... Et qui donc a adressé à l'autre les premiers mots du cœur... dites? Est-ce vous, ou n'est-ce pas moi encore?...

—Tout cela est juste; et alors combien je vous chérissais!...

—Et depuis quand ai-je cessé de mériter cette affection, que j'avais lâchement mendiée...

—Louise!...

—Oh! non, les mots ne me font pas peur; ce qui m'afflige et m'effraye, c'est l'ingratitude, la trahison...

—Contre qui ces accusations sévères?...

—Contre l'homme qui n'a pas craint de m'accabler de son oubli; contre l'amie qui m'a volé le cœur dont je me croyais maîtresse.

—Henriette?...

—Oui, Henriette; elle était mon amie: nierez-vous qu'elle soit votre amante?

—N'accusez pas la vertu la plus pure, l'innocence la plus sainte!

—Innocente et pure, qui donc oserait dire que je le suis moins qu'elle?

Philippe eut un long frémissement, il voulut parler, balbutia, et saluant sa compagne:

—Ce sont là des récriminations stériles, mademoiselle; un mauvais souffle a passé à travers notre existence et l'a désenchantée... Nous n'eussions pas dû chercher à nous revoir... Ne reprochez pas à Henriette de consoler celui dont vous avez fait le premier chagrin, après avoir été sa première joie...

Il s'inclina plus bas encore, comme un courtisan devant une reine, et voulut partir.

—Non pas, dit-elle en le retenant, je ne vous laisserai pas me quitter ainsi... Vos propos sont pleins de réticences et d'obscurités, qui me glacent comme autant de reptiles. Si vous ne me devez plus votre affection, vous me devez la vérité du moins, la vérité tout entière, comme il appartient à un gentilhomme et à un artiste de la dire; gentilhomme et artiste, vous êtes l'un et l'autre, donc vous parlerez!

—Étrange obstination!... Ce que je vous dirais, vous le savez mieux que moi; et si ce n'est pour m'imposer un supplice nouveau, quelle volupté raffinée vous promettez-vous d'un aveu qui vous ferait rougir!

—Grâce à Dieu, fit-elle avec une dignité dont il se sentit troublé, je suis au-dessus de vos outrages; mais nul ne saurait se dire au-dessus de la vérité.—Que vous ne m'aimiez plus, j'y suis résignée; que vous aimiez Henriette, c'est votre droit;—mais la vérité, je l'exige!

Pour la seconde fois, il ouvrit la bouche, commença un mot inarticulé, et s'arrêtant devant une tâche impossible:

—Non, s'écria-t-il, décidément, je n'aurai pas ce courage!..

—Mais je le veux, répliqua-t-elle en lui serrant le poignet avec une énergie jusque-là sans exemple de sa part, et je m'attache à vous jusqu'à ce que vous ayez parlé!

—Prenez garde, dit-il en la foudroyant du regard, si le roi allait vous voir!

—Le roi?...

—Le roi... répéta-t-il en hochant la tête avec une expression satanique.

Son œil devint fixe, sa main se détacha peu à peu de lui; elle demeura quelques secondes immobile, livide; puis se frappant le front sous le coup de cette découverte horrible:

—Ah! malheureuse! malheureuse!...

Ce ne furent plus seulement des larmes, mais des sanglots, à ce point qu'il en eut pitié, se rapprocha d'elle et voulut reprendre cette main qui l'avait retenu de force tout à l'heure.

—Pourquoi m'avez-vous contraint de vous dire cela?...

—C'est donc vrai? demanda-t-elle avec égarement, on dit, on ose dire que je suis la maîtresse du roi?...

—C'est vrai.

—Et vous l'avez cru, vous?...

—Louise, calmez-vous, de grâce.

—Ah! Dieu est cruel!... la maîtresse du roi!... Je comprends tout, maintenant; vos dédains, votre abandon... Vous avez fait comme les courtisans, les envieux! Je suis innocente, pourtant; j'en fais serment par ce ciel étoilé qui nous regarde! Le roi n'a jamais eu pour moi que les égards et les paroles irréprochables d'un frère pour sa sœur! Les calomnies du monde n'avaient pu m'atteindre, elles s'étaient arrêtées avec les immondices au seuil de mon antichambre; il a fallu que ce fût vous qui me les apprissiez!... Rien, rien n'est vrai, entendez-vous!...

—Mais, hasarda-t-il, cette faveur qui vous environne!...

—Vous voulez dire que je recherche, n'est-ce pas?... Ce rôle que je remplis... ce rôle...

Elle fixa sur lui ses beaux yeux empreints d'une telle expression de tendresse, qu'il en fut tout pénétré.

—Vous étiez menacé, persécute, emprisonné... une haine terrible s'attachait à vous... il fallait vous sauver... Le roi, triste, soucieux, avait bien voulu se dérider en m'apercevant; il n'exigeait de moi qu'un sourire, ce pauvre monarque plus esclave que le dernier serf de son royaume. Ce sourire m'élevait à cette faveur, que je ne cherchais que pour vous. L'âme torturée par l'idée de votre détresse, je trouvai cependant le courage de sourire au roi...

Philippe se prosterna à ses pieds.

—Louise! chère Louise!... pardonnez-moi! je suis un ingrat, un malheureux! Je vous ai accusée, méconnue... trahie... je vous ai crue coupable... vous étiez victime! victime pour ma propre cause!... Je me suis donné à une autre... Mais c'en est fait, pardonnez-moi, je reprends ma foi, je reviens à vous, toute ma vie se passera à expier mes torts...

Elle le regarda quelque temps dans cette attitude amoureuse et suppliante, avec un ineffable ravissement. Puis elle s'arracha par un soupir à cette prestigieuse consolation.

—Relevez-vous, mon ami, dit-elle.

—Pas avant que vous m'ayez pardonné...

—Je vous pardonne, je vous absous...

—Un mot encore, vous acceptez?...

—Henriette vous aime, mon ami, et—ajouta-t-elle, non sans un pénible effort,—vous aimez Henriette.

—Oh! c'est vous seule!

Elle secoua avec un sourire triste sa belle tête affligée.

—Non, c'est elle, vous dis-je; vous avez été porté vers elle par votre cœur; vous ne revenez vers moi que par reconnaissance...

—Voulez-vous me faire mourir de chagrin?

—Écoutez-moi, Philippe, car ceci est une résolution irrévocable. Nous étions deux à vous aimer, et vous nous avez aimées toutes les deux. Le cœur d'une femme n'a pas de ces phénomènes, mais celui de votre sexe est fait d'une autre sorte... Je n'ai pas le droit de vous en vouloir; j'ai eu votre première pensée, je ne disputerai pas l'autre à Henriette. Elle méritait bien plus que moi de vous posséder tout entier.

—Ah! vous me désespérez!...

Mais sans s'arrêter à cette interjection, elle poursuivit:

—A un homme tel que vous, il faut une femme comme vous, dont la réputation n'ait jamais donné prise aux clameurs du monde, fût-ce à celles de la calomnie... L'épouse de Philippe de Champaigne ne doit pas même être soupçonnée. Telle n'est plus ma condition, hélas! Je vous apporterais en partage l'ironie, le sarcasme.... Ces courtisans qui m'envient ont intérêt à me croire coupable, bien qu'ils me sachent innocente... Philippe, je ne veux pas vous faire ce déplorable don! Une jeune fille est là, belle, immaculée comme un ange; elle a mis en vous son amour, sa foi, son espoir... Cette jeune fille, je vous la donne.

—Mais vous!...

—Moi?... dit-elle avec un sourire pâle et défaillant, je suis entrée dans une voie dont je ne puis sortir encore; je demeurerai la favorite! Elle appuya avec mépris sur ce mot,—jusqu'au jour où je saurai tous mes amis hors de péril... Il faut bien que mon humiliation profite à quelqu'un!

—Cœur d'or!... sainte et parfaite créature... c'est moi qui ne suis pas digne de vous.

Elle secoua de nouveau la tête, comme si elle était bien sûre que ses arguments avaient atteint leur but, et, lui donnant sa main:

—Désormais, entre nous, monsieur Philippe, que ce soit donc une bonne et loyale amitié.

—Un dévouement éternel!...

Il s'empara, non pas seulement de la main qu'elle lui offrait, mais de ses deux mains, et les réunit sous un chaleureux embrassement.

Mais tout à coup, au moment de se séparer, en levant les yeux vers le château, il demeura glacé, sans voix, et ce fut tout au plus s'il put articuler, en étendant les bras de ce côté:

—Là!... Là!...

Elle regarda vivement et aperçut avec stupeur le roi et le cardinal, debout à la fenêtre, épiant leurs mouvements et leurs moindres gestes.

XXIV
LE BIJOU MAGNÉTIQUE

De grand matin, c'est-à-dire aussitôt l'ouverture des portes pour le service du Louvre, Philippe pénétra dans ce palais, et se dirigea vers l'aile occupée par les appartements de la reine et terminée par la galerie de peinture.

Un trouble inexprimable y régnait déjà. On y avait une connaissance indéfinie des événements de la nuit. Sans pouvoir rien préciser, un orage formidable régnait dans l'atmosphère, remplissait les esprits de stupeur. Les officiers de la maison de Marie de Médicis avaient été réveillés par ces bruits, les serviteurs allaient et venaient, s'agitant dans un désarroi général.

Le jeune artiste, plus inquiet qu'aucun d'eux, n'osait cependant les interroger; il s'était enfui de Versailles, devant l'apparition menaçante du roi et du cardinal. Il était venu à pied, sans savoir comment, et n'était guère arrivé avant l'heure où il pouvait, sans se faire remarquer, entrer dans le palais.

Était-ce là que la prudence aurait dû le ramener? Dans le désordre, dans l'anxiété mortelle de ses sens et de son esprit, il n'avait garde de se livrer à de tels calculs. Il allait où le poussait son instinct, où l'attiraient ses sympathies, où il avait chance de rencontrer le seul cœur avec lequel le sien eût désormais le droit de sympathiser.

Car, il ne faut pas s'y tromper, et Louise de Lafayette ne s'y était pas laissé tromper, s'il s'était mis à ses pieds, s'il avait voulu abjurer pour elle les liens qui l'attachaient déjà à la fille de son ancien professeur, ce n'était pas par indifférence, par ingratitude pour celle-ci. Non vraiment, son âme délicate et impressionnable s'était fait les raisonnements que lui répétait la fille d'honneur. En s'offrant à elle, il accomplissait un acte de réparation; elle s'était sacrifiée pour lui, sa conscience lui imposait le devoir de se sacrifier à elle.

Mais elle avait repoussé cet holocauste, la noble enfant. Elle ne voulait pas d'un cœur ainsi marchandé, et d'ailleurs elle était sincère dans son abnégation, elle acceptait désormais le rôle d'immolation éternelle où sa destinée l'avait conduite.

Philippe revenait donc au Louvre dans l'espérance d'y rencontrer Henriette, et l'idée qu'il avait failli renoncer à elle, la perdre à jamais, la lui rendait plus chère. Son admiration, sa reconnaissance étaient acquises à Louise, mais toute sa tendresse appartenait à Henriette.

Avant de monter à la galerie, il se décida à aborder un des serviteurs, dont il connaissait la réserve et la fidélité, et s'étant assuré que la jeune fille était toujours au palais, il chargea cet homme de lui apprendre que lui-même venait d'y entrer. Puis il gagna l'atelier, où l'on peut croire qu'il ne trouva guère le sang-froid nécessaire à un travail auquel il n'avait jamais moins pensé.

La protégée de la reine-mère, en raison de sa neutralité dans toutes les questions de politique ou d'intrigue, était demeurée fort oubliée au milieu de ce remue-ménage. Les bruits, le mouvement l'informèrent seuls qu'il se passait quelque chose d'inattendu et de grave autour d'elle. Elle se leva à la hâte, et dès qu'elle mit le pied hors de sa chambre ses suppositions se changèrent en certitude.

Tout à coup, Philippe la vit accourir haletante, éperdue dans l'atelier, dont il arpentait depuis une demi-heure l'étendue d'un pas fiévreux. Elle tenait à la main un billet entr'ouvert, qu'elle lui présenta, sans avoir la force d'articuler un mot.

Il reconnut l'écriture de mademoiselle de Lafayette, qui adressait ce message à son amie par un homme gagné à prix d'or, car cette commission n'était pas sans danger en cette circonstance.

Ce billet laconique disait ceci:

«Chère Henriette, tout est perdu. A tout prix, allez trouver M. Philippe et obtenez de lui qu'il se cache, qu'il s'éloigne: il y va de sa tête.»

Mais Philippe n'était pas un cœur pusillanime. Moins effrayé de cet avis que de l'état où il voyait Henriette, il ne s'occupa d'abord que de la rappeler à elle et de la rassurer.

Aussitôt qu'elle recouvra la raison et la parole, elle lui apprit que la reine-mère était arrivée à Paris, dans la nuit, et au lieu de venir au Louvre, s'était précipitamment rendue au Luxembourg, ce qui expliquait l'agitation des gens, bien qu'ils ignorassent la cause de ce retour inopiné.

Le porteur du billet ne paraissait lui-même rien connaître du fond des choses, mais il lui avait fait savoir que le roi, le cardinal et le père Joseph avaient quitté Versailles presque en même temps que Marie de Médicis, pour retourner à Saint-Germain, où était toujours la cour.

Enfin on avait aperçu sur la route de Versailles à Paris un déploiement de gens d'armes, particulièrement une compagnie des gardes du cardinal, lesquels escortaient une litière, soigneusement fermée. Cet équipage avait été dirigé vers la Bastille, d'où les gardes étaient revenus seuls. Des bruits vagues disaient que le prisonnier était un des plus grands seigneurs de France, un général dont l'armée tenait campagne en ce moment, le maréchal de Marillac, en un mot.

—Fuir!... me cacher!... répéta Philippe relisant l'écrit, pendant que Henriette achevait de lui donner ces renseignements. Et je vous laisserais ici, chère âme; j'abandonnerais mes amis dans la détresse!

Hélas! dit-elle douloureusement, cette ressource de la fuite vous manque elle-même. Le père Joseph ne pouvant sans doute quitter le cardinal ni le roi en ce moment, a envoyé au gouverneur du palais la consigne de ne laisser sortir personne sans un sauf-conduit signé du ministre.

—Que se prépare-t-il donc, mon Dieu?...

—Vous voyez, mon ami, que si la fuite était possible, elle serait bien permise. Nos protecteurs, nos alliés sont probablement eux-mêmes en voie de se soustraire aux coups qui les menacent, et, quant à moi, l'obscurité de ma condition, l'insignifiance de ma vie, la position de mon père, qui s'est ostensiblement rapproché de M. de Richelieu dans ces dernières circonstances, tout m'assure une sécurité que je voudrais partager avec vous, si je ne peux partager vos périls.

Philippe se frappa le front, dans une perplexité cuisante:

—Que faire? que résoudre? S'il me fallait partir, Henriette, mais songez-y donc, ce serait vous perdre!...

—Ami, dit-elle en cherchant à son tour à l'affermir contre cette séparation, qu'elle n'entrevoyait pas avec moins de douleur, ami, croyez-vous donc que de loin comme près mon cœur pût changer?...

Ah! plaise à Dieu que nous trouvions le moyen d'assurer votre départ, votre salut! car, relisez donc ce billet, il y va de votre tête!...

Cette menace terrible ne lui permit pas d'achever sa phrase. Mais portant rapidement la main à sa poitrine:

—O mon Dieu! s'écria-t-elle, c'est une inspiration! J'avais oublié!... Oui, c'est cela! «—Dans un moment suprême, a dit cet homme étrange, au regard de feu,—lorsque la terre manquera sous vos pieds, quand tout vous abandonnera, adressez-vous à votre dernier ami: posez ce talisman sur votre front, et vous pénétrerez les choses inconnues...»

En l'entendant parler seule, prononcer des mots inintelligibles pour lui, en voyant son regard fixe, sa pâleur mortelle, Philippe crut un instant que l'excès de son tourment avait altéré son esprit.

—Chère Henriette, dit-il en la forçant de s'asseoir sur un des sièges artistiques épars dans la galerie, calmez-vous... Je suis ici encore pour vous aimer, pour vous défendre au besoin.

—Hélas! soupira-t-elle, c'est vous qui avez besoin d'être défendu...

Il saisit une de ses mains et y rencontra un objet qu'elle laissa passer dans la sienne.

—Prenez, mon ami, mon dernier, mon unique ami; si nous pouvons être sauvés, c'est par ceci.

Philippe de Champaigne fut toujours un esprit religieux d'une droiture extrême, catholique fervent, mais ennemi des pratiques superstitieuses; il éprouva comme un scrupule.

—Un charme, une amulette... murmura-t-il.

—Le salut! affirma-t-elle. Posez ce morceau de cristal sur mon front...

—Henriette, quel est cet enfantillage, en un tel instant?...

Il retournait entre ses doigts le médaillon, qui n'offrait bien l'aspect que d'une large lentille de cristal de roche, limpide, transparente, sans aucun signe gravé.

—Je vous en prie, insista la jeune fille.

—Allons, vous l'exigez... Mais du moins m'assurez-vous qu'il n'y a là aucune œuvre de magie ni de sorcellerie dommageable à mon salut?

—Aucune, mon ami. Ayez confiance, c'est notre ressource suprême.

—J'obéis!...

Sa main, légèrement émue, appliqua le talisman magnétique, ainsi que sa compagne le lui indiquait.

Henriette se consolait en écoutant cette princesse.

Peu à peu, il la vit s'affaisser dans une langueur singulière; ses membres s'assouplirent ainsi qu'il arrive durant le sommeil; ses paupières s'abaissèrent insensiblement, et la frange de ses longs cils remplaça son doux regard. Elle vint s'appuyer, par un mouvement rempli de morbidesse, sur le dossier du fauteuil, et sa tête de chérubin assoupi s'inclina sur son épaule.

Le jeune homme, transporté d'étonnement, suivait ces phénomènes successifs, comme un voyageur égaré sur une route semée d'aspects terribles, de passages imprévus. Son sang se glaçait dans ses veines, son cœur battait encore, mais par de sourdes secousses. Son cerveau se troublait, il cherchait à se reconnaître, et se demandait si ce n'était pas lui que frappait le délire dont il croyait tout à l'heure sa compagne atteinte.

Il avait cessé de lui appliquer le médaillon sur le front, mais l'effet était produit, et quoiqu'il étreignit cet objet dans sa main, ce sommeil mystérieux durait toujours.

Il la contempla d'abord dans une muette émotion; l'admiration et l'anxiété se livraient en lui un combat bizarre. Il ne l'avait jamais vue si belle, si poétique, si vaporeuse. C'était une créature appartenant à une sphère immatérielle; il eût voulu la peindre ainsi, pour fixer sur la toile cette vision céleste. Dans son ravissement, il s'agenouilla devant elle et s'empara avec un recueillement religieux de l'une de ses mains.

A ce contact, cette main eut une secousse électrique qui lui fit serrer la sienne.

—Henriette!... appela-t-il.

Alors, prodige nouveau! il vit sa blonde tête s'agiter par une douce inflexion, ses lèvres s'entr'ouvrirent, et, d'une voix pénétrante:

—Je suis à vous, Philippe, prononça-t-elle; que voulez-vous?...

—Parlez! dit-il, parlez, je vous en conjure, si vous ne voulez que je devienne fou!...

—Demandez, je suis là pour vous obéir...

—Rassurez-moi, de grâce!... Est-ce le sommeil, est-ce la veille?...

—C'est l'extase.

—L'extase!... Que voyez-vous donc?...

Il se tenait debout devant elle, le regard fixé sur ses traits immobiles, dans l'attitude d'un homme qui s'entretient avec un spectre.

—Attendez, répondit-elle; ce sont des choses si compliquées, si confuses... Le cardinal, que l'on croyait vaincu, est rentré en faveur... plus puissant, plus redoutable... Comment cela s'est-il fait?... Ah! je vois; cette nuit, un jeune homme et une jeune fille s'entretenaient dans le parc, les imprudents! à portée de la fenêtre du roi... Cette jeune fille, le roi l'aimait... Ce jeune homme...

Elle s'arrêta pour rassembler toute la puissance de sa vision rétrospective, et, se redressant sur son siège:

—Ce jeune homme c'était vous!...

—O mon Dieu!... s'écria Philippe, c'est donc l'enfer que nous avons évoqué!... Mais, dit-il en se rapprochant, puisque vous lisez à livre ouvert dans les secrets les plus cachés, vous devez voir que celle que j'ai choisie, préférée, c'est vous!...

—C'est vrai, fit-elle doucement, et cela devait arriver ainsi, car je vous l'ai dit déjà, et en ce moment une voix d'en haut, un retour de mon esprit vers des âges écoulés, m'attestent que les âmes vivent plus d'une fois, et que les nôtres, au sein de ce même palais, se sont déjà connues et aimées dans la douleur.

—C'est le délire... murmura Philippe.

Un imperceptible sourire se dessina à la commissure des lèvres de Henriette:

—Nous appelons délire ce que nous ne connaissons pas, fit-elle. Mais qu'importe le passé; nous nous aimons dans le présent. Le cardinal s'est engagé vis-à-vis du roi à lui livrer l'audacieux que celui-ci regarde comme son rival. Il s'agit de vous sauver.

—Ah! dit-il en hochant la tête, voilà qui est difficile!

—Peut-être, répondit-elle.

—Que voulez-vous dire encore?

—La trahison nous entoure. A vous comme à moi, une main perfide a soustrait l'objet précieux qui renfermait notre salut. A moi l'on a dérobé une lettre pleine de révélations, à vous...

—A moi, le portrait de ma mère!... Comment savez-vous cela?

—Comme je sais tout le reste, par une vertu de clairvoyance qui est en moi et qui émane... qui émane d'un protecteur plus malheureux que nous en ce moment... Oui, la lucidité se fait enfin dans mon esprit: au fond des salles basses du Louvre, près de la prison qu'on vous donna, il existe une autre victime... Ah! ma tête commence à se fatiguer...

—Parlez, parlez encore! supplia Philippe, gagné par la conviction de ses discours, par les secrets sortis de sa bouche, et attaché à ses moindres paroles.

—Oui, j'achève... Ah! j'ai hâte, la lassitude pèse sur mon cerveau...

Saisi d'une inspiration soudaine, il lui fit toucher une seconde fois le disque de cristal. L'effet ne se fit pas attendre. Sa respiration, devenue plus difficile, reprit sa régularité, ses traits, contractés par une attention trop opiniâtre, retrouvèrent leur calme tout entier; elle acheva:

—Le prisonnier occupe la double cellule du père Joseph. Au fond de l'oratoire est un prie-Dieu massif. La planche où l'on s'agenouille peut être rendue mobile, en touchant un ressort adapté sur la gauche, du côté de l'ombre, et qui a l'aspect d'une tête de clou...

—Après... après?

—Là se trouve un portefeuille garni de papiers; il n'en est qu'un d'important pour vous. C'est un blanc-seing signé du roi, contresigné du ministre, et tenu en réserve par le père franciscain pour quelque grande occasion... Vous vous en emparerez, et toutes les barrières tomberont devant vous.

—Mais comment pénétrer dans la cellule?...

Elle chercha un instant et finit par étendre la main dans la direction d'une grande armoire, pratiquée dans la muraille de l'atelier, et où l'on ne déposait que des débris et des objets inutiles.

—Là, fouillez dans le bas de celle armoire...

L'artiste y courut; la partie indiquée était remplie de ferrailles oubliées depuis des années. Dans le nombre étaient des clefs de toute dimension, couvertes de rouille. Il en remarqua une d'une forme bizarre, et l'ayant prise, avant qu'il fût revenu près Henriette;

—C'est la bonne, dit-elle. C'est un des anciens claveaux dont le roi Henri III se servait pour aller la nuit à ses honteuses débauches. Nul à présent n'en saurait dire l'usage. Cette clef ouvrait alors toutes les serrures du palais. Aujourd'hui, elle en ouvrirait encore une partie; celle du père Joseph ne lui résistera pas.

Philippe marchait de surprise en surprise, mais il n'éprouvait plus ni doutes ni hésitations. Il comprenait qu'il y avait là une manifestation extra-naturelle, dont les sens ne pouvaient donner l'éclaircissement, et qui échappait aux visées de la métaphysique, encore si restreinte alors, par suite du cercle tracé aux idées par l'Église.

Il devait sans doute méditer plus d'une fois sur ces matières, et peut-être bien cette expérience fut-elle le point de départ des doctrines abstraites où il se plongea plus tard. En cet instant, ce n'était pas la réflexion, c'étaient les actes qui pressaient.

Henriette venait de retomber dans un affaissement profond, conséquence de la tension extraordinaire de ses facultés. La vision avait cessé, il ne restait que le sommeil. Il la considéra longtemps avec attendrissement, avec adoration; puis, s'étant approché pour baiser doucement son front, il la sentit tressaillir.

Elle poussa un soupir assez semblable à un gémissement. Quelque mauvais rêve traversait son esprit. Elle s'agita encore en quelques mouvements onduleux, ses paupières s'entr'ouvrirent, et elle s'éveilla tout à fait, fort étonnée d'abord de se trouver là en compagnie du jeune peintre.

Mais la mémoire ne lui fit pas longtemps défaut, et reprenant l'entretien au point où elle l'avait laissé avant l'épreuve:

—Eh bien, mon ami, demanda-t-elle avec anxiété, le talisman?...

—Le talisman n'a pas failli à votre confiance, chère Henriette. Celui qui vous l'a donné est un homme merveilleux, et il en sera récompensé. Que Dieu nous aide, nous rendrons la liberté au captif, et nous échapperons avec lui à nos persécuteurs!...

XXV
LE SERMENT IMPOSSIBLE

De Saint-Germain, la cour, profondément désorganisée, était revenue au Louvre, remorquée, le roi en tête, par le cardinal.

La *Journée des Dupes* produisait ses conséquences, les ennemis de Richelieu, déçus dans leurs espérances les mieux justifiées, étaient tombés, d'un succès qui semblait acquis, dans un abîme.

Monsieur, frère du roi, se sauvait successivement dans ses domaines de l'Orléanais, puis, d'étape en étape, de manœuvre en manœuvre, dans les États de Lorraine, où le duc lui offrait un asile précieux et la main de sa fille Marguerite. Il y épousait plus tard cette princesse, dans un mariage secret, qui devait fournir à Richelieu des armes pour le perdre sans retour dans l'esprit soupçonneux et inquiet de Louis XIII.

La funeste odyssée de Marie de Médicis commençait en même temps. Ne trouvant plus de sécurité au Luxembourg, elle gagnait Compiègne, où elle espérait avoir une conférence avec son fils. Mais soudain le personnel de la cour, qui était venu momentanément dans cette résidence, s'éloignait, et il ne restait autour d'elle que huit compagnies des gardes, cinquante gens d'armes et cinquante chevaux-légers. Le maréchal d'Estrées, dévoué à Richelieu, les commandait, et quoiqu'il prétextât que cette force imposante était demeurée pour faire honneur a la princesse, il n'y avait pas à s'y méprendre, celle-ci était prisonnière.

Tout cela s'était exécuté pendant la nuit, en sorte qu'à son réveil Marie de Médicis se trouva dans une solitude accablante. La plupart de ses femmes étaient changées. Vautier, son médecin, était en état d'arrestation; son confesseur, le père Chantelouble, était exilé; on refusa de lui donner aucun renseignement sur le reste de ses confidents. Le maréchal, qu'elle fit mander, lui répondit avec un respect contraint que le roi lui ferait incessamment connaître sa volonté.

Aucun éclaircissement ne lui parvint du reste de la journée. Le lendemain, un conseiller d'État se présenta devant elle, chargé de lui offrir de se retirer à Moulins. Cette proposition fût le début de négociations qui se prolongèrent plusieurs mois, et dans lesquelles chacun apporta les armes propres à son caractère. De la part de la reine, ce fut une succession de plaintes, de hauteurs, de prières, de menaces, de promesses, de subterfuges, de maladies souvent fictives, parfois réelles, et résultant des chagrins.

Rien n'ébranla le ministre, auquel le roi n'osait plus adresser même un observation en faveur de sa mère. Richelieu montra une rigidité toujours uniforme, n'écoutant aucun projet que l'obéissance de la reine n'en formât la base c'est-à-dire qu'elle ne commençât par se confiner dans quelque lieu dont on conviendrait.

La jeune reine n'était pas mieux traitée. On n'osait l'envoyer en exil, ni la consigner dans un château, mais elle était réellement prisonnière dans ses appartements du Louvre, et n'entretenait plus son mari qu'en présence du cardinal. Ainsi qu'à sa belle-mère, on lui avait retiré celles de ses femmes qui lui portaient affection, pour lui en imposer qui formassent autour d'elle un cercle d'espionnage.

On conçoit, sans qu'il faille l'expliquer, les soins imposés par tant d'affaires au cardinal, et l'admiration qu'il dut avoir pour la sagacité prévoyante de son confident, qui trouvait l'emploi des blancs-seings amassés par lui avec tant de sollicitude.

Les formules d'embastillement, d'exil, de mise en accusation, les ordres de torture, tout se trouvait prêt, il n'y avait qu'à écrire les noms; c'était la besogne de Desroches, le secrétaire intime, auquel ce digne père Joseph fournissait des listes inépuisables. Les destitutions des plus hauts fonctionnaires pleuvaient, les gentilshommes les plus considérés disparaissaient, et l'on enviait le sort de ceux qui trouvaient moyen de gagner les pays étrangers.

Un trait qui peint cette politique du cardinal, doublé du capucin, se produisit alors: à mesure que Marie de Médicis refusait de quitter sa prison de Compiègne pour obéir aux ordres d'exil émanant du ministre, on lui enlevait tantôt un secrétaire, tantôt un officier de sa maison, tantôt une femme qui lui plaisait, sous prétexte que ces personnes lui donnaient de mauvais conseils.

Ce fut ainsi que, Henriette étant venue la joindre, ne put demeurer que peu de jours auprès d'elle. On avait surpris la distraction que sa présence apportait aux soucis de la princesse; on n'osa pas, il est vrai, aller jusqu'à accuser l'innocente enfant de manœuvres politiques, mais on la fit durement réclamer par son père, passé dans le camp du plus fort.

Ce fut une pénible séparation. Marie de Médicis s'était attachée à cette jeune fille, elle avait pris un aimable intérêt à son roman si brusquement interrompu. Elle trouvait encore quelque bonheur à recevoir ses confidences candides, à la réconforter, à lui promettre un avenir plus beau, une réunion avec son ami absent.

Henriette se consolait en écoutant cette grande princesse s'associer à ses chagrins. Elle trouvait en elle une âme compatissante à qui s'en ouvrir. La perspective de la maison paternelle, pleine de rigueurs, de reproches incessants la faisait frémir.

Mais qu'on ne pense pas que le triomphe de Richelieu fût si complet que rien ne vînt en obscurcir la satisfaction. Séparer le fils de la mère, tyranniser la femme par le mari, remplir des cachots, signer des ordres de proscription, dresser des potences, c'est exercer le pouvoir, faire preuve d'autorité, mais le front des tyrans est souvent plus soucieux que celui des opprimés. Si ce n'est le remords, l'anxiété les ronge. L'arbitraire appelle l'arbitraire, la violence appelle la violence; le métier de pourvoyeur du bourreau a ses lassitudes, et le pied qui marche dans le sang n'est jamais celui d'un cœur en paix avec lui-même ni avec les autres.

Ne nous étonnons donc point de trouver, l'un des matins qui suivirent la *Journée des Dupes*, c'est-à-dire alors qu'il devait être dans tout l'épanouissement de son succès, Richelieu replié sur lui, au fond de son fauteuil, dans l'attitude d'un vieillard brisé par les années.

En ce peu de jours, il avait vieilli de vingt ans. Ses cheveux s'étaient zébrés de filets blancs, sa moustache et sa royale avaient grisonné; ses traits hâves, fatigués, avaient l'aspect d'un parchemin flétri. Les yeux lançaient encore par minute des éclairs, mais ce n'étaient plus les rayonnements du génie; ces lueurs fauves inspiraient l'effroi; on eût dit le reflet d'une flamme infernale.

Il est vrai qu'en cet instant il n'était pas dans un tête-à-tête de nature à rasséréner ses idées. Devant lui se tenait le lieutenant civil Laffémas, feuilletant un énorme dossier dont il caressait chaque page de son sourire d'hyène.

—Nous arrivons maintenant, disait-il, à nos prisonniers de marque, les messieurs de Marillac.

Ce nom amena sur les lèvres de l'Éminence un léger spasme, dont Lafférmas parut se féliciter. Il poursuivit:

—Suivant les ordres de Votre Éminence, tous deux sont en sûreté, et leur affaire s'instruit séparément, de façon que nous puissions avoir deux arrêts et deux exécutions; à moins que,—insinua-t-il avec un soupir hypocrite,—il ne nous survienne une seconde édition de l'affaire de M. de Jars, violemment soustrait à la justice.

—Soyez tranquille, prononça Richelieu d'une voix sombre, la justice aura son cours.

—Plaise à Dieu! car ces exemples de clémence intempestive exercent une impression funeste et démoralisante; les masses ont besoin d'être entretenues sous le coup d'une terreur salutaire. Le droit de grâce est un principe imaginé par l'esprit d'anarchie. Un grand chef d'État ne doit pratiquer que le droit de mort.

«Le maréchal, dès le premier moment de son arrestation, a réclamé auprès du Parlement, récusant les commissaires qui lui sont donnés. Le Parlement n'ira sans doute pas contre les désirs de Votre Éminence; mais, pour prévenir les indiscrétions, les communications subreptices, j'ai ordonné, sauf ratification de Votre Éminence, de conduire cet accusé dans le château de Sainte-Ménehould, où il sera plus facile de le tenir au secret rigoureux et d'assembler ses juges à huis clos.»

—C'est bien, dit Richelieu. Mais voyons vos chefs d'accusation?

Lafférmas se redressa avec fierté, en homme content de lui.

—Nous les avons rangés sous sept titres, tous de nature si grave qu'il devrait être condamné sept fois, si la justice avait sept bras et qu'il eût sept têtes.

Il commença alors à dérouler ces griefs, qui tous se rapportaient en réalité à des excès de commandement, à quelques vexations militaires, et à des concussions fort peu établies sur des objets de très mince importance. Tout cela, énormément grossi, apprécié par des commissaires à la fois juges et parties, en dépit de la raison, de l'équité, de l'humanité, devait devenir le texte d'une sentence capitale.

Toutefois, Laffémas n'eut pas le loisir d'achever dans cette séance la lecture de son chef-d'œuvre. Un confident plus intime survint tout à coup qui l'interrompit, à son extrême déplaisir. Mais comment ne pas céder la place au père Joseph!

Dès que le franciscain avança la tête par la petite porte du cabinet, toute l'attention du maître se tourna vers lui:

—Monsieur de Laffémas, dit-il d'un ton gracieux, ce travail nous semble tout à fait bien conçu. Nous vous remercions de votre zèle à servir les intérêts du roi. Nous ferons en sorte qu'avant peu Sa Majesté elle-même vous témoigne sa satisfaction. Mais ce dossier est volumineux; nous vous le remettrons demain avec nos remarques, s'il s'en présente.

Congédié en termes aussi galants, le lieutenant-criminel s'éloigna rempli d'une nouvelle ardeur pour un patron appréciateur si éclairé de son mérite.

L'arrivée de son confident par excellence ramena un semblant d'animation dans la personne anéantie du cardinal. Il se souleva à moitié et l'interrogea du regard.

Il saisit sur ses traits une expression de mécontentement, de déception assez surprenante pour qui avait l'habitude de son impassibilité inaltérable.

—Qu'arrive-t-il donc? lui demanda-t-il.

—Que le diable en personne se mêle de nos affaires, répondit le capucin d'un ton brusque, où se reflétait plus encore que sur sa figure sa contrariété intérieure.

—Parle; faut-il t'arracher les mots?

—Eh bien, monseigneur, vous voyez le plus mystifié des fils de Saint-François.

—Allons donc! fit Richelieu, auquel la piteuse mine de son conseiller procurait un instant de distraction; qui se serait permis?...

—Pardieu? je vous le dis, Satan en personne.

—Mais encore?...

—Imaginez que je gardais sous clef, dans ma propre cellule, ainsi que Votre Éminence se le rappelle peut-être, certain élève des jésuites d'Amiens...

Je l'ai fait, monseigneur.

—Ah! oui, ce visionnaire prétendu... Et qu'en voulais-tu faire?

—Mon Dieu, on ne sait pas. Cet imposteur avait des idées... Et puis il pouvait servir à deux fins, comme magicien d'abord, comme hérétique ensuite... On n'a pas toujours un novateur sous la main, au cas où le besoin d'une flambée se fasse sentir.

—Abrégeons, s'il te plaît.

—J'abrège. J'avais un peu négligé ce précieux dépôt pendant les orages autrement importants de ces derniers jours. D'ailleurs, c'est un être bizarre, qui se nourrit de rien, une ration de pain et une cruche d'eau lui suffisent pour une huitaine. J'ai voulu le revoir cependant, après trois journées d'absence ou d'occupations urgentes pour votre service, et...

—Le sorcier s'était évaporé en fumée?... fit le cardinal, qui se mit à rire pour la première fois depuis longtemps.

Le capucin ne partageait nullement son hilarité:

—Au fait, m'apportes-tu le nom de ce galant qui a été assez fou pour se mettre en rivalité avec le roi? Viens-tu, comme je te l'ai prescrit, m'annoncer sa capture?

—Ni la capture, ni le nom, fit le capucin, d'un ton plus cavalier que ne le comportait une réponse si contraire aux ordres de son maître.

—Quelle fatalité est-ce donc là? Le roi tient absolument, mais absolument, à ce que ce téméraire soit l'objet d'un châtiment terrible.

—Ce jeune homme est en fuite, je viens de vous le dire.

—Tu n'as mis personne à sa recherche?...

—Sur ma foi, monseigneur, ce jeune homme est parti, comme le prisonnier de ma cellule, par je ne sais quel diabolique expédient.

—Ceci même admis, les gens te manquaient-ils pour envoyer après lui?... Va, tu ne te justifieras pas, tu as manqué de dévouement pour moi, ton chef, ton ami, qui n'ai jamais eu confiance qu'en toi, qui ne t'ai jamais caché un seul de mes secrets!

—Un seul?... répéta d'une façon singulière le franciscain.

—Est-ce un doute? demanda le cardinal blessé.

—Non, monseigneur, c'est une certitude... Oui, vous avez eu un secret pour moi... Croyez-vous que je n'aie pas compris, dès le premier jour, que ces lassitudes, ces défaillances, ces noires humeurs qui viennent par moments jeter l'amertume et l'ennui dans une âme intelligente, forte et supérieure comme la vôtre, ne sont pas l'unique résultat de l'ennui des affaires?

—Eh quoi! interrompit Richelieu en le regardant avec une sorte de terreur, tu as deviné cela?...

—Dans mon dévouement, que vous mettez en doute, je n'ai pas eu de repos que je n'aie pénétré vos douleurs pour y chercher un remède...

—Malheureux! tu as osé fouiller dans le secret le plus intime de mon cœur.

—Je l'ai fait, monseigneur, dit le père Joseph en se redressant, loin de s'incliner devant cette colère; et remerciez Dieu, car il a permis que je vous évitasse un crime irréparable.

—Que dis-tu?... qu'as-tu donc découvert?...

—Allons, soit! l'heure de parler est venue. Je vous ai dit que j'ignorais le nom de ce jeune homme dont vous avez promis la tête au roi...

—Ce nom?

—Ce jeune homme qui n'a pas craint de se laisser aimer par la favorite... il s'appelle... Philippe de Champaigne.

—Malheur! murmura Richelieu; quoi? celui-là même pour lequel j'éprouvais une amitié sincère; que j'eusse voulu servir, protéger! Mais il a repoussé mes bienfaits, et j'ai promis, j'ai juré. Donc, puisque tu refuses de me servir un autre saura le faire; un ordre donné à Laffémas...

En disant cela, Richelieu s'était penché vers sa table, où déjà il prenait une plume, pour intimer l'ordre de s'emparer à tout prix, quelque part qu'il fût, du jeune peintre.

Mais le père Joseph, arrêtant vivement son bras, lui arracha la plume et frappant sur la table, l'écrasa.

—Vous ne signerez pas cet ordre, monseigneur!

—Pourquoi cela?... s'écria le cardinal, dont un sentiment indéfini d'épouvante dominait la colère.

—A cause de ceci!...

Le capucin tira de son froc un médaillon qu'il mit sous les yeux de son maître.

—Marguerite!... s'écria celui-ci en saisissant cet objet dont l'aspect le remplit d'une invincible stupeur.

—A cause de Marguerite... prononça gravement le franciscain.

Richelieu tenait le médaillon, qu'il considéra avidement, comme s'il craignait qu'on le lui ravît.

—Laisse-moi, dit-il faiblement à son conseiller.

Le capucin s'éloigna à pas mesurés, épiant les impressions douloureuses de son patron, et dès que celui-ci fut bien assuré qu'il était seul il porta à ses lèvres, avec respect et ferveur, le médaillon dont il n'avait pas voulu se dessaisir.

XXVI
L'AUBERGE DU SOLEIL LEVANT

Vers le moment où avait lieu entre le cardinal et son conseiller intime l'explication qui forme l'objet de notre précédent chapitre, deux voyageurs arrivaient dans un des plus humbles villages de la Picardie et mettaient pied à terre devant la modeste et unique auberge du lieu.

Leurs chevaux exténués venaient évidemment d'accomplir une étape au-dessus de leurs forces, quoique ce fussent, à les examiner bien, deux bêtes de qualité.

Le personnel de ce bouchon n'était pas des plus nombreux. Il se composait de l'hôte, un brave paysan picard, à la mine rougeaude, très peu dégourdi; de sa femme, gaillarde de vingt-six à vingt-sept ans, fort accorte et fort délurée.

Les deux hommes, tout ébahis, se tenaient les bras pendants, sans même songer à tirer leurs bonnets de laine bigarrés; il fallut que la maîtresse les réveillât de leur étonnement:

—Allons, Gignoux, dit-elle à son mari, allons, François, quand vous resterez là comme deux grues!... Saluez ces messieurs, et vite prenez leurs bidets.

Et pendant que son mari et son aide s'occupaient des bêtes, elle introduisit les hôtes dans l'habitation.

Un coup d'œil suffit à nos voyageurs pour faire la reconnaissance des lieux.

Ils n'étaient vieux ni l'un ni l'autre. Le plus âgé avait un peu plus de la trentaine, mais tout en lui, physique, accent, tournure était jeune. Sa physionomie avenante séduisait tout de suite.

Le second était un tout jeune homme; il n'avait pas encore de barbe. C'était un vrai lutin.

—Par la mordieu! jura-t-il de l'air d'un petit sacripant, il fait meilleur ici que dans les fondrières de la traverse...

—Surtout, riposta son compagnon, si l'on y trouve aussi bon souper que bon feu.

—Tête bleue! c'est ce que nous allons savoir; approchez donc çà, notre aimable hôtesse, que nous jasions un tantinet!

Madame Gignoux était si ébaubie, si émerveillée, qu'elle se tenait debout, en admiration. Elle s'approcha nonobstant, assez empressée, du jouvenceau, pour lequel elle avait des regards d'une bienveillance et d'une préférence signalée.

—A vos ordres, mon jeune monsieur.

—Ah! diantre! murmura Emmanuel, oui, parlons du souper, car voilà maître Gignoux qui rentre.

—Ces messieurs ont-ils commandé leur souper? demanda-t-il.

—Tout ce que vous avez de meilleur, et surtout en grande quantité, dit l'aîné des étrangers; j'ai l'estomac dans mes bottes.

—Bon!... on va vous flamber un canard, dit Gignoux.

—Oh! je n'attendrai jamais jusque-là!...

—Eh bien, pour prendre patience, une tranche de jambon et une omelette?...

—Un jambon et une omelette de douze œufs; c'est cela.

—Boon!... détona l'aubergiste, laissant tomber ses bras, abasourdi d'un appétit si gigantesque; mais les façons des voyageurs et leur tenue le rassurèrent; il se mit à ses fourneaux, en supputant tout ce qu'il pourrait porter sur la note, y compris les privautés du jouvenceau vis-à-vis de madame Gignoux.

—A propos, demanda celle-ci, quand le menu du repas fut ainsi réglé, ces messieurs couchent?

Les deux voyageurs se consultèrent du regard et répondirent à la fois affirmativement.

—Vous nous donnerez deux chambres à un lit, dit le plus jeune.

—Ah diable! fit Gignoux en cessant de battre ses œufs, c'est que nous n'avons qu'une...

Sa moitié lui lança un coup d'œil d'indignation et interrompit:

—Nous n'avons que des chambres à quatre lits, et il n'en reste qu'une de libre.

—A quatre lits!... répéta le jouvenceau avec une stupeur et une rougeur qui échappèrent à ses hôtes, mais qui arrachèrent un joyeux éclat de rire à son camarade.

—Et les autres lits sont-ils retenus? demanda-t-il.

—Pas pour ce soir; on ne les occupe guère que les jours de marché, et aujourd'hui il ne fait pas un temps à amener bien du monde.

—Eh bien, comme il faut tout prévoir et comme nous souhaitons dormir tranquilles, nous les retenons tous les quatre.

—Boon!!! détona de rechef, en produisant le bruit d'une bouteille qu'on débouche, maître Gignoux.

C'était son tic, à cet homme.

—Oh! les beaux lits, les fameux lits, les excellents lits, et comme on doit y ronfler! exclama sur toutes les gammes de l'admiration l'aîné des voyageurs, en lorgnant son camarade, qui se montrait beaucoup moins expansif depuis un instant.

—Quant à ce qui est de çà, fit l'hôtesse flattée, vous pouvez vous vanter de deviner juste: la blancheur des draps est à l'instar de la bonté des *coites*... Mais excusez-moi, je vais mettre votre couvert.

Puis madame l'hôtesse apparut, suivie de son page François, qu'elle renvoya dès qu'il eut déposé sur la table le jambon tant sollicité.

Ce fut merveille de voir quel triomphant coup de couteau Victor y porta, et la tranche ou plutôt le bloc qu'il s'offrit, après avoir fait accepter une languette mince comme du papier à son commensal.

—Vous avez donc bien fait de la route pour être si affamés et pour avoir des chevaux presque fourbus?

Cette interrogation très simple causa néanmoins une sorte d'embarras à ceux auxquels elle s'adressait.

—Ce n'est pas tant la longueur du chemin que nous avions à faire que celle que nous avons parcourue en réalité qui nous a réduits dans ce fâcheux état. Nous venons tout bonnement de la ville d'Eu, nous rendant à Doullens. C'est la première fois que nous faisons ce voyage, quoique nous soyons de Rouen, où mon ami Victor tient les draps, à votre service.

Comme si le cuisinier eût pressenti un soupir, on l'entendit héler sa femme du bas de l'escalier:

—Madelon!... criait-il, descends un peu chercher le canard?

Alors, un grand bruit se fit entendre.

XXVII
AU NOM DU ROI!

Ce bruit provenait d'une troupe de cinq à six cavaliers, arrivant au galop et se guidant sur la lumière qui rayonnait aux croisées de l'auberge, devant laquelle ils s'arrêtèrent, piétinant et jurant à qui mieux mieux.

Heureusement, Madelon était allée ouvrir.

C'était vraiment une escouade de cavaliers, montés sur de fiers chevaux et couverts de manteaux larges et longs, sous lesquels on ne distinguait rien.

—C'est bien une auberge, ici? demanda la voix qui avait imposé silence et appelé.

—A votre service, messieurs.

—Nous pouvons y loger, nous et nos bêtes?

—Quant à ce qui est de vos chevaux, certainement, monseigneur. Mais pour vous-même...

—Hein?... qu'est-ce à dire?...

—Dame! monseigneur, balbutia l'hôtelière intimidée, tous nos lits sont retenus.

—Eh bien! on nous les cédera...

—Mais... chercha à objecter la pauvre femme.

—C'est pour le service du roi!

—Boon! exclama une voix effarouchée, cette de Gignoux, qui ramenait les cavaliers de l'écurie, où François était resté à fournir la provende aux chevaux.

La brave aubergiste, inquiète pour la tranquillité de ses hôtes du premier étage, dont les façons étaient, il faut, en convenir, plus propres à mériter sa faveur que celles de ces derniers venus, trouva enfin une idée.

—Vous aurez tout ce qu'il vous faut, messieurs, dit-elle; tout, je vous le promets.

Le reste des provisions du *Soleil levant* s'amoncela devant eux, pour disparaître aussi bravement qu'avait fait la première partie à l'étage supérieur. Tous les ogres de France et de Navarre s'étaient donné rendez-vous à Serquigny, ce soir-là.

Madame Gignoux avait dû, toujours dans l'intérêt de leur repos, négliger momentanément ses favoris. Ce n'était pas trop de trois personnes pour fournir au service des derniers arrivés.

Puis ceux-ci échangeaient entre eux, à mesure que leur faim et leur soif diminuaient, certains propos qui ne manquaient pas d'intérêt, eu égard à la qualité d'agents au service du roi qu'ils s'étaient donnée.

Mais ce qui, plus que tout, excitait sa curiosité, c'est qu'ils évitaient de rien dire de précis dès qu'elle se montrait, et que leur chef leur avait adressé plusieurs fois des signes impérieux de discrétion. Tout ce qu'elle saisissait se réduisait donc à des lambeaux comme ceux-ci:

—Avoir été si près de réussir, pour perdre la piste, comme des novices au moment de sonner l'hallali!

—Sans cette brute de paysan, qui nous a détournés de la route d'Amiens, nous les tenions!... Et venir nous acculer dans ce maudit village!...

—Qui sait? fit le chef en hochant la tête, il est douteux, pour moi, qu'ils se soient hasardés par Amiens.

—Où voulez-vous qu'ils passent la Somme?

—Manque-t-on de bacs et de bachots dans tous les villages riverains?

—Dans ce cas, nous voilà battus; s'ils ont sur nous cette avance...

Lorsque ceux-ci se trouvèrent suffisamment réconfortés, ils en revinrent à l'une de leurs premières questions:

—Or çà, notre cher hôte, demanda le chef, qui devait être un personnage assez éminent, à en juger par la déférence de ses acolytes, vous avez sans doute organisé nos lits?

—Pardon... faites excuse, monseigneur. Mais d'abord vous voilà six, et il n'y a que quatre lits de voyageurs dans l'auberge.

—Qu'à cela ne tienne, un lit pour moi, et les autres pour ces messieurs; à la guerre comme à la guerre, en Picardie comme en Picardie! C'est entendu.

—C'est entendu, répéta l'aubergiste en tournant son bonnet de laine dans ses doigts. Mais j'ai eu l'avantage de me faire l'honneur d'expliquer à Votre Seigneurie que tous mes lits étaient pris par des voyageurs arrivés avant vous... Ce n'est pas que je les préfère à Vos Excellences, —oh! non, bien au contraire!—mais ils ont payé d'avance, sans marchander... et vous concevez... bbon!...

—Par la mordieu! souhaitez-vous que nous allions les prier de nous céder la place nous-mêmes?

Cette idée souriant à lui et à ses gens, ils firent un mouvement. Gignoux éperdu, craignant une bagarre dans son logis, les retint d'un geste de supplication.

—Alors vas-y toi-même, lui dit assez brutalement celui qui paraissait le second en hiérarchie. Ce sont donc de bien grands sires?

—Mon Dieu, non, messeigneurs; à les entendre et à en juger par leur équipage, ce sont simplement deux gros marchands venant de Rouen.

—Et les deux autres?

—Quels autres? ils ne sont que deux.

—Eh bien, les quatre lits?

—Ah! reprit le pauvre Gignoux, qui perdait la tête, c'est qu'ils couchent chacun dans deux lits...

—Cet homme est idiot! grommela le sous-chef.

Mais son supérieur, dont la physionomie indiquait des habitudes moins soldatesques et une perspicacité plus développée, avait fait un soubresaut sur sa chaise à cette découverte bizarre.

—Pardon, lieutenant, dit-il à son second, ne troublez pas ce brave homme: il s'exprime très bien. Approchez donc un peu, mon cher. Vous dites que ces voyageurs égoïstes ont retenu pour eux deux tous, les lits?...

—Oui, monseigneur, fit Gignoux, flatté de l'attention qu'avaient soulevée ses paroles; et, encore un peu, Dieu me pardonne! je crois qu'ils eussent retenu toutes les victuailles!

—De mieux en mieux... Quel air ont-ils? comment sont-ils faits, à peu près, ces accapareurs?

—Bbon!... comme ci et comme ça... Il y en a qui les trouveraient bien, d'autres qui les trouveraient mal... ça dépend des goûts. Moi, je les juge hideux... voilà!

—En vérité, êtes-vous sûr qu'ils soient si vilains que cela?

—Sûr? Là, à dire que j'en suis sûr pour de vrai, je ne sais pas, on n'est jamais sûr de rien... d'ailleurs, il est exact que Madelon—c'est ma femme—n'est pas tout entièrement de mon avis; mais les femmes, c'est si cocasse!

—Ah! ah! madame Madelon les trouve moins mal...

—Oui, le petit surtout, un freluquet qui vous a une taille comme une gaulette... ça n'a pas le souffle... vertuchien!... bbon!...

Maître Gignoux appuya son interjection par un soupir et fit une grimace qui eût soulevé une hilarité bruyante, sans un signe impérieux du chef.

—Voyez-vous ça, reprit celui-ci; je suis bien certain pourtant que ce godelureau n'est pas bâti comme vous?

—Les femmes sont endamnées, répéta avec son accent picard le pauvre mari.

—Enfin, vous ne nous en voudriez pas trop, si nous priions poliment ces deux intrus de nous céder la place?

Le perfide Gignoux regarda autour de lui, et, bien assuré que sa moitié ne l'entendait pas, il se pencha vers son interlocuteur et lui dit tout bas:

—Bien au contraire!...

—C'est clair, fit celui qu'on appelait le lieutenant, à l'oreille de son voisin, le *Soleil levant* est jaloux comme un tigre.

—Nous finirons par nous comprendre à merveille, reprit le chef; plus qu'un mot. Nous sommes à Serquigny? Bien! la Somme passe à un quart de lieue du village?

—Oui, monseigneur.

Madame Gignoux écoutait avec la plus grande attention

—Quel est l'endroit où on peut la traverser?

—Oh! quant à cela, il est impossible de trouver un pont jusqu'à Amiens.

—Mais il y a des bacs d'un hameau à l'autre?

—Pour le moment, les dernières pluies ont tellement gonflé la rivière que c'est un vrai torrent, large comme une mer. Les huttes des mariniers sont envahies, et pas un ne se hasarderait à faire la traversée.

—En sorte que, pour regagner l'autre bord, il faut absolument aller jusqu'à Amiens?

—C'est le seul moyen.

Le chef se rapprocha du lieutenant, et après avoir échangé avec lui quelques mots que l'aubergiste ne put saisir, il dit à ce dernier:

—Voilà qui est convenu, notre hôte...

—Vous allez me débarrasser de ces deux intrigants?

—Pas du tout.

—Bbon!... Vous dites?

—Je dis que vous allez les entourer d'attentions, de manière qu'ils se couchent sans crainte dans leurs quatre lits...

—Ah bbon!

—Que vous allez laisser votre femme leur tenir conversation tout leur content...

—Ah mais! ah mais!...

—C'est pour le service du roi!

—Ah! bbon... pourtant, ce gringalet avec ses yeux en coulisse...

—Allons, s'il faut vous rassurer... ce gringalet...

—Monseigneur?...

—Ce gringalet est une femme, affreux jaloux!

Pour cette fois, nous renonçons à dépeindre la stupeur grotesque qui envahit les traits de l'hôtelier. Le chef eut beau faire, ses compagnons éclatèrent en un rire homérique, qui fit trembler la maison.

Cela fut très heureux pour madame Gignoux, qui écoutait depuis une minute, avec la plus grande attention, toute cette conversation, et qui fut aussi abasourdie que son mari.

—Sainte Vierge, étais-je bête!... exclama ce dernier dès qu'il revint un peu à lui.

Cet aveu sincère allait provoquer une nouvelle explosion, que le chef eut beaucoup de peine à réprimer.

—Pas un mot, pas un bruit! fit-il. Que chacun retienne son souffle! Monsieur du *Soleil levant*, vous allez remonter près de ces voyageurs? s'ils vous interrogent sur notre compte, répondez que nous sommes des gens des environs, à vous connus, et que nous ronflons sur la paille dans cette salle. Puis, dès qu'ils seront couchés, sans méfiance, venez nous prévenir tout doucement...

—Bbon!... je comprends... dit ce finaud de Gignoux avec son sourire le plus malin.

Il était resplendissant, et ne cessait de se frotter les mains depuis qu'il connaissait le sexe de son rival.

—Voilà, ricana de son côté le lieutenant, ce qui s'appelle prendre la pie au nid!

—Par ce moyen, ajouta le chef, fort content de son idée, nous remplissons nos instructions, qui nous invitent à n'user de violence qu'à la dernière extrémité, principalement vis-à-vis de la duchesse...

—Une duchesse!... répéta tout bas, en écarquillant ses yeux, maître Gignoux, dont on en remarquait plus les démonstrations burlesques.

—Allons, messieurs, continua le chef, la journée est meilleure que je ne l'espérais... Le gibier est venu se mettre entre nos mains... Par la mordieu! monseigneur le cardinal sera content, et nous aussi!...

—Un cardinal!... bbbon! refit Gignoux.

Le pauvre homme marchait tout droit à l'abrutissement, et pourtant il n'était pas au plus fort de ses surprises. Étant monté à la fameuse chambre à quatre lits, pour exécuter les ordres qu'on venait de lui donner et rassurer ses hôtes, au cas où ils seraient inquiets, il ne tarda pas à dégringoler l'escalier boiteux, en beuglant comme un des quadrupèdes de son étable.

—Au diable l'imbécile! firent les gens de l'escouade qui se précipitèrent dans la cuisine pour voir la cause de ce tapage.

—Holà!... messieurs, messeigneurs!... balbutiait Gignoux en se frottant les reins, c'est incroyable!... Sainte Vierge, j'en perdrai la tête...

—Parleras-tu, maroufle? exclama le lieutenant.

—Imaginez... la chambre est vide, plus personne!

—Malédiction!... hurla le chœur.

Gignoux se sentit empoigné par une douzaine de bras menaçants.

—Partis! évaporés!... Ah! je disais bien que ça finirait mal... Laissez-moi m'évanouir, je vous en prie; bbon!...

Mais on le secouait de façon à le tenir éveillé.

—Malheur à toi! dit le chef d'un ton sinistre, tu nous réponds d'eux sur ta tête!... Au fait, où est ta femme?

—Ma femme aussi, disparue... gémit le pauvre aubergiste.

—Écoutez! fit le capitaine.

Tous coururent sur le seuil vers le chemin d'où venait le bruit. Deux cavaliers sortaient de la porte charretière, qui accédait aux cours et aux écuries.

—Ce sont eux!... cria le chef.

—Et, entraînant son monde, il voulut s'élancer à la tête de leurs chevaux, mais il avait affaire à deux écuyers de première force. Piquant leurs bêtes de la cravache et de l'éperon, ils les enlevèrent en un galop furieux, et détalèrent, non sans lancer après eux cet ironique adieu:

—Au revoir, monsieur de Boisenval! Nos compliments à Son Éminence!

Ces cavaliers étaient la duchesse de Chevreuse et le chevalier de Jars; en place de leurs chevaux fourbus, ils galopaient sur les deux meilleures bêtes de l'escouade chargée de les poursuivre.

XXVIII
COURSE AU CLOCHER

Nous avions laissé nos deux voyageurs occupés du bruit de l'escouade, qui venait s'adonner juste à cette auberge du *Soleil levant*, où ils se disposaient à achever un repas bien gagné par de rudes fatigues.

—Pourquoi diable aussi, dit le chevalier moitié riant moitié soucieux à la duchesse, pourquoi vous êtes-vous avisée de donner dans la prunelle à madame Madelon, pour rendre son mari jaloux!

—Eh! vous en parlez bien à votre aise, cher ami, répondit-elle, avec une promptitude de riposte qui témoignait que pas plus que lui elle n'avait perdu sa bonne humeur dans le danger; il vous fallait alors prévoir ce qui arrive; à la place de ces hauts-de-chausses masculins, j'eusse mis ma robe de cour, et, au lieu de séduire madame Gignoux, j'eusse énamouré son époux.

—Oui, mais en attendant, vous avez rendu le mari stupide...

—Oh! je n'ai pas eu grand'peine à l'achever...

—Et si la femme découvre que nous nous sommes joués d'elle, il y a probabilité qu'elle va se mettre de son côté...

—Vous parlez comme un professeur de logique à la Sorbonne; et votre conclusion?...

—C'est qu'il faut brûler la politesse à tous ces marauds, et que, ne pouvant sortir par la porte...

—Il faut descendre par la croisée.

—C'est donc aussi votre avis?

—Absolument.

—Alors aidez-moi.

—Elle alla résolument tirer les draps de l'un des lits.

—Que faites-vous?

—Eh quoi! vous, un prisonnier émérite de la Bastille, vous le demandez? Une corde pour descendre; vous ne voulez pas, peut-être, que nous nous rompions le cou à exécuter un saut périlleux d'ici en bas?

—Vous mériteriez de porter à tout jamais ce costume; je ne connais pas d'homme qui en soit plus digne.

—Flatteur! vous ne m'avez vue qu'à cheval; mais si vous me voyiez à tous les exercices gymnastiques, la chasse, la pêche, la rame, et la natation surtout!... Ah! c'est que j'ai reçu une éducation complète...

Tout en causant, ils ne perdaient pas une minute. A l'aide d'un couteau, ils taillaient le drap en bandes, pour les nouer l'une à l'autre, lorsque leur hôtesse, qu'ils oubliaient, reparut tout à coup.

—Voilà de belle besogne!... fit-elle en saisissant un bout de l'échelle improvisée.

—Madame... commença à implorer la duchesse, reprenant son rôle galantin.

Mais l'hôtelière la repoussa, sans trop de brusquerie pourtant, et la menaçant du doigt:

—Ah! l'on s'est raillé de moi!... et de mon mari! Mais je sais tout, et je vais me venger!...

—Si jolie, vous ne pouvez pas être méchante! dit la duchesse.

—Ta! ta! ta! à d'autres, vos drôleries! On vous connaît, vous dis-je!

—Vous n'avez donc pas d'entrailles! lui dit le chevalier.

—Vous vouliez partir par la croisée, mes beaux amis, et avec un escalier de cette espèce?...

—On sort comme on peut; si vous étiez à notre place...

—Je ferais comme vous, c'est possible. Mais je n'y suis pas, et, ma foi, il ne fallait pas vous laisser prendre.

—Voyons, reprit le chevalier, en portant la main à sa poche, est-ce qu'il n'y a pas moyen d'arranger cela?...

—Fi donc! pour qui me prenez-vous? mon mari vient de se faire payer pour vous livrer.

—Eh bien, recevez ces quelques louis pour nous laisser partir, vous aurez fait chacun votre journée!

—Je suis une honnête femme!

—Sangdieu! jura de Jars, je donnerais bien tout ce que je possède pour que vous fussiez un homme, même malhonnête! quel bonheur j'aurais à vous bâillonner...

—A la bonne heure! vous vous fâchez!... Eh bien! non, fit-elle en menaçant de nouveau la duchesse, je ne suis pas si méchante que cela! Mon mari est en train de vous vendre, moi je vous sauverai.

—En vérité!

—Ai-je donc l'air de mentir!... Vous ne me faites pas l'effet de deux malfaiteurs bien dangereux... deux amoureux qui se sauvent? Hein, n'est-ce pas cela? Et l'on veut vous remettre à quelque époux féroce! Pas du tout! pas du tout! Vous m'intéressez; les amoureux m'intéressent toujours! Mais de la prudence!

Ce n'était pas le cas d'expliquer à l'excellente femme qu'elle se trompait sur la nature du délit reproché aux fugitifs. Celui qu'elle leur prêtait les rendait bien plus charmants à ses yeux.

—Je ne veux pas que vous vous serviez de ça, fit-elle en montrant avec dédain le drap de lit. Je vais aller dans la cour mettre une vraie échelle à la croisée que voici. Tenez-vous prêts, car il n'y a pas de temps à perdre.

Un instant après, grâce à ce secours inespéré, ils descendaient tranquillement de leur prison.

Mais il fallait partir: nouvel embarras, leurs chevaux ne tenaient pas debout!

Le chevalier eut bien vite trouvé un expédient. Il pénétra dans l'écurie, harnacha les deux meilleures bêtes de l'escouade, aida sa compagne à se mettre en selle, et, avant de s'y mettre lui-même, visita d'une façon assez singulière les arçons des selles restantes.

Ce qu'il y fit, nous ne saurions le dire encore; mais il est certain qu'en le voyant, madame Gignoux riait à gorge déployée.

Il voulut enfin la forcer d'accepter un gage de leur reconnaissance; mais, renonçant à vaincre ses refus, il la prit à bras-le-corps et l'embrassa sur les deux joues; puis, il s'élança sur son cheval.

Elle ouvrit alors discrètement la porte charretière; une minute après, ils adressaient à leurs ennemis les adieux que nous connaissons.

—A cheval!... aux armes!... vociférèrent ensemble Boisenval et son second.

Ce fut à qui se précipiterait dans l'écurie; mais on ne tarda pas à constater l'enlèvement des deux bons chevaux et la substitution de malheureuses bêtes que tous les coups de cravache ne parvinrent pas à faire tenir debout.

L'escouade, forcément réduite du tiers de son effectif, se trouva néanmoins assez vite en mesure, et se lança à bride abattue, à travers une obscurité presque complète, dans la direction où les fugitifs venaient de disparaître.

De part et d'autre, dans le silence profond de la nuit, on ne tarda pas à distinguer le bruit des chevaux, et chacun redoubla d'ardeur, les uns pour gagner du champ, les autres pour les atteindre.

Si des paysans attardés aperçurent ces deux cavalcades furieuses, bondissant à travers la campagne, franchissant les haies, brûlant les chemins, incendiant du fer de leurs chevaux les cailloux des sentiers raboteux, avec un cliquetis d'acier, des imprécations sauvages, ils durent se croire témoins d'une de ces chasses fantastiques, que leurs vieilles traditions font courir, dans les ténèbres de certaines nuits maudites, au sein des guérets picards.

Sur ces entrefaites, la lune, curieuse sans doute de cette joute désespérée, triompha des nuages qui la voilaient, pour éclairer la scène, ses rayons descendirent pâles, mais limpides, sur la campagne, et les poursuivants purent distinguer, à quelques milliers de pas en avant, la silhouette des fuyards.

De part et d'autre, on ne galopait plus, on dévorait l'espace sous des cascades exaspérées. Le flanc des chevaux ruisselait de sang; chaque coup d'éperon ne leur mordait plus la peau, il leur enlevait des lambeaux de chair. Leurs mors étaient couverts d'une écume également teinte de sang. Les généreuses bêtes allaient toujours, comme le héros qui marche à la mort par des miracles de vaillance.

Mais, tout à coup, ce ne fut plus la campagne, ce ne fut plus la terre qui s'offrit aux regards épouvantés de la duchesse et de son compagnon. Le sol manquait sous leurs pieds,—c'était une nappe immense, large comme une mer, resplendissante comme une plaine d'argent sous les rayons de la lune.

Ils étaient arrivés au fleuve débordé.

Sans échanger un mot, ils regardèrent autour d'eux: partout cet océan roulait ses flots chargés de débris de meubles, de maisons, d'arbres déracinés sur ses rives. L'endroit où ils se trouvaient formait comme un golfe sinueux; devant eux, à leur droite, à leur gauche, c'était l'eau; derrière eux, Boisenval et ses acolytes accourant, et ne leur laissant pas une échappée de terrain.

—En, avant! en avant! cria l'intrépide duchesse; plutôt mourir ici que tomber en leurs mains!

—En avant! répéta le brave de Jars.

—Ils renouvelèrent leurs attaques aux flancs de leurs montures, mais celles-ci, effrayées par cette immensité lumineuse et mouvante, refusèrent absolument de s'y hasarder.

Chaque seconde rapprochait l'ennemi.

—Mourons en combattant! dit le chevalier; donnant l'exemple, il prit un pistolet et fit volte-face.

—Au nom du roi!... rendez-vous!... cria Boisenval.

—Jamais!... répondirent les deux fugitifs, et, se voyant à portée, ils lâchèrent la détente de leurs armes.

Un des archers tomba.

—Au nom du roi!... répéta l'agent du cardinal.

Et sans s'inquiéter du blessé, il poussa en avant avec ses deux compagnons.

—Suivez-moi!... dit la duchesse au chevalier.

Soudain, elle se laissa glisser de cheval et s'élança, sans hésitation, au milieu du fleuve débordé.

—Je vous suis! répondit de Jars en l'imitant.

—Revenez; arrêtez!... criaient Boisenval et son second, qui avaient aussi tenté, sans succès, de mettre leurs chevaux à l'eau.

—Ils vont se noyer!... fit le lieutenant.

—Ou nous échapper!... dit Boisenval.

Alors, furieux, démoralisé, il tenta un dernier effort.

—Revenez ou je fais feu!...

Cette menace ne reçut pas de réponse, si ce n'est que les nageurs activèrent leurs mouvements.

—Vous l'aurez voulu!... cria-t-il pour la dernière fois.

Déjà ses compagnons et lui avaient le pistolet au poing.

—Feu!... commanda-t-il.

Le chien s'abattit, la pierre fit luire une étincelle, mais aucun des trois coups ne partit, et l'écho du rivage apporta, comme un défi, l'éclat de rire des nageurs. Avant de quitter l'écurie du *Soleil levant*, le chevalier avait versé une cruche d'eau dans les fontes de l'ennemi. Toutes les amorces étaient mouillées.

Boisenval poussa un blasphème épouvantable.

—Mettons-nous à la rivière! dit-il; il faut les rejoindre à tout prix, à tout prix!

—Comment faire? répliqua le lieutenant; ces damnés chevaux se feraient hacher plutôt que de se mouiller le ventre, et je ne sais pas nager...

—Ni moi! ajouta le seul de leurs soldats qui fût valide.

—Alors, c'est fait de nous et de notre fortune.

—Que diable! à l'impossible nul n'est tenu.

—Mais ils nous échappent, ils nous échappent!... répétait avec frénésie l'agent infortuné du ministre.

—A moins qu'ils ne se noient! fit observer philosophiquement le lieutenant aux gardes du cardinal.

—Plût à Dieu!... Mais non, cette duchesse damnée a fait pacte avec l'enfer... Tenez, ils nagent toujours...

En effet, la tête des deux fugitifs apparaissait encore par intervalles, et leurs forces, à en juger par la rapidité de leurs brassées, luttaient avec avantage contre la violence du flot.

Boisenval ne se décida à quitter la place que quand il ne fut plus possible de les distinguer.

—Par la mordieu!... fit le lieutenant émerveillé, c'est égal, monseigneur de Richelieu en dira ce qu'il voudra, c'eût été grand dommage de loger une balle dans la tête d'une pareille amazone!...

—Que les cataractes de la Géhenne vous engloutissent, riposta Boisenval, voilà de l'admiration bien placée!... Çà! qu'allons-nous devenir céans?

—M'est avis, cher monsieur, que ne pouvant passer la rivière de la même façon que ces deux gaillards, il n'y aurait aucune chance de les joindre, tant que nous demeurerons de ce côté-ci; le plus pressé est de gagner un pont.

—Le plus proche est Amiens! La belle avance!

—Si vous trouvez quelque chose de mieux...

—Allons, soit, tâchons de nous orienter... Qu'est-ce encore?

C'était un gémissement du soldat blessé, qui revenait de son évanouissement. Il fallait, bon gré, mal gré, lui venir en aide, et nous abandonnerons Boisenval et ses compagnons au milieu de cette tâche.

Le père venait de mourir.

Quant à la duchesse de Chevreuse, dont l'histoire a consacré la fuite héroïque, elle parvint saine et sauve avec son compagnon sur la rive opposée. Puis, grâce à l'argent dont ils étaient munis, ils ne tardèrent pas à mettre, cette fois, une distance plus rassurante entre eux et les rancunes de Richelieu.

XXIX
HENRIETTE ET PHILIPPE

C'étaient donc encore deux ennemis qui glissaient entre les mains du cardinal. Mais son but essentiel n'était-il pas atteint? Sa voie ne se déblayait-elle pas de tous ceux qui lui portaient ombrage? C'était un vide sinistre, peut-être, car il était marqué par autant de sentences de prison perpétuelle, d'exil ou d'échafaud; mais qu'importait au tyran, pour peu qu'il jouît sans compétition de cette puissance si péniblement conquise!

Comptons bien, voyons ce qu'il restait des membres de cette cour, que nous avons connue autour des deux reines, et qui comprenaient leurs seuls amis sincères:

La duchesse de Chevreuse et de Jars avaient réussi à gagner l'Angleterre et la Flandre, où ils passèrent successivement les longues années de leur exil.

La douce et tendre Lafayette se réfugia dans un cloître, d'où elle ne sortit plus.

Bassompierre alla rejoindre Châteauneuf à la Bastille, et si les exigences de notre récit nous ont forcé à un léger anachronisme en ce qui concerne ce dernier des deux Marillac, leurs malheurs, aux uns comme aux autres, n'en sont pas moins des faits trop réels pour l'honneur de Richelieu.

Nous ne parlons pas des exécutions plus ou moins publiques qui abattirent la tête de tant d'autres: on sait les noms de Puylaurens, d'Ornano, de Vendôme, égorgés entre les murs de Vincennes, et dont l'impitoyable cardinal osait prononcer l'oraison funèbre en ces mots:

—Voilà un air bien merveilleux que celui du bois de Vincennes, qui fait mourir les gens de la même façon!

Nous n'insisterons donc pas davantage sur le sort des Marillac: Michel mourut en prison, et le maréchal s'entendit condamner à mort.

On put espérer qu'il en serait de lui comme du chevalier de Jars, et que sa grâce arriverait au dernier moment; mais Richelieu ne laissait pas ainsi échapper deux fois ses victimes, et puis il ne restait plus, auprès de Louis XIII, un ange de générosité pour réclamer en faveur du sang innocent.

Marillac monta sur l'échafaud avec le courage d'un martyr et la fermeté d'un soldat qui va à la mitraille. Sa belle contenance toucha jusqu'au chevalier du guet chargé de veiller à la funèbre opération. Lorsque ce militaire vit l'exécuteur lier les mains du héros:

—Sur ma foi, lui dit-il, j'ai très grand regret, monsieur, de vous voir en cet état.

Mais le maréchal, le regardant avec fermeté:

—Ayez-en regret pour le roi, et non pour moi, répondit-il.

Quelques secondes après, sa tête tombait sous la hache.

Cet assassinat juridique inspira au cardinal un mot qui fait le pendant de celui que nous citions tout à l'heure, à propos des victimes de Vincennes. Les juges qu'il avait poussés à rendre cette sentence odieuse étant venus lui en apprendre l'exécution, il le reçut avec un sourire moqueur:

—Il faut avouer, leur dit-il, que Dieu donne aux juges des lumières qu'il n'accorde pas aux autres hommes, puisque vous avez condamné le maréchal à mort! Pour moi, je ne croyais pas que ces actions méritassent un si rude châtiment.

Non, certes, elles ne le méritaient pas; car, après la mort de son persécuteur, la mémoire du maréchal fut réhabilitée en forme solennelle, par le Parlement.

Mais ce sont là des détails historiques si connus que nous nous bornons à les indiquer, ainsi que l'exil de la reine-mère et du duc d'Orléans, Gaston, à Bruxelles.

Cette ville devint bientôt le foyer d'une nouvelle cour, où tous ceux qui avaient échappé au bourreau de Richelieu se réunirent autour de Marie de Médicis.

Dévoué entre tous, Philippe de Champaigne, dont l'âme généreuse n'oubliait aucun bienfait, se fit remarquer par son assiduité auprès de la princesse. Il devint alors à double titre son maître peintre; car Duchesne, qui n'avait pas imité son abnégation, et qui tenait plus à la fortune qu'à la gloire, mourut avec tranquillité dans l'appartement du Luxembourg qu'il devait à la reine exilée, et que le cardinal lui avait continué pour ses services récents.

Richelieu était donc le maître, tout seul, sans rivaux. Il dirigeait à son caprice son royal esclave, refoulant la reine Anne d'Autriche au rang le plus humble, écartant toutes les favorites en perspective, et choisissant même les confesseurs destinés aux confidences royales.

Était-il heureux, enfin? — Qu'on se garde de le croire!

Un mal cruel avait pénétré son âme. Cette lassitude, dont nous l'avons plusieurs fois montré atteint, avait repris son empire; des humeurs noires le rongeaient. Il avait réalisé ses plus beaux rêves, il était arrivé à tout; — à tout, hormis au bonheur!

Effrayant retour des choses humaines! Cet esprit dominateur, altier, impitoyable, éprouvait un vide que rien ne pouvait remplir.

Ni les efforts de ses serviteurs intimes, Desroches, Desnoyers, Lavalette, ni les cajoleries de ses poètes, ni le dévouement éprouvé du père Joseph, ni l'affection démonstrative de ses parents ne lui donnaient satisfaction. — Richelieu, puissant, redouté, invincible, ne sentait pas près de lui un cœur qui l'aimât.

Longtemps, le plus éclairé de ses affidés lutta contre cette situation, qu'il avait entrevue du premier coup d'œil. Il lui fallut reconnaître à la fin que le temps aigrissait le mal au lieu de l'amoindrir. Le maître retombait dans un marasme plus inquiétant qu'aucun de ceux dont il l'eût encore tiré.

Depuis l'explication qui suivit la fuite de Philippe, le nom du jeune peintre n'avait pas été prononcé entre eux; le franciscain n'avait pas davantage fait allusion au secret dont il était devenu maître, et le silence de son patron à cet égard n'était pas moins absolu.

Mais, plusieurs fois, pénétrant chez lui à l'improviste, il l'avait surpris, le regard attaché sur un objet qu'il serrait dans sa main et qu'il dissimulait aussitôt.

Ce soin était de trop. Le franciscain connaissait cette relique, que le cardinal tenait de lui, et qui indiquait d'où venait son ennui. Ce fut donc par là qu'il résolut d'aborder la question.

—Votre Éminence, lui dit-il, paraît avoir du goût pour les miniatures...

Richelieu bondit sur son siège et lui lança un regard qui eût mis tout autre en fuite.

—Qu'est-ce à dire?... est-ce un sarcasme?...

—Que Votre Éminence ne se courrouce point. Ce n'est point une ironie; c'est une simple observation.

—Où voulez-vous en venir, s'il vous plaît?

—A dire à Votre Éminence que je m'étonne, qu'ayant un faible si particulier pour les portraits...

—Encore!...

—Elle ne songe pas à faire achever le sien propre.

—Vous n'ignorez pas que c'est impossible; nul de nos peintres n'est digne de finir une œuvre commencée par Philippe de Champaigne.

—Alors, il n'y a qu'un moyen, monseigneur, c'est d'inviter Philippe de Champaigne à la venir terminer lui-même.

Un rayon illumina les longs traits amaigris de Richelieu; mais il s'éclipsa aussitôt sous un nuage plus épais:

—Le rappeler!... Non, ce serait peine perdue!...

Le cardinal soupira profondément.

—Qui sait, monseigneur? insista son confident.

—Non, reprit-il avec un mouvement de tête découragé. Tu sais mieux que personne comme j'étais disposé en faveur de ce jeune homme, combien j'eusse été heureux de faire sa fortune, de me l'attacher par quelques liens d'affection... Hélas! je suis arrivé à contenter toutes mes ambitions, excepté celle-là!... Ce jeune homme m'a fui comme on fuit un ennemi mortel; il s'est attaché au service de la personne qui me hait le plus au monde; rien ne serait capable de l'en détacher à ma faveur...

Le franciscain secoua à son tour sa tête grisonnante, mais avec ce sourire énigmatique si connu du cardinal.

—Tu connaîtrais un moyen? demanda vivement celui-ci.

—Peut-être.

—Faut-il donc te l'avouer? A ton insu j'ai tenté, par des agents fidèles, plusieurs démarches auprès de lui.

—Je le savais.

—Et tu ne m'as rien dit?

—J'attendais que Votre Éminence daignât m'initier à ses desseins. Toutes ces instances d'ailleurs ont échoué.

—Avec une noblesse de caractère admirable, il a répondu aux offres les plus brillantes: «Je suis le courtisan du malheur; je n'abandonnerai pas dans leur mauvaise fortune ceux qui m'ont soutenu dans leur prospérité.»

—Oui, c'est une grande nature; ce jeune homme a dans les veines un sang qui n'est pas vulgaire.

Richelieu devint aussi rouge que la pourpre de sa robe.

—Jamais un mot là-dessus! fit-il avec vivacité, mais sans colère.

—Oui, monseigneur. Je sais un moyen de décider Philippe de Champaigne à rentrer en France, à Paris, au Louvre. Mais si j'emploie ce moyen, si j'opère ce miracle, j'exige le serment solennel de Votre Éminence que jamais ce jeune homme ne connaîtra rien du passé, et qu'il ne verra en vous qu'un protecteur, un ami de son talent.

—Je ne souhaite, je n'ai pas droit de souhaiter plus, fit tristement Richelieu. Va, je t'engage ma foi; sa présence, sa reconnaissance, que je veux conquérir, me suffiront. Que faut-il faire?

—Vous en remettre à moi seul.

—Agis à ta guise, sans contrôle.

—C'est bien, Éminence. Vous ne regretterez pas ces pleins pouvoirs.

Sur ces mots, le confident s'éloigna afin d'arriver sans perte de temps à l'exécution de son projet.

Il était beaucoup plus simple que Richelieu ne le supposait, mais il reposait sur cette étude intime du cœur humain et des petits secrets de la cour, dont le père Joseph s'appliquait sans cesse à tenir tous les fils.

Sa conduite étrange vis-à-vis de Philippe était elle-même une des conséquences rigoureuses de sa logique. Il avait craint que le cardinal, attiré vers ce jeune homme par une sympathie mystérieuse, ne voulût faire de lui son confident exclusif. Il n'avait vu en lui qu'un rival, qui pouvait lui disputer les bonnes grâces du maître. Car il était aussi jaloux de la faveur du cardinal que le cardinal de celle du roi.

Il n'avait pas voulu que la tête de ce jeune homme tombât sur la promesse de Richelieu au monarque, c'eût été par trop monstrueux.

Le retour de Philippe pouvait opérer cette résurrection; il avait décidé que ce retour aurait lieu.

Il était rassuré d'ailleurs sur le caractère de ce jeune homme; c'était un cœur trop droit et trop indépendant pour faire un intrigant ou un ambitieux.

Mais quel moyen avait-il donc trouvé?

Depuis la mort de son père, Henriette Duchesne avait été adoptée par la reine Anne d'Autriche, comme elle l'avait été naguère par Marie de Médicis. La pauvre enfant était tombée dans une grande mélancolie.

Ce fut à elle que le père Joseph s'adressa. Il lui parla peu de son père mort, mais beaucoup de son amant exilé. Habile négociateur, il fit plus, il mit à profit l'intérêt de la jeune reine pour la jolie orpheline; il manœuvra si bien, en un mot, qu'un jour un billet parti du Louvre arriva à Bruxelles, à l'adresse de Philippe de Champaigne:

«Ami, lui disait Henriette, vous savez de quel surcroît de douleur le sort m'a frappée. Mon père n'est plus. Sa mort m'a rendue libre, et ses dernières paroles m'ont enjoint de réparer les torts qu'il aurait pu commettre. Il en eut de grands envers vous.

«Ami, me voici seule comme vous, sur la terre. Ne vous reverrai-je plus?...»

Un tel doute était un ordre. Au reçu de ce message, Philippe, autorisé par sa bienfaitrice, dont il voulut encore prendre l'aveu, quitta Bruxelles, et revint à Paris sans perdre une heure en route.

Son empressement trouva sa récompense.

A son arrivée à Paris, il fut reçu par un secrétaire de Richelieu, qui l'amena sur-le-champ au Louvre, où il était attendu avec impatience.

—Vous voilà donc, monsieur l'enfant prodigue? s'écria le cardinal, qui voulut l'embrasser, quoiqu'il se défendît d'un tel honneur.

Et comme il demeurait confus, fort empêché de répondre à cet accueil chaleureux:

—Vous ne nous échapperez plus, reprit son nouveau protecteur, car nous savons comment vous retenir... Voici quelqu'un qui nous y aidera.

En même temps, il souleva une draperie et attira Henriette, tout émue, dont il prit la main pour la mettre dans celle de l'artiste.

—O monseigneur! s'écrièrent-ils d'une seule voix en tombant à ses pieds.

Mais il les força de se relever et les pressa tous les deux entre ses bras; puis, s'adressant au père Joseph:

—Enfin! dit-il, je ne mourrai pas sans avoir connu le bonheur!

Ce fut lui qui présida au mariage, que l'on considéra, eu égard aux anciens rapports de Duchesne et de Philippe de Champaigne, comme une réconciliation posthume, et ce fut lui aussi qui fournit la dot de l'épousée.

CONCLUSION

Quelle était donc la femme dont le médaillon dérobé au jeune peintre rappelait les traits?

Nous sommes forcé d'un convenir, aucun indice ne nous est arrivé sur ce point. Mais Richelieu avait été jeune, très jeune, disent ses biographes; il avait eu de nombreuses amours;—comme tout le monde, peut-être, il avait conservé de ses fougueuses aventures une première impression, plus pure et plus durable que les autres.

Ce qui demeure constant, c'est qu'il favorisa l'union de Philippe de Champaigne et de la fille de maître Duchesne. C'est aussi qu'il devint, pour cet artiste, le plus ardent des protecteurs.

Il lui donna au Luxembourg le logement et les gages dont maître Duchesne avait joui; non seulement il lui fit achever son portrait, mais il exigea que ses châteaux de Bois-le-Comte et de Richelieu fussent entièrement décorés de sa main. Il voulut encore lui départir la meilleure portion dans les peintures du Palais-Royal. Il lui fit attribuer, par le roi, la décoration de la grande galerie du Louvre; mais, surchargé par tant de travaux, Philippe, toujours modeste au sein de ses plus grands succès, se laissa volontiers supplanter dans cette dernière tâche par Simon Vouet.

Sa fortune, dès lors, ne connut pas plus de limites que sa gloire.

Quant au personnage mystique de frère Jean, il avait définitivement pris son vol vers l'Allemagne, où il commença à exercer, sur une grande échelle, son rôle de novateur.

Il entraîna par son éloquence l'une des femmes les plus célèbres de cette époque, mademoiselle de Schurmann, avec laquelle Richelieu entretint une correspondance fameuse. A son tour, mademoiselle Schurmann, disciple ardente des nouvelles idées, y rallia la princesse palatine Élisabeth, qui devint pour les sectateurs du prophète une protection précieuse. Enfin, ces doctrines ont laissé de telles traces, qu'aujourd'hui encore on en retrouve les partisans dans le duché de Clèves, sous le nom de Labadistes. Ses livres nombreux et bizarres sont d'ailleurs dans les principales bibliothèques, où les curieux peuvent les consulter.

L'histoire du père Joseph n'est pas moins connue.

En dépit de ses efforts pour conserver intacte la faveur du maître, il finit par laisser percer des idées ambitieuses, qui éveillèrent la méfiance de celui-ci.

Le cardinal en vint à éprouver des velléités de jalousie à l'idée que son confident, plus jeune et plus robuste que lui, avait l'espoir de lui succéder. Leur intérêt les rendait solidaires, et lorsqu'ils en furent arrivés à se détester, il leur fallut encore vivre en société, en rapports constants.

Le châtiment de ces deux hommes commença, et comme ils avaient commis leurs attentats l'un avec l'autre, l'un par l'autre, ils devinrent l'un l'autre leurs propres persécuteurs.

Cependant, Richelieu, fidèle jusqu'au bout à sa diplomatie tortueuse, accablait en apparence son ancien favori de toutes les grâces imaginables. La seule ambition que le capucin lui eût clairement manifestée était d'obtenir le chapeau de cardinal. Richelieu ouvrit à cet effet des négociations avec le Saint-Siège.

Mais ces démonstrations extérieures n'abusaient pas un esprit aussi retors; le père Joseph sentait très bien sa disgrâce, et il en conçut un tel chagrin que la maladie le prit.

Richelieu hâta alors davantage ses démarches auprès du pape; deux ambassadeurs furent envoyés à Rome, et le chapeau tant sollicité arriva. Mais celui auquel il était destiné n'eut pas la joie de le porter. Lorsque Richelieu se présenta pour le lui remettre, le père Joseph venait de mourir; l'objet de sa brûlante convoitise ne servit qu'à orner son cercueil. On ne manqua pas de voir, dans cette circonstance, un châtiment de la Providence, qui avait voulu punir enfin l'auteur de tant d'odieux attentats contre le ciel et contre les hommes.

FIN

Milton Keynes UK
Ingram Content Group UK Ltd.
UKHW050840290823
427678UK00010B/470